Nicolaus v. Below
Als Hitlers Adjutant
1937—45

Nicolaus v. Below

ALS
HITLERS
ADJUTANT
1937-45

v. HASE & KOEHLER VERLAG · MAINZ

© Copyright 1980 by v. Hase & Koehler Verlag, Mainz
Alle Rechte, insbesondere das der Übersetzung, vorbehalten
Gesamtherstellung: Poeschel & Schulz-Schomburgk, Eschwege
Printed in Germany · ISBN 3-7758-0998-8

Inhalt

Vorbemerkung

Fast acht Jahre, vom 16. Juni 1937 bis zum 29. April 1945, habe ich als Luftwaffen-Adjutant der »Adjutantur der Wehrmacht beim Führer und Reichskanzler«
Adolf Hitler angehört, die Erfolge und den Untergang der nationalsozialistischen
Herrschaft in Deutschland aus nächster Nähe miterlebt. Seit dem Zusammenbruch
bin ich – zuerst von Nachrichtendienst-Offizieren und Ermittlungsbeamten, später von verschiedenen Historikern – oft nach meinen Erlebnissen und Eindrücken
gefragt worden. Ich habe Auskünfte und Hinweise nach bestem Wissen und Gewissen gegeben und bin nur, bei Vernehmungen in Bad Nenndorf und Nürnberg,
bewußt von der Wahrheit abgewichen. Ob meine hier zusammenhängend vor-
gelegten Mitteilungen und Ansichten tatsächlich für die Geschichtsforschung und
für die allgemeine Kenntnis über dieses Kapitel der deutschen Geschichte von Interesse und Wichtigkeit sind, überlasse ich dem Urteil der Leser und Sachkenner.

Die wiederholten Anfragen von Historikern, viele Gespräche im Familienkreise, mit Verwandten, Freunden, Kameraden haben mich dazu angeregt, mir
selbst Rechenschaft über diese Jahre zu geben, die mein bis dahin normales mili-
tärisches Leben veränderten. Es war nicht damit getan, daß ich mich der Fakten
und Daten vergewisserte, sondern ich versuchte, mir darüber klar zu werden,
was ich da alles miterlebt hatte. Ich nahm meinen Dienst in der Reichskanzlei
auf als knapp dreißigjähriger Hauptmann, dessen Lebensinhalt bis dahin das Fliegen gewesen war, alles andere als begeistert von dieser Verwendung, denn ich hatte
nach meiner bisherigen Laufbahn mir durchaus Hoffnungen auf die Dienststellung eines Gruppenkommandeurs machen können. Nun kam ich aus der Truppe
in eine Funktion, in der gesellschaftliche und diplomatische Fähigkeiten beinahe
mehr gefordert waren als die militärische Sachkunde eines Staffelkapitäns. Der
Oberbefehlshaber der Luftwaffe war in dieser Zeit einer der engsten Vertrauten
des Führers und Reichskanzlers. Ihre Beziehung war in der Kampfzeit der
nationalsozialistischen Bewegung gewachsen und so stabil geworden, daß sie bis
in die Kriegszeit vielen Belastungen standhielt. Ich mußte mich nicht nur in diese
besondere Verbindung einfügen, sondern auch als Vertreter des jüngsten Wehrmachtteils innerhalb der Adjutantur gegen so ausgeprägte Persönlichkeiten wie
Hoßbach und Puttkamer meinen Platz suchen. Die Stellung eines Adjutanten wird
oft beneidet, meist in Unkenntnis der damit verbundenen Routineaufgaben und

der Statistenrolle. Sicher gab es Regimentsadjutanten, die anstelle ihrer Kommandeure »führten«. Solche Ausnahmeerscheinungen können mit meiner Tätigkeit nicht entfernt verglichen werden. Ich geriet nie in die Versuchung, »Politik« machen zu wollen und etwa dem Chef des Generalstabes der Luftwaffe oder dem Chef des Luftwaffen-Personalamtes, geschweige denn Göring selbst oder seinem Staatssekretär ins Handwerk zu pfuschen. Ich habe versucht, in schwierigen Situationen auszugleichen, konnte gelegentlich warnen, behutsam korrigieren und leider nur selten ermutigen. Allerdings sagte ich meine Ansicht stets ohne Umschweife, wenn ich darum gefragt wurde. Dabei konnte ich tiefe Einblicke nehmen in die verhängnisvolle Entwicklung der Luftwaffe, mehr als einem jungen Offizier gut tat. Es war je länger desto unerfreulicher, sehenden Auges den Zerfall dieses Wehrmachtteils beobachten zu müssen, ohne etwas dagegen tun zu können. Es waren für mich ja keine Statistiken, die ich las, sondern ich wußte bei jeder Meldung, daß meine Kameraden, mit denen ich unbeschwerte Leutnantsjahre verbracht hatte, in einem aussichtslosen Kampf standen. Nicht nur einmal habe ich versucht, wieder zur Truppe zurückkehren zu können. Hitler gab mich nicht frei. Als ich bei Ausbruch des Krieges darauf drang, bedeutete er mir, der Krieg sei ohnehin bald zu Ende. Danach ließe sich darüber reden. Meine während des Westfeldzuges wiederholte Bitte beschied Hitler ausgesprochen ungehalten mit dem Hinweis, er bestimme, wie lange ich bei ihm Dienst tue. Er schätzte es nicht, wenn in seiner Umgebung neue Gesichter auftauchten. Nur in außergewöhnlichen Fällen kam es zu personellen Wechseln. Puttkamer und Schmundt ist es nicht anders ergangen. Als bescheidener Ausgleich blieb mir das Fliegen. In Friedens- und Kriegszeiten habe ich, ohne viel um Erlaubnis zu fragen, jede sich dazu bietende Gelegenheit genutzt und alle auf deutscher Seite eingesetzten Modelle geflogen, vom Storch bis zur Me 262.

Hitler legte bis zuletzt Wert darauf, daß ich an seiner Seite blieb. Innerlich hatte ich mich in den Wochen meiner Rekonvaleszenz nach dem 20. Juli 1944 von ihm entfernt. Mir war bewußt, daß nur noch seine Person das Hindernis vor einem Ende des sinnlos gewordenen Kampfes war. Dennoch bestand das in Jahren gewachsene wechselseitige Vertrauensverhältnis weiter, das mich lange gegen die Nachtseite seiner Herrschaft blind machte und mich auch an Gedanken hinderte, wie sie Speer in den letzten Monaten des Krieges mit sich herumtrug.

Die Aufzeichnung meiner Erinnerungen aus der Adjutantenzeit stellte mich vor außergewöhnliche Schwierigkeiten. Meine Tagebücher sind bei Kriegsende vernichtet worden. Einen Teil verbrannte ich selbst, für die Verbrennung der auf dem Obersalzberg befindlichen Aufzeichnungen hat Puttkamer Sorge getragen. Es ist mir unerklärlich, wieso der englische Historiker David Irving zu der Behauptung kommen konnte – im Vorwort seines Buches »Hitler und seine Feldherren«

(1975)* –, meine Tagebücher befänden sich »wahrscheinlich in Moskau«. Andere schriftliche Unterlagen hat meine Frau beseitigt, als sich die britischen Truppen dem Gut ihrer Eltern näherten. Ich stützte mich bei der Niederschrift vornehmlich auf mein Gedächtnis, habe allerdings schon in der Gefangenschaft damit begonnen, mir Notizen zu machen und bestimmte Ereignisse und Abläufe so festzuhalten, wie ich sie in der Erinnerung hatte. Als ich mich Anfang der siebziger Jahre nach anspannender beruflicher Tätigkeit zur Ruhe setzte, waren diese Aufzeichnungen die wesentliche Grundlage des im Laufe der Zeit mit Unterbrechungen entstehenden Manuskriptes. Als große Hilfe erwies sich das präzise Gedächtnis meiner Frau, mit der ich in den Adjutanten-Jahren viele vertrauensvolle Gespräche geführt hatte. Sie teilte meine Sorgen, über die ich kaum mit anderen so offen sprechen konnte. Auch meinem Bruder habe ich für manche wichtige Hinweise zu danken. Während seiner Verwendung als Generalstabsoffizier in der Ausbildungsabteilung des Generalstabes des Heeres hatten wir bis in den Sommer 1942 Gelegenheit zu eingehenden Gesprächen über mich beschäftigende und belastende Angelegenheiten. Er hat öfter nach solchen Begegnungen kurze, stichwortähnliche Aufzeichnungen gemacht, die, über das Kriegsende hinweggerettet, mir einige Vorkommnisse wieder verdeutlichten.

Ich habe versucht, mich möglichst unbeeinflußt zu halten von anderen Selbstzeugnissen und der Flut der nicht nur der Wahrheitsfindung dienenden Literatur über jene Zeit, die bald nach Kriegsende zu erscheinen begannen. Was ich davon zur Kenntnis nahm, förderte nicht gerade die Neigung, selbst mit einer Veröffentlichung hervorzutreten. Ich denke dabei vor allem an recht phantasievolle Darstellungen über die letzten Wochen im Bunker der Reichskanzlei. Natürlich war diese Zeit besonders bedrückend. Aber daß nur eine Stimmung der Verzweiflung und des Weltuntergangs geherrscht hätte, die durch Alkohol betäubt wurde, konnte ich nicht beobachten. Sicher gab es menschliche Spannungen, wie immer, wenn unterschiedliche Temperamente und verschiedenartige Charaktere auf engem Raum zusammengedrängt sind, und ich habe auch nicht in jeden Winkel des Bunkers geblickt. Aber wir waren bemüht, einen geregelten Dienstbetrieb aufrechtzuerhalten. Soldaten fiel es sicher am leichtesten, auch in schwierigen Situationen Fassung und Haltung zu bewahren. Der Gedanke an die ungleich größere Beanspruchung, denen die Truppe an der Front seit langem ausgesetzt war, half mir jedenfalls sehr. Es gab durchaus eine Normalität innerhalb des

---

* Noch eine Bemerkung von I. hat mich in Erstaunen gesetzt. Ich soll ihm »unveröffentlichte zeitgenössische Manuskripte und Briefe zur Verfügung gestellt« haben und hätte mich der Mühe unterzogen – neben anderen – »viele Seiten« seines »sich daraus ergebenden Textes durchzuarbeiten«. Ich erinnere mich zwar an einige Besuche von I., bei denen ich seine Fragen beantwortete. Aber seine weitergehenden Behauptungen muß ich als nicht der Wahrheit entsprechend entschieden zurückweisen.

lange aufeinander eingespielten Kreises der engeren Mitarbeiter Hitlers. In der weiteren Umgebung hat es sicher öfter gekriselt. Diese Bilder mögen den zwar regelmäßigen, aber nicht ständigen Besuchern des Bunkers von anderen militärischen Dienststellen deutlicher in der Erinnerung haften geblieben sein.

Ich mochte mich auch nicht in den Chor jener einreihen, die nun laut verdammten, was sie vorher angebetet hatten, und die auf einmal genau wußten oder sogar vorher gewußt haben wollten, daß alles so kommen mußte. Zudem baute ich mir eine berufliche Existenz auf und war dadurch gezwungen, nach vorne zu blicken. Es blieb mir nach der Entlassung aus der Kriegsgefangenschaft wenig Zeit, um mich in die Vergangenheit zu versenken. Andererseits gewann ich in diesen Jahren den nötigen Abstand. Ich nehme aber keineswegs für mich in Anspruch, nun die letztgültige Darstellung dieser Jahre zu geben, wie sie sich mir in der Nähe Hitlers einprägten. Vielleicht sind meine Erinnerungen aber doch ein Beitrag zur Klärung jener geschichtlichen Ereignisse, die seit dem Kriegsausbruch 1914 Europa und die Welt so entscheidend veränderten und deren Zeuge ich während einiger Jahre ohne eigenes Zutun war.

Meiner ganzen inneren Einstellung nach, wesentlich geprägt durch Elternhaus und Familie, wollte ich nie etwas anderes sein als Soldat. Gegen Ende der Schulzeit bewarb ich mich um Einstellung als Offizieranwärter in das Infanterie-Regiment Nr. 12 (Halberstadt). Meine Enttäuschung war groß, als ich wegen geringer Kurzsichtigkeit zunächst abgelehnt wurde. Darauf bediente ich mich zum einzigen Mal in meiner Dienstzeit familiärer Verbindungen, um etwas zu erreichen. Mein Onkel, der ehemalige Oberbefehlshaber der 14./17. Armee, General der Infanterie a. D. Otto v. Below, verwandte sich für mich. Ihm verdanke ich es, daß man mich zum April 1928 doch annahm. Meine Laufbahn begann einigermaßen ungewöhnlich, denn noch vor der eigentlich im Ausbildungsbataillon des Regiments abzuleistenden Rekrutenausbildung wurde ich mit 20 Kameraden zur »Deutschen Verkehrsfliegerschule« Schleißheim kommandiert. Dies war das für mich höchst erfreuliche Ergebnis eines vor meiner Einstellung beim Wehrkreiskommando VI (Münster) stattfindenden psychotechnischen Tests. Mein Vater war kurz vor meinem mündlichen Abitur-Examen davon unterrichtet worden, sagte mir aber erst nach dem Examen, was mir bevorstand. Meine Freude und mein Stolz in diesen Tagen waren groß. Ich entwickelte in diesem Schleißheimer Jahr wohl einiges fliegerische Talent, denn die Hälfte der dorthin mit mir kommandierten Kameraden, darunter ich, kam anschließend, von Mai bis September 1929, zur weiteren Ausbildung als Jagdflieger in die Sowjetunion, nach Lipezk, unweit Woronesch im mittleren Rußland. Schon die Reise über Riga und Moskau mit der Eisenbahn vermittelte bemerkenswerte Eindrücke über das mehr als einfache Leben in diesem Lande, das sich von den Folgen des Weltkrieges und des anschließenden Bürgerkrieges offensichtlich nur langsam erholte. Die Zeit in Lipezk war nicht nur in fliegerischer Hinsicht lehrreich und ergiebig. Ich lernte dort den späteren General v. Schoenebeck kennen, mit dem ich später wiederholt in dienstliche Berührung kam. Unsere kameradschaftliche Verbindung besteht heute noch.

Der Flugdienst, der uns voll in Anspruch nahm, begann morgens um 5 Uhr. Wir trugen zwar Zivil, aber am militärischen Charakter dieser Einrichtung konnte nicht der mindeste Zweifel bestehen. Mit der russischen Bevölkerung kamen wir kaum in Kontakt, auch selten mit russischen Flugschülern.

Am 1. Oktober 1929 trat ich meinen Dienst im IR 12 an, dem ich bis Frühjahr 1933 angehörte. Das normale infanteristische Leben wurde nur unterbrochen durch den Fahnenjunker-Lehrgang an der Infanterieschule Dresden (Kommandeur Generalmajor List, später Feldmarschall). Schularzt war der damalige Oberstabsarzt Dr. Hippke, später Generaloberstabsarzt und Sanitätsinspekteur der Luftwaffe. Als Taktiklehrer hatte ich die von mir sehr verehrten Majore Hube und Nißl. Letzterer, wie Hube ein überdurchschnittlich befähigter Soldat, starb bedauerlicherweise als Generalmajor und Divisionskommandeur noch vor dem Kriege. Unvergessen ist mir auch die vom damaligen Hauptmann Erwin Rommel erteilte Ausbildung im Infanterie-Dienst.

Während dieser Zeit, bis zu meiner Beförderung zum Leutnant (1. Oktober 1932), nahm ich zweimal an Flugkursen von je vier Wochen Dauer in Rechlin teil, die Wilhelm Bittrich leitete, schon damals der geborene militärische Führer, zuletzt Kommandierender General des II. SS-Panzerkorps und General der Waffen-SS.

Am 1. Juli 1933 schied ich offiziell aus dem Reichsheer aus und trat zur noch getarnten Luftwaffe über. Zunächst brachte ich einige fliegerisch ganz unergiebige Wochen in Italien zu. Die Italiener zeigten nicht die geringste Neigung, uns etwas beizubringen. Als Flugschüler in Lipezk hatte ich mehr gelernt als das, was uns dort geboten wurde.

Meine erste Verwendung in Deutschland war Zielflieger für das Heer in einer verhältnismäßig kleinen Staffel auf dem Fliegerhorst Staaken bei Berlin. In diesem noch recht geruhsamen Jahr lernte ich wenig Neues, genoß aber die anregende Nähe der Reichshauptstadt. Morgens, vor dem Dienst, ritt ich oft gemeinsam mit dem damaligen Hauptmann im Reichswehrministerium Arthur Schmidt, den ich in Nienhagen, auf dem Gut meiner künftigen Schwiegereltern, kennengelernt hatte. Wir sind seit dieser Zeit befreundet.

Die Versetzung als Staffelkapitän zum Jagdgeschwader 132 (Döberitz) im Herbst 1934 bedeutete das Ende der dienstlich noch ruhigen Staakener Zeit. Kommandeur dieses Geschwaders, des späteren JG »Richthofen« 2 war bis März 1935 Major Robert Ritter v. Greim. Nach einem halben Jahr wurde ich als Adjutant der Jagdgruppe verwendet, deren Kommandeur der spätere General v. Döring geworden war. Als prominenteste Flugschüler kamen Kesselring und Wever nach Döberitz. Mit beiden Generalen entwickelte sich über den Dienstbetrieb hinaus ein engeres, kameradschaftliches Verhältnis.

Am 20. Februar 1936 verlegte die III./JG 134 (Kommandeur der spätere General Dinort), deren 7. Staffel ich angehörte, nach Lippstadt. Dort erhielten wir Befehl, an der Besetzung der bis dahin entmilitarisierten Zone im Rheinland am 7. März 1936 teilzunehmen. Meine Staffel startete dort, kreiste über Köln (und dem Dom) und fiel in Düsseldorf-Lohausen ein. Sie wurde bald umbenannt in 5./134, Teil des JG 134 (»Horst Wessel«), aus dem schließlich das JG 234, dann das JG 132 »Schlageter« hervorging.

Etwas mehr als neun Dienstjahre als »infanteristisch geschulter Flugzeugführer« lagen hinter mir, als ich mich zum Antritt meiner letzten Verwendung beim Chef des Luftwaffen-Personalamts meldete.

Detmold, August 1980

Nicolaus v. Below

14

KAPITEL I
Juni 1937 - Juli 1938

»Die Zeit der sogenannten Überraschungen ist abgeschlossen«, erklärte Hitler in seiner Reichstagsrede am 30. Januar 1937. Dieser Satz machte in Deutschland die Runde. Hitlers »Überraschungen« der vorangegangenen Jahre, zum Beispiel am 26. Februar 1935 die Aufstellung der Luftwaffe als dritter selbständiger Wehrmachtteil, am 16. März 1935 die Einführung der allgemeinen Wehrpflicht, am 8. März 1936 der Einmarsch deutscher Truppen in das entmilitarisierte Rheinland hatten im deutschen Volk große Begeisterung und viel Zustimmung gefunden. Alle Maßnahmen, die Fesseln des Versailler Vertrages abzuschütteln, waren populär. Seine Ankündigung, im Jahre 1937 nichts zu unternehmen, was die Welt erneut in Erstaunen und Unruhe versetzen könnte, wurde dennoch mit Genugtuung aufgenommen.

Auch wir Soldaten begrüßten die angekündigte Beruhigung und hofften auf eine gewisse Stabilisierung der Zustände, die für die Ausbildung der deutschen Wehrmacht dringend notwendig war. Seit der Rheinlandbesetzung war ich Staffelkapitän einer Jagdstaffel auf dem Flugplatz Düsseldorf-Lohausen. Der Aufbau des Fliegerhorstes und die Ausbildung von Jagdfliegern hatten viel Zeit und Anstrengung erfordert. Das Verhältnis von Wehrmacht und Partei machte mir Sorgen. Ich beobachtete, daß das Übergewicht der Partei zunahm, die Wehrmacht in den Hintergrund trat. Von der propagierten Gleichstellung von Partei und Wehrmacht konnte eigentlich nicht die Rede sein. Mein Kommodore, Oberst v. Döring, war ähnlicher Ansicht. Er glaubte aber, daß die Luftwaffe in der Person ihres Oberbefehlshabers, Generaloberst Göring, durch seine Stellung und seinen Einfluß einen Fürsprecher zugunsten der Soldaten hätte. Die Beziehungen zwischen Partei und Wehrmacht, meinte Döring, würden wohl nie ohne Spannung sein können. Hier stießen die vorwiegend konservativen Gedanken der Soldaten auf die revolutionären Ideen des Nationalsozialismus. Ein Anpassungsprozeß würde sehr viel Zeit erfordern.

Im Frühjahr 1937 hatte ich Grund zu der Annahme, daß ich von bevorstehenden Personalveränderungen betroffen werden könnte. Der Kommandeur der Jagdgruppe der Legion Condor in Spanien sollte wechseln. Ein bevorstehendes Kommando zu einer Auswahlreise für die Generalstabsausbildung machte mich mißtrauisch. Döring beruhigte mich. Von Personalveränderungen sei ihm nichts bekannt. Auch mein bevorstehender Hochzeitstermin sei nicht gefährdet.

So war meine militärische und persönliche Situation, als ich am 15. Juni auf dem Gut meiner künftigen Schwiegereltern in Nienhagen in der Nähe von Halberstadt durch einen Anruf angewiesen wurde, mich am nächsten Vormittag in Berlin im Reichsluftfahrtministerium beim Chef des Personalamtes zu melden. Ich bekam genaue Anweisungen für meinen Meldeanzug. Dies machte mich stutzig, und natürlich stellte ich Fragen, um zu erfahren, welche Bewandtnis es mit dieser übereiligen Meldung habe. Ich erhielt ausweichende Antworten und dachte mir dann selbst meinen Teil.

Aus meiner früheren Tätigkeit in Döberitz erinnerte ich mich, daß der mir vorgeschriebene Meldeanzug nur bei solchen Anlässen getragen wird, bei denen der »Führer und Oberste Befehlshaber der Wehrmacht« anwesend ist oder wenn man sich bei ihm zu melden hatte. Die Abweichung zum üblichen Meldeanzug mit Koppel, Schwert, Mütze und Handschuhen bestand darin, daß die große Ordensschnalle angelegt werden mußte, die üblicherweise nur zum Parade- oder »großen« Gesellschafts-Anzug gehörte.

Aus der Presse wußte ich, daß Hauptmann Mantius, Hitlers Luftwaffen-Adjutant, vor einigen Wochen tödlich abgestürzt war. Es war für mich nicht allzu schwer, meine Meldung im Zusammenhang mit der erforderlichen Neubesetzung des Adjutanten-Postens zu sehen. Diese Möglichkeit erregte mich verständlicherweise sehr. Gespräche und Überlegungen, was sich daraus unter Umständen für mein weiteres dienstliches und privates Leben ergeben könnte, füllten den Abend aus. Die Nacht brachte wenig Schlaf. Ich war 29 Jahre alt.

Dienstantritt

Am nächsten Morgen, es war Mittwoch, der 16. Juni 1937, fuhr ich sehr früh nach Berlin, um mich pünktlich um 9 Uhr beim Chef des Luftwaffen-Personalamtes zu melden. Dies war seit wenigen Wochen Oberst Ritter v. Greim, bei dem ich zwei Jahre zuvor im Jagdgeschwader Richthofen für einige Zeit Gruppenadjutant gewesen war. Das Wiedersehen war herzlich. Aber in der Hoffnung, über den Grund meiner Meldung mehr zu erfahren, wurde ich enttäuscht. Greim wies mich nur an, daß ich mich um 10 Uhr bei Göring zu melden hätte. Dort würde ich alles Weitere erfahren.

Görings Dienstvilla lag hinter dem Reichsluftfahrt-Ministerium in den Gärten, die zwischen dem ehemaligen preußischen Dienstgebäude in dem Dreieck Leipziger Platz, Leipziger Straße und Prinz-Albrecht-Straße lagen, dicht bei dem ehemaligen preußischen Abgeordnetenhaus, das jetzt den Namen »Haus der Flieger« trug und den »Aero-Club« beherbergte. Um 10 Uhr fand ich mich dort ein und wurde nach kurzer Wartezeit durch die geräumige Halle in Görings überraschend großes Arbeitszimmer geführt. Vier hohe Fenster-Türen, die auf eine Terrasse zum Garten hin führten, ließen erkennen, daß dieser große Raum aus vier kleineren Zimmern geschaffen worden war. Geschmackvoll eingerichtet, wirkte er repräsentativ und wohnlich zugleich. Über eine weite freie Fläche in der Mitte des Raumes hinweg erkannte ich Göring hinter seinem großen Schreibtisch, halb verdeckt von den hohen Bildern, die vor ihm standen. Er forderte mich auf, näher zu kommen und neben seinen Schreibtisch zu treten. Hier machte ich meine Ehrenbezeugung mit ausgestrecktem Arm und meldete mich. Göring schaute mich aufmerksam an und stellte dann einige Fragen. Ich sei doch unverheiratet? Dies konnte ich bejahen, mußte aber hinzusetzen, daß ich in zehn Tagen heiraten wollte. Mit einem Ausdruck des Erstaunens und des Unwillens gab Göring zu erkennen, daß ihm das nicht bekannt war. Er kam aber rasch zur Sache und fragte mich, ob ich wüßte, was mit mir werden sollte. Hierauf konnte ich guten Gewissens mit »nein« antworten. So teilte er mir jetzt mit, daß ich Hitlers Luftwaffen-Adjutant werden sollte und fragte anschließend sofort, ob ich die Stellung annehmen wolle und könne. Ich kam nicht dazu, darüber nachzudenken, denn er fuhr fort, wenn ich nicht mit Leib und Seele Hitlers »Gefolgsmann« sein könne und wolle, dann sollte ich es sofort sagen. Ich müßte »aus innerster Überzeugung« zum Führer stehen. Ich bejahte Görings Fragen. Ich konnte mir nicht vorstellen, daß diese Verwendung etwas an meinem Offiziersstatus ändern würde. Als Offizier hatte ich 1934 meinen Eid auf Adolf Hitler geleistet.

Eine weitere Anweisung von Göring ist mir unvergessen geblieben. Er sagte mir, daß ich als militärischer Adjutant nur Hitler ganz allein unterstellt sei und mich auf etwa zwei Jahre für diese Aufgabe einrichten müsse. Meine Tätigkeit und meine Aufgaben, soweit sie das Oberkommando der Luftwaffe beträfen, sollte ich mit seinem Chefadjutanten, Oberst Bodenschatz, besprechen. Dieser bleibe nach wie vor sein persönlicher Verbindungs-Offizier zu Hitler und berühre meinen Aufgabenbereich nicht. Göring wies mich an, zur Wehrmachtadjutantur in die Reichskanzlei zu gehen und mich dort bei Oberst Hoßbach zu melden. Er, Göring, werde um 13 Uhr beim Führer sein und mich dann persönlich vorstellen. Ich solle auf ihn warten.

Ich war froh, daß mich dieses Gespräch nicht völlig unvorbereitet getroffen hatte. Göring hatte mir eine wirklich nicht alltägliche Verwendung bekannt gegeben und mich in eine für einen jungen Offizier außergewöhnliche Stellung eingewiesen. Einige seiner Gedankengänge habe ich in ihrer wirklichen Bedeutung nicht verstanden und lernte die Hintergründe erst im Laufe der nächsten Monate in ihrer ganzen Tragweite kennen.

Aber von all diesen Hintergründen wußte und ahnte ich noch nichts, als ich nun zur Reichskanzlei ging. Ich war mir immer noch nicht im klaren, ob meine Versetzung schon beschlossen war oder ob die letzte Entscheidung bei Hitler selbst lag. Zunächst stand mir die Meldung bei Oberst Hoßbach bevor. Dieser war für mich kein unbeschriebenes Blatt. Ich ging mit ausgesprochenem Vorurteil zu ihm. Im Reichskriegsministerium hatte er keine gute Presse. Auch aus dem Munde von Generalstabsoffizieren des Heeres waren mir kritische Urteile zu Ohren gekommen.

Als erstem begegnete ich in den Räumen der »Adjutantur der Wehrmacht beim Führer und Reichskanzler«, wie unsere Dienststelle hieß, dem Adjutanten der Kriegsmarine, Korvettenkapitän Karl-Jesko v. Puttkamer. Groß, blond, gut aussehend, Zigarre rauchend und wortkarg. So war mein erster Eindruck. Wenig später erschien Oberst Hoßbach. Ich meldete mich korrekt, da ich wußte, welchen großen Wert er auf solche Äußerlichkeiten legte, die ihm nicht ohne Grund den Beinamen »der letzte Preuße« eintrugen. Er hieß mich willkommen und forderte mich auf, gleich mit ihm hinüber in die Führerwohnung zu gehen, damit ich mich beim Führer melden könne. Hier mußte ich ihn unterbrechen und ihm erklären, daß ich von meinem Oberbefehlshaber die Anweisung hatte, auf ihn zu warten, weil er mich selbst vorstellen wolle. Hoßbach nahm das unwillig zur Kenntnis und bat darauf Puttkamer, daß er mich zur angegebenen Zeit in die Führerwohnung mitnehmen möchte. Damit entschwand er. Mein erster Eindruck entsprach meiner Erwartung. Unverbindlich, auf Abstand bedacht, sah er – fast verständnislos – auf den jungen »Schlipsträger« von der Luftwaffe herab.

Puttkamer und ich setzten uns nach einiger Zeit auch in Marsch, um durch lange Korridore die Führerwohnung zu erreichen. Unsere Diensträume befanden sich in dem ehemaligen Voss'schen Palais an der Ecke Voßstraße/Wilhelmsplatz, einem massiven Bau der Gründerzeit. Zum Wilhelmsplatz hin schloß sich an dieses Gebäude die sogenannte Brüningsche Reichskanzlei an, die etwa im Jahre 1930 erbaut worden war. An der schlichten Muschelkalksteinfront zum Wilhelmsplatz hatte Hitler 1934 einen Balkon anbauen lassen. Im Erdgeschoß bestand eine durchgehende Korridor-Verbindung vom Palais Voss durch den Brüning-Bau bis zur alten Reichskanzlei, in der jetzt Hitler wohnte und die daher auch »Führerwohnung« genannt wurde. Dieser hübsche Bau in der Form eines zur Wilhelmstraße offenen Vierecks stammte aus dem 18. Jahrhundert, wurde 1871 als Dienstsitz für den Reichskanzler Fürst Bismarck angekauft und diente seitdem allen Reichskanzlern als Dienstwohnung. Hitler hatte ihn zu Anfang seiner Regierungszeit von Grund auf renovieren und neu einrichten lassen, wobei sein Architekt aus München, Professor Ludwig Troost, mitgewirkt hatte.

Nach unserem Marsch durch die Korridore betraten wir eine kleine Eingangshalle, von da aus die große Halle im Mitteltrakt des Palais. Dort hielt sich eine größere Anzahl von Zivilisten und Uniformierten auf, vorwiegend Partei, SA und SS. Natürlich wurde ich von allen Seiten interessiert betrachtet, so etwa mit dem Ausdruck »Aha, das ist also der Neue«. Einige kamen auf mich zu und begrüßten mich, anderen stellte Puttkamer mich vor. Als einziger ist mir Hitlers persönlicher Chef-Adjutant, der SA-Obergruppenführer Wilhelm Brückner in Erinnerung geblieben. Er bemühte sich in seiner netten Art, mir das erste »Spießrutenlaufen« in der fremden Umgebung zu erleichtern. Es herrschte ein lebhaftes Kommen und Gehen. Mir schien es, daß eine Art Nachrichten-Börse abgehalten wurde.

Görings Erscheinen kündigte sich von weitem an. Von der Straße her waren einige »Heil-Rufe« zu hören, dann das Heraustreten der Wache, Kommandos und Präsentiergriffe, die Geräusche der am Eingang haltenden Autos und das Hacken-Zusammenklappen der SS-Wachen. Göring betrat die Halle. Alle Anwesenden grüßten ihn mit deutschem Gruß. Er selbst grüßte, wie ich später noch oft beobachten konnte, nach allen Seiten jovial zurück, gab aber kaum jemandem die Hand, es sei denn, es befand sich ein Reichsminister oder ein Reichsleiter der Partei unter den Anwesenden. Ich meldete mich und erhielt die Weisung zu warten, bis er mich rufen lassen werde. Da es für mich viel Neues zu beobachten gab, verging die Zeit schnell, bis ein Diener kam und mich aufforderte, ihm zu folgen. Durch zwei große zweiflügelige Türen, die sehr ungeschickt im rechten Winkel zueinander lagen, betrat ich nach wenigen Schritten den sogenannten kleinen Salon und fand mich gleich dem von der anderen Seite eintretenden Führer und Göring unmittelbar gegenüber. Ich konnte gerade noch eine Ehrenbezeugung machen und wollte die vorschriftsmäßige Melde-Formel sagen, als Göring schon die Initiative ergriff und mich Hitler vorstellte. Hitler gab mir die Hand und begrüßte mich formlos und unmilitärisch.

Erste Eindrücke

Ich war Hitler schon zweimal begegnet und ihm vorgestellt worden, zum ersten Mal im Sommer 1934, kurz nach dem Röhm-Putsch. Damals hatte Blomberg anläßlich einer Ansprache Hitlers vor den Generalen des Heeres im Offizier-Kasino des Truppenübungsplatzes Zossen-Jüterbog seinen Sohn Axel und mich vorgestellt. Die zweite Begegnung fand im März 1935 anläßlich von Hitlers Besuch beim Jagdgeschwader Richthofen in Staaken und Döberitz statt, wo ich zu dieser Zeit Gruppen-Adjutant war. Für mich war diese erneute Begegnung eine normale Meldung bei einem neuen Vorgesetzten, wie ich sie aus meiner militärischen Laufbahn kannte. Das, was mich später viel mehr beschäftigte, war die mir von Stunde zu Stunde klarer werdende Erkenntnis, daß meine militärische Laufbahn und mein Soldatenberuf mit dem heutigen Tage eine grundlegende Wandlung erfahren hatten.

Nach meiner kurzen und knappen Meldung verabschiedete sich Göring und verließ die Reichskanzlei. Ich legte Mütze und Koppel ab und folgte allen Anwesenden zur Mittagstafel. Brückner und Puttkamer nahmen sich meiner an. Wir gingen vom kleinen Salon nur durch einen größeren Raum, dem sogenannten Rauchzimmer, eine Bezeichnung, die noch aus der Zeit Bismarcks stammte, in das Speisezimmer. In einem großen, fast quadratischen Raum mit guten Proportionen und in geschmackvollen hellen Farben dekoriert, stand in der Mitte ein großer runder Tisch mit einem Dutzend Stühlen, darum herum vier weitere kleinere runde Tische mit je sechs Stühlen. Hitler nahm an dem großen Tisch Platz, mit dem Rücken zum Fenster. An der Wand ihm gegenüber hing über einer breiten Anrichte ein Gemälde von Kaulbach, der »Einzug der Sonnengöttin«.

Ich fand einen Platz an einem der Seitentische. Jetzt kam für mich der Moment des Entspannens. Der offizielle Teil war beendet, und ich konnte beobachten, Fragen stellen und versuchen, Menschen und Vorgänge in mich aufzunehmen. Hitler saß etwas schräg gegenüber von mir, so daß ich ihn gut betrachten konnte. Er sah öfter zu mir herüber, als ob er sich mein Gesicht einprägen wollte, eine Gewohnheit, die ich später häufig bei ihm beobachtete. Das Tischgespräch kreiste um die letzten Ereignisse in Spanien und in Moskau. Von diesem ersten gemeinsamen Mittagessen sind mir einige an die Adresse Englands gerichtete Worte Hitlers in Erinnerung geblieben. Er meinte, England müsse doch erkennen und einsehen, welche Gefahr der Bolschewismus für Europa bedeute und wie brutal und systematisch Stalin seine Ziele verfolge. Nur wenn Europa zusammenhalte, könne die Gefahr aus dem Osten gebannt werden. Wie ich später hörte, standen diese Bemerkungen Hitlers in Zusammenhang mit einem geplanten Besuch des Reichsaußenministers Frhr. v. Neurath in London, der ihn sehr zu beschäftigen schien.

Das Mittagessen dauerte nicht sehr lange. Nach etwa einer Stunde stand Hitler auf, da für den Nachmittag verschiedene Termine angesetzt waren. Ich mußte mich beeilen, um bei ihm noch meine Frage über meine nächste Diensteinteilung anzubringen. In zehn Tagen wollte ich heiraten. Unsere Hochzeitsreise stand auch fest. Ich mußte also gleich nach Dienstantritt um Urlaub bitten. Ich schilderte Hitler meine Lage und stieß auf volles Verständnis. Mit einer gewissen Herzlichkeit sogar, so schien es mir, gab er mir seine Einwilligung.

Es war für mich überraschend, Hitler am ersten Tage gleich von einer unerwarteten Seite kennenzulernen. Meine Vorstellung von der Person Hitlers war durch die Rolle, die er in der Öffentlichkeit spielte, und durch seine Eigenschaft als Parteiführer bestimmt. Ich betrachtete die Partei mit großer Zurückhaltung und Mißtrauen. Diese Zweifel hatten sich mehr und mehr auch auf Hitler selbst übertragen und den zunächst positiven Eindruck auf Grund der politischen Entscheidungen der Jahre 1935 und 1936 gerade in der letzten Zeit nachteilig beeinflußt.

Die ersten Tage in meiner neuen Position machten mich nicht glücklich. Ich kannte keinen Menschen. Ich hatte keinerlei Verbindung zu anderen Offizieren und kam mir einsam und verlassen in einer großen Menschenmenge vor. Sehr skeptisch zur NSDAP eingestellt, traf ich von nun an ständig mit Parteigenossen zusammen. Mein Elternhaus stand auch völlig außerhalb meiner jetzigen Umgebung. Kurz, ich fand keine Verbindung zu den Menschen, mit denen ich jetzt zusammen arbeiten sollte.

Viele neue Eindrücke mußte ich verarbeiten, ich lernte eine Unzahl neuer Menschen kennen und hatte mich auf zahlreiche, ganz ungewohnte Dinge einzustellen.

Vor allem wollte ich aber nun wissen, wie ich in diese exponierte Verwendung gekommen war. Bei meiner Abmeldung in Düsseldorf erzählte mir Döring, daß der Adjutant des Chefs des Luftwaffen-Personalamtes bei ihm angefragt habe, ob er mich für geeignet halte, Luftwaffen-Adjutant bei Hitler zu werden. Der Personalamtschef und der Chef des Generalstabes hätten mich aufgrund meiner Beurteilungen ausgesucht und wollten mich Göring vorschlagen. Er habe auf meine skeptische politische Einstellung hingewiesen, halte mich aber als Soldat und Offizier auf Grund meines Charakters, meines Auftretens und meiner Bildung für geeignet, vor allem wenn sich meine Tätigkeit auf militärische Dinge beschränken würde. Meine Ernennung war also ein ganz normaler Vorgang.

Trotz dieser Erklärung verhehlte ich meinem Kommodore meine Bedenken nicht. Nach dem ersten Blick in meine neue Umgebung hätte ich den Eindruck, daß ich mich dort nicht wohl fühlen könne. Die beiden anderen militärischen Adjutanten von Heer und Marine schienen mir unpersönlich und fremd. Für einen engeren menschlichen Kontakt, wie ich ihn von der Luftwaffe her auch mit älteren Offizieren gewohnt sei, hätte ich wenig Hoffnung. Menschen, die ich sonst in der Reichskanzlei gesehen und zum Teil kennengelernt hätte, stünden mir in jeder Weise fern. Es ist überflüssig zu betonen, daß Döring versuchte, mir gut zuzureden. Überzeugen konnte er mich nicht, dazu kannte ich ihn auch zu gut in seiner kritischen Einstellung zu Hitler und dessen Politik. Einmal nach seiner Meinung über Hitler befragt, hatte er in seiner souveränen, weltmännischen Art nur mit einem chinesischen Sprichwort geantwortet: »Große Männer sind ein öffentliches Unglück«.   -

In den ersten Tagen meines Dienstes gab es für mich noch keine besonderen Aufgaben. Ich nützte die Gelegenheit, um mit Oberst Bodenschatz, dem persönlichen Adjutanten Görings, zu sprechen und die Zusammenarbeit abzustimmen. Bodenschatz wurde mir zu einer großen Hilfe. Er war ein Lebenskünstler und verstand es, sich aus allen Intrigen herauszuhalten. Wenn sich schwierige Situationen abzeichneten, zog er sich ins »Niemandsland« zurück, wie er sich ausdrückte, war auch telefonisch nicht zu erreichen, hielt aber seinerseits von dort Kontakt. Wie oft bin ich später von ihm aus dem »Niemandsland« angerufen worden!

Bodenschatz erhielt sich seine Unabhängigkeit und pflegte mit allen wesentlichen Persönlichkeiten von Staat, Wehrmacht und Partei guten Kontakt, ohne weder eine gewisse Grenze der Vertrautheit zu überschreiten noch betont auf Abstand zu halten. Das kameradschaftliche Verhältnis unter den Luftwaffen-Offizieren, auch wenn große Altersunterschiede bestanden, verspürte ich von Anfang an auch bei ihm, und es erleichterte mir meine Arbeit. Ich fand dort die Anlehnung, die ich bei Hoßbach vermißte, obwohl er mir als Preuße von der Mentalität her näher stand als der Bayer Bodenschatz.

Am 23. Juni war ich zum ersten Mal als diensthabender Adjutant eingeteilt. Meine Aufgabe bestand darin, den ganzen Tag über in der Führerwohnung für militärische Angelegenheiten erreichbar zu sein, sei es, daß Hitler irgendwelche Wünsche habe, sei es, daß das Ministerium oder die Oberkommandos Verbindung mit ihm aufzunehmen hätten. Hoßbach legte größten Wert darauf, daß dieser Dienst der militärischen Adjutanten auf die Zeit begrenzt war, in der Hitler seine Funktionen als Reichskanzler, Staatsoberhaupt und Oberster Befehlshaber der Wehrmacht ausübte. Alle Partei-Termine oder Hitlers private Vorhaben, einschließlich Theater- und Konzertbesuche, gehörten nicht zum Dienst der militärischen Adjutanten, sondern lagen allein in der Zuständigkeit von Hitlers persönlichen Adjutanten.

An diesem 23. Juni stand nun am Abend ein Besuch Hitlers in der damaligen Deutschen Oper in Charlottenburg auf dem Programm. Es gastierte die Mailänder Scala mit »Bohème«, eine meiner Lieblings-Opern. Es gelang mir, Brückner verständlich zu machen, daß ich gerne mitgehen würde. Brückner griff meinen Wunsch begeistert auf. Ich hatte den Eindruck, daß er froh war, Begleitung für Hitler zu finden. Hitler gab sofort seine Zustimmung und hielt nicht mit seiner Verwunderung darüber zurück, daß ein Soldat in seiner persönlichen Umgebung Interesse für Musik zeigte. Ich erfuhr, daß Hoßbach und Puttkamer glücklich waren, wenn sie sich von musikalischen Veranstaltungen fernhalten konnten. Hitler fragte auch gleich, ob ich die »Bohème« schon kenne. Daß ich diese Oper bereits mehrmals in Hannover, Dresden und Berlin gehört hatte, erstaunte ihn sichtlich. Ich ahnte bis zu diesem Tage auch nicht, welche enge Beziehung Hitler zur Musik hatte. Er schwärmte an diesem Abend von Bayreuth, Wagner und Dietrich Eckart.

Im Juli, bald nach Rückkehr von der Hochzeitsreise, ergab sich erneut eine gute Gelegenheit zu einem persönlichen Gespräch mit Hitler. Ich hatte ihm Beförderungsverfügungen der drei Oberbefehlshaber zur Unterschrift vorzulegen. Zu diesem Zweck mußte ich nach Bayreuth fliegen, da Hitler für die Dauer der sommerlichen Festspielzeit wie immer bei Winifred Wagner, der Witwe Siegfried Wagners, wohnte.

Hitler empfing mich kurz vor Tisch in der Wohnhalle neben dem großen Musiksalon. Hier fühlte sich Hitler wohl. Er war so entspannt wie vier Wochen zuvor in der Deutschen Oper. Zum ersten Mal spürte ich, wie er eigene Energien auf seine Umgebung übertrug, seine Heiterkeit, seine Zuneigung, jede Stimmung. Bei Winifred Wagner war er zu Hause. Er genoß das Leben als Privatmann. Mit keiner anderen Familie pflegte er diese tiefe Freundschaft, in der das von Hitler so sparsam verwendete »Du« regierte. Die Musik wie auch das Haus Wagners waren für ihn Zuflucht, vor allem in einer Zeit mit politischen Turbulenzen.

Nach der letzten Unterschrift schlug Hitler mir vor, in Bayreuth zu bleiben und mit ihm nachmittags den »Parsifal« anzusehen. Ich bat ihn, die Einladung ablehnen zu dürfen: »Die Verordnungen hier, mein Führer, müssen so schnell wie möglich nach Berlin.« »In Ordnung, aber kommen Sie wieder zurück. Bringen Sie auch Ihre Frau mit. Brückner soll alles Weitere wie Karten und Quartier für Sie regeln.«

Täglich flog eine Ju 52 zwischen Berlin und Bayreuth hin und zurück. Am 27. Juli landeten wir als Hitlers Gäste in Bayreuth. In der »Fürstengalerie«, der großen Gästeloge Hitlers, erlebten wir »Siegfried« und am nächsten Tag die »Götterdämmerung«. Die Gäste Hitlers nahmen an der Abendtafel zwanglos Platz. Zwanglos waren auch Stil und Ton. Brückner nahm ohne Vorrede meine Frau unter den Arm und stellte sie Frau Wagner und Hitler vor. Hitler begrüßte sie mit Handkuß. Von dieser Stunde an zählten wir zu seinem privaten Kreis.

Meldungen

Hitlers Abwesenheit von Berlin im Juli 1937 gab mir die Möglichkeit, mich einzuarbeiten und meine Meldungen bei den Persönlichkeiten von Wehrmacht, Staat und Partei zu erledigen, mit denen ich in meiner neuen Dienststellung am häufigsten in Berührung kommen würde. Verständlicherweise fing ich im Reichsluftfahrtministerium an. Hier kam mir zugute, daß ich fast alle Generale und sehr viele Offiziere aus der Aufbauzeit der Luftwaffe seit 1933 und zum Teil schon von verschiedenen fliegerischen Ausbildungskommandos im Reich und in Rußland aus der Reichswehrzeit her kannte. Dies erleichterte mir meine Arbeit sehr. Die meisten begrüßten mich sehr freundlich, bei einigen war das Wiedersehen auch herzlich, wie zum Beispiel bei dem damaligen Chef des Generalstabes, Generalleutnant Stumpff, der gerade Nachfolger von Kesselring geworden war.

Offiziell und streng dienstlich, anders als ich es erwartet hatte, verlief meine Meldung beim Staatssekretär, General der Flieger Milch, obwohl er mich von verschiedenen dienstlichen und gesellschaftlichen Veranstaltungen her kannte. Zwei Gründe gab es dafür: Erst vor wenigen Wochen hatte Göring eine Umorganisation im Reichsluftfahrtministerium und im Oberkommando der Luftwaffe befohlen, von der Milch hart getroffen worden war. Während der Aufstellungsjahre war Milch in seiner Eigenschaft als Staatssekretär von Göring als sein ständiger Stellverteter für die Luftwaffe und die Luftfahrt eingesetzt. Seine Vollmachten waren umfassend. Er verstand es in seinem Tätigkeitsdrang, davon Gebrauch zu machen. Milch unterstanden alle Ämter des Reichsluftfahrtministeriums einschließlich des »Luftkommandoamts«. Dieses Amt war jetzt aus der Unterstellung unter Milch herausgelöst und Göring unmittelbar unterstellt worden, bei gleichzeitiger Umbenennung in »Generalstab der Luftwaffe«. Der Chef des Generalstabes der Luftwaffe stand nun neben dem Staatssekretär. In der Zusammenarbeit zwischen dem bisherigen Chef des Luftkommandoamtes, Generalleutnant Kesselring, und Milch hatte es viele Schwierigkeiten persönlicher und sachlicher Art gegeben, die die Arbeit beeinträchtigten.

Zu dem neuen Chef des Generalstabes Stumpff, der bisher das Luftwaffen-Personalamt leitete, hatte Milch größeres Vertrauen. Wieweit diese neue Organisation aber der Sache dienlich war, bezweifelte man im Ministerium. Das Funktionieren hing davon ab, wieviel Zeit sich Göring für alle Fragen und Probleme und deren Koordinierung im Ministerium nahm. Allen, die die letzten Jahre im RLM miterlebt hatten, war nicht entgangen, daß Göring mit Mißtrauen den Machtzuwachs von Milch verfolgte und davon gesprochen hatte, daß er die Führung wieder selbst in die Hand nehmen wollte. Milchs Verdienste um den Aufbau der Luftwaffe waren bekannt. Er hatte die Aufstellung der Luftwaffe, den Aufbau der Luftfahrtindustrie und die umfangreiche Koordination innerhalb der Wehrmacht und aller zivilen und Parteidienststellen für die Luftwaffe geleitet.

Ihm zur Seite hatte General Wever gestanden, der erste Chef des Generalstabes der Luftwaffe, der zum Unglück der Luftwaffe schon im Jahre 1936 den Fliegertod gefunden hatte. Ich war ihm während seiner fliegerischen Ausbildung oft begegnet. Zwischen dem 50jährigen General und uns jungen Leutnanten in Staaken bestand eine über den Dienst hinausgehende, beinahe herzlich zu nennende Verbindung und Übereinstimmung. Wever ist als Mensch und Soldat eine überragende Persönlichkeit gewesen. Er hatte es verstanden, die Gegensätze zwischen Göring und Milch zum Nutzen der Luftwaffe auszugleichen. Die harmonische Zusammenarbeit aller Stellen im Ministerium und in der Truppe war ein Verdienst Wevers. Er fehlte jetzt im Jahre 1937, als Göring die Macht an sich riß und Milch zum Teil ausschaltete. Hinzu kam, daß diese Umorganisation im Ministerium auch mit Personalveränderungen verbunden war. Gerade an der Spitze der wichtigsten Ämter wechselten die Chefs. Ernst Udet hatte vor Jahresfrist das Technische Amt übernommen. Mit Udet und Greim, dem neuen Chef des Luftwaffen-Personalamtes, hatte Göring zwei Pour le Mérite-Flieger in verantwortliche Positionen geholt. Sie unterstanden zwar zunächst noch dem Staatssekretär Milch, aber die Jagdfliegerei und der Pour le Mérite schienen Göring ein stärkeres Bindeglied an ihn als das ministerielle Unterstellungsverhältnis zu Milch.

Mit Stumpff, Udet und Greim waren im Juni 1937 drei Generale von untadeligem Charakter und vorbildlichen menschlichen Eigenschaften ausgesucht worden. Sie erfreuten sich überall größter Wertschätzung. Doch jeder, der sie kannte, bedauerte sie zugleich, daß sie Aufgaben übernehmen mußten, für die sie fachlich keinerlei Vorbildung und Erfahrung mitbrachten. Mit dieser Stellenbesetzung bewies Göring sein Gespür für charakterliche Eignung und deren Bedeutung bei der Besetzung von hohen Posten. Aber leider bewies er damit auch, daß er fachlich notwendige Qualifikationen unterschätzte.

Ich lernte später verstehen, daß Göring die Überlegenheit von Untergebenen ihm gegenüber, sei es auch nur auf begrenztem fachlichen Gebiet, fürchtete. Dies war für ihn der Grund, in führende Stellungen der Luftwaffe nur Generale zu berufen, die er gut kannte und von denen er wußte, daß sie ihm nicht gefährlich werden konnten. Diese Einstellung war auch der Grund für sein Verhalten gegenüber Milch.

Dieser stand seit 1933 durch den Aufbau der Luftwaffe mehr im Rampenlicht als jeder andere Offizier. Schon vor 1933, als Generaldirektor der Lufthansa, hatte er sich als qualifizierter Manager bewährt, im Gegensatz zu manchem anderen reaktivierten Offizier. Sein überragender, aber Einsatz fordernder Führungsstil, verbunden mit gesundem Ehrgeiz, trugen ihm immer wieder neue Neider ein, die es verstanden, seine Stellung und seinen Ruf bei Göring und Hitler zu unterminieren. Von diesen Neidern wurde Milch bis zum Ende des Dritten Reiches verfolgt, ja, darüber hinaus bis zu seinem Tode im Jahre 1971 verunglimpft. Ich habe Milch von 1934 an als einen Offizier mit besten charakterlichen und fachlichen Eigenschaften erlebt. Es hat leider nur wenige Offiziere gegeben, die so mutig, offen und verantwortungsbewußt wie Feldmarschall Milch vor ihren Obersten Befehlshaber und noch nach 1945 so selbstbewußt vor die amerikanischen Richter und Gefängniswärter getreten sind. Für ihn traf das Wort zu: »Männerstolz vor Königsthronen«. Er ist sich selbst immer treu geblieben.

Der Tod Wevers 1936 und die Entmachtung Milchs 1937 waren der Anfang vom Untergang der Deutschen Luftwaffe! Das eine war ein Schicksalsschlag, das andere ein Fehler. Leider war Göring Einflüsterungen zugänglich, besonders wenn man seiner Eitelkeit und seinem Geltungsbedürfnis schmeichelte. Und welcher »Hof« ist frei von Schmeichlern und Intrigen?

Die versteckten Angriffe gegen Milch im RLM waren zweifellos nicht ohne Wirkung auf ihn selbst geblieben. Er verlor bei meiner Meldung kein Wort darüber. Aber es war unschwer zu erkennen, daß ihn die Zurücksetzung durch Göring stark getroffen hatte. Ein weiterer Grund für die kühle Tonart unseres Gespräches war meine neue Stellung. Für Milch wirkte Hoßbach wie das rote Tuch auf den Stier. Und er machte aus seiner natürlich auf Gegenseitigkeit beruhenden Antipathie kein Hehl. Er warnte mich vor Hoßbachs Einstellung gegen die Luftwaffe. Hoßbach sei einer der Generalstabsoffiziere des Heeres, der am entschiedensten gegen eine selbständige Luftwaffe auftrete. Nach dessen Meinung, die im Generalstab des Heeres viel gelte, sei eine Luftwaffe nur bei vollständiger Unterstellung unter die Führung des Heeres als erfolgreiche Waffe vorstellbar. »Glauben Sie mir, Below«, bemerkte Milch sarkastisch, »der ganze Generalstab des Heeres ist der Ansicht, daß die Luftwaffe nur fliegen kann, wenn Herr von Fritsch die Starterlaubnis erteilt. Das Heer hat überhaupt noch nicht gemerkt, was in der Luft hängt und was eines Tages aus der Luft auf den deutschen Infanteristen zukommt. Unsere Rüstungsvorschläge werden vom Heer ständig kritisiert. Der Generalstab glaubt noch an unsere Fokker aus dem Jahre 1916. Im übrigen bekommt die Ju 52 im nächsten Krieg ein paar Bomben unter den Bauch und es kann losgehen. Das ist die Luftwaffe des Heeres . . .«.

Milch ermahnte mich scharf, mich nicht von Hoßbach beeinflussen zu lassen, sondern die Interessen der Luftwaffe zu vertreten. Es sei nicht allein Görings, sondern auch Hitlers Forderung gewesen, die Luftwaffe als selbständigen Wehrmachtteil aufzustellen. Er verlangte von mir sofort Meldung, wenn ich irgendwelche Anzeichen für Überlegungen oder Maßnahmen bemerken sollte, die an dieser Organisation rütteln wollten. Ich verließ den Staatssekretär in dem Bewußtsein, daß es auf der obersten Ebene der Wehrmachtführung Probleme und Meinungsverschiedenheiten grundsätzlicher Art von erheblichem Umfang und Bedeutung gab. Noch wußte ich nicht, ob und wie weit sachliche oder persönliche Gründe dabei eine Rolle spielten.

Zwanglos und angenehm verliefen die weiteren Meldungen im RLM, bei Stumpff und Udet. Zwei große Gegensätze. Stumpff nur Soldat, und Udet ein liebenswerter und passionierter Flieger, mit einer Aufgabe betraut, der er nicht gewachsen war.

Sozusagen im eigenen Haus, also in der Reichskanzlei, hatte ich mich zu melden bei Lammers, Meißner, Lutze und Bouhler. Lammers war damals Staatssekretär und als »Chef der Reichskanzlei« die rechte Hand des Reichskanzlers Hitler für alle Fragen des Reichskabinetts. Er wurde im Herbst 1937 zum Reichsminister ernannt, als auch der bisherige Staatssekretär und Chef der Präsidialkanzlei, Dr. Meißner, zum Staatsminister avancierte. Beide Herren, Prototypen des preußischen Beamten der besten Sorte, intelligent, nicht bürokratisch, gewandt und souverän ihr Metier aus jahrelanger Praxis in allen Einzelheiten beherrschend, brachten alle Voraussetzungen mit, innerhalb ihrer Aufgabengebiete den Regierungsapparat zu steuern. Lammers verwaltete auch den Sonder- oder Repräsentations-Fonds Hitlers, aus dem laufende Beihilfen, auch einmalige Unterstützungen und Dotationen an Beamte und Offiziere gezahlt wurden. Zu Meißners Verantwortungsbereich gehörten die so heiklen Protokollangelegenheiten, Repräsentations- und Ordensfragen. Meißner besaß eine große Erfahrung schon aus der Zeit Eberts und Hindenburgs. Seine Geschicklichkeit und sein Humor halfen ihm über viele Klippen. Hitler schätzte ihn. Als Meißner eines Tages Vortrag hielt, deutete Hitler auf ein Aktenstück und sagte: »Meißner, das hat mir Goebbels gegeben. Da steht einiges über Ihre jüdischen Freundschaften und über Ihre Beziehungen zu unseren politischen Gegnern drin. Wenn Sie das Aktenstück sehen wollen – es steht zu Ihrer Verfügung. Ich schaue es mir nicht an«.

Das Büro unserer Adjutantur ressortierte bei der Präsidialkanzlei, so daß sich schon dadurch eine engere Verbindung ergab. Dementsprechend war die Begrüßung durch Dr. Meißner auch besonders herzlich.

Die Meldung bei den beiden hohen Parteifunktionären, die ihre Diensträume im Gebäude der Reichskanzlei hatten, war kurz und sachlich, obwohl ich, im Gegensatz zu den beiden Ministern, mit diesen beiden Reichsleitern in Zukunft sehr viel häufiger zusammentraf. Sie waren oft an Hitlers Mittagstafel zu Gast. Bouhler war »Chef der Kanzlei des Führers der NSDAP«. Über seine Dienststelle kamen zum Beispiel die an Hitler gerichteten Bitt- und Gnadengesuche von Wehrmachtangehörigen zu uns zur weiteren Erledigung. Dadurch war der Kontakt mit dieser Kanzlei auch enger und wurde durch die besonders netten und sympathischen Adjutanten Bouhlers gefördert. Einige waren später im Kriege als Fliegeroffiziere bei der Luftwaffe. Lutze, der »Stabschef der SA«, hielt sich jeweils nur vorübergehend in Berlin auf, da der Sitz seiner Dienststelle München war. Für sein Berliner Büro standen ihm in der Reichskanzlei einige Räume zur Verfügung. Dies war für unseren persönlichen Kontakt in Fragen der Zusammenarbeit zwischen Heer und SA von großem Nutzen.

Als besonders wichtig wurden mir die dienstlichen Meldungen bei den Oberbefehlshabern aufgegeben, Blomberg, Fritsch und Dr. h. c. Raeder. Bei Fritsch und Raeder verliefen die Meldungen unpersönlich und streng dienstlich, auch von Seiten ihrer Adjutanten. Beide Oberbefehlshaber mit ihrer Umgebung, einschließlich des Gebäudes, in dem sie lebten, wirkten auf mich wie Überbleibsel aus der Kaiserzeit. Die Gespräche waren im übrigen nichtssagend.

Anders war es bei Blomberg. Hier spürte man Lebendigkeit in Verbindung mit freieren und ungezwungeneren Formen. Die Mischung der drei Wehrmachtteile in der Adjutantur trug schon im Äußeren dazu bei. Ich selbst ging auch mit anderer Einstellung zu Blomberg. Durch die Freundschaft mit seinem Sohn Axel aus Jahren gemeinsamer Dienstzeit beim Jagdgeschwader Richthofen in Staaken und Döberitz kannte ich ihn seit langem. Ich verkehrte in seinem Haus. Auch meine Frau war häufig dort. Sie hatte mit Blombergs jüngster Tochter Dorle das gleiche Internat in Eberswalde besucht und sich dort mit ihr angefreundet. Mein Verhältnis zu Blomberg war in erster Linie durch zwei Nordlandreisen,

27

zu denen Blomberg mich eingeladen hatte, beeinflußt. Er pflegte seinen Urlaub immer mit einer Seereise auf einem Schiff der Kriegsmarine zu verbinden. Im Sommer 1935 besuchten wir an Bord der »Hela« Kopenhagen, Oslo und Stockholm. Im Oktober 1936 führte uns die Reise an Bord der »Grille« in die Norwegischen Fjorde und Gewässer über Narvik bis zum Nordkap. Unter den Teilnehmern – außer dem Feldmarschall, seinen beiden Söhnen, zwei Adjutanten und mir – befand sich auch der spätere Chef des Wehrmachtführungsstabes, der damalige Oberst Jodl, was im Zusammenhang mit dem Norwegenfeldzug 1940 seine besondere Bedeutung haben sollte.

Obwohl ich dienstlich in meiner neuen Stellung so gut wie nichts mit Blomberg zu tun hatte, war die persönliche Verbindung mit ihm und seiner Familie doch eine gute Hilfe für mich. Seinen Luftwaffen-Adjutanten Boehm-Tettelbach kannte ich von der Fliegerei und von der Nordlandreise auf der »Grille«, ein freundschaftlicher Kontakt, der in den nächsten Monaten sehr nützlich sein würde. Boehm-Tettelbach versicherte mir im übrigen auf meine mißtrauische Frage hin, daß der Feldmarschall an meiner Auswahl und Ernennung zu Hitlers Luftwaffen-Adjutant nicht beteiligt war. Göring hatte ihm lediglich auf dem üblichen Dienstweg vom Personalamt der Luftwaffe mitteilen lassen, daß die Wahl auf mich gefallen war. Dies zu wissen war mir sehr lieb und bestätigte mir, daß bei meiner neuen Verwendung keine Protektion im Spiele war.

Als Fremdkörper empfand ich in Blombergs Stab Generalleutnant Keitel, den Chef des Wehrmachtamtes, Blombergs rechte Hand in der Wehrmachtführung. Meine Meldung bei ihm verlief kurz und unpersönlich. Er erschien mir ungewandt.

Hitlers Lebensstil, Umgebung, Tageslauf und Arbeitsweise

Die ersten Augusttage verbrachte Hitler in Berlin. Jetzt erlebte ich, wie bei Hitlers Anwesenheit das Leben in den verschiedenen Räumen der Reichskanzlei und in der Führerwohnung ablief. Bis zum Kriegsbeginn änderte sich nichts Wesentliches daran. Die Führerstandarte auf dem Dach der Reichskanzlei und ein lebhaftes Kommen und Gehen der Besucher waren das untrügliche Zeichen für Hitlers Anwesenheit.

Die unteren Räume der Führerwohnung bildeten eine geglückte Mischung von Repräsentation und wohnlicher Häuslichkeit. Troost und Speer hatten bei der Gestaltung und Einrichtung mitgewirkt. Die Halle lag zum Vorhof mit der immer verschlossenen großen Mitteltür, der kleine Salon zur Gartenseite; er war der Verbindungsraum zwischen dem größeren Musiksalon und dem sogenannten Rauchzimmer. Der Musiksalon hatte eine Verbindungstür zur Halle. Hier empfing Hitler Besucher, Reichsminister, Botschafter, Generale, Künstler, Herren aus der Wirtschaft, gelegentlich seine Geschwister und ihm bekannte und befreundete Familien wie Wagners, Bruckmanns und Frau Troost. Die Besuche fanden meist zur Teestunde statt und dauerten selten länger als eine Stunde. Der Musiksalon diente abends auch zu Filmvorführungen.

Im Rauchzimmer versammelten sich Hitlers Tischgäste vor dem Mittag- und Abendessen. Abends nach der Filmvorführung ließ Hitler hier gerne, mit seinen Gästen oder seiner Begleitung um den Kamin sitzend, den Tag ausklingen. Vom Rauchzimmer gelangte man in den Speisesaal, von dort aus in den Wintergarten und durch diesen in den großen Speisesaal, in dem die Staatsdiners stattfanden.

Der Wintergarten, ein etwa 25 bis 30 m langer und 8 bis 10 m breiter Raum mit einer langen Fensterfront zur Gartenseite, wurde im Laufe des Tages von Hitler bevorzugt. Ein breiter Läufer verband die Tür vom Eßzimmer mit dem Ausgang zum Garten am äußersten Ende des Wintergartens. Auf diesem Läufer pflegte Hitler mit seinen Gesprächspartnern, am häufigsten Göring, Heß und Goebbels, auf und ab zu gehen. Mit Göring konnte ein solches Gespräch drei und mehr Stunden dauern. Im Laufe der Zeit, als militärische Probleme immer mehr in den Vordergrund traten, waren die Wehrmacht-Adjutanten auch oft Hitlers Begleiter bei diesen »Spaziergängen«.

Im Obergeschoß der Führerwohnung gelangte man über eine mit rotem Velours ausgelegte Diele zu Hitlers Privaträumen. Sie bestanden aus einer Bibliothek und einem Wohnraum, dem Schlafzimmer und Bad. Neben Hitlers Suite war ein kleines Zimmer für Eva Braun reserviert. Es folgten das Dienerzimmer und eine kleine Anrichte. Von der Diele aus führte der Flur in den Seitenflügel mit dem Schreib- und Aufenthaltsraum für Hitlers Sekretärinnen und, drei Stufen tiefer, zu den Zimmern der Adjutanten. Hier hatten auch der Reichspressechef Dr. Otto Dietrich und der Kommandeur der SS-Leibstandarte »Adolf Hitler«, SS-Obergruppenführer Sepp Dietrich, je ein Zimmer zu ihrer Verfügung. Beide gehörten zu dem engsten Kreis der Mitarbeiter, die für Hitler Tag und Nacht kurzfristig erreichbar sein mußten.

Auf der anderen Seite der oberen Diele vor Hitlers Räumen lag ein kleines, nur sehr selten benutztes privates Speisezimmer. Durch dieses Speisezimmer konnte man den großen Kongreßsaal im Mittelbau des Palais betreten. Während des Krieges, als der Saal für die militärischen Lagebesprechungen eingerichtet war, benutzte Hitler stets diesen Zugang.

Das waren die Räume, in denen sich ein großer Teil meiner nächsten Lebensjahre abspielen sollte. Die Menschen, mit denen ich später am häufigsten zu tun hatte, lernte ich nach und nach kennen. Chefadjutant und zugleich Leiter der »Persönlichen Adjutantur des Führers« war der SA-Obergruppenführer Wilhelm Brückner, mir ein hilfreicher und kameradschaftlicher Ratgeber. Er war im Ersten

Weltkrieg Offizier gewesen. Ich hatte mit ihm einen besonders guten und freundschaftlichen Kontakt, der sich auch auf unsere Frauen übertrug und somit sehr bald privaten Charakter annahm. SS-Brigadeführer Julius Schaub war aus Hitlers erstem Sicherheits-Begleitkommando zum Adjutanten avanciert. Beide waren schon vor 1925 zu Hitler gestoßen und hatten mit ihm in Landsberg die Festungshaft geteilt.

Hauptmann a. D. Fritz Wiedemann, ein weiterer Adjutant, war im Ersten Weltkrieg Vorgesetzter des Gefreiten und Meldegängers Adolf Hitler gewesen. Nach dem Krieg hatte er sich vergeblich bemüht, in die Reichswehr übernommen zu werden. Hitler hatte gehört, daß Wiedemann eine Tätigkeit suchte, und da er ihm in guter Erinnerung geblieben war, hatte er ihm die Stelle seines dritten persönlichen Adjutanten angeboten. Er bekleidete den Dienstgrad eines Brigadeführers im NS-Kraftfahrer-Korps. Mit ihm bekam ich keinen Kontakt.

Der vierte Adjutant, Albert Bormann, war ein jüngerer Bruder des Reichsleiters Martin Bormann, »alter Kämpfer« und jetzt auch höherer Führer im NSKK. Das Kuriosum dieser Brüder war es, daß sie kein Wort miteinander sprachen, obwohl sie häufig in Hitlers Begleitung zusammentrafen oder am gleichen Tisch saßen. Anlaß für die Entzweiung soll, wie man sagte, eine vom Reichsleiter nicht akzeptierte Heirat des jüngeren Bruders gewesen sein. Ich fand es im Laufe der Jahre immer wieder erstaunlich, mit welcher Konsequenz Martin Bormann diese Haltung beibehielt, obwohl die beanstandete Ehe später geschieden worden war.

Als Chef der persönlichen Adjutantur hatte Brückner zwar die Diensteinteilung für alle Mitglieder von Hitlers Stab vorzunehmen und zu überwachen, aber ihr Vorgesetzter war er nicht. Fast alle unterstanden Hitler unmittelbar. Dies waren in erster Linie seine Sekretärinnen, Johanna Wolf, Christa Schröder, Gerda Daranowski (später Frau Christian), Trautl Humbs (später Frau Junge) und die Ärzte, die Professoren Dr. Karl Brandt, Dr. Hans-Karl v. Hasselbach, Dr. Haase und Dr. Theo Morell.

Eine gewichtige Rolle als Hitlers unmittelbarer Untergebener spielte der ungemein beliebte SS-Obergruppenführer Sepp Dietrich. Er war nicht nur der Kommandeur der Leibstandarte, sondern auch der Chef des Führer-Begleitkommandos und in dieser Eigenschaft der Hauptverantwortliche für die Sicherheit des Führers. Typ eines Haudegens, war er ein Vorbild für Treue und Zuverlässigkeit. Offen und ohne Hemmungen sagte er jedem, auch Hitler, seine Meinung in einer Art, die deutlich, aber nicht verletzend war. Mehr einfach als gebildet, aber mit gesundem Menschenverstand ausgestattet, versagte ihm seines geraden Charakters wegen niemand die Achtung.

Weiter gehörten zu Hitlers Stab der »Hausintendant« Kannenberg, sein Flugzeugführer Hans Baur, sein Fahrer Erich Kempka, die Führer der Begleitkommandos Gesche und Schädle und die Chefs des Kripo-Kommandos Rattenhuber und Högl. Eine gesonderte Stellung nahmen seine Kammerdiener ein: Karl Krause, Heinz Linge, Hans Junge und in späterer Zeit zusätzlich Bussmann und Arndt. Krause war 1934 von der Marine zu Hitler gekommen, während die anderen der SS-Leibstandarte »Adolf Hitler« angehörten. Jeweils zwei Diener verrichteten zu gleicher Zeit den Dienst. Den ganzen Tag über vom Wecken bis zum Gute-Nacht-Sagen mußte sich ein Diener immer in Sicht- oder Rufweite von Hitler aufhalten. Krause ging 1940 zur Marine zurück. Junge ist während eines Kommandos zur Leibstandarte gefallen.

Zwei Personen sind in diesem Zusammenhang noch zu nennen: die Reichsleiter Dr. Dietrich als »Reichspressechef« und Martin Bormann. Dietrich war verantwortlich für die ununterbrochene Unterrichtung Hitlers mit den neuesten Pressemeldungen aus der ganzen Welt. Er oder sein Sekretär mußten ständig erreichbar sein. Martin Bormann war bis zum Jahre 1941 als Chef der Parteikanzlei der Verbindungsmann zwischen Hitler und Heß und später als Hitlers Sekretär auch für Fragen der Staatsführung eingeschaltet. Beide Reichsleiter gehörten nicht zu Hitlers persönlichem Stab, befanden sich aber ständig in Hitlers Umgebung.

Dieser Personenkreis existierte allein für die persönliche Dienstleistung bei Hitler. Alle nahmen an Hitlers gesamtem Leben teil, ob in Berlin, in München, auf dem Obersalzberg, auf Reisen oder später im Kriege im Führerhauptquartier. Für diesen Kreis, eingeschlossen die militärischen Adjutanten, war Hitler der »Chef«. Der nach außen groß erscheinende Personalbestand seines Stabes war für den rund um die Uhr laufenden Dienst eher knapp bemessen. Die Dienstzeit jedes einzelnen war nicht auf 8 Stunden begrenzt, für manche Mitarbeiter hatte der Tag 14 bis 16 Arbeitsstunden. Trotz dieser Mehrbelastungen schon in der Friedenszeit änderte sich die Zahl der Mitarbeiter bis zum Ende des Krieges nicht. Die Arbeitsweise dieses so unterschiedlich zusammengesetzten Stabes hat im Frieden und im Krieg recht gut und reibungslos funktioniert. Aber die Gefahr des Nebeneinanderherarbeitens war gegeben. Jeder fühlte sich allein Hitler unterstellt und nur ihm gegenüber verantwortlich.

Hitlers Tagesablauf bestimmte auch für uns militärische Adjutanten die Einteilung des Tages. Die Zusammenarbeit mit ihm spielte sich fast zwanglos ab. Im Umgang mit seinem Stab war er liebenswürdig und korrekt. Hielt er sich in Berlin auf, versammelten wir uns erst gegen 12 Uhr in unserem Büro in der Reichskanzlei. Im allgemeinen kam Hitler vorher nicht aus seinen Privaträumen. Als erstes hatten wir Adjutanten Gelegenheit, unsere Fragen anzubringen, und Hitler gab seine ersten Anweisungen oder stellte Fragen, die sich aus seiner umfangreichen nächtlichen Lektüre von Schriftstücken und Vorlagen sowie aus den Auslandspresseberichten ergeben hatten. Auf Grund seiner Schlaflosigkeit arbeitete Hitler vor allem nachts. Er sagte, daß er dann die Ruhe zum Nachdenken habe. Die Zeit bis zum Mittagessen war mit Besprechungsterminen ausgefüllt, die am Vormittag bis 14 Uhr beendet sein sollten. Häufiger dauerten sie aber länger. Das Mittagessen verzögerte sich entsprechend, manchmal um ein bis zwei Stunden, gelegentlich noch länger.

Beim Essen erzählte Hitler in diesen ersten Augusttagen 1937 ausführlich von seinen Eindrücken beim Sängerfest in Breslau und vor allem von den bewegenden Szenen mit österreichischen Volksgruppen. Diese hatten ihn zweifellos nachhaltig beeindruckt. Er war aber in seinen Äußerungen vorsichtig und paßte seine Worte sehr dem jeweiligen Zuhörerkreis an. Gerne sprach er bewußt über ein Thema, wenn er einem oder mehreren Tischgästen gezielt seine Ansicht zum Ausdruck bringen wollte. Manchmal dozierte Hitler allein, manchmal gab es eine lebhafte Diskussion, auch ohne Hitlers Beteiligung, wenn zum Beispiel Goebbels in seiner zynischen Art versuchte, einen Tischteilnehmer in die Enge zu treiben. Dann hörte Hitler gerne zu und freute sich an dem Wortgefecht und dessen Ausgang.

Die Tischunterhaltung konnte manchmal hochinteressant und spannend sein, manchmal aber auch sehr langweilig. Für diejenigen, die regelmäßig an der Tafel teilnahmen, war manches eine Wiederholung, für andere wiederum, die nur selten, vielleicht nur einmal im Jahr kamen, eine »Offenbarung«. Über den Wirklichkeitsgehalt von angeblichen Äußerungen Hitlers bei solchen Gelegenheiten habe ich meine eigene Meinung. Ich bin auf zu viele fälschliche, dafür aber wichtigtuerische Wiedergaben gestoßen, die aus dem Munde Hitlers gekommen sein sollen und von jemandem stammen, der »dabei gewesen war«, aber tatsächlich weit vom Gesprächsinhalt abwichen.

Nach dem Mittagessen standen meist weitere Termine auf dem Programm. War Hitlers Gesprächspartner ein General oder ein Offizier, mußte der Wehrmacht-Adjutant in nächster Nähe erreichbar sein, zu dessen Wehrmachtteil der Besucher gehörte. Für die anderen Adjutanten war der Dienst beendet bis auf den jeweils diensthabenden militärischen Adjutanten, der so lange bleiben mußte, bis Hitler sich nachts zurückzog. Am späten Nachmittag ging Hitler noch einmal in seine Privaträume, um zu lesen oder um sich auszuruhen. Bei gutem Wetter machte er gerne einen Spaziergang im Park der Reichskanzlei.

Tagsüber arbeitete Hitler nie an einem Schreibtisch, von dringenden Unterschriften oder vom Mißbrauch als Sitzgelegenheit einmal abgesehen. Dieser etwas eigenwillige Stil, schriftliche Absichtserklärungen und Anweisungen zu vermeiden, schob der Umgebung, namentlich den Adjutanten, eine merkwürdige Mittlerfunktion zu. Wir nahmen Befehle und Anordnungen mündlich entgegen, hatten sie oft schriftlich niederzulegen und in praktische Anweisungen umzusetzen. Diese »Befehlsübertragung« fand in der Regel ohne Zeitverzug statt. Oft handelte es sich bei Hitlers Anweisungen um momentane Eingebungen, unfertige Ideen. Auslegungs- und Übertragungsfehler konnten folgenschwer sein. Auf diesem Boden entstand im Falle von Mißverständnissen oder Vergröberungen von Hitlers Absichten nahezu von selbst die für das Dritte Reich so typische Frage: »Hat der Führer das gewußt?«

Hier lag die entscheidende Schwäche des ganzen Regierungssystems. Niemand vermochte hinterher mit Gewißheit zu sagen, was Hitler nun gewollt oder gemeint hat, wenn er dieses oder jenes mündlich anordnete und die ursprüngliche »Anregung« obendrein noch durch mehrere Hände ging.

Die Abendtafel war, wenn kein Besuch einer Veranstaltung in der Stadt auf dem Programm stand, auf 20 Uhr festgesetzt. Im allgemeinen war der abendliche Kreis kleiner als der zum Mittagessen. Oft waren noch nicht einmal alle Plätze am Haupttisch im Eßzimmer besetzt. Die Adjutanten bemühten sich, zum Abend Gäste zu finden, die unterhaltsam waren und mit denen Hitler gerne sprach. Zu diesem Kreis gehörten der Reichsbühnenbildner Benno von Arent, Professor Speer oder Heinrich Hoffmann, im allgemeinen auch Flugkapitän Baur und regelmäßig je ein persönlicher und ein militärischer Adjutant und einer der Ärzte. Das Essen verlief in ganz ähnlicher Weise wie am Mittag. Die Gespräche kreisten am Abend mehr um allgemeine Fragen als um die politischen Tages-Ereignisse. Geschichte, Kunst und Wissenschaft waren Hitlers bevorzugte Themen.

In aller Regel schloß sich eine Filmvorführung an. Während des Essens legte der Diener die Liste der neuesten Filme vor. Goebbels ließ auch gute und interessante ausländische Filme auf diese Liste setzen. Die deutschen Filme waren oft noch nicht in den öffentlichen Filmtheatern gelaufen. Stand ein besonders guter neuer Film auf der Liste, kam es vor, daß Goebbels abends anwesend war, um Hitlers Ansicht über den Film kennenzulernen, auch um manchmal Hitlers Meinung zu beeinflussen. Der Film wurde im Musiksalon vorgeführt. Das in der Führerwohnung anwesende Personal, also Diener, Hausmädchen- Begleitkommando und wartende Fahrer von Gästen konnten an der Vorführung teilnehmen.

Nach der Filmvorführung begab sich Hitler in das Rauchzimmer und nahm mit seinen Gästen und seinem Stab vor dem Kamin Platz. Es wurden Getränke nach Wunsch gereicht, vom Tee bis zum Sekt. Wenn der Abend lang wurde, gab es noch Gebäck und Schnittchen. Die abendliche Unterhaltung war von unterschiedlichem Niveau und endete meist erst gegen 2 Uhr nachts. An den Mahlzeiten und den Abenden in der Reichskanzlei nahmen Hitlers Sekretärinnen nicht teil. Anders war es auf dem Berghof und später im Führerhauptquartier.

Sehr eigentümlich wirkte das Verhalten von Hitlers Umgebung und manchen Besuchern auf ihn zurück. Mir wurde erzählt, daß er sich noch in den ersten Jahren nach der Machtübernahme viel freier und ungezwungener gegeben hätte. Man wollte von einem Wandel in seinem Wesen wissen. Ich selbst hatte keine Vergleichsmöglichkeiten, fand aber, daß man mit ihm schnell Verbindung bekommen konnte. Hitler war von Natur aus nicht kontaktarm, aber abhängig davon, wie man ihm entgegentrat. Er besaß ein sehr feines Gespür und eine gute Beobachtungsgabe für die Einstellung, mit der ihm die Menschen begegneten. Zu kontaktarmen Menschen hat er erst nach langer Zeit oder nie eine Verbindung gefunden. Speer und Hoßbach sind Beispiele dafür. Natürlich gab es auch Schmeichler in Hitlers Umgebung, die in jedem passenden und unpassenden Augenblick pflichtschuldigst lächelten. Ihre Wirkung auf Hitler war aber unbedeutend. Mehr Einfluß auf sein Verhalten hatte meines Erachtens die Tatsache, daß viele Besucher, die zu Hitler kamen, ihn nur selten sahen und deshalb von sich aus Abstand aus Unsicherheit, Hochachtung oder gar Angst hielten. Dadurch wurde Hitler immer mehr in die Einsamkeit gedrängt. Die vielen alten Parteigenossen aus der Kampfzeit, die ihn gut kannten und ihn noch mit »Herr Hitler« angesprochen hatten, kamen seltener. Dafür kamen neue Menschen, für die Hitler unerreichbar auf einem unsichtbaren Podest stand. Parallel zu dieser Entwicklung trat seine zunehmende Zurückhaltung in Erscheinung, deren Ursache aber nicht Kontaktarmut war, sondern sein Sicheinkapseln in neue politische und militärische Gedanken und Pläne. Trotzdem haben selbstbewußte Menschen, die von sich aus Verbindung mit Hitler suchten und ihm gegenüber aufgeschlossen auftraten, auch weiterhin Kontakt zu ihm gefunden.

Der Nimbus, der Hitler umgab, wurde durch die Anrede »Mein Führer« – seit der Übernahme der Aufgaben des Staatsoberhauptes – noch betont. Der Vergleich mit der Anrede »Majestät« zwingt sich auf. Diese Formel hob den Abstand kraß hervor. Solche Devotion ist wohl Ausdruck unseres Volkscharakters. Die »Zivilcourage« war längst verlorengegangen. Leider habe ich dies im Laufe meiner Jahre bei Hitler allzu oft beobachten müssen, ganz besonders bei der älteren Generation, die die beiden Revolutionen nicht verstanden, geschweige denn verkraftet hatte.

Gegenüber Hitlers »brauner Umgebung« war sicheres Auftreten notwendig. Es lag an mir, daß ich mit diesen Menschen wenig Kontakt bekam. Ich suchte ihn nicht. Aber ich hatte deswegen auch keine Schwierigkeiten. Die Soldaten waren in Hitlers Umgebung Außenseiter. Man begegnete uns zwar mit Achtung, aber doch mit Mißtrauen. Es dauerte für mich lange, bis ich das Eis gebrochen hatte. Wie oft wurde ich in meinem Bekannten- und Freundeskreis auf diesen Punkt angesprochen. Das Vertrauen zu Hitler war allgemein, aber die Kritik an den sogenannten »kleinen Hitlers« weit verbreitet und nicht unbegründet.

Die offiziellen Verpflichtungen als Reichskanzler und Staatsoberhaupt bestimmten Hitlers Aufenthalt und seinen Tageslauf in Berlin. Sobald ihm diese Zeit ließen, reiste er wieder nach München und Süddeutschland. Dort verbrachte er auch den restlichen August 1937. Wir Wehrmacht-Adjutanten pflegten ihn damals noch nicht zu begleiten. Nur von Fall zu Fall, wenn eine militärische Besprechung stattfinden sollte, reiste Oberst Hoßbach mit.

Ich nutzte die Zeit, um mich weiter in Berlin und in meiner neuen Dienststelle einzuleben. Zunächst kam es mir darauf an zu erfahren, welche Aufgaben im Bereich der Wehrmacht-Adjutantur mir zufielen. Die Antworten, die ich von Hoßbach und Puttkamer erhielt, waren sehr vage. Klar zugewiesen erhielt ich die Bitt- und Gnadengesuche von Soldaten und deren Angehörigen. Diese Arbeit beschäftigte mich nur etwa eine Stunde am Tag. Hoßbach war Leiter der Zentralabteilung des Generalstabes des Heeres und hatte damit als Personalbearbeiter für alle Generalstabsoffiziere eine besondere Vertrauensstellung beim Chef des Generalstabes, General Beck, inne. Korvettenkapitän v. Puttkamer war der Verbindungs-Offizier der Kriegsmarine zum Generalstab des Heeres. Beide hatten eigene Amtszimmer im Gebäude des Kriegsministeriums. War Hitler von Berlin abwesend, konnte es vorkommen, daß beide tagelang nicht in den Diensträumen der Wehrmacht-Adjutantur erschienen. Auf meine Frage, welche Tätigkeiten meine Vorgänger auszuführen hatten, erfuhr ich, daß die Luftwaffen-Adjutanten früher ebenfalls eine Dienststellung bei ihrem Oberkommando innehatten und nur von Fall zu Fall zum Dienst bei Hitler erschienen. Erst mein Vorgänger war hauptamtlich Hitlers Luftwaffen-Adjutant ohne Dienststellung im RLM. Die gleiche Dienstanweisung hatte ich von Göring erhalten. Damit unterschied sich meine Dienststellung wesentlich von der Hoßbachs und Puttkamers.

Hoßbach kannte das Geltungsbedürfnis Görings und sicherlich auch seine Anweisungen an meinen Vorgänger. Er ließ mich bald nach meinem Dienstantritt seine Ansichten über unsere Dienststellung und Dienstanweisung wissen. Dabei betonte er seine Auffassung, daß Hitlers Wehrmachtadjutanten nicht zwischen Hitler und den Oberkommandos der Wehrmacht und der Wehrmachtteile stehen dürften, sondern Organe der Wehrmachtteile seien. Entsprechend sei auf seinen Vorschlag 1934 der Name »Adjutant der Wehrmacht beim Führer und Reichskanzler« für Hitlers militärische Adjutanten gewählt worden. Er zog als Vergleich die Stellung der Adjutanten des Kaisers aus der Wilhelminischen Zeit heran und betonte, daß sich das Unwesen und die Allüren der General- und Flügeladjutanten nicht wiederholen dürften. Ich fragte Hoßbach, ob dies Hitlers Ansicht über die Stellung seiner militärischen Adjutanten sei und seiner Anweisung für den Adjutantendienst bei ihm entspräche. Hoßbach bejahte meine Frage. Obwohl ich von Göring andere Order hatte, schien es mir ratsam, nichts zu entgegnen und abzuwarten, wann und wie sich mir eine Gelegenheit bieten würde, die Widersprüche zu klären.

Hoßbach selbst vertrat ausschließlich die Auffassungen Fritschs und Becks. Das OKH stand in den grundsätzlichen Fragen der Heeres- und Wehrmachtführung gegen Blomberg, also die Wehrmachtführung. Blombergs Position zwischen Hitler und dem OKH war von Jahr zu Jahr schwieriger geworden. Blomberg hatte in Oberst Hoßbach nicht die Hilfe, derer er bedurft hätte.

Mit Hitlers Machtübernahme 1933 war ein aktiver Soldat zum Reichswehrminister ernannt und ihm inzwischen nominell die Kommandogewalt über Heer, Marine und die Luftwaffe übertragen worden. Als Soldat widmete Blomberg sich verständlicherweise vorwiegend militärischen Aufgaben. Ab 1935, mit der Umbenennung von Blombergs Dienststellung in »Reichskriegsminister und Oberbefehlshaber der Wehrmacht« und mit der Einführung der allgemeinen Wehrpflicht kämpften Fritsch und Beck um die unmittelbare Unterstellung des OKH unter Hitler in allen militärischen Führungsfragen. Vor allem wollten sie Blomberg und seinen OKW-Stab bei allen Vorbereitungen eines möglichen kriegerischen Einsatzes des Heeres ausgeschaltet wissen. Für einen Mobilmachungsfall forderten sie, daß allein der Oberbefehlshaber des Heeres der Höchstkommandierende auch für die oberste Führung von Luftwaffe und Marine sein müsse. Die Differenzen basierten nicht allein auf unterschiedlichen Auffassungen in Führungsfragen und über die Spitzengliederungen. Ich fand auch meine früheren Erkenntnisse bestätigt, daß Blomberg von Fritsch, Beck und vielen Generalstabsoffizieren des Heeres, darunter auch Hoßbach, als geeigneter Oberbefehlshaber der Wehrmacht abgelehnt wurde, weil er ihnen zu hitlerhörig war.

Die Führung des Heeres und eine große Anzahl von Generalen und Generalstabsoffizieren standen in dem Ruf, in Hitler einen Parvenu zu sehen. Sie wollten den Weg von der königlich preußischen Armee über das Reichsheer bis zu Hitlers Wehrmacht im alten Geist weitermarschieren und nichts von einer neuen, nationalsozialistischen Weltanschauung wissen. Die Heeresführung konnte sich nicht damit abfinden, daß sie an Hitlers wesentlichen politischen Entscheidungen nicht beteiligt wurde.

Meine Flieger-Freunde im OKW verfolgten die Spannungen zwischen OKW und OKH voller Sorge. Meine Frage, ob und wieweit das Oberkommando der Luftwaffe und damit auch Göring von diesen Machtkämpfen wußten, wurde mit einem »selbstverständlich« beantwortet, während man mir auf meine Frage: »und Hitler?« die Antwort schuldig blieb. Mehr noch als diese internen Machtkämpfe überraschte mich, daß der Generalstab des Heeres sich immer noch nicht mit der Luftwaffe als einem selbständigen Wehrmachtteil abgefunden hatte, wie mir Milch nachdrücklich klarmachte. Ein Luftwaffen-Generalstab sei völlig überflüssig und nur von Göring als Konkurrenz gegen den Heeres-Generalstab gebildet worden, hieß es. Die Luftwaffen-Generalstabsoffiziere im OKW wurden von ihren Heeres-Kameraden nicht als vollwertige Generalstabsoffiziere anerkannt. Dabei spielte keine Rolle, daß viele von ihnen die Generalstabs-Ausbildung auf der Heeres-Akademie genossen hatten und erst danach zur Luftwaffe übergetreten waren. Eine Ausnahme bildete die Auffassung des Chefs der Abteilung Landesverteidigung, Oberst Jodl. Er hatte die Bedeutung der Luftwaffe und ihrer Aufgaben in einem modernen Krieg voll erkannt und bemühte sich, die Zusammenarbeit von Heer und Luftwaffe im taktischen Rahmen zu fördern. Das OKW versprach sich hierfür von dem bevorstehenden Wehrmachtmanöver einige Fortschritte. Aber die Heeresoffiziere hatten nur geringe Vorstellungen von dem Zusammenwirken von Panzern und Fliegern auf dem Gefechtsfeld. Selbst die Bedeutung der Panzerwaffe war noch nicht erkannt. Mir waren diese Ansichten völlig unverständlich, denn bereits im Sommer 1934, also drei Jahre vorher, hatte ich bei Übungen des Heeres auf dem Truppenübungsplatz Jüterbog zum Zwecke der Zusammenarbeit von Panzern und Fliegern mitgewirkt. Zwar flogen wir damals kleine Sportflugzeuge, und die Panzer waren noch aus Pappe. Aber für die Führung hatten sich wertvolle Erkenntnisse ergeben, die wir bei der Luftwaffe auch ausgewertet und bei der Ausbildung verwendet hatten. Die Zusammenarbeit »unten« war besser als an der Spitze!

Görings Sonderstellung

Schwierigkeiten gab es auch von Seiten des Oberkommandos der Luftwaffe. Görings kürzliche Umorganisation im RLM wurde im OKW mit Besorgnis verfolgt. Görings Sonderstellung im Staat und in der Wehrmacht hatte schon immer die Zusammenarbeit erschwert. Er war als Oberbefehlshaber der Luftwaffe in allen militärischen Fragen und mit allen Dienststellen Blomberg unterstellt. Als Reichsluftfahrtminister stand er aber neben Blomberg und als engster Vertrauter von Hitler fühlte er sich Blomberg übergeordnet. Dies erschwerte die Zusammenarbeit zwischen den Oberbefehlshabern außerordentlich und übertrug sich nachteilig auch auf die Chefs der Generalstäbe. Den Generalen des Heeres blieb die abfällige Einstellung Görings ihnen gegenüber nicht verborgen. Umgekehrt mokierten sich die Generale über den »unmilitärischen Haufen«, der sich Luftwaffe nannte, und über die »Amateursoldaten« Göring und Milch an ihrer Spitze. Für den engen Geist im Heer war es bezeichnend, daß man zwei Hauptleuten aus dem Weltkrieg nicht die Eignung zubilligte, unter Umgehung der Stufenleiter Generale geworden zu sein und deren Aufgaben übernommen zu haben. Hoßbach machte mir gegenüber kein Hehl daraus, daß Göring und Milch in seinen Augen militärische Laien seien.

Die Ansicht der Luftwaffen-Führung dazu vermittelte mir Oberst Bodenschatz. Das Bild, das ich mir daraus machen konnte, war folgendes: Hoßbach war in Görings Augen ein Gegner Hitlers und seiner Führung. Göring wußte selbstverständlich von den Machtkämpfen zwischen dem OKW und OKH und hatte wiederholt mit Hitler darüber gesprochen. Es gab für Göring kein Thema, über das er nicht mit Hitler sprach. Das war schon in der Kampfzeit so. Umgekehrt besprach Hitler auch alle Probleme, die ihn beschäftigten, mit Göring, ganz gleich, ob es sich um Fragen der Politik oder um Vorgänge aus der Wehrmacht und der Partei handelte. Personalfragen spielten dabei immer eine große Rolle. Hitler hatte stets ein offenes Ohr für Göring, und diesem waren umgekehrt Hitlers Ansichten und Äußerungen bindende Richtschnur. In ihrer Kritik über die Führung des Heeres wußten sie sich einer Auffassung. Marine und Luftwaffe hatten den nationalsozialistischen Staat und seine Führung anerkannt. Die Heeresgenerale dagegen wurden als Fremdkörper empfunden, bis auf wenige Ausnahmen, die sich dafür von ihren Kameraden den Vorwurf der »Charakterlosigkeit« gefallen lassen mußten.

Reichsparteitag »der Arbeit«

Am 6. September 1937 erwartete ich Hitler auf dem Flugplatz Nürnberg und begleitete ihn in die Stadt zum Reichsparteitag »der Arbeit«. Böse Zungen lästerten, daß dieser Name gewählt wurde, weil das gesamte Parteitag-Gelände einer einzigen Baustelle glich. Mit seinem Gefolge residierte Hitler im »Deutschen Hof«. Hier waren auch die Gau- und Reichsleiter untergebracht. Wir Wehrmacht-Adjutanten wirkten wie Fremdkörper in dieser »braunen« Umgebung. Die lange Autofahrt in die Stadt gab den ersten Vorgeschmack auf den Trubel, der uns nun bis zum 13. September begleiten sollte.

Der letzte Tag des Parteitages, immer ein Montag, war der »Tag der Wehrmacht«, für uns militärische Adjutanten der einzige Tag in Nürnberg, der uns Aufgaben stellte. Am Vormittag fuhren wir mit Hitler zum Zeppelinfeld, in dessen großer viereckiger Arena die Soldaten von Heer, Marine und Luftwaffe Aufstellung genommen hatten. Hitler hielt eine kurze Ansprache von der Tribüne aus und erwähnte darin die nach dem Parteitag bevorstehende Entlassung des ersten Jahrganges, der die zweijährige Wehrpflicht abgeleistet hatte: »Zwei Jahre habt Ihr Deutschland gegeben«, sagte er, »und dazu beigetragen, dem Deutschen Reich nach außen hin die Freiheit zu erringen und den Frieden zu bewahren.« Es folgte die Vorführung eines Gefechtes mit Infanterie- und Panzerverbänden, abschließend ein Vorbeimarsch aller Einheiten mit gleichzeitigem Überflug der Jagd- und Bomber-Staffeln.

Am Nachmittag hielt Hitler seine mit Spannung erwartete Schlußrede in der Kongreßhalle. Hitler pflegte in dieser Rede zu den ihm besonders wichtig erscheinenden Tagesfragen der Innen- und Außenpolitik Stellung zu nehmen. Alles, was Rang und Namen hatte in Staat, Partei und Wehrmacht, war anwesend. Hitler hatte seine Rede dementsprechend lange vorbereitet. Sie war ein Appell an die

Adresse der westlichen Demokratien mit der Warnung vor dem »Generalangriff des jüdischen Bolschewismus gegen die heutige Gesellschaftsordnung und gegen unsere Geistes- und Kulturwelt«. Seit dem Aufkommen des Christentums, dem Siegeszug des Islams oder seit der Reformation habe kein ähnlicher Vorgang auf der Welt stattgefunden. »Im derzeitigen Sowjetrußland des Proletariats sind über 80 % der führenden Stellen von Juden besetzt«, sagte er. Mit dem Hinweis auf die »rote Revolution« in Spanien, gegen die sich Franco zur Wehr setze, beschwor er die »große europäische Völkerfamilie«, die »Größe dieser Weltgefahr Bolschewismus« zu erkennen. Darüber hinaus befürchtete Hitler vom Bolschewismus die Störung des europäischen Gleichgewichts.

Wie immer nach seinen großen Reden zog sich Hitler nach der Rückkehr ins Hotel sofort in seine Suite zurück, um ein Bad zu nehmen. Inzwischen füllten sich die Gesellschaftsräume des Hotels mit grauen und blauen Uniformen. Am Abend des Tages der Wehrmacht waren die in Nürnberg anwesenden Generale und Admirale Hitlers Gäste zum Essen. Im Vergleich zu den Führern der Partei, die das Leben und Treiben in Hitlers Hauptquartier in Nürnberg gewohnt waren, machten die Generale einen steifen und unbeholfenen Eindruck. Wir Adjutanten mußten hier und da eingreifen, damit sich alle zurechtfanden. Der Zapfenstreich der Wehrmacht vor dem Hotel bildete den feierlichen Abschluß des Reichsparteitages. Hitler nahm ihn vom Balkon im ersten Stock des Hotels ab, umgeben von Generalen und Parteiführern.

Wehrmachtmanöver

An den Reichsparteitag schloß sich der Besuch des Wehrmachtmanövers in Mecklenburg an, für dessen letzten Tag Mussolini erwartet wurde.

Am 19. September reiste Hitler in seinem Sonderzug in das Manövergelände. Sein Stab war nur durch einen Generalstabsoffizier des Heeres vergrößert worden. Hoßbach bestimmte dazu mit Hitlers Einverständnis seinen Stellvertreter aus der Zentralabteilung, den Major i. G. v. Grolman. Hoßbach hatte ihn als seinen Nachfolger in der Stellung als Hitler Wehrmacht-Adjutant vorgesehen. Der Wechsel sollte im Frühjahr 1938 stattfinden. Leider ist es dazu nicht mehr gekommen. Grolman, 1958/61 der erste Wehrbeauftragte des Deutschen Bundestages, wurde während des Wehrmachtmanövers in jeder Beziehung eine Bereicherung für unsere Adjutantur.

Der Sonderzug diente während des Manövers als »Hauptquartier«. Hitler lebte gern in seinem Zug. Wenn es das Wetter und seine Zeit erlaubten, ging er oft mit Herren seines Stabes spazieren. Der Zug war nicht luxuriös, aber praktisch eingerichtet. Hinter den beiden Lokomotiven befand sich der vordere Maschinen-

und Gepäckwagen. Es folgte Hitlers Salon-Wagen, im ersten Drittel des Wagens ein Wohnraum mit einem langen Tisch und acht Stühlen. Durch einen Gang erreichte man die Abteile, zunächst Hitlers Wohn- und Schlafabteil mit Bad, dann zwei Abteile für die beiden Chefadjutanten und ein Abteil für zwei Diener mit einem Arbeits-, Abstell- und Küchen-Abteil, schließlich die Wagen für das Kripo- und Begleitkommando, ein Speisewagen, zwei Wagen für Gäste, Adjutanten, Ärzte und Sekretärinnen sowie der Presse- und der hintere Maschinenwagen.

Das äußere Bild des Zuges war ganz einheitlich, alle Wagen hatten die gleiche Form und die gleiche dunkelgrüne Farbe. Jeder Mitreisende in diesem Sonderzug mußte im Besitz einer gültigen Fahrkarte Erster Klasse sein. Wir, aus Hitlers ständiger Begleitung, hatten ohnehin eine Jahres-Fahrkarte. Aber für gelegentliche Gäste mußte Hitlers persönliche Adjutantur vor jeder Fahrt Fahrkarten besorgen und an die Mitreisenden ausgeben.

Das Manöver ging auf eine Idee von Blomberg zurück. Oberst Jodl als Chef der Abteilung Landesverteidigung im Wehrmachtamt leitete die Vorarbeiten. Halder, Oberquartiermeister II im Generalstab des Heeres war als Führer des Leitungsstabes eingeteilt, der Chef des Generalstabes, General Beck, schien sich auf eine Beobachter-Rolle zu beschränken.

Das Manöver, das dazu dienen sollte, die neue Befehlsorganisation im OKW und die Zusammenarbeit zwischen OKW und den Oberkommandos von Heer, Marine und Luftwaffe zu erproben, litt in Vorbereitung und Durchführung unter dem Streit zwischen OKW und OKH über die Spitzengliederung und die obersten Befehlsbefugnisse. Trotzdem war das Ganze als gelungen zu bezeichnen, ein Verdienst Jodls. Er, vom Chef des Generalstabes des Heeres besonders für den Posten im OKW ausgesucht, hatte es nicht leicht und mußte seitens des OKH viele Vorwürfe einstecken. Jodl ging aber unbeirrt seinen Weg. Es lag weder in seiner noch in Blombergs oder seines Chefs Keitel Absicht, die Verantwortlichkeit der Oberkommandos und ihrer Generalstäbe zu beschneiden. Marine und Luftwaffe empfanden das auch nicht. Diese Besorgnis bestand nur beim Heer. Anlaß zu Differenzen waren unter anderem Tempo und Umfang der Aufrüstung. Das Heer verfolgte ein langsames systematisches Vorgehen, während Hitler darin einen bewußten Widerstand gegen seine Forderungen sah. Der Generalstab des Heeres benutzte deshalb während des Manövers jede Gelegenheit, um Hitler die Richtigkeit und Notwendigkeit seiner Vorstellungen für die Rüstung zu erklären und vor Augen zu führen.

Hoßbach unterrichtete Hitler täglich über die strategische und taktische Lage, die dem Manöver zugrunde lag, und trug ihm morgens vor Verlassen des Zuges das Tagesprogramm vor. Im Laufe der Tage traf Hitler mit einer ganzen Reihe von Generalen zusammen, die über weitere Einzelheiten und über den Manöververlauf berichteten. Ich erinnere mich der Vorträge der beiden Oberquartiermeister

I und II, Manstein und Halder. Diese vermieden Einzelheiten, weil man Hitler nicht viel Verständnis für strategische und taktische Fragen zutraute.

Ich selbst mußte mich vom Gegenteil überzeugen lassen. An einem der Manövertage wurde die Stellung einer 8,8 cm Flak-Batterie besucht. Hitler sah sich die Geschütze und die Feuerleitanlage an und zog mich dann in ein Gespräch. Seine keineswegs laienhaften Fragen waren zwar allgemeiner Art – über Organisation und Gliederung der Flak-Einheiten und Zusammensetzung nach Kalibergrößen –, zeigten aber doch Kenntnisse über Verwendung und Einsatzmöglichkeiten. Auch die Leistungen der Geschütze, vor allem Reichweiten, waren ihm bekannt. Die Feuergeschwindigkeit dagegen wollte er von mir wissen. Die Antwort mußte ich ihm schuldig bleiben. Ich wollte den Batteriechef heranrufen, aber Hitler winkte ab und ging mit mir weiter. Ich hatte keine Ahnung von der Flakartillerie, die wir Jagdflieger eine »Weltanschauung« nannten. Hitler beschränkte sich dann auf das allgemeine Thema Luftverteidigung, bei der er sich größere Wirkung von der Flakartillerie versprach als von den Jagdfliegern. Das Flugzeug als militärische Waffe und seine verschiedenen Leistungen waren ihm noch unbekannt. Ich trat Hitler gegenüber natürlich für meine Waffe und ihre Bedeutung in der Luftverteidigung ein. Hitler gab aber zu verstehen, daß er die Hauptaufgabe der fliegenden Verbände im Angriff sähe, also bei den Kampfflugzeugen.

Von der Luftwaffe war während des Manövers nicht viel zu sehen, obwohl über 1000 Flugzeuge eingesetzt wurden. Außerhalb des Manöverrahmens war am ersten Tag ein Luftangriff auf Berlin geflogen worden, um die Luftverteidigung sowie das Zusammenwirken von zivilem Luftschutz, Polizei, Feuerwehr und Rotem Kreuz bei einem Überraschungsangriff zu erproben. Zum ersten Mal erlebte Berlin die Verdunkelung. Im Manöver wurde die Zusammenarbeit zwischen Heerestruppenteilen und Stuka- und Schlachtfliegerverbänden im Angriff und in der Abwehr erprobt. Da Hitler an der Schlußbesprechung nicht teilnahm, habe ich nichts davon gehört, ob das Zusammenwirken von Heer und Luftwaffe wertvolle Erfahrungen gebracht hat. Nur mußte ich wiederum feststellen, daß die Heeresoffiziere, die ich sprach, den Einsatz der Flugzeuge als interessante Belebung des Gefechtsfeldes ansahen, aber ihm keine Bedeutung für den Erdkampf beimessen wollten. Wie anders sollte dies später im Kriege werden!

Eine besondere Attraktion während des Manövers bot Udet. Er flog zum ersten Mal mit dem neu entwickelten Fieseler »Storch«. Immer wieder tauchte er überraschend in Begleitung Milchs bei einem Stab oder einem Truppenteil auf. Meist landete er auf einer kleinen Wiese oder Koppel und bewies damit die vorzügliche Verwendungsmöglichkeit dieses »Storches« als Verbindungs- und Kurierflugzeug.

Hitler wartete das Manöver-Ende nicht ab. Am 25. September empfing er den Duce in München. Der Sonderzug brachte uns in einer Nachtfahrt nach dem Süden. Hitler beschäftigte sich schon während der Manövertage mit dem bevorstehenden Staatsbesuch. Bei den Mahlzeiten im Speisewagen legte er uns wiederholt seine Gedanken über Mussolini und Italien dar. Es konnte kein Zweifel darüber bestehen, daß Hitlers politisches Engagement für Italien allein auf seiner Sympathie zu Mussolini basierte. Er fand damit keinesfalls uneingeschränkte Zustimmung bei seinen Beratern. Seit dem ersten Treffen im Jahre 1934 in Venedig hatte sich auf der politischen Bühne manches verändert. Damals befürchtete Mussolini – instinktiv sicherlich richtig – eine Erstarkung Deutschlands und hielt ein gutes Einvernehmen mit Österreich für den besten Schutz gegen mögliche Übergriffe Deutschlands. Durch seinen afrikanischen Alleingang gegen Äthiopien im Oktober 1935 hatte Mussolini auf Beschluß des Völkerbundes in Genf Sanktionen hinnehmen müssen, die seine Lage erschwerten. Deutschland, seit Oktober 1933 nicht mehr Mitglied des Völkerbundes, nutzte die Gelegenheit, Italien zu unterstützen. Die Waffenbrüderschaft der beiden Länder in Spanien führte zur Anerkennung der Annexion Äthiopiens durch Deutschland im Oktober 1936. Mussolini hat bei dieser Gelegenheit zum ersten Mal von der »Achse Berlin – Rom« gesprochen. Die Anerkennung der nationalspanischen Regierung General Francos durch beide Staaten folgte. Als Schuschnigg im Frühjahr 1937 bei einem Besuch in Venedig um italienische Unterstützung gegen Deutschland und dessen in Österreich stärker werdenden Einfluß warb, zeigte Mussolini ihm die kalte Schulter. Seitdem war Hitler bemüht, unmittelbar mit Mussolini ins Gespräch zu kommen.

Mussolinis Besuch in Deutschland begann in München. Seine Ankunft auf dem Hauptbahnhof war für den 25. September vormittags 10 Uhr festgesetzt.

Für den Besuchstag in München war die NSDAP der Gastgeber. Die Gauleitung hatte entsprechend »für Jubel« gesorgt. Die Straßen und der Bahnhofs-Vorplatz waren schwarz von Menschen. Die Bahnhofshalle ebenso wie die Häuserfronten hatte man mit Girlanden und mit unzähligen italienischen und Hakenkreuzfahnen geschmückt. Pünktlich fuhr der Sonderzug ein. Die Begrüßung war herzlich. Ich stand nur zwei Meter entfernt und konnte die Gesichter und Gesten genau beobachten. Auf beiden Seiten sah man ehrliche Wiedersehensfreude.

Hitler geleitete seinen Gast in das Prinz-Carl-Palais, begab sich selbst aber gleich in seine Privatwohnung in der II. Etage des Mietshauses Prinzregentenplatz 16. Dort machte Mussolini wenig später seinen Antrittsbesuch. Im Beisein eines deutschen Dolmetschers fand eine etwa einstündige Unterredung statt. Mussolini sprach aber ganz gut deutsch, so daß das Übersetzen entfallen konnte. Er überreichte seinem Gastgeber die Urkunde und die Insignien eines »Ehrenkorporals der Faschistischen Miliz«, eine Geste, die unterschiedlich beurteilt wurde. Aber Hitler trug Mussolini zu Ehren das Ärmelabzeichen und den Dolch bei seinem Staatsbesuch 1938 in Italien.

Der Tag in München verlief mit den üblichen Zeremonien eines Staatsbesuches: Kranzniederlegung, Frühstück, Empfang und Parade. Der Vorbeimarsch der »Leibstandarte Adolf Hitler« der SS und der Standarte »Feldherrnhalle« der SA imponierte Mussolini so, daß er von der sofortigen Einführung dieses Parade-schrittes in Italien sprach. Etwa um 19 Uhr geleitete Hitler seinen Gast zum Bahnhof. Beide bestiegen ihre Sonderzüge, mit denen sie in das Manövergelände nach Mecklenburg fuhren.

Der Ablauf des 26. September hatte ein Vorspiel. Dies war eigentlich der letzte Manövertag, an dem nichts Wirkungsvolles und Interessantes mehr passieren würde. Mussolini sollte aber, nach Hitlers Wunsch, einen Eindruck von der deut-schen Wehrmacht erhalten. Hoßbach mußte nach einem Ausweg suchen, der dar-in gefunden wurde, daß man das Manöver einen Tag vorher abbrach und für Mussolini einen »Türken« baute. Mit viel Aufwand rollte ein Gefecht im Ge-lände ab. Überall knallte es, Geschütze und Maschinengewehre gingen in Stel-lung, Panzereinheiten fuhren einen Angriff, mit pausenloser Unterstützung durch Stukas und Schlachtflieger. Es gab viel zu sehen. Die Wirkung bei den Gästen schien erreicht. Mussolini zeigte sich interessiert. Ich glaube, daß ihn die Vor-führung mehr beeindruckte, als es ein streng gefechtsmäßiger Ablauf getan hätte. Obwohl er auch italienischer Kriegsminister war, konnte bei ihm von ausgepräg-tem militärischen Sachverstand keine Rede sein. Diese Feststellung war für Hitler überraschend.

Am Nachmittag führte die Luftwaffe auf dem Flakartillerieschießplatz Wu-strow an der Ostsee ein Scharfschießen mit schweren und leichten Flak-Geschüt-zen auf Luft- und Erdziele vor, eine sehr wirkungsvolle Übung. Der Einsatz der 8,8 cm Flak-Geschütze zur Panzerbekämpfung bereitete einigen anwesenden Heeresoffizieren Ärger, da man darin eine Einmischung der Luftwaffe in Heeres-aufgaben sah.

Der weitere Verlauf des Staatsbesuches – 27. September Besichtigung der Krupp-Werke in Essen, abends Eintreffen Hitlers und seiner Gäste in Berlin – war harmonisch. Nicht zuletzt durch den begeisterten Jubel der Berliner und die vorzügliche Organisation des Programms wurden diese Tage zu einem unver-geßlichen Eindruck.

Am 28. September besuchte Mussolini auf eigenen Wunsch Potsdam und Sanssouci. Am Abend wurde das gemeinsame Programm mit einer Großkund-gebung im Olympia-Stadion fortgesetzt. Höhepunkte waren die Reden von Hit-ler und Mussolini. Beide Staatsmänner betonten die Notwendigkeit der Erhaltung des Friedens. Hitler feierte Italien als das Land, das sich in den Nachkriegsjahren nicht an den Demütigungen des Deutschen Volkes beteiligt hatte. Der Duce hielt seine Rede in deutscher Sprache und erntete dafür von den Berlinern besonderen Beifall. Die Achse Berlin-Rom sei der Garant für die unerschütterliche Entschlossenheit im Zusammenstehen, was auch kommen möge. Die Rede kam bei den Berlinern gut an. Nur leider setzte dabei ein heftiger Regen ein, der die Lautsprecherübertragung störte. Der Berliner Witz machte schnell aus »Duce, Duce«: »Dusche, Dusche«.

Hitler zeigte sich nach der Abreise Mussolinis überzeugt davon, in Mussolini einen aufrichtigen Freund Deutschlands gewonnen zu haben.

Friedliche Wochen

Nach dem Besuch der Ausstellung »Schaffendes Volk« in Düsseldorf am 2. Oktober, des Erntedankfestes auf dem Bückeberg am Tage darauf und der Eröffnung des »5. Winterhilfswerkes« 1937/38 mit der Parole »Ein Volk hilft sich selbst« am 5. Oktober reiste Hitler Mitte des Monats nach Süddeutschland und zum Obersalzberg, um erst Ende Oktober wieder nach Berlin zurückzukehren. Ich verbrachte diese Wochen hauptsächlich im RLM und auf den Flugplätzen Staaken und Döberitz. Oberstleutnant Jeschonnek, der Chef der Operationsabteilung (1. Abtlg.) im Generalstab der Luftwaffe, machte mir den Vorschlag, neben meiner Tätigkeit in der Reichskanzlei die »Höhere Luftwaffenschule« in Gatow zu besuchen, eine Vorstufe zur Luftwaffen-Akademie und damit zur Generalstabsausbildung. Der nächste Kursus sollte am 1. November beginnen und drei Monate dauern. Ich griff den Vorschlag begeistert auf und richtete mich darauf ein.

Das gesellige Leben genossen meine Frau und ich in diesen freien Wochen sehr. Besonders gerne besuchten wir die Staatsoper »Unter den Linden« und das Staatliche Schauspiel am Gendarmenmarkt. Für die rückwärtigen Plätze in Hitlers Mitteloge konnten wir während seiner Abwesenheit jederzeit Freikarten erhalten. Diese Möglichkeit haben wir bis zum Ausbruch des Krieges häufig ausgenutzt und alle großen Inszenierungen der Bühnen gesehen und gehört. Auch die Konzerte in der Philharmonie unter Wilhelm Furtwängler gehören zu den schönsten Erinnerungen. Das Leben in Berlin bot damals unendlich viele Möglichkeiten zu Kunstgenuß und zwangloser, fröhlicher Zerstreuung. Das Berlin der Vorkriegszeit kann sich heute kaum jemand vorstellen, der es nicht selbst miterlebt hat. Es war eine Weltstadt, die nicht nur deutsche, sondern auch ausländische Besucher angezogen hat. Seit im Sommer 1936 Berlin die Olympischen Spiele mit einzigartigem Glanz und großer Präzision ausgerichtet hatte, stand diese Stadt noch mehr im Blickpunkt der ganzen Welt.

Die Hoffnung auf eine lange Friedenszeit war verbreitet. Die Masse glaubte

Hitler, daß er den Frieden erhalten werde, gerade weil er selbst den Weltkrieg an der Front erlebt hatte. Die Angst vor dem Kommunismus, den wir durch die Unruhen und Aufstände nach dem Krieg auch in Deutschland kennengelernt hatten, war groß. Die Maßnahmen zur Revision des »Versailler Diktates« waren populär, der Antisemitismus weit verbreitet. Hitler galt als der Retter, der die soziale Not beseitigte und für alle »Volksgenossen« die Chancengleichheit verwirklicht hat. Durch all diese Errungenschaften waren viele Menschen damals in Deutschland davon überzeugt, eine echte Volkserhebung zu erleben, und sahen in Adolf Hitler ihren Führer in eine glückliche Zukunft. Hitler war zum »Abgott« der Massen geworden. Er konnte alles verlangen, sie folgten ihm. Die kurzen, wirtschaftlich und politisch schlechten Jahre der Weimarer Republik hatten aus Monarchisten keine Demokraten machen können. So ist es verständlich, daß Hitler mit seinen augenfälligen Erfolgen alle Schichten des Volkes hinter sich brachte. Darin liegt das für uns heute Unbegreifliche, daß Hitler nahezu bis Kriegsende das Volk hinter sich hatte. »Adolf wird's schon wissen« oder »Adolf macht's schon« hörte man noch in den letzten Tagen, obwohl der Feind im Lande stand und der Krieg längst verloren war. Die Schattenseiten des Regimes nahm man nicht zur Kenntnis.

Ende Oktober kehrte Hitler ausgeruht und erfrischt vom Obersalzberg nach Berlin zurück. Die Reichskanzlei wurde wieder lebendig. Viele Neugierige drängten sich an Hitlers Tisch. Hitler erzählte sehr freimütig von zwei Besuchern auf dem Obersalzberg. Der erste war Aga Khan, Präsident des Völkerbundes, der Führer einer muslimischen Sekte Indiens. Mit ihm schien Hitler offen über politische Probleme, die Deutschland und England betrafen, gesprochen zu haben. Besonders aber erwähnte Hitler eine interessante Bemerkung des Muslim. Aga Khan sei der Überzeugung, daß durch den Sieg Karl Martells 732 in der Schlacht zwischen Tours und Poitiers der Zersplitterung Europas Vorschub geleistet worden ist. Der Islam hätte die Einheit Europas bewahren können. Hitler hat seine eigene Ansicht über den Verlauf der Geschichte durch Aga Khan bestätigt gefunden. Er hat noch oft seine Sympathie für den Islam bekundet.

Der andere Besucher war der ehemalige englische König Eduard VIII., der Herzog von Windsor, mit seiner Frau. Ihr Besuch in Deutschland galt den neuesten sozialen Einrichtungen. Deshalb wurde das Paar auch vom Leiter der »Deutschen Arbeitsfront«, Dr. Robert Ley, begleitet. Das Herzogspaar hat einen nachhaltigen Eindruck auf Hitler gemacht. Er fand seine Meinung bestätigt, daß sich die deutsch-englischen Beziehungen unter der Regierung eines Eduard VIII. besser entwickelt hätten, als es derzeit der Fall sei.

Ganz sicher hat Hitler, wie er es gerne tat, beide Gelegenheiten benutzt, um auf inoffiziellen Wegen seine Auffassungen zu politischen Tagesfragen an die richtige Adresse in England zu lancieren. Der damalige deutsche Botschafter in London und spätere Reichsaußenminister v. Ribbentrop beobachtete Hitlers Privatgespräche mit Engländern voll Unbehagen, weil er fürchtete, daß seine diplomatische Arbeit dadurch beeinträchtigt würde. Die Spannungen mit England waren durch die unterschiedliche Einstellung zum spanischen Bürgerkrieg gewachsen und erschwerten sein Ziel, eine dauerhafte Verständigung mit England zu erreichen. Der in London permanent tagende »Nichteinmischungsausschuß«, in dem Ribbentrop der Vertreter Deutschlands war, diente – nach Ribbentrops Berichten – mehr einer Vergiftung der Atmosphäre zwischen Deutschland und England als einer Entspannung.

Im Hinblick auf eine Verständigungspolitik mit England war Hitlers Einstellung zum spanischen Bürgerkrieg Schwankungen unterworfen. Das bolschewistische Engagement auf der Roten Seite aber bestimmte ihn immer aufs neue, in der Unterstützung Francos nicht nachzulassen. Dagegen sprachen die Berichte der militärischen und politischen deutschen Dienststellen in Spanien von Korruption unter den führenden Persönlichkeiten. Die Nachlässigkeit Francos in der militärischen Führung zöge alle Entscheidungen und Maßnahmen nach südländischer Manier in die Länge. Hitler war nicht erstaunt über gelegentlich auftauchende verärgerte Fragen der deutschen Soldaten in der Legion Condor, ob sie – angesichts der Mißstände auf franquistischer Seite – überhaupt auf der richtigen Seite kämpfen würden! Zu allem Überfluß mußte sich Hitler auch noch mit dem Streit zwischen den beiden höchsten deutschen Instanzen in Spanien beschäftigen. Auf Wunsch der Auslands-Organisation der Partei war der ehemalige General und Kenner ibero-amerikanischer Verhältnisse, Wilhelm Faupel, zum deutschen Botschafter bei Franco ernannt worden. Er wollte den Krieg gewinnen, um selbst als Sieger daraus hervorzugehen. Dementsprechend hatte er zwei bis drei deutsche Divisionen angefordert, was natürlich von allen Stellen in Berlin abgelehnt wurde. In Spanien hatte Faupels Ehrgeiz sehr schnell zu einer nicht zu überbrückenden Kontroverse mit General Sperrle, dem Befehlshaber der Legion Condor, geführt. Dieser stellte die Kabinettsfrage: »Entweder Faupel oder ich«. Hitler entschied nach eingehender Prüfung des Falles durch das Oberkommando der Wehrmacht und das Auswärtige Amt zugunsten Sperrles. Faupel war im August abgelöst worden. Ich kannte die beiden »Kampfhähne« persönlich und war, wie auch viele andere, nicht erstaunt über die Entwicklung. Aber sie warf ein Licht auf die Kompetenz-Streitereien der obersten Reichsbehörden, die solche Bagatellen nicht unter sich erledigen konnten, sondern sie vor die höchste Instanz

Hitler bringen mußten. Sperrle, der schon lange aus Spanien fortgedrängt hatte, wurde zum 1. November gegen General Volkmann ausgetauscht.

Ich hatte die Entwicklung mit Interesse verfolgt, nicht allein, weil ich die Personen kannte, sondern weil es in der Wehrmacht-Adjutantur zu meinen Aufgaben gehörte, den Kontakt zum »Sonderstab W« zu halten, der Verbindungsstab vom Oberkommando der Wehrmacht zur Legion Condor in Spanien.

Seit Hitler Ende Oktober nach Berlin zurückgekehrt war, schien er häufig wie geistesabwesend. Er führte lange Gespräche mit Göring und Heß. Hitlers Tisch-Unterhaltungen und den abendlichen Gesprächen konnte man entnehmen, daß sich seine Gedanken vermehrt mit der Haltung der großen Weltmächte Deutschland gegenüber beschäftigten. Immer wieder gipfelten seine Worte in dem Wunsch, die Engländer von der Gefahr des wiedererstehenden russischen Imperialismus zu überzeugen. Die kommunistische Weltanschauung, die in Rußland einer Art Religion gleichzusetzen sei, dürfe man in Verbindung mit dem diktatorischen Regierungssystem nicht unterschätzen. Er, Hitler, verstehe etwas davon; denn der Nationalsozialismus habe in Deutschland auch Wunder vollbracht, die niemand erwartet hatte. Warum sollte das in Rußland nicht auch möglich sein? England halte aber kurzsichtig an der Verewigung von »Versailles« fest. Er müsse sich immer erregen, wenn er in der Auslandspresse vom Selbstbestimmungsrecht für die Spanier lese, gleichzeitig aber dieses Recht den Deutschen in Österreich, in der Tschechoslowakei und in Polen verweigert würde. »Und dabei will der Ribbentrop dauernd, daß ich englische Politiker empfange. Der Neurath hält davon nichts. Es käme garnichts dabei heraus!« So etwa setzte Hitler seine Tiraden über die Politik Englands fort, ohne daß wir zunächst die Ursachen ergründen konnten. Bis sich eines Tages das Rätsel löste.

Am 5. Oktober hatte Roosevelt anläßlich der Einweihung einer neuen Brücke in Chicago eine Rede gehalten, die als die sogenannte »Quarantäne«-Rede in die Geschichte eingegangen ist. Hitler nahm die Rede sehr ernst. Der Kernpunkt von Roosevelts Ausführungen war seine Forderung nach einer internationalen »Quarantäne« gegen die »Aggressor«-Nationen. Hiermit meinte er Italien wegen seines Abessinien-Krieges, Japan wegen seines Angriffs in China und Deutschland wegen seiner Weigerung, die Bedingungen des Versailler Vertrages fernerhin als bindend anzuerkennen. Roosevelt hatte davon gesprochen, daß 90 Prozent der Weltbevölkerung von 10 Prozent bedroht würden. Diese Zahlen erregten Hitler besonders, denn das Verhältnis gebe den klaren Beweis, daß Roosevelt die Russen nicht zu den Aggressoren rechne. Typisch für Hitlers Einstellung war es, Roosevelts innenpolitische Gründe für den Umschwung seiner Politik zu erforschen. Dabei war er auf einen erschreckenden Niedergang der amerikanischen Wirtschaft und eine sprunghafte Zunahme der Arbeitslosigkeit in den letzten Monaten gestoßen. Hitler zog die Schlußfolgerung, daß Roosevelt einen Ausweg aus der wirtschaftlichen Katastrophe nur in Rüstungsaufträgen der Regierung suchen könne. Um hierfür vom Kongreß die Zustimmung zu erhalten, müsse er die amerikanische Öffentlichkeit gegen die genannten Staaten aufhetzen, an der Spitze gegen Deutschland. Göring unterstützte lebhaft diese Gedankengänge Hitlers.

Der November begann mit einem Empfang der Generale Milch und Udet. Sie waren für einige Tage Gäste der Royal Air Force in England gewesen und berichteten Hitler über ihre Eindrücke. Hitler hörte aufmerksam zu, ohne zu unterbrechen. Zum ersten Mal war ich Zeuge eines Gespräches zwischen Hitler und Generalen. Beide Generale sprachen vom zunehmenden Rüstungspotential der englischen Luftwaffe. Hitler betonte, keinen Krieg gegen England führen zu wollen.

5. November 1937

Die zunehmende antideutsche Einstellung in der Welt, wie Hitler sie sah, mußte seinen Entschluß zu der Besprechung am 5. November 1937 beeinflußt haben. Diese Sitzung hat wegen des »Hoßbach-Protokolls«, das im Nürnberger Prozeß eine so große Rolle spielte, Geschichte gemacht. Blomberg hatte über Hoßbach bei Hitler eine Besprechung mit den Oberbefehlshabern der drei Wehrmachtteile erbeten, um dringende Rüstungs- und Rohstoff-Fragen zu besprechen. Blomberg, Göring, Fritsch und Raeder fuhren zur festgesetzten Zeit, um 16 Uhr, mit ihren Adjutanten und Rüstungs-Sachbearbeitern in der Reichskanzlei vor. Sie wurden von uns drei Wehrmacht-Adjutanten in der Führerwohnung empfangen und in den Wintergarten geführt. Die Begleitung blieb im Rauchzimmer. Allgemein fiel auf, daß sich auch der Reichsaußenminister, Frhr. v. Neurath, auf Wunsch von Hitler einfand. Hitler betrat, mit einigen beschriebenen Blättern in der Hand, gefolgt von Hoßbach, den Wintergarten. Der Diener schloß die Glastüren und zog die Vorhänge vor. Es war 16 Uhr 15. Allgemeines Rätselraten im Rauchzimmer. Stunde um Stunde verging, ohne daß sich etwas ereignete. Man sprach davon, daß Hitler noch nie eine gemeinsame Besprechung mit den Spitzen der Wehrmacht und dem Reichsaußenminister abgehalten habe.

Neugierig und unruhig zeigte sich besonders Hitlers persönlicher Adjutant Wiedemann, der gerade eine Reise in die Vereinigten Staaten vorbereitete. Um 20 Uhr 30 öffneten sich die Türen wieder. Die Oberbefehlshaber und Neurath verließen mit ihrem Gefolge, das vergeblich gewartet hatte, die Führerwohnung. Hitler begab sich in seine Privaträume, Hoßbach fuhr zum Reichskriegsministerium. Es wurde knapp registriert, daß Hitler eine Besprechung hinter verschlossenen Türen abgehalten hatte.

Hitler bei der Korrektur des Manuskriptes für den Aufruf »An das deutsche Volk« am 3. September 1939.

General v. Mans
(rechts) hält Vor
über die Lage. Li
Korvettenkapitän
Puttkamer.

Bald nach dieser Besprechung reiste Hitler nach München, zu den üblichen Feiern aus Anlaß des Marsches zur Feldherrnhalle 1923, anschließend zum Obersalzberg. Am 14. November reiste ich nach, ohne heute noch zu wissen, was der Grund war. Davor ließ Hoßbach Puttkamer und mich zu sich kommen. Mit ernstem Gesicht teilte er uns mit, daß die Besprechung am 5. November von grundsätzlicher Bedeutung gewesen sei und wir davon Kenntnis haben müßten. Er habe eine Niederschrift angefertigt, die wir lesen sollten. Zunächst gab er sie Puttkamer, danach mir. Es waren vielleicht 15 bis 20 DIN-A-4-Seiten, in der mir bekannten Handschrift von Hoßbach, mit eher größeren als kleineren Buchstaben beschrieben. Mir ist nicht mehr erinnerlich, ob Hoßbach uns sagte, wem er die Niederschrift noch zeigen würde, und wo sie endgültig abgelegt werden sollte. Falls er sie Hitler gezeigt hat, kann dies nicht vor Ende November gewesen sein, denn Hitler kehrte erst nach seinen Besuchen in Augsburg am 21. und 22. November nach Berlin zurück.

Der Inhalt der Niederschrift ist nach dem Exemplar, das beim Internationalen Militärgerichtshof in Nürnberg 1946 vorgelegen hat, allgemein bekannt. Das Original, Hoßbachs Handschrift, ist bisher nicht aufgetaucht. Ob und wie weit beide Texte übereinstimmen, kann daher mit Gewißheit niemand sagen. Ich selbst muß sagen, daß ich das Original kürzer in Erinnerung habe als den Nürnberger Text. Die Vermutung, daß Hoßbach selbst aus seiner Einstellung gegen Hitler und dessen Pläne eine Tendenz in die Niederschrift gebracht hat, halte ich für unbegründet.

Zum Inhalt des Nürnberger Dokuments kann ich sagen, daß ich einige Passagen und Themen von 1937 eindeutig wiedererkannt habe. Andere Textteile erschienen mir neu. Mein damaliger Eindruck war der, daß Hitler eine allgemeine Beurteilung der europäischen politischen und militärischen Lage geben wollte, verbunden mit einem Einblick in seine Gedanken und Pläne für Deutschlands Zukunft. Österreich und die Tschechoslowakei wollte er unter gewissen politischen Voraussetzungen dem Reich angliedern, spätestens 1943/45. Nach diesem Zeitpunkt wäre eine Veränderung der Kräfteverhältnisse in Europa nur noch zu unseren Ungunsten zu erwarten. Er rechnete dann mit der Gegnerschaft Frankreichs und Englands. Ich erinnere mich nicht, daß Polen, Rußland und die USA in der Niederschrift genannt waren. Aus der auf Hitlers Rede folgenden Diskussion, die Hoßbach uns schilderte, ist mir in Erinnerung geblieben, daß Blomberg, Fritsch und Neurath sehr eindringlich vor der Gegnerschaft Englands und Frankreichs in jedem Fall und zu jeder Zeit gewarnt hätten. Bei einer gewaltsamen Gebietsveränderung durch Deutschland müßte mit deren Eingreifen gerechnet werden.

Die Tatsache, daß Hoßbach Puttkamer und mich über den Inhalt der Besprechung orientierte, zeigte mir, daß sie für Hoßbach und damit für Fritsch und Beck besondere Bedeutung haben mußte. Ich war erst zu kurz in Hitlers Stab, um das in vollem Umfang beurteilen zu können. Ich fand es nur ganz selbstverständlich, daß Hitler als verantwortlicher Politiker und Oberbefehlshaber eine Lagebeurteilung mit seinen maßgebenden Beratern durchging, wobei mir seine Pläne für 1943/45 jetzt, im Jahre 1937, sehr weit gesteckt und noch nicht aktuell erschienen. Eine Diskussion über den Inhalt von Hitlers Ausführungen gab es zwischen uns dreien nicht. Puttkamer und ich nahmen die Niederschrift zur Kenntnis und wurden von Hoßbach darauf hingewiesen, daß wir sie als streng geheim zu behandeln hätten. Ich kam nach meinen bisherigen Eindrükken nicht auf die Idee, daß Hitler andere Pläne verfolgte als die, welche im Rahmen des Möglichen zu verwirklichen sein würden.

Erster Aufenthalt auf dem Berghof

Mit meinem ersten Aufenthalt auf Hitlers Berghof verbinden sich zwei Erinnerungen. Einmal lernte ich Eva Braun kennen, zum anderen fragte mich Hitler nach meinem bisherigen militärischen Lebensweg. Ich war völlig unwissend über den Personenkreis, mit dem sich Hitler auf dem Obersalzberg umgab. In Berlin hatte man mir lediglich gesagt, daß Hitlers Leben hier oben einen sehr privaten Charakter tragen würde und dementsprechend auch einige Damen zu seinen Gästen gehörten. Eva Braun war zu dieser Zeit 25 Jahre alt, während Hitler schon im 49. Lebensjahr stand. Ihr Auftreten war bescheiden und zurückhaltend, auch in den Gesprächen bei den Mahlzeiten oder am Abend. Hitlers Verhalten ihr gegenüber im Kreis der Gäste war nicht anders als gegenüber den anderen anwesenden Damen. Es war für einen Uneingeweihten kaum zu bemerken, daß zwischen Hitler und Eva Braun eine besondere Beziehung bestand. Sie wirkte immer sehr gepflegt. In gewisser Beziehung war sie, ihrem Typ entsprechend, eine gut aussehende junge Frau und von lebensbejahendem Wesen.

An einem der Tage ging Hitler mit mir in der Halle auf und ab und sprach über seine Gedanken zur Politik mit Italien. Seine Hochachtung vor Mussolini und dessen Leistung bewog ihn dazu, Italien und die Italiener zu überschätzen. Ich widersprach und bezog mich auf meine eigenen Erfahrungen während eines dreimonatigen Übungskurses bei der italienischen Luftwaffe im Jahre 1933. Ich sagte ihm, daß die Italiener gute Flugzeugführer seien, daß aber auch die Militär-Fliegerei nur von der sportlichen Seite aus betrieben würde. Hitler hörte schweigend zu und stellte keine Fragen. Seine Antwort gab er mir ein halbes Jahr später in Rom.

Er schien sich jetzt mehr dafür zu interessieren, was ich ihm aus Rußland erzählen konnte. Seit meinem Aufenthalt dort waren acht Jahre vergangen. Seitdem war sicherlich auch in Rußland einiges geschehen. Aber eines erschien mir erwähnenswert. Wir waren damals erstaunt über das technische Geschick der russischen Monteure, die in unseren Werkstätten und an den Flugzeugen gearbeitet hatten.

Nach Land und Leuten gefragt, schilderte ich ihm zwei Erlebnisse, die mich damals beeindruckt hatten. In der Nähe von Lipezk lag ein lückenhaft eingezäunter Bombenabwurfplatz, den die Russen aus dem nächsten Dorf ohne Schwierigkeiten betreten konnten. Sie ließen dort gerne ihr Vieh weiden. Eines Tages detonierte ein Blindgänger. Einige Kinder und eine Anzahl Pferde wurden getötet. Die Russen stellten hohe Ersatz-Ansprüche für die Pferde. Von den Kindern sprach niemand. Menschen gab es genug! Pferde waren wertvoller.

Die weitere Schilderung betraf die nach einem Regen grundlosen Wege. Im Sommer kam der Regen gußartig und machte die Wege in kürzester Zeit für Autos unbefahrbar. Auf unserem damaligen Flugplatzgelände, wo nicht alle Straßen gepflastert waren, kam der Verkehr zum Erliegen. Zum Glück trockneten im Sommer die Wege schnell wieder. Aber schon im September hatte ich erlebt, daß der schlammartige Zustand länger andauerte.

Die Eindrücke vom Berghof und dem dortigen Leben beschäftigten mich noch in Berlin lebhaft und waren auch ein Gesprächsthema im Hause Blombergs, wo meine Frau und ich einige Tage nach meiner Rückkehr abends zu Gast waren. Wir trafen dort mit dem Feldmarschall, seinem Sohn und seiner Tochter und deren Freundeskreis zusammen. Blomberg kannte Hitlers privaten Lebensstil. Er hatte auch von Eva Braun und ihrer Bedeutung für Hitler gehört. Blomberg war der einzige nicht aus der Partei hervorgegangene Reichsminister, der Hitler näher stand und den er auch wiederholt auf dem Berghof zu Gast hatte, ein Zeichen besonderen Vertrauens. Selbst Göring hatte noch nie mit Eva Braun an einem Tisch gesessen.

Trotz angeregter Unterhaltung machte der Gastgeber an diesem Abend einen reservierten und geistesabwesenden Eindruck. Ich vermißte seine Aufgeschlossenheit und seine lebendigen Erzählungen. Blomberg war durchaus der Typ des »gebildeten Soldaten«. Davon war an diesem Abend nichts zu merken, und ich fragte meinen Freund Axel, was seinen Vater bedrücke. Von den dienstlichen Sorgen wußte er nichts. Eine Bemerkung deutete aber auf private Probleme hin. Mehr erfuhr ich nicht. Erst Anfang Dezember äußerte sich Blombergs Tochter Dorle meiner Frau gegenüber, daß ihr Vater sich wieder verheiraten wolle. Über seine Wahl, soweit sie und ihre Geschwister dies bis jetzt beurteilen könnten, seien sie alle sehr unglücklich.

Am 22. November 1937 besichtigte Hitler im Anschluß an einen Gauparteitag der NSDAP in Augsburg die »Bayerischen Flugzeugwerke« des Professors Messerschmitt. Der Firmenname wurde etwa zu dieser Zeit in »Messerschmitt AG« umgewandelt. Der Besuch ging auf einen gemeinsamen Wunsch von Rudolf Heß und Messerschmitt zurück. Beide waren seit Jahren befreundet. Anlaß der Besichtigung waren die spektakulären ersten Erfolge der Bf 109 (später Me 109), dem von Messerschmitt und seinen Ingenieuren konstruierten Jagdeinsitzer. Im Sommer des Jahres hatten drei Bf 109 am »Flugmeeting« in Zürich teilgenommen. Die Besatzungen konnten drei Preise mit nach Hause bringen. Etwa zu gleicher Zeit waren die ersten Maschinen dieses Typs an die Jagdgruppe der Legion Condor in Spanien geliefert worden und hatten die Luftüberlegenheit über die russischen »Ratas« gewonnen. Endlich war es vor wenigen Tagen, am 11. November 1937, dem Chefpiloten des Werks auf der Bf 109 gelungen, mit der Höchstgeschwindigkeit von 610,95 km/h erstmals den absoluten Weltrekord für Landflugzeuge nach Deutschland zu holen.

Gestützt auf diese Erfolge hatte Messerschmitt allen Grund, voll Stolz und Selbstbewußtsein dem Besuch von Hitler entgegenzusehen. Vom RLM nahm eine Abordnung von Offizieren und Ingenieuren aus dem Technischen Amt, an der Spitze Milch und Udet, an der Besichtigung teil. Ob Göring zugegen war, weiß ich nicht mehr. Zwischen Milch und Messerschmitt bestand eine allgemein bekannte Abneigung, die noch aus der Zeit stammte, als Milch Generaldirektor der Lufthansa war. Dieses Zerwürfnis hatte zur Folge, daß die Zusammenarbeit zwischen RLM und Messerschmitt nachhaltig gestört war und der beste deutsche Flugzeugkonstrukteur dieser Jahre nicht maximal für die Luftwaffe zur Wirkung kam.

Schon während des Rundganges durch das Werk gab es ein Beispiel dafür. In einer der Werkhallen trat Messerschmitt an Hitler heran und bat ihn, sich eine Neukonstruktion anzusehen. Zwei große Tore zu einer Nebenhalle wurden aufgeschoben, die Attrappe eines viermotorigen Flugzeuges wurde sichtbar. Im gleichen Augenblick regte sich unter den Herren des RLM Unruhe. Milchs Entsetzen war ihm deutlich vom Gesicht abzulesen. Messerschmitt gab nähere Einzelheiten über dieses Flugzeug bekannt. Hitler bekundete größtes Interesse. Es handelte sich um das Projekt eines viermotorigen Fernbombers, eines Vorläufers der später im Kriege konstruierten, aber nicht mehr zur Serienfertigung gelangten Me 264. Messerschmitt nannte eine Reichweite von 6000 km mit 1000 kg Bombenlast bei einer Geschwindigkeit von 600 km/h. Die Herren des RLM bezweifelten diese Daten. Hitler war zurückhaltend. Auf dem Gebiet des Flugzeugbaus besaß er nicht die gleichen Kenntnisse wie für Schiffbau oder für Panzer-

und Geschützkonstruktionen. Er meinte aber, es müsse doch möglich sein, ein mehrmotoriges Kampfflugzeug zu konstruieren, das den Jägern davonfliegen könnte. Wenn allerdings die Jagdflugzeuge jetzt schon 600 km/h fliegen würden, müßte das Kampfflugzeug die Geschwindigkeit von mindestens 650/h erreichen können. Auf Panzerung und Abwehrwaffen müßte bei einem solchen »Schnellbomber« zugunsten der Geschwindigkeit verzichtet werden. Dadurch könnte man die Gefahr des Luftkampfes nahezu ausschalten. Milch bestätigte, daß die Luftwaffe schon seit längerer Zeit ein Flugzeug mit diesen Eigenschaften in Auftrag gegeben habe. Messerschmitt bestritt, daß zweimotorige oder viermotorige Kampfflugzeuge mit so hohen Geschwindigkeiten zur Zeit gebaut werden könnten, weil es in Deutschland nicht die entsprechenden Flugmotore gebe. Hitler hielt es daher für richtig, dem viermotorigen Kampfflugzeug den Vorrang zu geben. Milch mußte dagegen einwenden, daß die Rohstoffbasis der Luftwaffe leider Grenzen setze und sie deshalb den zweimotorigen Schnellbomber vorzuziehen beabsichtige. Entscheidungen fielen nach dieser Diskussion nicht.

Kampfflugzeug-Planungen

Im Laufe der nächsten Wochen versuchte ich, im Technischen Amt des RLM und im Generalstab der Luftwaffe mehr von den Hintergründen zu den Gesprächen bei Messerschmitt zu erfahren. Im Technischen Amt erhielt ich widersprechende Angaben über die geplanten oder in Auftrag gegebenen neuen Kampfflugzeuge. Im Generalstab wandte ich mich an Oberstleutnant Jeschonnek, den Chef der Operationsabteilung. Jeschonnek galt als der zukünftige Mann im Generalstab der Luftwaffe. Im Gegensatz zu vielen Generalstabsoffizieren, die das Heer an die Luftwaffe abgegeben hatte, war Jeschonnek seit dem Weltkrieg Fliegeroffizier. Im Reichsheer hatte er wie üblich Dienst im Generalstab und in der Truppe getan und durch Kommandos zu den damaligen geheimen Fliegerausbildungs-Schulen und Übungs-Lagern die Verbindung zur Fliegerei gehalten. Auch in der Luftwaffe hatte er wechselweise Truppen- und Generalstabsstellen inne. Längere Zeit war er der Erste Generalstabsoffizier und Adjutant Milchs. Göring, der sein Vorurteil gegen die älteren ehemaligen Heeres-Offiziere nicht verbergen konnte, neigte mehr und mehr dazu, sich an Jeschonnek und nicht an den Chef des Generalstabes der Luftwaffe, General Stumpff, zu wenden. Diese Entwicklung störte die Zusammenarbeit im Generalstab nicht. Dagegen kühlte sich das Verhältnis zwischen Milch und Jeschonnek ab. Es haben dabei auch persönliche, mir nicht näher bekannte Gründe mitgespielt. Zum Schaden der Luftwaffe hielten diese Unzuträglichkeiten bis zu Jeschonneks Tod im Sommer 1943 an. Ich kann die Blomberg in den Mund gelegte Ansicht nicht teilen, daß die

»schwierigen Verhältnisse im RLM durch Milch kommen würden«. Der verantwortliche Chef im RLM war Göring.

Mein Verhältnis zu Jeschonnek war von Anfang an sehr gut. Er wurde für mich die Kontaktstelle im Oberkommando der Luftwaffe, über die ich Einblick in die Arbeit der verschiedenen Dienststellen erhielt. Ich konnte mir Unterlagen verschaffen und für viele Vorgänge ein selbständiges Urteil bilden, um sachlich fundierte Auskünfte an Hitler geben und um im Sinne der Führung der Luftwaffe wirken zu können.

Jeschonnek gab mir auf meine Fragen einen Überblick von der Planung und Entwicklung der Kampfflugzeuge. Hitlers Anregung, einen Schnellbomber zu bauen, war nicht neu. Schon Wever, der erste Chef des Generalstabes der Luftwaffe, stellte diese Forderung. Die Luftwaffe hatte der Industrie, unter anderem der Firma Junkers in Dessau, einen entsprechenden Konstruktions-Auftrag für ein zweimotoriges Flugzeug erteilt. Bewaffnung und Ausrüstung sollten zugunsten einer den Jagdflugzeugen überlegenen Geschwindigkeit weitestgehend eingeschränkt werden. Dieses Flugzeug, die Ju 88, erreichte bei bisherigen Probeflügen eine Geschwindigkeit von 500 km/h. Auf meinen Einwurf, daß die Jagdflugzeuge doch schon die 600-km-Grenze erreichen würden, erklärte mir Jeschonnek, daß der soeben geflogene Geschwindigkeitsrekord nur mit einem »frisierten« Motor möglich war. Das Serienmodell würde mit den derzeit zur Verfügung stehenden Motoren und mit voller Ausrüstung, d. h. mit Bewaffnung und Funksprechgeräten, nicht schneller als 500 km/h fliegen können. Auch die zu erwartenden Neukonstruktionen in England, soweit bisher bekannt, lägen etwa bei den gleichen Geschwindigkeiten. Im übrigen enthalte der weitere Plan für die Ju 88 die Ausrüstung mit stärkeren Motoren. Diese ständen, ebenso wie für die Me 109, erst frühestens in einem Jahr zur Verfügung. Jeschonnek glaubte, mit dem Ju 88-Programm das ideale Kampfflugzeug für die Luftwaffe zu bekommen. Die Unterhaltung ging auch um die Aufgaben einer operativen Luftwaffe und den Bedarf an Fernbombern. Auch hierfür sollte eine Form der Ju 88 konstruiert werden. Die bisherigen Entwicklungen viermotoriger Kampfflugzeuge, die noch zu Zeiten von Wever auf Grund seiner strategischen Konzeption in Auftrag gegeben waren, hatte Göring einstellen lassen. Die ersten Maschinen, die Ju 89 von Junkers und die Do 19 von Dornier, waren vor einem Jahr schon geflogen und mußten verschrottet oder einer anderen Verwendung zugeführt werden. Die Ju 89 flog bald darauf als Ju 90 bei der Lufthansa. Göring hatte diese Entscheidungen zugunsten der Ju 88 auch wegen der angespannten Rohstofflage gefällt. Statt eines viermotorigen Flugzeuges könnten zwei zweimotorige gebaut werden mit dem zusätzlichen Effekt, daß Göring mit höheren Produktionszahlen aufwartete. Auf meine Frage, auf wessen Vorschlag und Beratung und wann diese Entscheidungen getroffen worden seien, konnte Jeschonnek nicht antworten. Es muß in der Zeit gewesen sein, als er noch Kommodore eines Kampfgeschwaders in Greifswald war. Er war im übrigen davon überzeugt, daß das Projekt für die viermotorige Me 264 in Augsburg nicht weiter verfolgt würde.

In diese Zeit fiel also schon die verhängnisvolle Entscheidung, daß die Luftwaffe keine viermotorigen Kampfflugzeuge erhielt.

Jahresausklang

Die letzten Wochen des Jahres 1937 und die ersten Tage im Januar 1938 verliefen nach meiner Erinnerung ohne außergewöhnliche Ereignisse.

Eines Nachmittags fuhr Hitler zum Tee in die Wohnung von Frau v. Dirksen, der Witwe des Botschafters, deren Salon schon aus der Zeit vor 1933 als Treffpunkt Hitlers mit konservativen Gesellschaftskreisen bekannt war.

Frau v. Dirksen erwartete den Führer und hatte etwa acht bis zehn Gäste geladen. Von ihnen habe ich nur noch den Prinzen August Wilhelm von Preußen und Fräulein Siegrid v. Laffert, eine Nichte der Gastgeberin, in Erinnerung. Früher hatte Frau v. Dirksen im »Kaiserhof« Cercle gehalten, um dem damaligen Hauptquartier Hitlers in Berlin und dem braunen Geschehen möglichst nahe zu sein. Sie hatte sich für Hitler und seine politische Bewegung engagiert und in konservativen Kreisen Propaganda für ihn gemacht, Hitler hatte die Zusammenkünfte genutzt, um diese Kreise kennenzulernen, auf sie einzuwirken und für sich zu gewinnen, zweifellos mit einigem Erfolg.

Die Neugier auf meine konservativen »Standesgenossen« wurde enttäuscht. Ich hatte vielleicht zu viel erwartet. Frau v. Dirksens Gäste machten auf mich keinen besonderen Eindruck. Hitler verhielt sich gewandt, aber zurückhaltend und fuhr nach etwa anderthalb Stunden zurück in die Reichskanzlei. Es überraschte mich nicht, von ihm zu hören, daß er den Salon Dirksen nicht mehr betreten wolle. Er meinte, die dort versammelten Gäste seien nur Neugierige, die ihn wie ein »Wundertier begafften«, ihn aber im Grunde nie verstehen würden. Auch ich hätte mich in diesem Kreis alter Monarchisten nicht mehr wohl fühlen können. Hitler traf an diesem Nachmittag zum letzten Mal mit dem Prinzen August Wilhelm zusammen.

Es konnte kein Zweifel sein, daß sich hinter den Veranstaltungen von Frau v. Dirksen der Wunsch nach Wiederherstellung der Monarchie regte. Sie wie auch Prinz August Wilhelm waren Vertreter der Auffassung, daß man Einfluß nicht durch Abseitsstehen gewinnen könne, und hatten, um ihr Ziel zu erreichen, den Anschluß dort gesucht, wo die damalige Macht vereinigt war. Hitler war aber zu dieser Zeit schon vollständig von dem Gedanken einer Wiedereinführung der Monarchie abgerückt. Eine Bemerkung Goebbels' im Laufe des Winters bestätigte dies. Vor einem kleinen Kreis von Zuhörern in der Reichskanzlei rühmte er sich, derjenige gewesen zu sein, der Hitler von dem Gedanken, zur Monarchie zurückzukehren, abgebracht habe. Bei diesen Worten tippte er sich voller Stolz mit dem Zeigefinger auf die Brust.

Der Dezember stand auch in der Führerwohnung im Zeichen von Weihnachtsvorbereitungen. Hitlers Adjutantur stellte die Listen der Personen zusammen, die von Hitler ein Geschenk erhalten sollten. Der Kreis war sehr groß. Er begann bei den Frauen der Reichsminister und höchsten Partei-Chargen und endete bei Hitlers Hauspersonal. Neben Einzelpersonen beschenkte Hitler auch Formationen der Wehrmacht, der Polizei und der SS, die die Wachen in der Reichskanzlei und auf dem Obersalzberg stellten.

Hitlers Hausintendant Kannenberg hatte die Aufgabe, die Geschenke einzukaufen. Auf langen Tischen im großen Speisesaal der Führerwohnung wurden sie übersichtlich ausgelegt. Hitler selbst bestimmte, wer welches Geschenk erhalten sollte. Sein persönlicher Adjutant Schaub unterstützte ihn dabei und gab sich in diesen Tagen sehr geheimnisvoll. Wenige Tage vor dem Fest wurde bei meiner Frau ein Paket abgegeben, das ein Dutzend Mokkatassen aus Meissner Porzellan enthielt. Ich erhielt eine goldene Taschenuhr, in deren Klappdeckel sein Namenszug und »Weihnachten 1937« eingraviert waren.

Eines Tages im Dezember erlebten wir militärischen Adjutanten noch eine andere Überraschung. Hoßbach eröffnete Puttkamer und mir, daß Hitler für uns die Zahlung einer monatlichen Beihilfe von je 100 Mark aus seinem von Dr. Lammers verwalteten Repräsentationsfond angeordnet habe. Hoßbach setzte hinzu, daß es gegen seine Überzeugung sei, von Hitler Geld anzunehmen. Offiziere müßten sich ihre Unabhängigkeit erhalten, besonders auf finanziellem Gebiet. Ich war anderer Ansicht. Einmal belastete es mich nicht, von Hitler Geld anzunehmen. Ich traute mir zu, trotz dieser Zulage meine Unabhängigkeit zu bewahren. Zum anderen war mein Hauptmanns-Gehalt wesentlich niedriger als Hoßbachs Bezüge als Oberst. Für Repräsentationszwecke mußten wir aber in unserer Stellung besonders für Garderobe hohe Beträge aufwenden.

Nach dem spektakulären Staatsbesuch Mussolinis im September verliefen die Besuche des ungarischen Regierungschefs v. Daranyi und des jugoslawischen Ministerpräsidenten Stojadinowitsch im Januar 1938 wesentlich ruhiger. Die Ungarn galten als Freunde Deutschlands. Dementsprechend fand das Zusammentreffen in einer herzlichen Atmosphäre statt. Der Besuch des jugoslawischen Ministerpräsidenten und seiner Gattin dehnte sich in einem etwas größeren Rahmen über mehrere Tage aus. Ihm ging der Ruf voraus, daß er als Serbe ein Verehrer Deutschlands war. Das galt damals als außergewöhnlich, und die deutschen Dienststellen, an der Spitze Hitler selbst, gaben sich große Mühe, die jugoslawischen Gäste nicht zu enttäuschen.

Die offiziellen Staatsempfänge endeten im allgemeinen gegen 23 Uhr. An beiden Abenden ließ Hitler im Anschluß an den offiziellen Teil durch seine Adjutanten einen kleinen Kreis ihm näher bekannter Gäste in das Rauchzimmer vor dem Kamin zum Ausklang des Empfanges einladen. Hierzu gehörte das Ehepaar Goebbels, Staatssekretär Hanke, das Ehepaar Dr. Brandt, einige junge Damen, zum Beispiel Sigi Laffert und die beiden Töchter des Kölner 4711-Fabrikanten Mülhens. Zu beiden Abenden ließ Hitler auch meine Frau und mich einladen. Diese abendlichen Kaminrunden im Anschluß an die Staatsessen gehörten zu den nettesten, zwanglosesten und fröhlichsten Geselligkeiten, die wir mit Hitler in Berlin erlebt haben. Beim Abschied übernahm Brückner die Rolle des Gastgebers, räuberte die Vasen der Tischdekoration und legte den Damen große Blumensträuße in die Arme.

Ludendorffs Tod

Noch während der Weihnachtsvorbereitungen traf aus München die Nachricht ein, daß General Ludendorff im Sterben liege. Hitler hatte ihm Anfang Dezember noch einen Krankenbesuch abgestattet. Das Verhältnis zwischen Hitler und Ludendorff hatte sich erheblich abgekühlt, woran man Ludendorffs zweiter Frau Mathilde einen Teil der Schuld zuschob. Hitler hatte es aber nicht vergessen, daß Ludendorff 1923 Seite an Seite mit ihm zur Feldherrnhalle in München marschiert war. Die Treue Hitlers zu seinen alten Mitkämpfern war auch Grund dafür, daß Hitler jetzt am Tod Ludendorffs besonderen Anteil nahm. Ludendorff starb am 20. Dezember 1937. Entsprechend seinem Testament und dem Wunsch der Witwe sollte er seine letzte Ruhestätte an seinem Wohnort finden und nicht, wie es Hitler gerne gesehen hätte, an einer nationalen Gedenkstätte, ähnlich wie Hindenburg im Tannenberg-Denkmal. Es wurde deshalb nur ein Staatsakt vor der Feldherrnhalle in München für den 22. Dezember angeordnet.

Am 21. Dezember abends verließen wir Berlin und fuhren bei bitterer Kälte und Schneetreiben durch die Nacht nach München. Mit fast dreistündiger Verspätung traf unser Zug in München ein. Auch dort herrschte eisiges Winterwetter. Der Staatsakt begann um 12 Uhr am Siegestor mit einem Trauerkondukt auf der Ludwigstraße zur Feldherrnhalle. Der Lafette mit dem Sarg folgend, gaben Hitler und Blomberg mit den Oberbefehlshabern der drei Wehrmachtteile oder deren Vertreter dem toten Ersten Generalquartiermeister das Geleit. Die Gedenkrede vor der Feldherrnhalle hielt Blomberg. Hitler legte einen Kranz nieder, und vom Hofgarten her wurde Salut geschossen. Beim Staatsakt fiel es auf, daß viele der erwarteten Persönlichkeiten fehlten. Wir hörten später, daß der Sonderzug mit den Diplomaten und Militärattachés und anderen Persönlichkeiten aus

Berlin wegen des Schneetreibens mit großer Verspätung in München eingetroffen war und die Teilnehmer sich erst später in den Trauerzug zum Friedhof einordnen konnten. Der Kranz des Kaisers wurde aus diesem Grund erst am Grabe niedergelegt. Dies war ein glücklicher Zufall, denn im Rahmen des Staatsaktes durfte nur Hitlers Kranz niedergelegt werden.

Im Anschluß an den Staatsakt begab sich Hitler in den Hof der Münchner »Residenz«, um dort das Auto zu besteigen. Vorher hatte Blomberg noch ein kurzes Gespräch mit ihm. Wir militärischen Adjutanten meldeten uns ab, um sofort nach Berlin zurückzufahren. Hitler verbrachte den Weihnachtsabend in München und die weiteren Tage bis Anfang Januar auf dem Obersalzberg.

Neujahrsempfang

Wie zu allen Zeiten und in allen Ländern begann auch 1938 das offizielle Leben in der Reichshauptstadt mit dem Neujahrsempfang des Diplomatischen Korps. Hitler hatte eingeführt, daß dieser nicht wie in alten Zeiten pünktlich am 1. Januar stattfand, sondern im Interesse aller, die die Festzeit für Urlaub und Reisen nutzen wollten, wozu er selbst auch gehörte, erst Anfang Januar. In diesem Jahr war der offizielle Neujahrsempfang im »Haus des Reichspräsidenten« auf den 11. Januar festgelegt worden. Hitler benutzte das ehemalige Schwerinsche Palais, das Ebert und Hindenburg als Amts- und Wohnsitz gedient hatte, zu allen offiziellen Empfängen von Diplomaten.

Hitler begab sich zu Fuß von seiner Wohnung zum Reichspräsidentenpalais auf einem Weg parallel zur Wilhelmstraße durch die Gärten der Ministerien. In die Trennmauern hatte er für diesen Zweck Türen brechen lassen. Ich erlebte diese für mein bisheriges Bild von Hitler etwas merkwürdig wirkende Prozession zum ersten und zugleich letzten Mal. An der Spitze ging Adolf Hitler im Frack, schwarzen Mantel, Zylinder und weißen Handschuhen, gefolgt von uns Adjutanten in Parade-Uniform. Hitler selbst machte sich über diesen Aufzug lustig. Noch mehr aber kritisierte er die Räumlichkeiten im »Reichspräsidentenpalais«, die bei der jetzigen Bedeutung des Reiches für die offiziellen Diplomaten-Empfänge unwürdig seien. Nach Beendigung der Zeremonien hörten wir ihn dann auch sagen, daß dies der letzte Neujahrsempfang an dieser Stelle und in dieser Form gewesen sei. Ich glaube mich nicht zu täuschen, daß er noch am selben Tage den Generalbauinspektor für Berlin, Albert Speer, zu sich kommen ließ und ihn fragte, ob er in der Voßstraße eine neue Reichskanzlei bauen könne, die aber bis zum Neujahrsempfang 1939 fertig sein müsse. Speer nahm den Auftrag nach kurzer Bedenkzeit an.

Am 12. Januar feierte Göring seinen 45. Geburtstag. Hitler gehörte stets zu den Gratulanten. Göring ließ während der Anwesenheit Hitlers in seinem Haus keine anderen Besucher vor. Hitler fuhr mit kleinstem Gefolge. Nur seine persönlichen Adjutanten und ich begleiteten ihn. Die Geburtstagscour bei Göring war immer sehr nett. Göring selbst genoß seinen Geburtstag und freute sich an den vielen und wertvollen Geschenken. Hitler kannte Görings Schwäche für Gemälde, vor allem für die alten Meister, unter denen er Lukas Cranach bevorzugte. Zu diesem Geburtstag überreichte ihm Hitler aber ein Gemälde aus dem 19. Jahrhundert, soweit ich mich erinnere, die »Falknerin« von Hans Makart. Damit ging Hitler auf die Jagdpassion Görings ein.

Die Atmosphäre im Hause Göring war bei solchen festlichen Anlässen aufgelockert und zwanglos. Man merkte, daß es eine Hausfrau gab, die es verstand, die private und familiäre Note trotz des regen Dienstbetriebes zu pflegen. Hitler verhielt sich ihr gegenüber besonders ritterlich. Göring selbst war in seinen eigenen Räumen, auch in Gegenwart von Hitler, völlig frei und unverkrampft, im Gegensatz zu seinen Auftritten in der Reichskanzlei. Dort umgab er sich mit einem Hauch von Unnahbarkeit, sagte kaum guten Tag und war nur bestrebt, so schnell wie möglich mit Hitler zusammenzutreffen.

Die Verschiedenheit der beiden führenden Politiker Hitler und Göring fiel mir an diesem Tage wieder besonders auf. Während meiner Dienstzeit im Jagdgeschwader Richthofen, 1934/36, hatte ich Göring oft bei dienstlichen und gesellschaftlichen Anlässen gesehen. Am 10. April 1935 war ich als Gast zu seiner Hochzeit und ein Jahr später zum Opernball in der Staatsoper eingeladen. Bei beiden Festen erlebte ich eine Prachtentfaltung, wie es sie seit Kaisers Zeiten nicht mehr in Berlin gegeben hatte. Görings Auftreten und Verhalten lagen mir damals viel mehr als das von Hitler. Wir Flieger empfanden Vertrauen zu Göring. Er war einer von uns. Hitler stand fern und unnahbar. Mit dieser Einstellung hatte ich meinen Dienst bei Hitler angetreten. Jetzt aber, nach einem halben Jahr, war es umgekehrt. Je näher ich Göring kennenlernte, um so mehr hatte ich an ihm auszusetzen. Im Rahmen seines Geburtstages trat sein Hang zur Prachtentfaltung im Vergleich zu Hitlers Einfachheit wieder sehr in Erscheinung. Hitler wirkte an einem solchen Tag und in diesem Rahmen zurückhaltend und fast unauffällig. Mir sagte dieses bescheidene Auftreten zu. Görings pompöses Gehabe fand ich nicht schön und manchmal sogar unpassend. Hitler ließ es sich nicht anmerken, daß er oft ebenso dachte. Er nahm Rücksicht auf Görings Mentalität und freute sich, daß dem Volk Görings Art gefiel und er beliebt war. Görings Verbindungen zu Männern der Wirtschaft und zu konservativen Kreisen waren für Hitler wichtig gewesen. Die große Verschiedenheit beider Männer hatte aber keinen

Einfluß auf ihr aus der Kampfzeit gewachsenes enges Vertrauensverhältnis. Hitler fällte keine wichtige politische und militärische Entscheidung ohne vorherige Beratung mit Göring.

Meine innere kritische Einstellung zu Göring war eine Belastung für mich in meiner Stellung. Hitler war mein Chef, Göring mein Oberbefehlshaber. Görings Treue-Verhältnis zu Hitler erleichterte mir aber meine Aufgabe als Hitlers Luftwaffen-Adjutant. Nach sechs Monaten Dienst in Hitlers Stab war ich mir klar darüber geworden, daß ich nicht allein aus militärischer Gehorsamspflicht zu Hitler stand, sondern daß ich aus Überzeugung und Vertrauen zu ihm sein Gefolgsmann geworden war. Ich ahnte nicht, daß eine schwere Belastung für meine Einstellung unmittelbar bevorstand.

Blomberg-Skandal

Am 12. Januar fand auch die Hochzeit des Reichskriegsministers und Generalfeldmarschalls v. Blomberg statt. Am Tage vorher hatte mir ein Telefongespräch bestätigt, daß die Vermählung unmittelbar bevorstand, von der ich Anfang Dezember von Blombergs Kindern gehört hatte.

Ich unterrichtete Puttkamer, der seinerseits Hoßbach benachrichtigte. Zur gleichen Zeit erschien Blombergs Adjutant, Major Riebel, in der Reichskanzlei, um auf ausdrücklichen Befehl Blombergs nicht Hoßbach, sondern Schaub über Einzelheiten der Trauungszeremonie zu orientieren.

Für alle Offiziere bestand die Vorschrift, vor einer Hochzeit den sogenannten »Heirats-Konsens« beim nächsten Vorgesetzten einzuholen. Danach hatte auch Blomberg gehandelt und Hitler, wie ich später erfuhr, bei dieser Gelegenheit mitgeteilt, daß seine zukünftige Frau »aus einfachen Kreisen« stamme. In diesem Gespräch muß Blomberg Hitler gebeten haben, als Trauzeuge zu fungieren. Aus Görings Umgebung hatte ich gehört, daß Blomberg kurz zuvor mit der gleichen Bitte an Göring herangetreten war.

Riebels Mission am 11. Januar in der Führerwohnung verwunderte uns wegen der damit verbundenen Geheimnistuerei. Blomberg hatte sogar eine Pressenotiz über seine Heirat untersagt. Seine Adjutanten erklärten ihm jedoch, daß er in seiner Stellung eine Heirat bekanntgeben müsse. Die Tatsache, daß es wieder eine Frau v. Blomberg gebe, könne ohnehin nicht geheim bleiben. Blomberg sah dies ein und gab, wenn auch unwillig, sein Einverständnis zu nachstehender Pressemeldung: »Der Reichskriegsminister und Generalfeldmarschall von Blomberg hat sich am Mittwoch, den 12. Januar mit Fräulein Gruhn vermählt. Der Führer und Reichskanzler und Generaloberst Göring waren Trauzeugen.« Die standesamtliche Hochzeit fand nachmittags im großen Saal des Reichskriegsministeriums im einfachen Rahmen statt. Blombergs Kinder nahmen nicht daran teil. Es gab keinerlei Festlichkeit. Das Paar verreiste anschließend sofort.

In der ersten allgemeinen Überraschung, ohne etwas von den bald bekannt werdenden peinlichen Hintergründen zu ahnen, suchten wir nach einer Erklärung. Blomberg, beinahe 60 Jahre alt, war seit Mai 1932 Witwer. Die Töchter, die ihm in diesen Jahren den Haushalt geführt hatten, beabsichtigten zu heiraten. Blomberg war einsam geworden. Hitler und Göring zeigten volles Verständnis für Blombergs Entscheidung. Für Hitler war Blomberg Repräsentant der vornehm adligen Offizierskreise, ein Ehrenmann, dem er blind vertraute. Blomberg, als Reichswehrminister seit 30. Januar 1933 in Hitlers Regierung, galt bei ihm als persona grata und Garant für die regierungstreue Haltung der konservativen Kreise in Deutschland. Nach meinem Eindruck achtete Hitler den General und den Menschen Blomberg und war dankbar und stolz auf die persönliche vertrauensvolle Verbindung mit ihm.

Blomberg verbrachte mit seiner Frau einige Urlaubstage im Golf-Hotel Oberhof im Thüringer Wald. Der Tod seiner 90jährigen Mutter am 17. Januar zwang ihn zur vorzeitigen Rückkehr nach Berlin. Dort lebte er zurückgezogen in seiner Dienstwohnung. Seine Kinder verfolgten die Veränderung in ihrem Elternhaus mit Kummer und Sorge, wußten aber nichts über die neue Frau ihres Vaters. Auch Blombergs Luftwaffen-Adjutant Boehm-Tettelbach erzählte mir von merkwürdigem Verhalten des Feldmarschalls. Er war dem Ehepaar in dessen Wohnung begegnet. Blomberg machte keine Anstalten, seiner Frau den Adjutanten, den er besonders schätzte, vorzustellen. Wir fragten uns, warum Blomberg es vermied, seine Frau »vorzuzeigen«.

Hitler war im Anschluß an Blombergs Hochzeit für einige Tage in München und kehrte am 24. Januar nach Berlin zurück. Ich hatte Dienst, erwartete Hitler in der Reichskanzlei und war nicht wenig erstaunt, als sich kurz vor Hitlers Ankunft auch Hoßbach und Göring, letzterer mit einem Aktenstück in der Hand, in der Führerwohnung einfanden. Dazu waren Wiedemann und Bodenschatz anwesend, alle mit ernsten Gesichtern. Hitler traf ein, gab allen zur Begrüßung die Hand und begab sich sofort mit Göring allein in seine Räume. Bodenschatz wußte, daß Göring wegen Blombergs Eheschließung bei Hitler war. Die neue Frau v. Blomberg solle eine »Dame mit Vergangenheit« sein, aus der gewerbsmäßigen Zunft. In der Stadt werde schon darüber gesprochen. Allein als Gerücht war das peinlich genug, denn die neue Frau v. Blomberg war die zukünftige »First Lady«. Hitler war unverheiratet, Blomberg stand an zweiter Stelle in der Rangordnung. Ich hielt das alles für Klatsch und frei erfunden. So eine unglaubliche Affäre paßte einfach nicht zu Blomberg. Die Unterredung Hitlers mit Göring dauerte sehr lange. Als Göring die Führerwohnung verlassen hatte, zog sich auch Hitler sofort zurück, ohne sich zu verabschieden oder etwas zu sagen. Beklommen und mit schweren Gedanken fuhr ich nach Hause. Mit meiner Frau sprach ich noch lange über Blomberg. Das, was ich soeben in der Führerwohnung gehört hatte, erklärte uns die sorgenvollen Äußerungen von Blombergs Kindern Axel und Dorle.

Einzelheiten, die zu dem geheimnisvollen Gespräch zwischen Hitler und Göring am Abend dieses 24. Januar 1938 geführt hatten, erfuhr ich erst nach und nach. Das Rad war durch die Pressemeldung über Blombergs Wiederverheiratung ins Rollen gekommen. Ein Beamter der zuständigen Polizeidienststelle hatte die Notiz über die Eheschließung Blombergs in der Zeitung gelesen. Der Name Gruhn, so hat er es Boehm-Tettelbach in einem Telefongespräch geschildert, war ihm bekannt vorgekommen. In der einschlägigen Kartei hatte er die Karte einer Eva Gruhn gefunden. Mir ist allerdings nicht erklärlich, wieso 1939 im »Gotha« im Artikel Blomberg der Name seiner zweiten Frau mit Elsbeth Grunow angegeben ist. Um sich keine Nachlässigkeit im Amt zuschulden kommen zu lassen, hatte der Polizeibeamte die Karteikarte mit der Zeitungsnotiz seinem Vorgesetzten vorgelegt. Auf diese Weise war die Karte nach einigen Tagen auf dem Dienstwege bis zum Berliner Polizeipräsidenten, Graf Helldorf, gelangt.

Dieser setzte sich telefonisch mit Blombergs Adjutantur in Verbindung und sagte sich zu einem Besuch bei Blomberg oder Keitel an. Er legte dabei besonderen Wert darauf, daß er Blombergs Diensträume so unauffällig wie möglich betreten konnte. Boehm-Tettelbach arrangierte dies wunschgemäß und empfing ihn. Helldorf trug ein Aktenstück in der Hand und bat, den Feldmarschall sprechen zu können. Da Blomberg nicht anwesend war, ließ er sich zu Keitel führen und fragte ihn, ob Keitel die neue Frau v. Blomberg kenne und anhand eines mitgebrachten Bildes identifizieren könne. Keitel mußte die Frage verneinen, denn er hatte Blombergs Frau noch nicht gesehen. Er bat, ihm die Akte auszuhändigen, um mit Blomberg nach dessen Rückkehr sprechen zu können. Helldorf lehnte dies ab und drängte auf Eile. Keitel verwies ihn daraufhin an Göring, der die Frau bei der Trauung gesehen habe und sie identifizieren könne. Blombergs Stab ahnte nichts über den Inhalt der Akte und machte sich über die »Weiterempfehlung« Helldorfs an Göring keine Gedanken, zumal Göring als preußischer Ministerpräsident und Innenminister ohnehin Helldorfs unmittelbarer Vorgesetzter war.

So anständig das Verhalten des Grafen Helldorf, eines späteren Mitgliedes der Widerstandsbewegung, war, daß er Blomberg als erstem die Akte über seine Frau zeigen wollte, so unverzeihlich war Keitels Reaktion und Fehler, Helldorf mit der Akte zu Göring zu schicken. Blombergs Abwesenheit war der unglückliche Zufall, mit dem die Tragödie ihren Anfang nahm. Die Tatsache, daß Helldorf ungesehen und unerkannt zu Blomberg gelangen wollte, spricht dafür, daß Helldorf dem Feldmarschall die Unkenntnis über die Vergangenheit seiner Frau unterstellte und ihm die Chance für eine unauffällige Erledigung geben wollte.

Helldorf begab sich nun mit der Akte zu Göring und händigte ihm diese aus. Nach Äußerungen von Bodenschatz war Göring völlig überrascht und betroffen von dem, was er zu lesen bekam. Bodenschatz wies später alle Vorwürfe gegen seinen Chef zurück, daß er etwa auf die Herstellung der Akte Einfluß genommen hätte, bestätigte aber, daß Blomberg im Dezember 1937 bei Göring gewesen war, um seine Hilfe gegen einen Nebenbuhler zu erbitten. Göring hatte dieses Problem durch eine Vermittlung ins Ausland gelöst. Das Bekanntwerden von Blombergs Besuch bei Göring nährte das Gerücht, Göring hätte Blomberg diese Hilfe nur zu gerne gewährt, um den Weg für Blombergs Eheschließung freizumachen und ihn in sein Unglück hineinrennen zu lassen. Aber für diese Behauptung fehlen Beweise. Wenn Göring auch zweifellos nach dem Oberkommando über die Wehrmacht strebte, halte ich ihn doch einer solchen Gemeinheit nicht für fähig. Göring kannte Hitlers Ansicht über Blomberg, Fritsch und andere führenden Generale des Heeres. Er kannte auch Hitlers Auffassung über das Primat des Heeres unter den Wehrmachtteilen. Es konnte für Göring keineswegs selbstverständlich sein, daß er bei einem Ausscheiden Blombergs zu dessen Nachfolger ernannt würde.

Aber Göring hatte mit seiner schnellen Auffassungsgabe bei Helldorfs Besuch blitzartig erkannt, daß er jetzt die Situation doch zu seinen Gunsten nutzen konnte. Anstatt nun mit der Akte zunächst zu Blomberg zu gehen, war Göring nur von dem Gedanken erfüllt, als Hitlers treuester Paladin wieder eine unangenehme Mission auf sich nehmen zu müssen. Er wußte, daß dieser Vorfall Hitler sehr schwer treffen würde, und wollte deshalb an seiner Seite sein.

Der Inhalt des Gespräches zwischen Hitler und Göring am 24. Januar ist unbekannt geblieben. Es ist anzunehmen, daß es nicht viel anders verlaufen ist als das Gespräch am nächsten Tag zwischen Hitler und Hoßbach, der zunächst spät in der Nacht, gegen 2 Uhr, noch einmal in die Reichskanzlei zu Hitler gerufen worden war. Er hatte aber unter Hinweis, daß er schon im Bett liege, den Termin auf den nächsten frühen Vormittag verschieben können. Hoßbach wußte von Bodenschatz, daß Göring mit unerfreulichen Nachrichten über Blombergs Frau zu Hitler gekommen war, und schien sich nicht danach zu drängen, in den Vorgang eingeschaltet zu werden, nachdem ihn Blomberg vorher bewußt ausgeschaltet hatte. Für Blombergs persönliche Probleme fühlte er sich nicht zuständig. Solche Missionen überließ er gerne Göring.

Hitler lebte an den beiden nächsten Tagen völlig zurückgezogen. Alle Gespräche führte er in seinen Privaträumen, was ich bisher noch nicht erlebt hatte. Er erschien auch nicht zu den Mahlzeiten.

Dieses Verhalten verlieh der Atmosphäre in der Reichskanzlei etwas Unheimliches. Auf allen Anwesenden lag infolge der allgemeinen Unkenntnis der wirklichen Vorgänge ein Gefühl der Beklemmung, Sorge und Angst. Hoßbach wurde an diesem 25. Januar, dem ersten Tag der großen Krise, der wichtigste Gesprächspartner für Hitler und hielt sich fast ununterbrochen bei ihm auf. Dies erschien mir selbstverständlich und richtig, denn Hoßbach hatte Hitler seit 1934 in allen Fragen des Heeres und der Wehrmachtführung beraten. Er kannte alle Vorgänge und Personen. Ihm waren die Gedanken Hitlers zu militärischen Fragen vertraut. Aber auch Göring ging bei Hitler ein und aus. Diese Besuche betrachteten wir mit Unbehagen, denn seine kritische Einstellung gegen das Heer war bekannt, ebenso sein Ehrgeiz, an die Stelle Blombergs zu treten. Aber wir wußten die Vertretung des Heeres bei Hoßbach in guten Händen. Hitler war nicht selten Hoßbachs Ratschlägen gefolgt und achtete seine Einstellung. Der Tag verlief für uns ahnungslos Wartende voller Spannung. Wir erfuhren nichts von dem, was hinter verschlossenen Türen besprochen wurde.

Erst am 26. Januar bekamen wir Kenntnis von den verhängnisvollen, durch Blombergs Wiederverheiratung ausgelösten Ereignissen. Mit dieser Frau konnte der Feldmarschall keineswegs im Amt bleiben. Hitler hatte Göring beauftragt, zu Blomberg zu fahren, um dessen Ansicht zu erfragen. Nach Görings Berichten sei Blomberg über den Inhalt der Polizeiakte bestürzt gewesen und habe erwogen, sich von seiner Frau wieder zu trennen. Göring soll ihn aber nicht im Zweifel darüber gelassen haben, daß er auch in diesem Fall seine Stellung aufgeben müsse. Daraufhin habe Blomberg eine Scheidung oder Auflösung der Ehe abgelehnt. Mit dieser Nachricht kehrte Göring zu Hitler zurück. Damit war klar, daß Blomberg gehen mußte.

Mit Axel Blomberg und Boehm-Tettelbach stimmte ich überein, daß Blomberg vor seiner Verheiratung die Vergangenheit seiner Frau nicht gekannt hatte. Er hätte sich sonst niemals zu einer Heirat entschlossen. Es schien uns verständlich, daß die Frau Einzelheiten ihres früheren Lebens verschwiegen hatte. Es war aber Blombergs Fehler, daß er in seiner exponierten Stellung als Reichskriegsminister von sich aus nicht vor der Hochzeit genauere Erkundigungen über seine zukünftige Frau eingeholt hatte.

Hitlers hauptsächliche Berater im Fall Blomberg waren Göring und Hoßbach, die sich in ihrer Einstellung gegen Blomberg einig waren. Göring strebte nach Blombergs Posten, Hoßbach erstrebte den Posten für Fritsch. Beide kannten Hitler gut und wußten, wie man ihn beeinflussen konnte. Sie zogen aber nicht an einem Strang. Es war selbstverständlich, daß Hitler mehr auf Göring hörte als auf Hoßbach. Blomberg machte beiden den Vorwurf der Unkameradschaftlichkeit. Axel Blomberg hat sehr verbittert zu mir gesagt, daß Göring und Hoßbach von Anfang an keinen Versuch unternommen hätten, sich für seinen Vater einzusetzen und ihm zu helfen, seine falsche Entscheidung unauffällig rückgängig zu machen. Der Vorwurf einer ehrenrührigen Handlung hätte doch nur dann

...ler und Mussolini während des ...rbeimarsches der SS-Leibstandarte ... Königlichen Platz in München am ... September 1937.

...gang zur Alten Reichskanzlei an ... Wilhelmstraße.

Der Berghof auf dem Obersalzberg. Links: Teil der Halle im Erdgeschoß. Unten: Hitlers Arbeitszimmer in der 1. Etage.

erhoben werden können, wenn sein Vater vorsätzlich, in Kenntnis aller Einzelheiten über das Leben der Frau, die Ehe eingegangen wäre. Sein Vater habe keine Gelegenheit gehabt, die Angaben in der Akte zu überprüfen. Axel vertrat den Standpunkt, daß Göring und das Oberkommando des Heeres den Stab über seinen Vater brechen wollten.

Die Auffassung des Sohnes war menschlich durchaus zu verstehen. Aber auch aus Gründen der Staatsräson hätte Hoßbach allen Grund gehabt, den Fall Blomberg anders zu behandeln. Er kannte Hitlers positive Einstellung zum Offizierkorps und mußte alles tun, daß von der moralischen Seite aus kein Makel auf einen hochgestellten Offizier fiel. Wie notwendig ein Versuch gewesen wäre, die Angelegenheit taktvoll zu regeln, zeigt der Fall Fritsch.

Fritsch-Krise

Nachdem die Entlassung Blombergs feststand, war es für Hoßbach selbstverständlich, daß Fritsch zu dessen Nachfolger ernannt werden müßte. Auch Hitler neigte anfangs zu dieser Auffassung. Dann aber zog er ein Aktenstück hervor, das bereits seit längerer Zeit existieren sollte, in welchem Fritsch angeblich Verfehlungen homosexueller Art nachgewiesen wären. Hitler argumentierte, wenn sich Blomberg in der Wahl seiner Frau vergriffen habe, so müsse er daraus die Folgerungen ziehen, daß die erhobenen Anschuldigungen gegen Fritsch auch zutreffen könnten. Er sehe sich daher gezwungen, die Vorwürfe nachzuprüfen.

Das Gespräch zwischen Hitler und Hoßbach über Fritsch hinter verschlossenen Türen muß von beiden Seiten sehr erregt geführt worden sein. Hitler befahl Hoßbach, niemandem etwas über den Inhalt ihrer Gespräche zu sagen. Hiergegen hat sich Hoßbach verwahrt. Fritsch sei sein Oberbefehlshaber. Er fühle sich verpflichtet, ihm die gegen ihn erhobenen Vorwürfe zu melden. Hoßbach hat Fritsch am Abend des 25. Januar aufgesucht, ihn unterrichtet und am 26. Januar vormittags Hitler den Inhalt des Gespräches mit Fritsch gemeldet.

Der Verlauf des 26. Januar schien zunächst Hoßbach Recht zu geben. Wir atmeten auf, als wir hörten, daß Hoßbach Hitler beeinflussen konnte, Fritsch zum Nachfolger Blombergs als Reichskriegsminister und Oberbefehlshaber der Wehrmacht einzusetzen. Das Kommen und Gehen in der Reichskanzlei aber deutete an, daß die Schlacht noch im Gange war. Reichsjustizminister Dr. Gürtner erschien, auch der »Reichsführer SS und Chef der Deutschen Polizei«, Himmler; das wurde als schlechtes Zeichen für Fritsch gewertet. Im Laufe des Tages erwies sich immer mehr, daß Görings Einfluß bei Hitler gegen die Heeresführung zunahm. Am Abend kam Fritsch selbst zu Hitler, später zweimal kurz nacheinander Beck, der Chef des Generalstabes des Heeres. Er mußte in Zivil kommen, weil

nicht auffallen sollte, daß so viele Generale in der Reichskanzlei ein- und aus-
gingen. Hoßbach hatte, wie ich später hörte, diese Besuche bei Hitler durchgesetzt.
Das Niederschmetterndste dieses Abends war aber, daß Fritsch in Gegenwart
von Hitler (ob auch Göring dabei war, erfuhr ich nicht, nahm es aber an) dem
in der Akte genannten Belastungszeugen gegenübergestellt wurde. Dieses würde-
lose Verfahren in den Privaträumen des Staatsoberhauptes deprimierte mich über
alle Maßen. Da aber Hoßbach weiterhin beratend anwesend war, glaubte ich, daß
im Interesse einer schnellen Lösung zugunsten von Fritsch die Gegenüberstellung
nicht umgangen werden konnte.

Auch Blomberg wurde nachmittags zu einem Abschiedsbesuch von Hitler empfangen. Er war schon in Zivil. Auffallend war, daß Blomberg später gebeten wurde, seine geplante Abreise aus Berlin zu verschieben. Er suchte Hitler am Vormittag des 27. Januar noch einmal auf. Blomberg machte bei seinem Erscheinen
einen schon gefaßteren und ruhigeren Eindruck. Die Audienz dauerte über Erwarten lange. Wie ich später erfuhr, hatte Hitler bei dieser Unterhaltung mit
ihm Personalfragen erörtert, und zwar sowohl Blombergs als auch Fritschs
Nachfolge.

In der Nacht vom 26. zum 27. Januar und am Vormittag des 27. Januar faßte
Hitler seine Entschlüsse, am stärksten beeinflußt durch Blomberg und Göring.
Überraschend war zunächst, daß er die Untersuchung des Falles Fritsch nicht
abwarten wollte, sondern befahl, sofort einen neuen Oberbefehlshaber des Heeres zu suchen. Hitler wollte die Gelegenheit benutzen, um sich Fritschs zu entledigen. Die zweite Überraschung war das Erscheinen Keitels in der Reichskanzlei, auch in Zivil. Danach hörten wir zu unserem größten Erstaunen, daß Hitler für Blomberg keinen Nachfolger ernennen wolle, sondern diese Funktion
selbst übernehmen werde mit Keitel als Chef des Stabes im Range eines Reichsministers und dem Titel »Chef des Oberkommandos der Wehrmacht«.

Diese Entscheidung Hitlers löste in den Oberkommandos eine lebhafte Diskussion aus. Von vielen Seiten wurde ich darauf angesprochen. Natürlich liefen
im Zusammenhang mit den letzten Vorgängen in der Reichskanzlei viele Gerüchte
um, und ich hörte die merkwürdigsten Kombinationen. Am meisten war die Ansicht verbreitet, dies sei der Schlag der Partei gegen die Wehrmacht gewesen,
sozusagen die Rache für den seinerzeitigen Schlag gegen Röhm und die SA. Hitler
habe die Gelegenheit benutzt, dabei auch die Macht über die Wehrmacht an sich
zu reißen. Mir bot sich doch ein anderes Bild. Man machte Blomberg den Vorwurf, er habe Hitler auf den Gedanken gebracht, selbst das Oberkommando
der Wehrmacht zu übernehmen. Es kann sein, daß sie darüber gesprochen haben.
Beweise gibt es nicht. Das von Hitler gewünschte Gespräch mit Blomberg am
27. Januar entsprang einer gewissen Ratlosigkeit Hitlers. Deshalb zog er noch
einmal Blomberg heran, der ihm fünf Jahre zur Seite gestanden hatte. Was war

verständlicher als das? Hitler wußte, daß Göring darauf wartete, Blombergs Nachfolger zu werden. Bodenschatz wies mich an, mich bei Hitler für Görings Ernennung zum Oberbefehlshaber der Wehrmacht einzusetzen. Hitler brachte in seiner Entgegnung mir gegenüber ganz klar zum Ausdruck, daß er Göring dafür nicht geeignet halte. Er verstehe nichts von Waffentechnik. Die elementaren Führungsaufgaben für die Wehrmacht seien ihm fremd. Mit dem Vierjahresplan habe er eine große Aufgabe neben der Führung der Luftwaffe. Diese einem anderen anzuvertrauen, zum Beispiel Milch, werde Göring nie zulassen.

Auch Blomberg hatte Hitler mit dem gleichen negativen Ergebnis den Vorschlag gemacht, Göring zu seinem Nachfolger zu ernennen. Das große Problem für die Nachfolgefrage war, daß es zu Göring keine Alternative gab. Nicht weil man im Heer keinen geeigneten General finden konnte, sondern weil Göring zu verstehen gegeben hatte, daß er sich in seiner Eigenschaft als Oberbefehlshaber der Luftwaffe keinem General des Heeres als Oberbefehlshaber der Wehrmacht unterstellen werde. Der Führer könne ihm das nicht zumuten. Vielleicht wollte Göring dadurch seine Ernennung zum Nachfolger Blombergs erzwingen. Hitler war deshalb in einer sehr schwierigen Lage und wird froh gewesen sein, im Gespräch mit Blomberg den Ausweg gefunden zu haben. Nicht Hitlers Wunsch nach Erweiterung seiner Machtstellung, sondern Görings Verlangen nach mehr Macht und Geltung waren der Grund für Hitlers Entscheidung, sich selbst zum Nachfolger von Blomberg zu machen. Hätte Hitler die Absicht gehabt, Blomberg und Fritsch von sich aus zu entfernen, würde es Mittel und Wege gegeben haben, dies eleganter, ohne Skandal-Affären zu erledigen. Es war abwegig, Hitler zu unterstellen, er wolle nunmehr die Befehlsgewalt über die Wehrmacht übernehmen. Er besaß sie seit dem Tode von Hindenburg am 2. August 1934, als er Staatsoberhaupt und damit oberster Befehlshaber der Wehrmacht geworden war.

Auch andere Herren aus Hitlers Umgebung teilten meine persönliche Ansicht, daß Hitler nie über jemandes Verhalten so betroffen war wie über Blombergs Heirat. Ich habe in meiner achtjährigen Dienstzeit bei Hitler keinen ähnlichen Fall erlebt. Auch der Flug von Rudolf Heß nach England im Jahre 1941 hat Hitler innerlich nicht so berührt. Mit dieser Affäre brach für Hitler eine Welt zusammen. Bis zu diesem Vorfall war Hitlers Hochachtung für Generale – und den Adel – nicht zu erschüttern gewesen.

Ablösung Hoßbachs

Die nächste und härteste Überraschung für Puttkamer und mich in dieser dreitägigen Wehrmachtkrise – wir sprachen vertrauensvoll über alles, was uns bedrückte –, brachte der 28. Januar. Hitler hatte gegenüber Keitel den Wunsch geäußert, sich von Hoßbach zu trennen. Dafür fanden wir weder eine Erklärung noch verstanden wir diese Entscheidung. Wie konnte sich Hitler in dieser Situation von dem ihm seit mehr als drei Jahren bekannten und vertrauten Offizier trennen? Vor allem hielten wir Hoßbach für den einzigen geeigneten Berater Hitlers in allen Fragen der Heeresführung, einschließlich der sehr wichtigen höheren Stellenbesetzung. Puttkamer wurde daher auch bei Hitler vorstellig und setzte sich dafür ein, Hoßbach nicht abzulösen. Hitler zeigte Verständnis für seine Demarche, sagte ihm aber, daß die Entscheidung unwiderruflich sei. Hitlers Zusatz, daß er während des letzten Gespräches mit Hoßbach zum ersten Mal »den Menschen Hoßbach« kennengelernt habe, bestätigte mir meinen Eindruck von dem unpersönlichen Verhältnis zwischen Hitler und Hoßbach.

Hitler nahm Hoßbachs Entschluß, Fritsch gegen Hitlers ausdrücklichen Befehl zu unterrichten, ernster, als es zunächst den Anschein hatte. Erst zwei Tage nach dem Vorfall ließ er die Entlassung über Keitel verfügen. Sie traf Hoßbach tief. Ihm sind zwei Dinge zum Verhängnis geworden: einmal die unglückliche, aber von ihm selbst gewünschte Doppelunterstellung unter den Chef des Generalstabes des Heeres und unter Hitler, zum anderen die Feindschaft Görings. Die Tatsache, daß Hoßbach erst zwei Tage nach der Gehorsamsverweigerung Hitler gegenüber abgelöst wurde, läßt den Schluß zu, daß sich Hitler auch in diesem Punkt von Göring hat beeinflussen lassen.

Ich selbst fand Hoßbachs Haltung gegenüber Hitler verständlich und den Einsatz für seinen Oberbefehlshaber ehrenvoll. Ich konnte ihm aber nicht den Vorwurf ersparen, daß er seine eigene Person und Stellung in einem falschen Augenblick eingesetzt und riskiert hatte. Er mußte in seine Beurteilung der Lage am Abend des 25. Januar unbedingt mit einbeziehen, daß er einer der wenigen Offiziere des Heeres war, der das Vertrauen Hitlers besaß. Nur er allein war in der Lage, Hitler im Sinne des Heeres zu beeinflussen. Diese Möglichkeit setzte er aufs Spiel, weil er sich nicht als Hitlers Adjutant fühlte, sondern als Vertrauter von Fritsch und Beck. Ich bin heute noch der Auffassung, daß durch eine andere Reaktion Hoßbachs auf all die Vorwürfe und Intrigen gegen Blomberg und Fritsch Hitlers Entscheidungen zugunsten der Generale hätten beeinflußt werden können. Allerdings ließen Hoßbachs Charakter, sein Wesen und seine Auffassung vom Offiziersberuf keine Kompromisse oder Halbheiten zu. Es ist ein Fehler des Generalstabes des Heeres gewesen, einen so kompromißlosen Offizier mit einer Aufgabe zu betrauen, die neben Charakterfestigkeit auch Beweglichkeit verlangte.

In diesen Tagen führte Puttkamer ein Gespräch mit Keitel und machte ihm, wie er mir erzählte, sehr massive Vorwürfe wegen seines Verhaltens. Keitel hätte sich ohne Bedenken und Widerspruch die Auffassungen Hitlers zu den Fällen Blomberg und Fritsch zu eigen gemacht. Es wäre aber seine Pflicht als Offizier gewesen, zunächst im Falle Fritsch eine Klärung herbeiführen zu lassen, bevor er selbst eine Position bei Hitler annähme. Keitel ließ sich von Puttkamers Vorwürfen und Forderungen nicht beeindrucken.

Zum Verständnis von Keitels Verhalten muß gesagt werden, daß er, im Gegensatz zu seinem Vorgänger Reichenau, keinerlei Kontakt mit Hitler hatte, abgesehen von ganz wenigen rein dienstlichen Zusammenkünften. Er hatte von sich aus als Chef des Stabes bei Blomberg keinerlei Anstalten gemacht, Hitler näher kennenzulernen, was für seine dienstlichen Aufgaben sicher nützlich gewesen wäre. Auch Hoßbach hatte ihn von Hitler fern gehalten in der Sorge, Keitel könne ebenso wie Reichenau bei Hitler zu Einfluß kommen. So wurde Keitel am 27. Januar völlig unvorbereitet vor eine Situation gestellt, der er nicht gewachsen war. Er war ein guter militärischer Organisator und deswegen auf den Posten bei Blomberg versetzt worden. Seinen Ruf als tüchtiger Generalstabsoffizier verdankte er vor allem seinem unermüdlichen Fleiß und seiner soldatischen Haltung. Auf politischem und diplomatischem Parkett war er ungewandt.

Einen modernen General konnte man Keitel nicht nennen. Dafür verstand er zu wenig von der Technik. Doch ein merkwürdiger Ehrgeiz fiel mir bei ihm auf, nicht auf die eigene Person bezogen, sondern auf die Familie und den Namen Keitel. Als Sohn einer selbstbewußten niedersächsischen Bauernfamilie war er stolz darauf, in eine so hohe Position aufgerückt zu sein. Doch die weit größere Verantwortung, die er im Vergleich zu seiner bisherigen Stellung jetzt tragen mußte, kam ihm dabei noch nicht zum Bewußtsein. So hatte es Keitel unterlassen, während der Krisentage einen engen Kontakt mit den führenden Generalen des Heeres zu halten. Er besprach sich nur mit dem ihm unterstellten Oberst Jodl. Dadurch belastete er sich von Anfang an mit dem Vorwurf, sich vom Heer und seiner Führung absetzen zu wollen und Hitler nach dem Munde zu reden. Dieses Odium aus den ersten Tagen seiner neuen Stellung hat er nie abschütteln können. Dadurch ist er später oft falsch beurteilt worden.

Puttkamer erzählte mir noch folgende seltsame Episode. Blombergs letzter Marine-Adjutant, Korvettenkapitän v. Wangenheim, war nach Bekanntwerden der wirklichen Gründe für Blombergs Ausscheiden und nach Rücksprache mit Raeder zu der Überzeugung gekommen, sich einschalten zu müssen. In der Marine war die Vermutung verbreitet, daß Blomberg die ganze Wahrheit über seine Frau nicht kennen würde, sonst hätte er ihrer Ansicht nach anders gehandelt. Wangenheim hatte es deshalb für seine Aufgabe gehalten, Blomberg an seine Ehrauffassung als Offizier zu erinnern. Am 29. Januar war er dem Feldmarschall nach Rom nachgereist und hatte seinen ehemaligen Chef aufgefordert, die Konsequenzen zu ziehen und sich wieder scheiden zu lassen. Als Blomberg dies ablehnte, hielt Wangenheim ihm vor, er habe seine eigene Ehre und die Ehre des Offizierkorps beschmutzt. Deshalb bleibe ihm nur die andere Lösung, sich das Leben zu nehmen. Mit diesen Worten hatte er Blomberg eine Pistole auf den Tisch gelegt. Boehm-Tettelbach schilderte mir dann den weiteren Verlauf. Blomberg telefonierte deswegen von Rom aus mit Göring; er schrieb auch einen Brief an Keitel, in dem er darauf hinwies, er habe Hitler versprechen müssen, nicht Hand an sich zu legen. Hitler habe gesagt: »Deutschland kann jetzt keinen toten Kriegsminister gebrauchen«. Nach Rückkehr Wangenheims waren er und Boehm-Tettelbach zu Göring bestellt worden. Göring sei sehr heftig geworden und habe Wangenheim Vorwürfe gemacht, daß sein Alleingang zu außerordentlich unangenehmen Verwicklungen hätte führen können. Er habe noch hinzugefügt, daß er Wangenheims Schritt zum Teil verstehen könne, seine Einmischung aber doch unüberlegt und überheblich nennen müsse. Während Puttkamer Wangenheims Haltung billigte, habe ich diese Reise nach Rom recht unnötig gefunden und mich Wangenheims Einstellung nicht anschließen können. Es genügte mir zu wissen, daß Blomberg vorsätzlich nichts getan hatte, was seine eigene Ehre und die Ehre des Offizierkorps hätte verletzen können. Der Vorgang zeigte, wie leichtfertig mit dem Begriff Ehre umgegangen wurde, aber wie schnell auch manchmal Staatsräson und Ehrauffassung in Konflikt geraten können. Im übrigen halte ich es für wahrscheinlich, daß Blomberg seine Frau liebte und sich vor sie stellte. Beider Leben in Bad Wiessee bis zu Blombergs Tod 1946 läßt darauf schließen.

Schmundt

Nun ging es darum, einen Nachfolger für Hoßbach zu ernennen. Hitler hatte Keitel beauftragt, einen Generalstabsoffizier zu finden, der sein und Keitels Vertrauter sein sollte und nicht der einer anderen Stelle. Hitler spielte damit auf

Hoßbachs Doppelunterstellung an. Die Dienstanweisung für Hoßbachs Nachfolger ließ sehr deutlich Hitlers Reaktion auf die Vorgänge der letzten Tage erkennen.

Am 28. Januar wurde der Major im Generalstab Rudolf Schmundt zum »Adjutant der Wehrmacht beim Führer und Reichskanzler« ernannt. Er war 41 Jahre alt und kam aus Liegnitz, wo er erster Generalstabsoffizier der 18. Division war. Keitel, der ihn kannte, hatte ihn vorgeschlagen. Schmundt trat seine neue Dienststellung unter ungewöhnlich schwierigen Verhältnissen an. Als Generalstabsoffizier verehrte er General Beck, mußte aber erleben, daß Beck ihn anläßlich seiner dienstlichen Meldung nur kurz und unpersönlich empfing. Das enttäuschte den ganz unwissend nach Berlin gekommenen Schmundt bitter. Der Generalstab war seine militärische Heimat. Sein Chef zeigte ihm jetzt die kalte Schulter. Ähnlich ging es ihm bei Hoßbach, der es ablehnte, Schmundt die Dienstgeschäfte zu übergeben, und ihn an Puttkamer verwies, der zufällig bei dem Gespräch zugegen war und mir später diese unerfreuliche Szene schilderte. Der tiefere Grund für den kühlen Empfang durch Beck und das unkameradschaftliche Verhalten von Hoßbach, wie es Schmundt empfand, lag in den selbstmörderischen Gegensätzen zwischen OKW und OKH. Von Becks und Hoßbachs Standpunkt aus war Schmundt ein »Abtrünniger«, der durch Hitlers Befehl der direkten Unterstellung unter den Chef des Generalstabes entzogen worden war. Ich war von dem geringen Format überrascht, das sich in Hoßbachs Verhalten gegenüber einem dienstjüngeren Kameraden offenbarte. Meine Achtung vor ihm sank hierdurch mehr als durch seine in meinen Augen falschen Beurteilungen während der Blomberg-Fritsch-Krise.

Puttkamer übernahm es, Schmundt über die Anfangsschwierigkeiten hinweg zu helfen. Sie kannten sich bereits aus Potsdam. Schmundt hatte im Infanterie-Regiment 9 gedient, unter anderem als Regimentsadjutant. Ein guter Freund von ihm aus jener Zeit war Henning v. Tresckow, später im Widerstand gegen Hitler führend beteiligt. Puttkamer war durch sein Elternhaus mit Potsdam verbunden. Sein Vater lebte noch dort.

Nach meinem ersten Eindruck war Schmundt das Gegenteil seines Vorgängers. Wie diesem jegliche Warmherzigkeit fehlte, besaß Schmundt die aufgeschlossene Verbindlichkeit, die ein Offizier für seine Kameraden und Untergebenen haben muß. Schmundt konnte ausgesprochen fröhlich sein. Wie fast alle aus dem Reichsheer hervorgegangenen Offiziere war er nur Soldat. Menschen und Aufgaben in seiner neuen Stellung stellten ihn jetzt neben den militärischen Fragen auch vor politische Probleme. Schmundt mußte sich sehr umstellen, wozu er aber aufgrund von Bildung und Charakter die Voraussetzungen mitbrachte.

Ich lernte Schmundt am 30. Januar kennen, als wir uns am Abend zum traditionellen Fackelzug der SA in den Räumen der Brüningschen Reichskanzlei ver-

sammelten. Hitler nahm vom Balkon den Vorbeimarsch ab. Staatsminister Meißner pflegte in Hitlers Auftrag zu diesem Abend eine Anzahl Persönlichkeiten aus
Staat und Partei einzuladen, auch Gäste aus Hitlers Tischrunde mit ihren Damen.
In diesem Jahr stand dieses gesellschaftliche Ereignis, mitten in den Krisentagen,
in einem sehr eigenartigen Kontrast zu der Stimmung in der Umgebung Hitlers.
Er hatte aber ausdrücklich den Ablauf des Gedenktages der Machtübernahme
wie alljährlich gewünscht, damit Gerüchte über die Ereignisse der letzten Tage
nicht weitere Nahrung fänden. Alle Gäste waren natürlich voller Neugierde
Hitlers Einladung gefolgt und gespannt, ob sie etwas Neues erfahren könnten.
Ich selbst war froh, einige Ablenkung zu finden.

Während sich Hitler den Vorbeimarsch der SA ansah, vertrieben wir uns die
Zeit am kalten Büfett und mit entsprechenden Getränken. In diesem Kreis trat
Schmundt zum ersten Mal offiziell in der Reichskanzlei auf. Er war froh, auch
in meiner Frau jemanden zu finden, der ihm unauffällig einige der vielen fremden
Gesichter erklären konnte. Zuvor, bei der Begrüßung, hatte sich meine Frau gegenüber Puttkamer und den Adjutanten recht drastisch mit den Worten ausgedrückt: »Was ist denn mit Euch los? Ihr seht ja alle wie ausgekotzter Reisbrei
aus!« Damit hatte sie den Nagel auf den Kopf getroffen und unsere Stimmung
und Niedergeschlagenheit in den Krisentagen richtig charakterisiert.

Reichenau OBdH?

Zu Schmundts ersten Aufgaben gehörte es, gemeinsam mit Keitel, Hitler bei
der Auswahl des neuen Oberbefehlshaber des Heeres zu beraten. Hitler hatte
anfangs Reichenau im Auge. Dagegen wandten sich alle Generale, die Hitler in
diesen Tagen sprach, besonders Keitel und Rundstedt, dieser als dienstältester
General des Heeres. Sie befürchteten, daß eine Ernennung Reichenaus zum Oberbefehlshaber des Heeres eine Krise in der Form auslösen würde, daß eine größere
Anzahl Generale um ihre Entlassung bitten würden. Reichenau galt als »Hans
Dampf in allen Gassen« und als »Nazi-Offizier«, weil er stets guten Kontakt
mit der Partei pflegte. Keitel verstand es, Hitler den Gedanken an Reichenau
auszureden, indem er Reichenau die für einen Oberbefehlshaber erforderliche
Eignung absprach. Er hatte den Ruf, faul und oberflächlich zu sein und sich mehr
für politische als für militärische Aufgaben zu interessieren.

Die einmütige Ablehnung Reichenaus durch die Generale war mir unverständlich. Er hatte 1934 in der Röhm-Krise die entscheidende Initiative von Seiten
der Wehrmacht gegen die SA ergriffen und Blomberg und Hitler von der Notwendigkeit überzeugt, Röhms Bestrebungen nach Einflußnahme der SA im Heer
zu unterbinden. Das Heer hatte Reichenau also viel zu verdanken. Aber die Ge-

nerale, an der Spitze Keitel, beurteilten Reichenaus Leistung für das Heer anders. Sie fürchteten seine Überlegenheit. Reichenau mag ein »Nazi-General« gewesen sein, er war aber ein moderner Offizier, der von der Technik etwas verstand und den Mund aufmachte. Er scheute sich nicht, Hitler seine Meinung und Ansichten zu sagen und überzeugend zu erklären. Sein Auftreten gegenüber Hitler war sicher und selbstbewußt, im Gegensatz zu Brauchitsch.

Keitel setzte sich für die Ernennung Brauchitschs ein und erhielt von Hitler den Auftrag, mit Brauchitsch die damit zusammenhängenden sachlichen Probleme zu besprechen. Einzelheiten darüber habe ich nicht erfahren. Ich hörte nur, daß mehrere Gespräche vor Brauchitschs Ernennung geführt worden sind, und folgerte daraus, daß eine Einigung schwierig gewesen sein muß. Auch ein privates Problem hat dabei eine Rolle gespielt. Brauchitsch lebte von seiner Frau getrennt und beabsichtigte, eine andere Frau zu heiraten. Die dafür erforderlichen Mittel ließ Hitler aus einem Sonderfonds, den der Chef seiner Privat-Kanzlei, Bouhler, verwaltete, zur Verfügung stellen. Das war ein unglücklicher Start. Ich wunderte mich, daß Hitler sich auf eine solche Lösung einließ. Gab es nur die Alternative Reichenau oder Brauchitsch? Keitel trieb zur Eile in der Sorge, Hitler könnte noch einmal auf Reichenau zurückkommen. Es war erschütternd zu beobachten, daß die Generale des Heeres sich mehr gegen den General v. Reichenau ereiferten, als daß sie für eine Rehabilitierung des Generaloberst Frhr. v. Fritsch eintraten.

Das große Revirement

Ich war überrascht, als ich am 4. Februar den ganzen Umfang des Revirements und der Verabschiedungen las. Göring nutzte die Gelegenheit, um sich der alten Generale in der Luftwaffe zu entledigen, die in den Jahren 1934 und 1935 für den Aufbau der Luftwaffe reaktiviert worden waren, nachdem sie meist erst kurze Zeit vorher das Reichsheer aus Mangel an ausreichenden Planstellen verlassen mußten. Diese Generale wurden also zum zweiten Mal pensioniert. Auch das Heer schickte eine Anzahl älterer Generale, die allerdings zur Verabschiedung anstanden, bei dieser Gelegenheit in Pension. Im Zuge der sich daraus ergebenden Versetzungen waren zwei Fälle für einen Außenstehenden wie mich unverständlich. Im Generalstab entfernte Beck den Generalleutnant v. Manstein vom Posten des Oberquartiermeister I, der sein Vertreter war und als sein Nachfolger galt. An seine Stelle trat Generalleutnant Halder. Manstein wurde Divisionskommandeur in Liegnitz. Er war Hitler während des Wehrmachtmanövers im September des vergangenen Jahres durch seine klare Vortragsweise besonders aufgefallen.

Die zweite Personalveränderung im OKH betraf den Chef des Personalamtes. Hitler hatte einen Wechsel gefordert. Der bisherige Amtschef, General v. Schwedler, stand in dem Ruf, zu konservativ zu sein. Hitler versprach sich von einer Umbesetzung einen neuen Kurs im Sinne der nationalsozialistischen Erziehung des Heeres. Als Nachfolger Schwedlers wurde der jüngere Bruder Keitels, Generalmajor Bodewin Keitel, ernannt. Ich weiß nicht, von wem der Vorschlag gekommen ist, von Brauchitsch oder vom »großen« Keitel. Auf alle Fälle hätte letzterer dies verhindern müssen, um sich gerade in dieser gespannten Situation im Heer nicht dem Vorwurf der Vetternwirtschaft auszusetzen. Gegen die Kritik, die ihn deshalb erreichte, zeigte er ein dickes Fell, das ihm in späteren Jahren seine Gesundheit erhalten hat, im Gegensatz zu seinem Bruder, der seine Aufgabe gesundheitlich nicht durchstehen konnte. Puttkamer hat dem großen Keitel unmißverständlich zu verstehen gegeben, daß sein Bruder nicht Chef des Heeres-Personalamtes werden dürfe. Aber auch diese Intervention war vergeblich.

Eine völlige Überraschung war für mich jedoch der Wechsel an der Spitze des Auswärtigen Amtes. Neurath mußte den Platz für Ribbentrop frei machen. Hitler hatte sich zweifellos mit dem Gedanken eines Wechsels im Auswärtigen Amt beschäftigt. Die Bekanntgabe im Rahmen des militärischen Stellenwechsels hing mit Hitlers Scheu vor der Weltöffentlichkeit zusammen. Die Personal-Veränderungen sollten nicht als Schwäche des Systems verstanden werden. Hitler wollte die gegenteilige Wirkung erzielen. Deshalb erschien es ihm angebracht, mit den Personalveränderungen in der Wehrmacht auch andere Umbesetzungen in den höchsten Reichsstellen vorzunehmen. Dennoch entstand in der Öffentlichkeit der Eindruck, daß Hitler die letzten konservativen Minister entließ, um an ihre Stelle ihm treu ergebene Nationalsozialisten zu berufen. Das entsprach nicht der Wirklichkeit. Die neuen Herren im Heer hatten die gleiche konservative Einstellung wie ihre Vorgänger. Und Ribbentrop war für die Partei ein Außenseiter. Im In- und Ausland war er als selbständiger Kaufmann erfolgreich und unabhängig gewesen und hatte ohne die Partei seine Verbindung zu Hitler gefunden. Er war also auf den Posten des Reichsaußenministers gekommen, ohne im Diplomatischen Dienst groß geworden noch »alter Kämpfer« gewesen zu sein. Bei seinem Amtsantritt wurde er in Berlin nicht sehr freundlich empfangen; er wirkte arrogant und kontaktarm und verstand es nicht, sich Freunde zu machen. Boehm-Tettelbach, der, fließend englisch sprechend, Blomberg im Frühjahr 1937 zur Krönung des englischen Königs, Georg VI., nach London begleitet hatte, erzählte mir vom gewandten Auftreten des Botschafter-Ehepaares Ribbentrop während der Krönungs-Feierlichkeiten und vielen damit verbundenen gesellschaftlichen Ereignissen. Er sagte, Ribbentrop habe im Kreis der Diplomaten in London einen sehr guten Eindruck gemacht. Gegenteilige Berichte kursierten in Berlin. Sie verbreiteten sich schneller als die positiven.

Hitler schätzte Ribbentrop und seinen Rat. Ribbentrop hatte um die Jahreswende 1937/38 eine Denkschrift über das deutsch-englische Verhältnis an Hitler geschickt, die nach meinen Beobachtungen nicht ohne Einfluß auf Hitlers Entschluß zum Wechsel des Außenministers gewesen sein kann. Jedenfalls hörte ich in dieser Zeit mehrmals von Hitler, daß er bei seinen Plänen zur Revision des Versailler Friedensvertrages mit Englands Widerstand rechnen müsse. Auch habe ihm Ribbentrop bestätigt, was er schon von Milch und Udet wußte, daß England vermehrt aufrüste. England sei zum Krieg entschlossen, wenn seine Interessen in Europa berührt würden. Das politische und militärische Gleichgewicht der Kräfte stehe für England immer noch an der Spitze seiner Außenpolitik.

Ribbentrops Denkschrift habe ich lange Zeit nach dem Kriege, 1972, im vollen Wortlaut gelesen und nachträglich erst verstanden, welche Rolle sie für Hitlers Politik ab Anfang 1938 gespielt haben muß. Ribbentrop wußte von Hitlers Sympathien für England und wollte ihn mit seiner Denkschrift vor Unterschätzung der englischen Politiker und ihrer Entschlossenheit zur Verteidigung der britischen Interessen in Europa warnen. Hitler hatte die Warnung verstanden, aber in seinem eigenen Sinn.

Ich bin heute davon überzeugt, daß Hitlers Schlußfolgerungen aus Ribbentrops Denkschrift seine Entscheidungen während der Blomberg-Fritsch-Krise beeinflußt haben. Der Umschwung von »ich kann warten« zu »ich habe keine Zeit zu verlieren« muß in den zehn Tagen zwischen dem 24. Januar und dem 4. Februar 1938 gefallen sein.

Görings Aktivität – Hitlers Passivität

Die deprimierenden Vorgänge Ende Januar, Anfang Februar 1938 gaben mir Gelegenheit, Hitlers Verhalten in einem Krisenfall zu beobachten. Ich erlebte genau das Gegenteil von dem, was ich erwartet hatte. Hitler stand für mich wie für viele Menschen in Deutschland zu jener Zeit in dem Ruf eines energischen, selbstbewußten und entscheidungsfreudigen Führers. Nichts davon konnte ich während der Krisentage beobachten. Blombergs Heirat hatte bei Hitler einen regelrechten Schock ausgelöst, ihn vor eine unvorbereitete Situation gestellt und eine Entscheidung von ihm verlangt. Aus allem, was ich sah und hörte, entnahm ich, daß Hitler nicht wußte, was er machen sollte. Er schien mir unentschlossen zu sein und ließ einen Berater nach dem anderen kommen, um sich zu besprechen. Dies war mir ein Beweis dafür, daß Hitler die Ablösung der Generale bis zum Beginn der Krise am 24. Januar nicht gewollt und nicht vorbereitet hatte. Wäre es seine Absicht nach der Besprechung vom 5. November 1937 gewesen, die Spitzen der Wehrmacht auszutauschen, hätte er Zeit genug gehabt, die neuen

Oberbefehlshaber auszusuchen. Göring schien die Unentschlossenheit Hitlers bei unvorhergesehenen Vorfällen zu kennen und wußte, daß er sich dann beraten und beeinflussen ließ, im Gegensatz zu den Fällen, in denen der Führer sich nach längeren Überlegungen eine eigene Meinung gebildet hatte und dann nur schwer oder gar nicht mehr zu beeinflussen war.

Zum ersten Mal wurde mir klar, daß Hitler keine wichtigen Entscheidungen aus dem Handgelenk fällen konnte, während das dem ehemaligen Jagdflieger Göring um so mehr lag. Ich kam zu der Erkenntnis, daß diese gegensätzliche Veranlagung der Grund für die enge Vertrautheit und Zusammenarbeit beider Männer schon in der Kampfzeit gewesen sein muß. Hitler brauchte Göring für seine Entschlüsse. Wie oft habe ich vor wichtigen Entscheidungen von Hitler gehört: »Darüber muß ich erst mit Göring sprechen«, oder: »Was sagt Göring dazu?«

Während der Blomberg-Fritsch-Krise hatten wir deshalb auch manchmal den Eindruck, als ob Göring regierte und nicht Hitler. Göring mit seiner raschen Auffassungsgabe und dem blitzschnellen Reagieren hatte Hitlers Handeln beeinflußt. Daß Göring dabei auch eigene Ziele verfolgte, steht außer Frage. Mit Hitler allein und unbeeinflußt vom Rat seiner Parteileute wären nach ruhigen Überlegungen andere Lösungen möglich gewesen. Göring hat dies verhindert.

Auf der Suche nach einer Erklärung für Hitlers mangelnde Entschlußfreudigkeit bei Entscheidungen bin ich auf sein Naturell als Künstler gestoßen. Seinem Temperament nach liebte er das ungezwungene freie Leben eines Künstlers; er hatte es versäumt, systematisch einem Beruf nachzugehen. Für kurze Zeit vor dem Krieg war er in Wien und München mit seinen Aquarellen erfolgreich und konnte davon leben. Der Krieg und dessen unglücklicher Ausgang ließen dann aber eine andere Neigung die Überhand gewinnen: seine fanatische Vaterlandsliebe. Wie Richard Wagners »Rienzi« glaubte er schließlich, dazu berufen zu sein, das Vaterland zu retten. Doch die Anlagen und Eigenschaften eines Künstlers legte er nicht ab.

Jeder Künstler lebt von Intuitionen und von Anregungen. Diese kommen nicht auf Kommando, sondern brauchen Zeit zum Reifen. Ein Künstler hat Zeit oder nimmt sie sich. Ein Politiker, zu dem Hitler wider sein Naturell geworden war, kann sich meist nicht nach eigenem Belieben Zeit nehmen. Wenn er sie sich trotzdem nimmt, kann es ein Fehler sein. Alle großen erfolgreichen Entschlüsse Hitlers, die der ersten Jahre vor 1937 und die weiteren, die ich miterlebte, hat er lange durchdacht und entsprechend geplant. Vorbereitungen traf er bis in viele Einzelheiten selbst und war vor allem auf die Wahl des richtigen Zeitpunktes bedacht. Bis 1941 konnte er sich dies leisten. Von da ab diktierte der Feind und zwang ihm oft kurzfristige Entscheidungen auf. Das widersprach seiner Natur und führte zur Katastrophe.

Bittere Erkenntnisse zog ich auch aus der Haltung der Generale. Ihnen mangelte es ebenfalls an Entschlußkraft. Sie hatten uneinheitlicheAuffassungen über Hitler und den Nationalsozialismus, auch von den eigenen Aufgaben und Pflichten. Einige hatten abfällig vom »böhmischen Gefreiten« gesprochen, blieben aber auf ihren Posten mit der Begründung, daß sie dann das Schlimmste verhüten könnten. Sie hielten auf Abstand, weil sie vom Umgang mit einem Diktator nichts verstanden. Die Führung des Heeres wollte den Nationalsozialismus nicht zur Kenntnis nehmen. Dabei war ihr bekannt, daß die Masse des Heeres, auch des Offizierkorps, anders dachte und zu Hitler stand. Einmütigkeit bestand im Heer nicht mehr. Zwischen Führung und Truppe klaffte eine Lücke, auch wenn die Führung bemüht war, daß ihre im ganzen skeptische Einstellung zu Hitler und zum Nationalsozialismus verborgen blieb. Dafür kannten die Parteidienststellen die nazifeindlichen Ansichten mancher führenden Generale um so besser. Die Folge war, daß das Heer von der Partei- und Staatsspitze beargwöhnt wurde und seine lange unangreifbare Position einbüßte. Die Blomberg-Fritsch-Krise hatte somit böse, langfristige Folgen.

Zwei Erlebnisse sind mir in diesem Zusammenhang in Erinnerung geblieben. In der Führerwohnung sprach Goebbels im kleinen Kreise über die Vorgänge und sagte – dem Sinne nach –, wenn nur ein Dutzend Generale ihren Abschied genommen hätten, wäre der Führer zum Nachgeben gezwungen gewesen. Nichts konnte deutlicher ausdrücken, welche Schlacht das Heer und die Wehrmacht verloren hatten.

Am 4. Februar traf ich mich mit meinem Bruder im Hotel Kaiserhof. Er besuchte damals als Hauptmann die Kriegsakademie des Heeres. In diesem Kreis junger Offiziere wurden die nur gerüchtweise verbreiteten Vorgänge besonders lebhaft verfolgt und besprochen. Ich erzählte meinem Bruder das, was ich wußte. Mein Bruder hat die Unterhaltung in Stichworten festgehalten; die Aufzeichnung liegt heute noch vor. Danach war ich besonders darüber erregt, daß keiner der führenden Generale bei Hitler vorstellig geworden war, um mit Nachdruck die sofortige Rehabilitierung des Generalobersten Frhr. v. Fritsch zu verlangen.

Nach meinem Eindruck war Hitlers größter Fehler in diesen Tagen die voreilige Entscheidung im Falle der Anschuldigungen gegen Fritsch. Diesen Fehler hatten aber die Generale des Heeres nicht zur offenen Opposition gegen Hitler ausgenutzt, zu der sie berechtigt und verpflichtet gewesen wären. Sie hatten damit auch einen großen Fehler begangen. Sie waren Hitler nicht nur nicht in den Arm gefallen, sondern hatten indirekt sogar beigetragen, daß die Entwicklung, die sie glaubten aufhalten zu müssen, nämlich Hitlers Kriegspolitik, nun erst recht ihren Lauf nehmen konnte.

Am meisten Nutzen zog Göring für seine Machtstellung aus den Fehlern beider Seiten. Mit Blomberg war sein letzter Nebenbuhler in der Gunst seines Führers abgetreten.

Mein inneres Engagement bei allem Erlebten war so stark wie bei keinem anderen Ereignis in den acht Jahren meiner Adjutanten-Zeit. Dies hing zweifellos mit meiner Enttäuschung über das Versagen der Generale zusammen, denen bisher meine selbstverständliche Achtung gehört hatte. Ich stand mit meinen Ansichten nicht allein. In der Reichskanzlei und in den Oberkommandos hatte ich viele gleichgesinnte Gesprächspartner. Die konservativen Kreise im Reich hatten nicht nur durch die Entscheidungen Hitlers, sondern durch den Ablauf der Ereignisse und das Verhalten der Hauptakteure aus ihren eigenen Reihen die entscheidende Schlacht verloren. Das Triumvirat Fritsch-Beck-Hoßbach hatte mit seiner kompromißlosen Gegnerschaft zu Blomberg das eigene Lager gespalten und geschwächt.

Ich war zutiefst erschüttert über das Verhalten meiner Standesgenossen und fraß die Sorge über die Entwicklung in mich hinein. Die Folge war eine gesundheitliche Labilität, die mir bis zum Ende des Krieges zu schaffen machte. Zusätzlich empörte mich als Hitlers Luftwaffen-Adjutant das Verhalten Görings. Hitler erwartete von ihm Rat und Hilfe für die staatspolitischen Entscheidungen, während Göring seine Ratschläge nach den eigenen Interessen ausrichtete. Ich rückte innerlich noch mehr von Göring ab und bekannte mich zu Hitler.

Hitler hat in den Jahren 1938 und 1939, als ihm die Opposition der Generale immer klarer wurde, wiederholt zum Ausdruck gebracht, daß die gegen Blomberg und Fritsch getroffenen Maßnahmen richtig gewesen seien. Ich hörte dies selbst mehrmals aus seinem Munde. Immer wieder krampfte sich alles in mir zusammen, wenn ich mir vor Augen führte, welche Gelegenheit die Generale durch ihr falsches Verhalten dem Diktator gegenüber verpaßt hatten. Dies war auch Schmundts Eindruck, nachdem er die Einzelheiten erfuhr. Sie belasteten ihn schwer in seiner Stellung zwischen Hitler und dem Offizierkorps des Heeres. Schmundt hatte aber vollendete Tatsachen vorgefunden und mußte mit den Fehlern seines Vorgängers leben.

Bereits 1938 war ich mir mit vielen Freunden darin einig, daß die Blomberg-Fritsch-Krise zur Schicksalsstunde des Heeres geworden war. Nicht Bösartigkeit, sondern menschliche Unzulänglichkeiten und Schwächen hatten den Ablauf der Geschichte beeinflußt. Hätte sich Hitler als »Bösewicht« oder als »Verbrecher« gezeigt, dann würden sich meines Erachtens zu diesem Zeitpunkt die Generale zu anderen Maßnahmen entschlossen haben. Der Blomberg-Fritsch-Fall war aber nicht von Hitler geplant, sondern das Ergebnis von Fehlern aller Beteiligten. In diesem Zusammenhang hörte ich damals das Wort vom »Selbstmord der Generale«. Ich weiß leider nicht mehr, wer es ausgesprochen hat. Der Ausgang der

Blomberg-Fritsch-Krise leitete die Wende in der Geschichte des Dritten Reiches ein.

Nachwehen

Am 5. Februar ließ Hitler die Generale des Heeres zusammenkommen und gab ihnen die Gründe für seine Maßnahmen bekannt. Am späten Nachmittag wurde das Reichskabinett zu einer Sitzung einberufen, um eine Erklärung von Hitler über die Vorgänge entgegenzunehmen. Ich habe an beiden Sitzungen nicht teilgenommen. Ich sah lediglich, wie die Minister mit ernsten Gesichtern die Reichskanzlei verließen.

Natürlich erfuhr ich in den nächsten Tagen Näheres über den Ablauf der Zusammenkünfte. Bei beiden Gelegenheiten hat allein Hitler das Wort geführt und über die Vorkommnisse der letzten Wochen in der Wehrmacht- und Heeresspitze gesprochen. Es gab keine Diskussionen. Somit konnte man bei dieser letzten Zusammenkunft des Kabinetts zu Lebzeiten Hitlers auch nicht von einer »Sitzung« sprechen. Zum Fall Fritsch gab er bekannt, daß ein Kriegsgerichtsverfahren zur Untersuchung der Anschuldigungen angeordnet sei. Auf Grund dieser Maßnahme glaubten alle so in Kenntnis Gesetzten, das Ergebnis der Untersuchungen abwarten zu müssen. Fritsch blieb aber abgesetzt, und Brauchitsch war der neue Oberbefehlshaber des Heeres. Viele sahen darin eine Vorwegnahme des Urteils. Jedenfalls trat in den Amtsstuben der Oberkommandos von Wehrmacht, Heer, Marine und Luftwaffe noch keine Ruhe ein. Die Bekanntgabe der umfangreichen personellen Veränderungen in der Presse hatte eine neue Welle von Diskussionen, Vermutungen und Urteilen zur Folge. Viele Offiziere und Beamte in den Ministerien und den Oberkommandos verbrachten einen Teil ihrer Dienststunden damit, einander zu informieren oder sich informieren zu lassen. Und dabei rühmte sich jeder, die Vorgänge besser zu kennen als der andere. Der Wichtigtuerei waren keine Grenzen gesetzt. In der damaligen Situation war dies besonders schlimm, weil viele, zum Teil aufgebauschte Erzählungen nur Gerüchte waren, denen jede Grundlage fehlte.

Aus Kreisen des Heeres, darunter auch Generalstabsoffiziere, hörte ich immer wieder die Frage, warum Göring nicht Nachfolger von Blomberg geworden sei. Er hätte Ansehen auch im Heer, würde einerseits mit seinem dicken Rücken das Heer vor der Partei schützen, andererseits das Heer zu einer positiveren Einstellung zu Hitler und dem neuen Staat bringen. Hitlers Entscheidung gegen Göring blieb weitestgehend unbekannt. Dadurch erhielt das Gerücht weitere Nahrung, daß es Hitler nur darum gegangen sei, die unmittelbare Befehlsgewalt über die Wehrmacht selbst auszuüben. Ich bin dieser Auffassung oft begegnet, konnte aber nur selten meine Gesprächspartner von den wahren Gründen überzeugen, wie sie sich mir darstellten.

Görings anhaltender Tatendrang führte zu Einmischungen in Angelegenheiten der Wehrmachtführung, der Heeres-Organisation und Personalfragen. Zum Beispiel wurde die Frage der Wehrmachtspitzengliederung erneut aufgeworfen, und zwar jetzt nicht nur vom Heer, sondern auch von der Marine. Man sprach sogar davon, daß Göring nichts dagegen einzuwenden hätte, wenn ein Marine- und ein Heeres-Ministerium gebildet würden. Keitel kämpfte verbissen für die Einheit der Wehrmacht und hatte keine Schwierigkeiten, seinen sich mit Hitlers Auffassungen deckenden Standpunkt durchzusetzen.

Nicht zuletzt wegen Görings Temperament und seines Verhaltens im Kreis seiner Mitarbeiter konnten die Vorgänge der vergangenen Wochen nicht so vertraulich behandelt und geheim gehalten werden, wie das an sich wünschenswert gewesen wäre. Göring bekleidete viele verschiedene Posten und hatte durch die Vielzahl seiner Aufgaben und Zuständigkeiten einen ausgedehnten Kreis von Mitarbeitern. Allen gegenüber äußerte sich Göring offen über die Dinge, die ihn bewegten, ohne einen Unterschied zu machen, was geheim bleiben müßte und was nicht. Das hatte zur Folge, daß viele vertrauliche Vorgänge und Ansichten bekannt wurden. Da es sich meist um Vorgänge aus dem Bereich des Heeres handelte, trug Görings Offenheit nicht dazu bei, das Verhältnis zwischen den Oberkommandos von Heer und Luftwaffe zu verbessern. Der Fall Fritsch wurde im RLM allerdings ebenso beurteilt wie beim Heer. Man hoffte, daß die von Hitler angeordnete kriegsgerichtliche Untersuchung zu einer völligen Rehabilitierung des Generalobersten führen würde. Beck blieb dagegen die Zielscheibe für die Luftwaffe, weil er immer noch der Gegner einer selbständigen Luftwaffe war. In den höchsten Stellen der Luftwaffe bedauerte man sein Verbleiben als Chef des Generalstabes des Heeres ebenso, wie Hoßbachs Entlassung begrüßt wurde.

Aber das RLM hatte auch eigene Sorgen. Göring hatte im Januar, vor der Blomberg-Fritsch-Krise, die Befugnisse des Staatssekretärs, General Milch, weiter eingeschränkt und sich das Luftwaffen-Personalamt und das Technische Amt direkt unterstellt. Das Verhältnis zwischen Göring und Milch war auf den Tiefpunkt gekommen. Doch trennen durften sie sich nicht. Hitler legte Wert darauf, daß Milch im RLM verblieb, weil Hitler sein fachliches Wissen und Können im Bereich der Luftwaffe über das von Göring stellte.

Hitlers neue Stellung als Oberbefehlshaber der Wehrmacht verlieh seiner militärischen Adjutantur eine größere Bedeutung als bisher, allerdings auch zusätzliche Aufgaben. Am meisten war hiervon Schmundt betroffen. Aber auch auf Puttkamer und mich wirkte es sich aus, denn Hitler bestimmte, daß ihn von jetzt ab stets ein Wehrmacht-Adjutant begleiten mußte, ganz gleich wohin er reiste und wo er sich aufhielt. Die erste Reise nach dieser Neuregelung führte Anfang

Februar für einen kurzen Aufenthalt nach München und auf den Obersalzberg. »Reiselektüre« war das vom Reichspressechef Dr. Dietrich oder seinem Sekretär, Heinz Lorenz, in Abständen von einigen Stunden zusammengestellte ausländische Presse-Echo – die »Weißen Blätter« – auf die spektakulären Personalveränderungen vom 4./5. Februar. Aus den Meldungen ging hervor, daß die getroffenen Maßnahmen im Ausland im allgemeinen im Sinne der Regierungs-Erklärung verstanden worden waren. Die englischen Zeitungen schrieben von Hitlers Macht-Erweiterung.

Hitler in München

Hitlers Tagesablauf in München verlief zeitlich ähnlich wie in Berlin, hatte aber ganz privaten Charakter. Man merkte es ihm an, daß er sich in München »zu Hause« fühlte. Dessen ungeachtet rissen aber die Fäden zur Politik nicht ab. Seine Begleitung war dafür verantwortlich, daß er jederzeit erreichbar war und selbst überall, wo er sich aufhielt, telefonieren konnte. Er legte Wert darauf, daß ihm laufend alle Eingänge, sei es telefonisch, sei es durch Fernschreiber, über die Partei-Zentrale am Königsplatz vorgelegt wurden.

Diesmal, nachdem wir vom Bahnhof kommend in Hitlers Wohnung am Prinzregentenplatz eingetroffen waren, zog sich Hitler sofort in sein Zimmer zurück, gefolgt von Frau Winter, der Haushälterin, die ihm das Neueste über seinen privaten Haushalt berichtete. Sie hatte stets Kontakt mit Eva Braun und stellte die telefonische Verbindung zu ihr für Hitler her. Wir Adjutanten tranken Kaffee und erwarteten das Programm des Tages. Dazu wurde der diensthabende persönliche Adjutant zu Hitler hereingerufen und erhielt Auftrag, wer in München angerufen werden sollte, um sich für ein Treffen bereit zu halten. Zur Münchner Umgebung Hitlers – sie waren auch seine Tischgäste – gehörten der Photograph und Bildberichterstatter Professor Heinrich Hoffmann, Frau Troost, Gauleiter Wagner, Hitlers Architekt für die Neugestaltung von München, Professor Giesler, Reichsleiter Bormann, gelegentlich Speer, auch Hermann Esser.

Das Tages-Programm begann mit einem Besuch im Atelier von Frau Troost. Sie erledigte Hitlers Wünsche für seine privaten Geschenke und für besondere künstlerische Anfertigungen. Ich erinnere mich noch zweier Aufträge. Im Sommer 1938 stand Puttkamers Hochzeit bevor. Hitler hatte als Geschenk einen silbernen Besteckkasten bestimmt. Der zweite Anlaß fiel in die Zeit des Krieges und betraf die Anfertigung der Verleihungsurkunden für Ritterkreuze usw. sowie die Beförderungs-Urkunden für die Feldmarschälle und die Entwürfe der Marschallstäbe. Hitler besprach mit Frau Troost die einzelnen Gegenstände nach seinen Vorstellungen, ließ sich dann beim nächsten Besuch Entwürfe vorlegen und traf die Entscheidungen.

Vom Atelier Troost fuhr Hitler zum Mittagessen in die »Osteria Bavaria« in der Schellingstraße. Diesem kleinen Speiselokal war Hitler aus der Kampfzeit treu geblieben. Er fühlte sich dort besonders wohl. Im Sommer saß er gern im Brunnenhof des Restaurants in einer Art Laube, dem »Salettl«. Die Engländerin Unity Mitford verstand es stets, Hitlers Anwesenheit in München zu erfahren, und nahm zur Mittagszeit in der Osteria Platz, um Hitler zu erwarten. Da sie nicht zu übersehen war, ließ Hitler sie dann an seinen Tisch bitten. Sie war eine Schwägerin des englischen Faschistenführers Sir Oswald Mosley und eine glühende Verehrerin Hitlers. Hitler nutzte die Verbindung zu politischen Zwecken. Er unterhielt sich mit ihr zuvorkommend, aber diplomatisch und unterrichtete sich gesprächsweise über England. Er äußerte auch seine Ansichten über England, die englische Politik und die deutsch-englischen Beziehungen in der Annahme, daß seine Gedanken nach England weitergeleitet würden.

Die Unterhaltungen an Hitlers Mittagstisch in der »Osteria« verliefen zwangloser als in Berlin oder auf dem Obersalzberg. Das ergab sich daraus, daß der Eßtisch klein war und die sieben bis acht Personen, die daran Platz hatten, eng zusammensaßen. Hitler sprach hier nie von Politik. Die übrigen Gäste des Lokals spitzten natürlich die Ohren, um von der Unterhaltung an Hitlers Tisch etwas mitzubekommen. Am häufigsten drehten sich die Themen um Kunst, Bauprojekte in München und damit zusammenhängende kommunale Fragen. Hier war für Hitlers Münchner Bekannte immer die beste Gelegenheit, Wünsche oder Klagen anzubringen. Bormann hielt deshalb sein dickes Notizbuch stets parat, um Weisungen Hitlers oder auch nur seine Ansicht zu notieren.

Nach dem Essen galt der nächste Besuch im allgemeinen dem »Haus der deutschen Kunst« oder dem Führerbau, wo sich Hitler von Hoffmann Bilder zeigen ließ. Stand die Eröffnung der jährlichen Kunstausstellung bevor, konnte sich Hitler stundenlang im »Haus der deutschen Kunst« aufhalten, um die von der Jury ausgewählten Bilder und Plastiken zu begutachten. Er war sehr kritisch, und ich hörte ihn sagen, daß das Niveau der Kunstausstellungen in München noch nicht seinem Geschmack entspräche. Erst über Jahre und Jahrzehnte hinaus könne die Qualität in der Malerei und in der Bildhauerkunst gehoben werden. In der Malerei war Hitler im 19. Jahrhundert stehen geblieben. Unter Umgehung von Impressionismus und Expressionismus schwebte ihm der Anschluß an die Epoche des sentimentalen Naturalismus vor. Das bedeutete für die Kunst Rückschritt, aber keine Revolution. Hoffmann mußte sich von Hitler oft Vorwürfe gefallen lassen, wenn er einmal ein gutes Bild der modernen Kunstrichtung in die Ausstellung gemogelt hatte. Deshalb resignierte Hoffmann bald und wählte als Mitglied der Jury nach Hitlers Geschmack aus.

Hoffmann war auch Hitlers Beauftragter, um Gemälde für die von ihm geplante Galerie des 19. Jahrhunderts aufzukaufen. Er ließ die von ihm zum Ankauf vorgesehenen Bilder im Führerbau aufstellen. Hitler entschied, welche gekauft werden sollten. Die Gelder nahm Hitler aus seinem persönlichen Fonds, der, neben anderen Einkünften, von der Reichspost genährt wurde. Diese arbeitete im Dritten Reich mit hohem Überschuß. Der Reichspostminister, seit Februar 1937 Dr. Ohnesorge, übergab Hitler jedes Jahr zu seinem Geburtstag einen Scheck über eine beträchtliche Summe aus dem Erlös der Briefmarken, die sein Bild trugen.

Ein weiterer immer wiederkehrender Programmpunkt in München war der Besuch im Atelier des Professors Hermann Giesler.

Zur Teestunde kehrte Hitler gern in der »Carlton-Teestube« ein, die sich in der Briennerstraße gegenüber dem Café Luitpold befand. An einem Ecktisch konnte er unbehelligt und kaum bemerkt mit seinen Gästen und seiner Begleitung den Tee nehmen. Ein anderer Ort für die Teestunde war das Café im »Haus der deutschen Kunst«, das er im Sommer wegen der Terrasse zum Englischen Garten hin bevorzugte.

Den Abend verbrachte Hitler meist in seiner Wohnung oder in der Wohnung von Professor Hoffmann. Wir Adjutanten nahmen nicht daran teil. Dafür gehörte Eva Braun zu dieser Runde. In der Zeit vor dem Krieg ging Hitler auch manchmal abends aus. Im »Künstlerhaus am Lenbachplatz« habe ich einmal einen sehr vergnügten und unterhaltsamen Abend erlebt, bei dem unter anderem der Kammersänger Leo Slezak und seine Tochter Gretel seine Gäste waren. Stand eine ihn interessierende Opern- oder Operetten-Aufführung auf dem Programm, besuchte er sie.

Hitlers Aufenthalte in München erlebte ich immer gern mit. Vor allem gefiel mir die zwanglose Atmosphäre mit vielen der Kunst gewidmeten Programmpunkten. Auch die Fahrten durch die Stadt waren anregend. Hitler ließ oft Umwege fahren, um diese oder jene Veränderung vom Auto aus anzusehen. Seinem Auge entging nichts. Auch nicht, wenn einer seiner Parteiführer seinen Wagen in rasender Fahrt auf der Ludwigstraße überholte, wie ich es einmal miterlebte. Hitler hatte den Reichsleiter Frank, den späteren Generalgouverneur von Polen, erkannt und ließ ihn durch Bormann ermahnen.

Schuschnigg auf dem Obersalzberg

Mit den Meldungen vom 4. Februar war auch die Einberufung des Reichstages zum 20. Februar bekannt gemacht worden, mit dem Zusatz »Abgabe einer Erklärung der Reichsregierung«, also eine Rede Hitlers. Diese vorzubereiten, war der Hauptzweck von Hitlers Aufenthalt auf dem Obersalzberg. Er war deshalb ärgerlich, als sich Papen, der soeben im Rahmen des großen Revirements als Botschafter in Wien abgesetzt worden war, zu einem Besuch ansagte. Hitler fühlte sich verpflichtet, ihn zu empfangen, wohl um ihm über seine ohne Vorankündigung erfolgte Entlassung hinweg zu helfen. Das Gespräch fand unter vier Augen statt und dauerte länger als erwartet. Es war nicht schwer, daraus die Tatsache abzuleiten, daß beide eingehend das Österreich-Problem besprachen. Die österreichischen Nationalsozialisten drängten an die Macht, was gleichbedeutend mit dem »Anschluß« Österreichs an das Reich war. Die Selbständigkeit Österreichs war in Gefahr.

Die Besprechung zwischen Hitler und Papen endete in Harmonie. Die Verabschiedung wirkte herzlich. Die Gründe behielt Hitler nicht für sich. Papen hatte vorgeschlagen, daß Hitler in Kürze Schuschnigg zu einem Gespräch über die anstehenden Probleme auf dem Obersalzberg empfangen sollte. Hitler griff den Vorschlag spontan auf, setzte Papen wieder als Botschafter in Wien ein und beauftragte ihn, sofort mit der Regierung in Wien in Verbindung zu treten, um einen Termin zu vereinbaren. Hitler sprach weder von einem Einmarsch in Österreich noch von einem Anschluß Österreichs an das Reich. Er wollte fordern, daß die Nationalsozialisten in Österreich an der Regierung beteiligt werden müßten.

So nahm Hitlers Aufenthalt auf dem Berghof einen anderen Verlauf als geplant. Die Arbeiten für die Reichstagsrede mußten zurückgestellt werden. Hitler stellte sich gedanklich auf das Gespräch mit Schuschnigg ein. Als Termin wurde Sonnabend, der 12. Februar, vereinbart. Ich erhielt den Auftrag, Keitel zu bestellen und außerdem ein oder zwei Generale kommen zu lassen, die nach Hitlers Worten besonders martialisch wirken sollten. Ich schlug die beiden Kommandierenden Generale von Heer und Luftwaffe in München vor, Reichenau und Sperrle. Hitler stimmte begeistert zu. Ich rief bei beiden in München an, ohne den Grund für Hitlers Anweisung zu sagen.

Hitler sah dem Zusammentreffen mit Schuschnigg voll Spannung entgegen. Österreich war seine Heimat, und wir fanden es verständlich, daß er hoffte, durch das Gespräch mit Schuschnigg die beiden Länder zu einer Union zu verbinden, die 1918 am Widerstand der Alliierten gescheitert war.

Am 12. Februar fanden sich am frühen Vormittag aus Berlin Ribbentrop und Keitel ein, aus München die beiden Generale. Hitler empfing sie in der großen Halle des Berghofes und erklärte den beiden Generalen aus München, daß er sie nur für einen optischen Zweck heraufgebeten habe. Durch ihre Gegenwart wolle er den österreichischen Besuchern ohne Worte zu verstehen geben, daß er im Notfalle auch Soldaten bereit hätte. Keitel mußte sich daran gewöhnen, selbst dann zur Stelle sein zu müssen, wenn er an keiner Besprechung teilnehmen sollte.

Papen hatte Schuschnigg, dessen Staatssekretär für das Auswärtige, Dr. Guido Schmidt und einen Adjutanten an der deutsch-österreichischen Grenze bei Salzburg empfangen und zum Obersalzberg geleitet. Hitler erwartete seine Gäste am Fuß der Treppe zum Berghof. Nach gegenseitigem Vorstellen und einigen allgemeinen Redensarten begaben sich Hitler und Schuschnigg in die erste Etage in Hitlers privates Arbeitszimmer. Die Unterredung dauerte viele Stunden, während Ribbentrop, Papen und Schmidt in der Halle verhandelten. Zum Mittagessen, an dem auch ich teilnahm, wurden Sperrle und Reichenau hinzugezogen. Die Unterhaltung kreiste um verschiedene Themen. Sperrle erzählte von seiner Tätigkeit in Spanien und gab Hitler dann Gelegenheit, auf die Gefahr des Bolschewismus hinzuweisen. Ursprünglich war vorgesehen, das Treffen mit dem Mittagessen abzuschließen. Als schlechtes Zeichen für den bisherigen Verlauf buchten wir die Tatsache, daß die Gespräche am Nachmittag fortgesetzt wurden. Erst spät am Abend, ohne ein Abendessen eingenommen zu haben, reisten die Österreicher ab. Ich habe an keinem der Gespräche unmittelbar teilgenommen. Es gab aber keine Anzeichen für einen außergewöhnlichen Akzent der Gespräche.

Hitler selbst erzählte uns seine Eindrücke. Er hatte von Schuschnigg gefordert, die Nationalsozialisten in Österreich nicht mehr zu verfolgen und die in den Gefängnissen und Lagern festgehaltenen frei zu lassen. Der Posten des österreichischen Innenministers müßte von einem Nationalsozialisten oder einem der Partei nahestehenden Manne besetzt werden. Hitler nannte Dr. Seyß-Inquart. In einem von beiden Regierungschefs unterzeichneten Protokoll hatte Schuschnigg zugesichert, die Forderungen zu erfüllen, aber auch auf die österreichische Verfassung hingewiesen, nach der allein der österreichische Bundespräsident Regierungsveränderungen vornehmen konnte. Hitler war mit dem Ergebnis des Tages nicht zufrieden.

Er blieb die nächsten Tage noch auf dem Obersalzberg und wartete die von Schuschnigg binnen drei Tagen zugesagte Antwort ab. Am 15. Februar traf sie ein und bestätigte die Annahme des »Berchtesgadener Abkommens« vom 12. Februar. Am 16. Februar wurde auch die Kabinetts-Umbildung in Wien bekannt gegeben. Dr. Seyß-Inquart war zum Innenminister und Minister für das Sicherheitswesen ernannt worden. Hitler war jetzt zufrieden und ließ eine Erklärung in der Presse veröffentlichen, nach der die beiden Kanzler am 12. Februar Maßnahmen beschlossen hatten, durch die ein »enges und freundschaftliches Verhältnis« zwischen beiden Staaten hergestellt werden sollte.

Während dieser Tage auf dem Berghof kam Hitler mir gegenüber nur einmal auf die letzten Veränderungen im Heer zu sprechen. Wohl angeregt durch das Zusammentreffen mit Reichenau und Sperrle, erwähnte er, daß er lieber Reichenau zum Oberbefehlshaber des Heeres gemacht hätte. Aber alle wären dagegen gewesen. Er nannte die Namen Keitel, Beck und Rundstedt. Hitler war voll des Lobes über Reichenau und Sperrle und meinte, ihre Anwesenheit sei nicht ohne Wirkung auf Schuschnigg gewesen.

Reichstagsrede am 20. Februar

Am 16. Februar reiste Hitler nach Berlin zurück. Am 18. sollte er die Internationale Automobil-Ausstellung eröffnen, zum 20. Februar war der Reichstag einberufen worden. Hitler mußte zwei Reden vorbereiten. Für die erstere machte er sich nur ein Konzept mit selbstgeschriebenen Stichworten, während er die Reichstagsrede diktierte. In den letzten Tagen und Stunden vor einer der großen Reden Hitlers herrschte in der Führerwohnung eine ungewohnte Atmosphäre. Alle Termine wurden abgesagt, Hitler kam nicht regelmäßig zu den Mahlzeiten, sondern hielt sich fast ausschließlich in seinem privaten Arbeitszimmer auf. Dort wurde eine Schreibmaschine aufgestellt, und Hitler diktierte zwei sich abwechselnden Sekretärinnen die Rede direkt in die Maschine. Nach dem Diktat von mehreren Seiten begann er sofort mit der ersten Korrektur. Danach wurde das Konzept im Schreibzimmer erneut geschrieben und Hitler vorgelegt. Es kam vor, daß eine Rede oder Teile davon zwei- oder sogar dreimal geschrieben werden mußten. Zwischendurch mußte ein Adjutant immer zur Stelle sein, um Unterlagen oder statistisches Material von den zuständigen Stellen herbeizuschaffen.

Am 20. Februar begleitete ich Hitler in die »Krolloper«, wo der Reichstag seit dem Brand des Reichstagsgebäudes im Jahre 1933 tagte. Wir Adjutanten hatten unsere Plätze in der letzten Reihe hinter der Regierung. Göring als Reichstagspräsident eröffnete die Sitzung mit wenigen Sätzen und erteilte Hitler das Wort. Von einer Sitzung konnte man eigentlich nicht sprechen. Es war eine Versammlung von allen führenden Parteileuten. Die Rede wurde in ganz Deutschland und darüber hinaus in den Hauptstädten der Erde mit Spannung erwartet. Die letzten Ereignisse hatten die Welt aufhorchen lassen.

Hitlers Rede ließ erkennen, daß er den am 30. Januar fällig gewesenen Rechenschaftsbericht für die ersten fünf Jahre seiner Regierungszeit vorlegen wollte. Er holte wie üblich sehr weit aus und brachte umfangreiche statistische Angaben und Zahlen als Beweis für den Aufschwung Deutschlands seit 1933. Als er auf den Wechsel im Oberkommando der Wehrmacht und des Heeres zu sprechen kam, fand ich es peinlich, daß er als Anlaß dafür die Abschiedsgesuche von Blomberg und Fritsch aus »Gesundheitsgründen« aus der Pressemeldung vom 4. Februar wiederholte. Es gab wohl kaum jemanden in der »Krolloper«, ob Abgeordneter oder Diplomat, der inzwischen die Hintergründe nicht kannte. Freundliche Worte fand Hitler für Polen, sarkastische für die englische Presse, die, wie ich es auf der Reise nach München und Berchtesgaden unmittelbar miterlebt hatte, über mehrere Tage hin sehr kritisch über die Blomberg-Fritsch-Krise berichtet hatte. Er nahm auch zur Österreich-Frage Stellung, erwähnte die Unterdrückung von 10 Millionen Deutschen jenseits der Grenzen des Reiches, dankte aber Schuschnigg für seine Bereitwilligkeit, gemeinsam mit ihm einen Weg für ein spannungsfreies Verhältnis zwischen beiden Ländern zu suchen. Dachte Hitler daran, daß Schuschnigg in Österreich die Rolle übernehmen könnte, die Papen 1932/33 in Deutschland für die Machtübernahme gespielt hatte? Schon am 12. Februar, als ich Papen und Schuschnigg auf dem Berghof erlebte, lag mir dieser Vergleich nahe. Im Schlußsatz seiner Rede nannte Hitler unüberhörbar »die nationalsozialistische Armee«.

Hitlers Mammutrede hinterließ ein unterschiedliches Echo. Die Masse des Volkes reagierte zustimmend oder neutral. Ein kleiner Teil der konservativen Oberschicht war empört oder bedrückt über seine Worte zu den Vorgängen um Blomberg und Fritsch. Dies empfand ich ebenso. Im Vergleich zu allen anderen Reden Hitlers, vor diesem Tag und nachher, löste sie nicht die gewohnte Begeisterung aus. Trotz Partei und Nationalsozialismus war die breite Masse des Volkes im Grunde konservativ. Allein Hitler war uneingeschränkt anerkannt, verehrt und geliebt. Erstmalig wurde in diesen Tagen die an vielen Parteileuten, den sogenannten »kleinen Hitlers«, geübte Kritik auch auf Hitler selbst übertragen. Doch neue Ereignisse lenkten schnell wieder davon ab.

Drei Tage nach Hitlers Reichstagsrede sprach Schuschnigg vor dem österreichischen Parlament. Aus seinen Worten war unschwer zu entnehmen, daß er noch keineswegs von einer Entspannung der Beziehungen zwischen Deutschland und Österreich überzeugt war. Hitler aber nahm die Rede gelassen auf und reagierte kaum.

Meine Gesundheit hatte mir in den letzten Wochen viel zu schaffen gemacht. Eine klare Diagnose wurde von den Ärzten nicht gestellt. Sie rieten zur Ausspannung. Hitler legte mir nahe, mich noch von Dr. Morell untersuchen zu lassen. Mit Widerwillen tat ich es. Ich war ganz überrascht, den Arzt Morell in seiner Praxis als einen ganz anderen Menschen kennenzulernen, als ich ihn sonst kannte. Das unappetitliche Äußere störte nicht mehr. Das Vertrauen zu einem gewissenhaften und passionierten Arzt gewann die Oberhand. Ich konnte jetzt besser verstehen, daß Hitler zu ihm Vertrauen hatte.

Er stellte bei mir keine organischen Schäden fest. Meine Beschwerden waren nervöser Art. Um sie los zu werden, schloß ich aus Morells Diagnose, hätte ich einen anderen Beruf ergreifen müssen. Schon im Truppendienst, bei der Fliegerei, hatte ich die ersten Beschwerden verspürt. In Hitlers Stab waren es vor allem die langen Abende und die Unruhe im Ablauf des Dienstes, die mir zusetzten. Dem Rate Morells folgend, ließ ich mich vom Chef des Sanitätswesens der Luftwaffe, Dr. Hippke, in das Sanatorium »Stillachhaus« in Oberstdorf überweisen. Anfang März reise ich dorthin ab, meine Frau sollte eine Woche später folgen.

Anschluß Österreichs

Bei herrlicher Sonne gewann ich in den verschneiten Bergen schnell Abstand von den politischen Geschehnissen. Wie bei jeder Kur war man mit seinen Gedanken ganz auf die einzelnen Anwendungen eingestellt. Am meisten genoß ich es, in der Sonne zu liegen und die Berge von unten anzusehen. Den Ablauf der Weltpolitik entnahm ich nur unvollkommen dem lokalen Oberstdorfer Nachrichten-Blättchen. Es interessierte mich wenig. Deshalb war ich auch eines Tages überrascht, als mich eine ältere Dame aus Ostfriesland auf die politische Entwicklung in Österreich ansprach. Sie beabsichtigte, mit ihrem Sohn und einer Nichte nach Südtirol zu fahren, und meinte, es sehe doch alles sehr beängstigend aus, und sie überlege, lieber nach Hause zu fahren.

Nach dieser Unterhaltung vertiefte ich mich etwas mehr in die Zeitungen. Daraus entnahm ich, daß Schuschnigg am 9. März von Innsbruck aus zu einer Volksabstimmung für Sonntag, den 13. März, aufgerufen hatte. Es waren nur die Österreicher abstimmungsberechtigt, die älter als 24 Jahre waren. Sie sollten mit einem »Ja« oder »Nein« für ein selbständiges Österreich stimmen. Das Wahlmanöver schien mir etwas undurchsichtig, und vor allem war mir die kurzfristige Ankündigung verdächtig. Aber ich sah keinen Grund, beunruhigt zu sein.

Mitten in der Nacht zum 11. März wurde ich geweckt. Ein Beamter vom Postamt Oberstdorf war zum »Stillachhaus« geschickt worden, um mich ans Telefon zu holen. Das Sanatorium war auf nächtliche Anrufe nicht eingerichtet. Man sagte mir, daß ich aus der Reichskanzlei verlangt würde. Puttkamer war am Apparat und sagte mir, ich müßte sofort nach Berlin zurückkommen. Ich nahm ihn nicht ernst und antwortete, ich dächte nicht daran. Ich kannte die Scherze, die sich Hitlers Gäste nächtlicherweise gerne zur Unterhaltung und Belustigung mit solchen Anrufen leisteten. In der Annahme, daß ich diesmal ein solches Opfer sein sollte, reagierte ich ausgesprochen verärgert. Puttkamer ließ aber nicht locker. Allmählich merkte ich, daß er fast verzweifelt war, wie er mich von dem Ernst seines Anrufs überzeugen könnte. Er sagte schließlich, ich sollte doch mal in die Zeitung schauen. Daraus entnahm ich, daß der Anruf wohl etwas mit den Vorgängen in Österreich zu tun haben könnte, und bestätigte Puttkamer, daß ich reisen würde.

Am 11. März früh bestieg ich den D-Zug von Oberstdorf nach Berlin. Mir gegenüber im Abteil saß der Staatssekretär aus dem Innenministerium, Dr. Wilhelm Stuckart. Er kannte mich nicht, und ich sprach ihn nicht an. Aber die Tatsache, daß auch er nach Berlin reiste, deutete auf bevorstehende Ereignisse hin.

Am Spätnachmittag traf ich in Berlin ein und fuhr sofort in die Reichskanzlei. Dort wimmelte es von Menschen. Ein allgemeines Hallo, mit dem man mich begrüßte, machte mich befangen. Ich mußte mich sofort bei Hitler melden. Lachend kam er mir entgegen und begrüßte mich. Den Umstehenden erzählte er den Ablauf des nächtlichen Telefongespräches zwischen Puttkamer und mir. Es amüsierte ihn noch, wie schwer es Puttkamer gehabt hätte, mich zu überzeugen. Sehr nett sagte er zu mir: »Sie sollen morgen doch dabei sein«.

Was sollte morgen passieren? »Österreich wird gleichgeschaltet«, klang es mir entgegen. Wie war es zu dieser Entwicklung gekommen, was war in den letzten Tagen geschehen? Bruchstückartig holte ich mir von allen Seiten die neuesten Nachrichten zusammen, bis sich mir folgendes Bild bot: Das Zusammentreffen Hitlers mit Schuschnigg am 12. Februar auf dem Obersalzberg hatte die Nationalsozialisten in Österreich ermutigt, ihre Forderungen energischer zu vertreten. Schuschnigg wollte durch die anberaumte Volksabstimmung beweisen, daß die Mehrheit des österreichischen Volkes hinter ihm und nicht hinter Hitler stände. Diese Volks-»Abstimmung« sollte aber, wie ich jetzt erfuhr, in Form einer Volks-»Befragung« durchgeführt werden. Seyß-Inquart, nunmehr österreichischer Innenminister, hatte in Wien darauf hingewiesen, daß in der österreichischen Verfassung eine »Volksbefragung« in der Form, wie sie Schuschnigg durchführen lassen wollte, nicht vorgesehen war. Schuschnigg ließ sich nicht beirren und unterrichtete Italien, England und Frankreich über seine Absichten, Berlin aber nicht. Hitler hatte das Neueste aus Presse und Rundfunk entnehmen müssen, bis ein Emissär Klausners, des Leiters der österreichischen Nationalsozialisten, in Berlin eintraf und am 9. März Einzelheiten berichtete. Während Hitler anfangs den Meldungen aus Wien keinen Glauben schenken wollte, hatte er jetzt schlagartig reagiert. Er fühlte sich durch Schuschniggs Verhalten provoziert, hatte darin einen Verstoß gegen das Berchtesgadener Abkommen gesehen und den Einmarsch deutscher Truppen in Österreich vorbereiten lassen. So wurde es mir erzählt. Die Folge soll ein ziemliches Durcheinander gewesen sein, denn Politiker und Soldaten waren völlig unvorbereitet vor eine Aufgabe gestellt worden, die üblicherweise längere Zeit beanspruchte. Hitler war wiederum nicht nach langen Überlegungen zu einem Entschluß gekommen, sondern die Vorgänge in Österreich waren die Ursache für seine schnelle Entscheidung. Er hatte sich Göring zur Unterstützung kommen lassen. Ribbentrop befand sich zu Abschiedsbesuchen in London, ein zusätzliches Zeichen, daß der Fall Österreich nicht auf dem Programm stand, um vom Fall Fritsch abzulenken, wie damals behauptet wurde.

Als ich am 11. März abends die Reichskanzlei betrat, fand ich Göring in voller Aktion vor. Ganz »Herr der Lage«, fühlte er sich in seinem Element. Ich kam gerade dazu, als Schuschniggs Rücktritt gemeldet und die Ernennung von Seyß-Inquart zum Bundeskanzler erwartet wurde. Göring telefonierte ununterbrochen mit Wien. Die meisten seiner Telefongespräche fanden in Gegenwart einer größeren Zuhörerschaft statt. Ich sah noch Neurath, Bormann, Himmler, Goebbels, Keitel, Papen und Brauchitsch. Ich konnte entnehmen, daß der österreichische Bundespräsident Miklas immer noch mit der Ernennung von Seyß-Inquart zögerte. Deshalb ging es mit der Frage, ob die Wehrmacht einmarschieren sollte oder nicht, noch hin und her. Da aber die Befehle an die Truppe bis 19 Uhr 30 ausgegeben sein mußten, wenn alles am morgigen Tag klappen sollte, drängte Göring Seyß-Inquart, die Geschäfte weiterzuführen und ein Telegramm nach Berlin zu schicken, in dem er die deutsche Regierung um Entsendung von Truppen bitten sollte, zur Aufrechterhaltung von Ruhe und Ordnung und um Blutvergießen zu vermeiden. Seyß-Inquart zögerte. Er wartete auf seine Ernennung zum Bundeskanzler, wodurch sich ein deutscher Einmarsch erübrigen würde. Miklas konnte sich aber nicht entschließen. So sah sich Seyß-Inquart gezwungen, auf Görings Drängen hin fernmündlich den Einmarsch zu erbitten. Kurz danach sprach Miklas die Ernennung aus. Das war nun zu spät. Der Befehl an das Heer war ergangen. Die Aktion lief an. Der Luftwaffe war befohlen worden, ihre Kampfflugzeuge mit Propagandamaterial, Flugblättern und Hakenkreuzfahnen zu beladen, die am anderen Tag über Österreich abgeworfen werden sollten. Schuschnigg hatte kurz vorher in seiner letzten Rundfunkansprache Befehl an die österreichischen Truppen gegeben, sich bei einem etwaigen deutschen Einmarsch ohne Widerstand zurückzuziehen. Nun war es klar, daß der morgige Einmarsch in Österreich in Form einer friedlichen Besetzung stattfinden konnte. Ich hatte nie daran gezweifelt, daß es so sein würde.

Kurz bevor ich zu meiner Kur abgefahren war, hatte ich gehört, daß die Adjutantur durch einen weiteren Offizier vergrößert werden sollte. Von wem diese Forderung ausgegangen war, habe ich nicht erfahren. Ich nahm aber an, daß das OKH daran interessiert war. Obwohl Schmundt Heeresoffizier war, betrachtete ihn das Heer als einen Mann vom OKW. Das Heer wollte aber wie zu Hoßbachs Zeiten wieder einen unmittelbaren Weg zum Führer haben, ohne Querverbindung zum OKW. Hitler war damit einverstanden gewesen, forderte aber, daß es kein Generalstabsoffizier sein dürfe. Wie ich später hörte, hatte auch Schmundt selbst die Verstärkung der Adjutantur durch einen Heeresoffizier als eine Entlastung für sich selbst begrüßt. Er war aber nicht an der Auswahl beteiligt worden und kannte den neuen Offizier nicht. Ich lernte ihn auch erst an diesem turbulenten Abend kennen. Es war der 32 Jahre alte Hauptmann Gerhard Engel, vom Infanterie-Regiment 27 in Rostock. Wir waren somit jetzt vier Adjutanten, von jedem Wehrmachtteil einer, und Schmundt als Dienstältester und »Primus inter pares«. Für die nächsten fünf Jahre ergab sich eine reibungslose und kameradschaftliche Zusammenarbeit. Wenn auch die von Hoßbach erdachte »Firmierung« unserer Dienststelle unverändert blieb, wurde sie ohne Aufsehen und Verfügung nunmehr zur Adjutantur »des« neuen Ober-befehlshabers der Wehrmacht. Wir waren also jetzt alle Hitlers militärische Adjutanten und nicht sogenannte »Verbindungsoffiziere« von unseren Wehr-machtteilen zum Führer. Für mich war es nichts Neues. Hitlers persönliche Adjutantur wurde zur gleichen Zeit durch die beiden jungen SS-Führer der Leib-standarte Wünsche und Bahls verstärkt, die als Ordonnanz-Offiziere Dienst taten.

Am Sonnabend, den 12. März 1938, flog Hitler morgens um 8 Uhr von Berlin-Tempelhof nach München-Oberwiesenfeld. Drei Ju 52 mußten für die zahlreiche Begleitung eingesetzt werden. Viele Mitreisende kannten weder Zweck noch Ziel des Fluges. In München, wo wir bald nach 10 Uhr landeten, war aber schon nicht zu übersehen, daß die Unternehmung einen militärischen Charakter haben würde. In Hitlers Maschine flog zum ersten Mal Keitel mit. In München meldete sich auf dem Flugplatz ein Offizier des Münchener Generalkommandos und hielt dem neuen Oberbefehlshaber der Wehrmacht kurz Vortrag. Danach bestiegen wir die aus dem vorjährigen Manöver bekannte dreiachsige graue Autokolonne. In schneller Fahrt bei eisiger Kälte im offenen Wagen erreichten wir gegen 12 Uhr Mühldorf am Inn. General v. Bock meldete sich als Oberbefehlshaber der 8. Armee, die in aller Eile in zwei Tagen aus den in Bayern stationierten Heeres-Verbänden gebildet worden war. Aus Berlin war die voll motorisierte SS-Leib-standarte »Adolf Hitler« dazugestoßen. Bock hielt Vortrag über die Truppen-bewegungen. Seit zwei Stunden überschritten deutsche Truppen die Grenze und wurden mit Blumen und Jubel empfangen. Der Reichspressechef gab eine Zu-sammenfassung der ersten Berichte aus dem Ausland. Nach einer kurzen Lage-beurteilung entschied Hitler, sofort bis Linz weiterzufahren. Er erwartete keine politischen und militärischen Komplikationen.

Gegen 15 Uhr erreichten wir bei Braunau den Inn, die Grenze zwischen Öster-reich und Deutschland. Die Brücke bildete einen Engpaß, wo sich Militärfahr-zeuge und die Menschen der Grenzorte stauten. Nur im langsamen Tempo konnte Hitler österreichischen Boden betreten und in seine Geburtsstadt Einzug halten. Der Jubel war unbeschreiblich. Die Glocken läuteten. Die 120 km lange Fahrt von Braunau bis Linz glich einer Triumphfahrt. Wir kamen viel langsamer voran als gedacht. Die Landstraßen waren von den Kolonnen der einmarschie-renden Truppen belegt und in den Städten und Dörfern konnten wir uns nur mit Mühe durch die jubelnden Menschenmengen fortbewegen.

Bei Dunkelheit trafen wir in Linz ein. Seit Stunden warteten die Menschen in den Straßen, um Hitlers Einzug mitzuerleben. Der Marktplatz war schwarz von Menschen. An Weiterfahren war nicht zu denken. Hitler mußte seinen Wa-gen verlassen und zu Fuß den Weg zum Rathaus nehmen. Seyß-Inquart emp-fing den Führer. Gemeinsam betraten sie den Balkon des Rathauses. Ich hatte die

Möglichkeit, etwas abseits auf den Balkon hinaustreten zu können und wurde so Zeuge eines geschichtlichen Augenblicks, der einen tiefen und unvergeßlichen Eindruck auf mich machte. Die Glocken läuteten, die Heilrufe der Menschen wollten nicht enden. Nur mühsam konnte sich Seyß-Inquart Ruhe für seine Begrüßungsworte verschaffen. Aus Hitlers kurzer Ansprache spürte man seine tiefe Ergriffenheit.

Im Hotel Weinzinger an der Donau sollte Quartier genommen werden. Begleitet von nicht enden wollenden Rufen »Ein Volk, ein Reich, ein Führer« fuhren wir dorthin. Das Durcheinander in diesem Hotel war unbeschreiblich. Es dauerte lange, bis jeder wußte, wohin er gehörte. Die Hotelküche war dem Ansturm nicht gewachsen. Völlig unmöglich war es zu telefonieren. Das Hotel hatte nur eine Amtsleitung, über die die Gespräche für den Regierungsapparat des deutschen Staatsoberhauptes abgewickelt werden mußten.

Die Zivilisten in Hitlers Stab bekamen zu tun. Es mußten Gesetze gemacht werden. Deshalb wurde Stuckart aus Berlin gerufen. Er traf am Sonntag ein. Schmunzelnd gedachten wir unserer übereilten Abreise aus Oberstdorf. Schon am Abend des 12. März ließ Hitler in der angeregten Unterhaltung durchblicken, daß er keine »halben Maßnahmen« machen wollte. Einmal stand er unter dem Eindruck des ungeheuren Jubels der österreichischen Bevölkerung, zum anderen gaben Pressemeldungen aus dem Ausland einen Anstoß. Die Zeitungen übten zwar starke Kritik an Hitlers Schritt und verurteilten ihn schärfstens mit einer Fülle von tendenziösen Kommentaren, in denen aber der »Anschluß« Österreichs an das Reich als vollzogene Tatsache hingestellt wurde.

Stuckart arbeitete das »Gesetz über die Wiedervereinigung Österreichs mit dem Deutschen Reich« aus. Hitler unterzeichnete es noch am gleichen Tag. Damit war »Österreich ein Land des Deutschen Reiches«. In dem Gesetz war für den 10. April eine Volksabstimmung festgelegt. Eine andere Verordnung verkündete, daß das österreichische Bundesheer sofort auf Hitler zu vereidigen sei und damit ein Bestandteil der deutschen Wehrmacht würde. Dann geschah etwas auch mir Unverständliches. Hitler beauftragte den Gauleiter von Saarpfalz, Josef Bürckel, mit der Reorganisation der Partei in Österreich und setzte ihn später sogar als Reichskommissar für die Wiedervereinigung Österreichs mit dem Deutschen Reich mit weitgehenden Vollmachten ein. Wir meinten, wenn Bürckel seinerzeit nach der Saarabstimmung die Partei im Saargebiet organisiert hatte, konnte ihn das allein nicht für Österreich qualifizieren. Bürckel war ein Mann von der Saar und mußte auf die Menschen in der »Ostmark«, wie Österreich von jetzt ab heißen sollte, als Fremdkörper wirken. Wie sich später herausstellte, war Bürckel tatsächlich der Ungeeignetste für Österreich und wurde 1940 zurück an die Saar geschickt. Aber bis dahin hat er in Wien viel Unheil angerichtet.

Am Montag, dem 14. März, starteten wir zur Fahrt nach Wien. Jubel und

Begeisterung begleiteten uns wieder auf der fast 200 km langen Fahrstrecke. Erst am Nachmittag erreichten wir die ehemalige Hauptstadt Österreichs. In den Außenbezirken nahm man nicht viel Notiz von unserer Wagenkolonne. Aber weiter zum Zentrum hin standen die Menschen wieder dichter am Straßenrand, und an den Häuserfronten waren immer mehr Hakenkreuzfahnen zu sehen. Als wir zum »Ring« kamen, nahm der Jubel an Ekstase grenzende Formen an. Hitler stieg im Hotel »Imperial« ab, in dem man noch die »k. u. k.«-Atmosphäre zu spüren glaubte. Vor dem Hotel hatte sich eine große Menschenmenge angesammelt und rief ununterbrochen: »Wir wollen unseren Führer sehen«. Gegen Abend zeigte Hitler sich mehrmals auf dem Balkon des Hotels.

Am Dienstag war auf dem »Heldenplatz« vor der Wiener Hofburg eine große Kundgebung organisiert worden, bei der Hitler vom Balkon der neuen Hofburg aus eine Rede hielt. Er endete mit dem bekannt gewordenen Satz: »Als Führer und Kanzler der deutschen Nation und des Reiches melde ich vor der Geschichte nunmehr den Eintritt meiner Heimat in das Deutsche Reich«.

Gegenüber dem Gefallenen-Ehrenmal am Heldenplatz war auf dem »Ring« inzwischen eine kleine Tribüne errichtet worden, von der Hitler am Nachmittag den Vorbeimarsch der bis dahin in Wien eingetroffenen Truppen abnahm. Den deutschen Soldaten folgte unter dem besonderen Jubel der Bevölkerung das österreichische Regiment »Hoch- und Deutschmeister«. Den Schluß der Parade bildete Hitlers »Leibstandarte«. Die Flugzeuge der deutschen Luftwaffe paradierten im Überflug.

Zwischen diesen beiden großen Veranstaltungen verließ Hitler mit kleinem Gefolge das Hotel und fuhr wie in Leonding, wo er das Grab seiner Eltern am 13. März besucht hatte, wieder zu einem Friedhof. Da ich von Hitlers Privatleben der vergangenen Jahre wenig wußte, habe ich den Grund für diesen Friedhofsbesuch erst später erfahren. Er galt dem Grab seiner Nichte Geli Raubal, mit der er lange zusammengelebt und die sich 1931 in seiner Wohnung in München das Leben genommen hatte. Hitler ging auf dem Friedhof allein voraus zu dem Grab und verweilte dort lange. Wir konnten ihn nur von weitem beobachten.

Vor dem Abflug von Wien am Nachmittag empfing Hitler noch den Kardinal Innitzer. Papen hatte dieses Zusammentreffen vermittelt. Hitler griff den Vorschlag gerne auf. Er unterstützte durch diese Geste seine Anweisung an Bürckel, der Kirche in Österreich die volle Selbständigkeit zu belassen, wie er es dem Kardinal zugesagt hatte. Die Meldung über Innitzers Besuch bei Hitler wurde in der Presse besonders herausgestellt und verfehlte ihre Wirkung nicht.

Auf dem Rückflug nach München beschäftigten mich die unvergleichlichen Eindrücke der letzten Tage. Das österreichische Volk hatte sich mit dem offen gezeigten Jubel spontan zum Anschluß an das Reich bekannt und damit das Selbstbestimmungsrecht der Völker deutlich zum Ausdruck gebracht. Hitler selbst war durch den in dieser Form nicht erwarteten Erfolg beeindruckt und tief bewegt durch seine ganz persönlichen Erinnerungen und Bindungen an seine Heimat. Dagegen stand das Bild, das ich aus dem Hotel in Wien mitnahm. Hitlers treueste Gefolgsmänner Bormann, Himmler, Heydrich und Bürckel hatten die Köpfe viel zusammengesteckt. Ihr Thema kann nur die »Gleichschaltung« gewesen sein. Den Schock, den mir die Ernennung Bürckels versetzt hatte, mußte ich noch verkraften. Würde die Unterdrückung, mit der die Schuschnigg-Regierung in den letzten Jahren die österreichischen Nationalsozialisten verfolgt hatte, jetzt zu entsprechenden Gegenmaßnahmen führen? Durch die jenen übertragenen umfassenden Vollmachten schienen sie mir nach meiner Beurteilung für das liebenswerte Österreich eine große Gefahr zu bedeuten. Diese Erkenntnis war ein bitterer Wermutstropfen in der Freude über den Anschluß.

Für die Soldaten brachten Hitlers Eindrücke während der »Anschlußtage« eine Neuerung. Überall, wo Hitler auf den Straßen auch von Soldaten umjubelt worden war, grüßten sie ihn mit ausgestrecktem Arm und nicht mit dem üblichen militärischen Gruß, Handanlegen an die Kopfbedeckung. Dies veranlaßte Hitler, Keitel und Schmundt am 3. Mai zu einer Verordnung für die Wehrmacht, in der verfügt wurde, daß Hitler auch von den Soldaten nur mit dem deutschen Gruß zu grüßen wäre. Sonst blieb es vorerst, bis zum 20. Juli 1944, bei dem üblichen militärischen Gruß.

Der Empfang Hitlers in München und am Nachmittag des 16. März in Berlin war überwältigend. Göring erwartete den Führer auf dem Flugplatz Tempelhof mit überschwänglichen Begrüßungsworten. In der Reichskanzlei angekommen, mußte Hitler sich immer wieder den Berlinern vom Balkon der Reichskanzlei aus zeigen. Der Begeisterungs-Taumel hielt noch an, als Hitler zwei Tage später, am Abend des 18. März, zum Reichstag fuhr, um wieder eine Rede zu halten. Er schilderte die Vorgänge, die zum Einmarsch in Österreich geführt hatten, und stellte dar, was ihn bewogen hatte, den Anschluß Österreichs so schnell zu vollziehen. Wieder fand er scharfe Worte über die englische Haltung, wobei er sich mehr auf die englische Presse bezog als auf offizielle britische Verlautbarungen.

Die Masse des Volkes in allen seinen Schichten sah in der »Wiedervereinigung« einen logischen Ablauf der Geschichte. Unvergessen war das Unrecht der Friedensverträge von 1919, in denen die Vereinigung Österreichs mit dem Reich von den Alliierten verboten war. Ich fand für den Anschluß Österreichs die Bezeichnung sehr zutreffend, daß dies eine »Familienangelegenheit« sei. Es schien auch, daß das Ausland sich diese Auffassung mit der Zeit zu eigen machte.

In dem österreichischen Gesetz vom 13. März 1938 »über die Wiedervereinigung Österreichs mit dem Deutschen Reich« war festgelegt, daß alle über 20 Jahre alten Männer und Frauen Österreichs am 10. April in einer geheimen Volksabstimmung über den Anschluß Österreichs an das Reich entscheiden sollten. In seiner Reichstagsrede am 18. März hatte Hitler den deutschen Reichstag aufgelöst und die Neuwahl für den 10. April angesetzt. In einer gemeinsamen Volksbefragung sollten das deutsche und das österreichische Volk Hitlers Politik bestätigen und den ersten großdeutschen Reichstag wählen.

Wahlreise

Wie vor jeder Wahl begab sich Hitler auch diesmal auf eine lange Wahlreise, auf der er zwischen dem 25. März und dem 9. April 14 Reden hielt. Auf dieser Fahrt durch das »Altreich« und die »Ostmark« begleitete ich ihn. Hitlers Reden galten nicht allein den Wählern. Er zweifelte nicht daran, daß die überwältigende Mehrheit beider Völker ihm die Zustimmung für die Vereinigung von Deutschland und Österreich geben würde. Seine Worte waren in erster Linie an das Ausland gerichtet. Wie ein roter Faden zog sich durch alle Reden Hitlers Anklage gegen die Siegermächte von 1918 und die Pariser Vorort-Verträge von St. Germain mit Österreich und von Versailles mit Deutschland. Das von dem damaligen Präsidenten der Vereinigten Staaten Woodrow Wilson proklamierte »Selbstbestimmungsrecht der Völker«, das die Waffenniederlegung der deutschen Armee mit beeinflußt hatte, sei für das deutsche Volk nie verwirklicht worden. Hitler sprach von »Rechtsvergewaltigung« durch die Siegerstaaten des Weltkrieges und Verweigerung der auch dem deutschen Volk zustehenden Menschenrechte. Seine Reden hielt er überall frei, nur an Hand von wenigen Notizen, die er sich auf einige Zettel geschrieben hatte. Er wirkte bei diesen Reden temperamentvoller und mitreißender als bei den Reden, die er ablas. Auf der ganzen Reise begleiteten ihn der Jubel und die Begeisterung der Menschen.

Ich hatte auf dieser Reise viel Gelegenheit, Hitler bei seinem Auftreten in der Öffentlichkeit, bei seinen Gesprächen mit den jeweiligen führenden Persönlichkeiten von Staat und Partei und in der Abgeschlossenheit seines Sonderzuges im Kreis seiner vertrauten Umgebung zu beobachten. Es war stets der gleiche Hitler. Er sprach kein Wort zu viel und kein Wort zu wenig. Ich verstand immer mehr, warum er die Anhängerschaft und die Liebe der Menschen gewonnen hatte. Es waren nicht allein seine Erfolge auf wirtschaftlichem und sozialpolitischem Gebiet oder in der Außenpolitik, es war mehr das Vertrauen zu dem Führer Adolf Hitler, der einen sympathischen und menschlichen Eindruck hinterließ und der Verständnis für die Sorgen und Nöte des Volkes zeigte. Das Bild vom Hitler des Jahres 1938 ist natürlich durch die späteren Ereignisse ganz verdunkelt. Ich verschweige nicht, daß ich in diesem Frühjahr zu den ohne Einschränkung Begeisterten gehörte.

Nur zwei Beobachtungen gaben mir zu denken. Mir fiel während der Wahlreise auf, daß Hitler, sowie er das Redner-Pult betrat, nur auf die propagandistische Wirkung seines Auftretens und die Wirkung seiner Worte bedacht war. Etwas anderes noch hörte ich aus gelegentlichen Bemerkungen im kleinsten Kreis heraus. Seit dem Einmarsch in Österreich am 12. März stand er fast vier Wochen lang unter dem Eindruck der ihm zujubelnden Menschen. Dies löste die Wirkung bei ihm aus, vom Volk den Auftrag für seine Politik zu haben und verpflichtet zu sein, in seinem Einsatz zum Wohle des deutschen Volkes und Reiches nicht zu erlahmen. Die nächste Folgerung war seine Überzeugung, daß es außer ihm jetzt und in der nächsten Zukunft niemanden in Deutschland gebe, der die dem deutschen Volk gestellte Aufgabe lösen könne. Er steigerte sich damit in ein Sendungsbewußtsein hinein und begann, den Boden der Wirklichkeit unter den Füßen zu verlieren.

Nach einer letzten Rede in Wien fuhr Hitler in der Nacht vom 9. zum 10. April nach Berlin, um dort das Wahl- und Abstimmungsergebnis zu erwarten. Daß es mit über 90 Prozent Ja-Stimmen ausfallen würde, bezweifelte niemand. Zweifel herrschten damals aber schon, ob diese Wahlergebnisse und die der früheren Nazi-Wahlen nicht manipuliert waren, weil jeder Gauleiter bestrebt war, für seine Gau-Gebiete das höchste Ergebnis zu melden. Ich selbst habe diese Zweifel nicht gehabt. Manipulationen werden nur in einer geringen Größenordnung hier und da vorgekommen sein. Am 10. April lautete das Endergebnis: 99,08 Prozent Ja-Stimmen im Altreich und 99,75 Prozent in Österreich. Meinem Eindruck nach entsprach dieses Ergebnis der damaligen Einstellung des Volkes zu Hitlers Regierung. Ich bin noch heute der Auffassung, daß es nach dem Österreich-Anschluß tatsächlich nicht mehr als eine halbe Million Stimmberechtigte in Deutschland gegeben hat, die »dagegen« waren. Hitlers Worte in seiner Reichstagsrede am 18. März hatten beruhigend gewirkt. Gebt mir noch einmal »vier Jahre Zeit«, so etwa sagte er, »um den äußerlich vollendeten Zusammenschluß nun auch innerlich zu vollenden«. Das klang sehr verständlich nach den ersten turbulenten Monaten des Jahres 1938. Vor allem wir Soldaten brauchten eine ruhige Zeit für den Aufbau der Wehrmacht. Der friedliche Einmarsch in Österreich hatte erhebliche Mängel organisatorischer und technischer Art erkennen lassen.

Ostern 1938 verbrachte ich als diensttuender Wehrmacht-Adjutant auf dem Berghof. Hitler lud für diese Zeit meine Frau ein. Diese Einladung kam überraschend für uns. Die Erklärung dafür war aber einfach. Hitler sagte, in Berlin oder auf Dienstreisen könne er auf das Privatleben seiner Umgebung keine Rücksicht nehmen. So sollten die Zeiten auf dem Obersalzberg ein Ausgleich sein.

Auf dem Berghof trafen wir im gleichen Kreis zusammen, den ich schon von meinem letzten Dienst her kannte. Eva Braun hatte stets ihre Schwester Gretl und ein oder zwei Freundinnen dabei. Diesmal gehörte Frau Marion Schönmann

Hitler auf dem Balkon des Rathauses von Linz am Abend des 12. März 1938.

Hitler und Mussolini während der Besichtigung Roms im Mai 1938.

Staatsbesuch in Italien. Links von H
der italienische König. Unten: Mit M
solini im Collosseum.

dazu. Die Ehepaare Bormann und Speer, Brandt und Morell sowie Pressechef Dietrich und Heinrich Hoffmann, ein persönlicher Adjutant und zwei Sekretärinnen vervollständigten den Kreis. Die vier Tage verliefen zwanglos in privater Atmosphäre und wurden auch nicht durch besondere dienstliche Angelegenheiten gestört. Hitler trug hier bis zum Kriege stets Zivil, und auch wir Adjutanten durften in Zivil erscheinen.

Hitler sprach bei den Mahlzeiten und an den langen Abenden viel über Österreich. Heinrich Hoffmann kannte Österreich gut, vor allem hatte aber Frau Schönmann viel zu dem Thema zu sagen. Sie lebte zwar in München, war jedoch von Geburt Wienerin und hatte ihre Jugend in Wien verbracht. Wenn Hitler seiner Heimatstadt Linz den Vorzug gab, setzte sich Frau Schönmann mit Temperament für Wien ein. Sie kritisierte die Ernennung Bürckels zum Beauftragten der Partei für Wien und Österreich und appellierte an Hitler, doch auf die Mentalität der Österreicher Rücksicht zu nehmen. Die Diskussion wurde lebhaft geführt. Hitler sagte, daß ihm Bürckels nationalsozialistische Gesinnung jetzt wichtiger sei als Rücksichtnahme auf die Eigenarten der Wiener. Frau Schönmann ließ sich aber nicht überzeugen und hat im Laufe der nächsten Jahre Hitler manchen Beweis für Bürckels falsche Amtsführung gebracht, die die Österreicher dem Nationalsozialismus mehr entfremdet, als mit ihm befreundet hätte.

Staatsbesuch in Italien

Zu seinem Geburtstag reiste Hitler nach Berlin, kehrte danach aber wieder zum Obersalzberg zurück, weil er vor seinem Besuch in Italien noch einige ruhige Tage auf dem Berghof verbringen wollte.

Ungewöhnlich erschien mir kurz vor seiner Abreise am 21. April eine längere Unterredung mit Keitel und Schmundt. Die europäischen Kabinette reagierten auf den überraschenden deutsch-österreichischen Zusammenschluß von Woche zu Woche kritischer, in dem gleichen Maße, wie die Volksdeutschen in der Tschechoslowakei und in Polen unruhiger wurden. Das Vorbild Österreich hatte Schule gemacht, und besonders im Sudetenland wurde der Ruf »heim ins Reich« immer lauter. Deutschland hatte das nach dem Weltkrieg von den Alliierten proklamierte »Selbstbestimmungsrecht der Völker« für sich in Anspruch genommen, argumentierte Hitler. Die Gegner sähen darin eine »Bedrohung des Friedens« durch Deutschland.

Der glanzvolle Staatsbesuch in Italien vom 3. bis 10. Mai 1938 war mit großem Aufwand verbunden. Auf Hitlers Wunsch sollte seine Begleitung nicht allein auf seinen Besuch beim italienischen König abgestimmt sein, sondern ihm lag viel mehr daran, schon durch die Wahl seiner Begleiter deutlich zu machen, daß es sich um einen Gegenbesuch für Mussolinis Visite im vergangenen Herbst handelte. Daraus ergab sich, daß die für einen solchen Staatsbesuch übliche Begleitung im Ministerrang außerordentlich zahlreich war. Ribbentrop, Keitel, Lammers und Meißner vertraten Staat und Wehrmacht, die Partei Heß, Goebbels, Frank, Himmler und Bouhler, alle von ihren Frauen und jeweils einem eigenen Stab begleitet. Da auch eine große Anzahl von Presseleuten mitreiste, wuchs die Reisegesellschaft soweit an, daß drei Züge eingesetzt werden mußten.

Göring war von Hitler für die Dauer seiner Abwesenheit zu seinem Stellvertreter im Reich ernannt worden. In dieser Eigenschaft verabschiedete er den Führer mit einer Lobrede auf die Achse Berlin-Rom. Hitler wirkte frisch und gesund. Er freute sich auf die Reise, hatte aber vor der Abfahrt am Vormittag ein Testament geschrieben. Während des Einmarschs in Österreich war angeblich ein Attentatsplan aufgedeckt worden. Wegen des Trubels dieser Tage hätte ein mutiger Attentäter leicht sein Vorhaben ausführen können. Dies veranlaßte Hitler nun, Göring testamentarisch zu seinem Nachfolger einzusetzen.

In Rom waren der ganze Prunk und Pomp der Monarchie entfaltet, der – zusammen mit dem starken Eindruck der alten römischen Bauten und dem Jubel der Bevölkerung – seine Wirkung nicht verfehlte. Das Hofzeremoniell spielte eine wichtige Rolle. Mir erschien es überholt, war aber wohl als innerer und äußerer Halt für das Königtum unentbehrlich.

Am 4. Mai abends gab der König das Staats-Bankett im Quirinal. Dem deutschen Protokoll zufolge war meine Teilnahme aus Platzmangel nicht vorgesehen. Hinterher hörte ich, daß mein Platz an der Tafel mit meiner Tischkarte leer geblieben sei und angeblich »eine hübsche italienische Gräfin vergeblich auf mich gewartet habe«. Ich wußte es mit Würde zu tragen.

Am nächsten Tag gingen in Neapel Hitler, der König, der Kronprinz und Mussolini sowie die höchsten deutschen und italienischen Würdenträger an Bord des Schlachtschiffes »Conte di Cavour« und verfolgten von dort aus Manöver und Vorführungen der italienischen Flotte. Ich selbst befand mich auf einem Zerstörer und war von hier aus den Geschehnissen näher. Puttkamer lobte das schnelle und exakte Auslaufen der Zerstörer aus dem engen Hafenbecken. Unter den weiteren Übungen machte das gleichzeitige Tauchen und Wiederauftauchen von 100 U-Booten großen Eindruck, eine Vorführung ohne jeglichen militärischen Wert.

Die am dritten Besuchstag stattfindende, von Hitler mit Spannung erwartete große Militärparade wurde eine Enttäuschung. Die vorbeirollenden Panzer und Kanonen entsprachen nicht dem neuesten Stand der Waffentechnik. Mussolinis Stolz, der »Passo Romano«, eine Nachahmung des preußischen Paradeschrittes, den er von seinem Besuch in Deutschland mitgebracht und gegen den Widerstand seiner Berater bei einer Elitetruppe eingeführt hatte, wirkte übermäßig steif und verkrampft. Er wurde auch in einem zu langsamen Tempo marschiert. Um so erfreulicher war es, dem Vorbeimarsch der bekannten italienischen Gebirgstruppe, den Bersaglieri, zuzusehen, die im Laufschritt paradierten.

Am Nachmittag mußte Hitler einen Programmpunkt über sich ergehen lassen, den er als unangenehm empfand. Der Gouverneur von Rom, Fürst Colonna, eine stattliche Erscheinung mit Gesichtszügen eines alten Römers, hatte zu einem Empfang im Capitol geladen. Viele hundert Gäste füllten die schönen Räume. Der Hof war vollzählig erschienen. Nach einer offiziellen Empfangszeremonie setzten sich die höchsten Herrschaften mit den deutschen Gästen zu einer Polonaise in Marsch und durchschritten eine Gasse durch die versammelten Besucher. An der Spitze ging Hitler mit der Königin am Arm. Diese Veranstaltung ließ Würde vermissen. Hitler äußerte später darüber, daß man ihn wie ein »seltsames Tier beglotzt« habe.

Der Sonntag war wieder mit militärischen Veranstaltungen ausgefüllt. Vormittags führte die Luftwaffe an der Küste in der Nähe von Civitaveccchia Bombenabwürfe auf Seeziele vor. Am Nachmittag sahen wir eine Gefechtsübung des Heeres mit scharfer Munition. Die schweren Infanteriewaffen, Maschinengewehre und Minenwerfer, überschossen die vor ihnen liegenden Infanterielinien. Beide Übungen zeigten Können und Niveau.

Am Montag, dem 9. Mai, brachten uns die Züge nach Florenz, wo Mussolini Gastgeber war. Hitler hat diesen Tag besonders genossen, wie er später häufig erzählte. Frei vom steifen Hof-Zeremoniell und ohne »Hofschranzen« gab er sich ganz dem Kunstgenuß und der Schönheit der Stadt hin.

Die Tage in Rom sind für mich mit einem Erlebnis verbunden, das mit dem Besuchsprogramm nichts zu tun hatte. An einem der Tage blieb ich vormittags bei Hitler im Quirinal zum Mittagessen, das er im kleinen Kreis seiner engsten Mitarbeiter in dem ihm zur Verfügung gestellten Eßzimmer einnahm. Als der Diener das Essen gemeldet hatte, forderte Hitler mich auf, an der Tafel den Platz ihm gegenüber einzunehmen, üblicherweise der Platz des dienstältesten Gastes. Ich war sehr verdutzt, denn es waren mehrere ranghöhere Gäste anwesend, die Hitlers Geste genauso überraschte wie mich. Als wir Platz genommen hatten, sagte Hitler dem Sinne nach: »Dort sitzt einer, der mir immer bittere Wermutstropfen in meine Begeisterung für die Italiener gegossen hat«. Er spielte damit auf mein sehr abfälliges Urteil über die italienische Luftwaffe an, das ich, gestützt auf meine italienischen Erlebnisse im Jahre 1933, im vergangenen November auf dem Berghof abgegeben hatte. Jetzt hörte ich, daß er von meinem Vortrag keineswegs angetan gewesen war und meine Angaben nicht geglaubt hatte. Er begründete es auch. Es hätte in seine Vorstellung einfach nicht hineingepaßt, daß bei einem Mann wie Mussolini, der das faschistische Italien geschaffen habe, ausgerechnet die Wehrmacht mangelhaft sein sollte. Jetzt habe er sich aber selbst ein Bild machen können und wisse auch die Gründe. Die Wehrmacht sei nicht faschistisch, sondern monarchistisch, und Mussolini habe überhaupt keinen Einfluß auf den Geist der Truppe. Ich hätte damals mit meinem Urteil völlig recht gehabt. Die Tischunterhaltung kreiste dann fast nur um das deutsch-italienische Bündnis. Hitler gab zu, daß es allein auf seiner Freundschaft mit Mussolini beruhe. Und wie wichtig die sei, hätten die Tage im März bei der Österreich-Krise gezeigt. Er wisse ganz genau, daß das Bündnis mit Italien im deutschen Volk unpopulär sei. Aber es bleibe ihm nichts anderes übrig, solange die Engländer an Versailles festhielten. Die Herrschaften im Quirinal, so drückte er sich aus, seien durch und durch deutschfeindlich. Es komme deshalb darauf an, Mussolini zu stärken.

Diese Auszeichnung beeindruckte mich sehr. Ich war stolz darauf. Hitler hatte seinerzeit bei meinem Vortrag gut zugehört, nichts vergessen und gab seinen Fehler vor einem größeren Zuhörerkreis offen zu. Hitlers Äußerungen waren eine neue Bestätigung für mich, daß ich als sein Adjutant sein Ohr hatte. Aber ich fragte mich auch, warum Hitler von seiten des Heeres und des deutschen Militärattachés in Rom kein richtiges Bild von der Qualität der italienischen Armee vermittelt bekam.

»Fall Grün«

Nach Rückkehr aus Italien hielt sich Hitler nur kurz in Berlin auf und fuhr dann gleich wieder nach München und für die nächsten zehn Tage auf den Obersalzberg. Schmundt reiste als »Diensttuender« mit. Ich hatte Zeit, die Luftkriegsakademie zu besuchen, meine Verbindungen zum Luftfahrtministerium zu pflegen und dort zu berichten. Jeschonnek war seit Februar »Chef des Führungsstabes« im Generalstab. Ihm unterstanden die Operations-Abteilung und die Abteilung »Fremde Luftwaffen« unter Major i. G. Beppo Schmid. Mit Jeschonnek und Schmid stand ich auch im Laufe der nächsten Jahre in gutem Einvernehmen. Mit Einverständnis von Göring und Stumpff unterrichteten sie mich über alle Vorgänge in der Luftwaffenführung. Das Wertvolle dieser Verbindung lag für mich auch darin, daß Göring zu diesen beiden Generalstabsoffizieren großes Vertrauen hatte und mit ihnen über alles sprach, was er von Hitler über Heer, Marine und Luftwaffe hörte. Die Zusammenarbeit zwischen Göring und seinem Generalstab entwickelte sich nach der letzten Umorganisation im RLM gut.

Mit Jeschonnek sprach ich über die letzten Ereignisse. Am 21. April hatte Hitler in dem kurzen Gespräch mit Keitel und Schmundt befohlen, die generalstabsmäßigen Vorarbeiten für einen Aufmarsch gegen die Tschechoslowakei einzuleiten. Göring hatte Jeschonnek über Hitlers Pläne unterrichtet. Danach erwartete Hitler neue Spannungen in der Außenpolitik. In den Oberkommandos wurde Hitlers Weisung für die Vorbereitungen gegen die Tschechoslowakei nicht ernst genommen, wie mir Jeschonnek bestätigte. Die Erfolge in Österreich und Hitlers triumphaler Besuch in Italien waren noch zu frisch, um die Gedanken mit neuen außenpolitischen Problemen zu belasten. In Berlin herrschte eine sorglose Stimmung.

Nicht wenig erstaunt waren wir daher über Hitlers plötzliche Rückkehr nach Berlin, voller Vorwürfe und Anklagen gegen die britische Regierung. Ursache waren frei erfundene englische und tschechische Zeitungsmeldungen vom 20. und 21. Mai über deutsche Truppenkonzentrationen an der tschechischen Grenze. Der Staatspräsident der Tschechoslowakei, Benesch, hatte auf die Meldungen hin, deren Quelle Hitler in London vermutete, Teilmobilmachung angeordnet. Die Folge war Krisenstimmung in allen Hauptstädten Europas, außer in Berlin.

Die tschechische Mobilmachung hatte aber die 3 ½ Millionen Sudetendeutschen alarmiert. Die Spannung wuchs. In Eger waren zwei Deutsche erschossen worden. Tschechen und Engländer kannten Hitlers Forderung nach Autonomie der Sudetendeutschen. Benesch war nicht gewillt, sich wie Schuschnigg behandeln zu lassen. Was der Auslöser für die Presse-Kampagne und die Teilmobilmachung war, habe ich nicht erfahren. Alles weitere führte in Berlin erst zu Reaktionen, als die Auslandspresse die Behauptung verbreitete, Hitler sei aufgrund der tschechischen Mobilmachung und der ausländischen Drohungen zurückgewichen. Das war für Hitler ein Signal. Zum 28. Mai ließ er eine Generalskonferenz in die Reichskanzlei einberufen. Er war jetzt entschlossen, die erforderlichen Maßnahmen für einen Angriff gegen die Tschechoslowakei zu ergreifen. Das OKW hatte für die generalstabsmäßigen Vorbereitungen die Tarnbezeichnung »Fall Grün« ausgegeben.

Auch diese Konferenz fand im Wintergarten der Führerwohnung statt. Außer Ribbentrop habe ich folgende Teilnehmer in Erinnerung: Göring, Brauchitsch, Keitel, Beck, Stumpff, Jodl und Bodenschatz, dazu wir Wehrmacht-Adjutanten und Wiedemann, der für sich in Anspruch nahm, bei Sitzungen, zu denen der Außenminister hinzugezogen wurde, auch teilnahmeberechtigt zu sein. Diese Tätigkeit Wiedemanns verfolgten wir militärischen Adjutanten mit Mißtrauen. Schmundt erwirkte bei Hitler die Entscheidung, daß Wiedemann grundsätzlich an keiner militärischen Konferenz mehr teilnehmen durfte.

Hitler holte auch vor diesem Kreis weit aus. Die Siegermächte von 1918 hätten selbst den Versailler Vertrag gebrochen. Der damals für Deutschland festgelegten Abrüstung sollte die Abrüstung der Siegermächte folgen. Das sei nicht geschehen. Das Gegenteil sei der Fall. Er werde das nicht mehr tatenlos mit ansehen, sondern handeln. Die Tschechoslowakei sei zur Zeit der gefährlichste Gegner und, wie die Mobilmachung vom 20. Mai gezeigt habe, eine ernste Bedrohung. Hinzu

101

komme, daß die Prager Regierung den Sudetendeutschen keine Autonomie innerhalb ihres Staatenbundes geben wolle, die Unterdrückung aber ein nicht mehr zu ertragendes Maß erreicht habe. Das Recht auf Selbstbestimmung der Völker werde den Deutschen immer noch vorenthalten.

Bei seiner Beurteilung der Westmächte kam Hitler zu dem Schluß, daß in diesem Jahr nicht mit ihrem Eingreifen zu rechnen sei. England habe durch die Presse-Kampagne bewiesen, daß es noch Zeit für seine Aufrüstung brauche. Frankreich werde nicht ohne England handeln, auch wenn es durch Vertrag zum Beistand der Tschechoslowakei verpflichtet sei. Im übrigen schätze er Frankreich schwächer als 1914 ein. Deutschland dürfe nicht so lange warten, bis sich eine neue Entente bilde. Für dieses Jahr beurteilte Hitler die Möglichkeiten günstig, den Konflikt auf Deutschland und die Tschechoslowakei zu begrenzen.

Hitler behandelte dann die militärischen Maßnahmen. Die tschechische Befestigungslinie müsse genau nach Durchbruchmöglichkeiten überprüft werden, um danach die Schwerpunkte für die Angriffskeile zu planen. Er forderte, alle Panzereinheiten zu einem Panzerverband zusammenzufassen, mit dem der schnelle Durchstoß in die Tiefe geführt werden sollte. Um Bekämpfungsmöglichkeiten gegen die tschechischen Bunker zu erproben, ordnete Hitler den Bau einiger Bunker und ihre Beschießung durch schwere Artillerie und 8,8 cm Flak an. Alle Vorbereitungen müßten bis zum 1. Oktober abgeschlossen sein. Das OKW wurde angewiesen, sofort die neue Weisung für den Fall »Grün« auszuarbeiten und herauszugeben. Entsprechende Neuaufstellungen, vor allem von Panzerverbänden, seien unumgänglich. Die aufwendigste Entscheidung traf Hitler mit dem Befehl an das Heer, sofort mit dem Ausbau des Westwalles, einer starken Verteidigungslinie mit Bunkeranlagen längs der deutschen Westgrenze von Aachen bis Basel zu beginnen.

Ich erinnere mich nicht, daß von seiten der Heeres-Generale ernsthafte Einwände gegen Hitlers Beurteilung der militärpolitischen Lage und seine Anordnungen für den Angriff gegen die Tschechoslowakei erhoben wurden. Auch Beck blieb stumm, obwohl alle Anwesenden, einschließlich Hitler, von seiner gegenteiligen Auffassung in vielen Punkten wußten. Er saß während der ganzen Konferenz mit steinernem Gesicht dabei, ähnlich wie Ribbentrop. Ich hatte den Eindruck, daß grundsätzliche Zustimmung bestand.

Für uns Wehrmacht-Adjutanten wurde dieser 28. Mai 1938 zum Beginn einer neuen Ära. Hitler griff von jetzt ab mehr und mehr in die unmittelbare Führung der Wehrmacht, namentlich beim Heer, ein. Wir wurden immer mehr Hitlers Gesprächspartner in allen militärischen Fragen. Hitler machte dabei keinen Unterschied, zu welchem Wehrmachtteil der diensthabende militärische Adjutant jeweils gehörte. So ergab es sich, daß Hitler mit mir auch über Heeres-Angelegenheiten sprach und zum Ärger von Schmundt und Engel mir gegenüber zum

Beispiel seine Ansichten über die führenden Generale des Heeres äußerte. Mit der Luftwaffe beschäftigte sich Hitler zu dieser Zeit wenig. Mit der Konferenz vom 28. Mai zeigte Hitler, daß er nicht nur dem Namen nach als Nachfolger von Blomberg Oberbefehlshaber der Wehrmacht war, sondern daß er gewillt war, die Tätigkeit aktiv auszuüben. Es gab, wie die Konferenz vom 28. Mai gezeigt hatte, keinen General, der den Mut und das Format hatte, Hitler den militärischen Oberbefehl streitig zu machen, sei es im Zusammengehen mit ihm oder durch offene Opposition.

Seit der Fritsch-Krise hatte sich im Generalstab des Heeres eine geheime Opposition unter Führung von General Beck gebildet. Die Besprechung vom 28. Mai und Hitlers Pläne, das Heer gegen die Tschechoslowakei einzusetzen und einen Krieg zu riskieren, gaben den Ausschlag, in der geheimen Opposition aktiv zu werden. Hitler und sein militärischer Stab wußten davon nichts. Schmundt kannte aber die Unzufriedenheit unter den Offizieren darüber, daß einmal Fritsch immer noch nicht rehabilitiert war und daß zum anderen der Dualismus zwischen OKW und OKH noch nicht zugunsten des OKH entschieden worden war. In diesem Spannungszustand wirkte Hitlers Befehl, den Plan für einen Krieg auszuarbeiten, wie Dynamit. Schmundt mußte Hitler auf die kritische Lage im Heer hinweisen. Auch Göring hatte davon gehört und mit Hitler darüber gesprochen. Schmundt bemühte sich, wenigstens zwischen Hitler und Brauchitsch ein tragbares Vertrauensverhältnis herzustellen. Es gelang ihm nicht, denn Brauchitsch war schon zu stark von Beck beeinflußt worden.

Schmundt ließ in seinen Bemühungen nicht nach und erreichte, daß Hitler sich einverstanden erklärte, ein Schlußwort zum Fall Fritsch vor der Generalität des Heeres zu sprechen. Das Kriegsgericht unter Vorsitz von Göring mit den Beisitzern Brauchitsch und Raeder hatte Fritsch freigesprochen. Sein Verteidiger, Graf von der Goltz, hatte die Beweise gebracht, durch die der Belastungszeuge gegen Fritsch so in die Enge getrieben worden war, daß er zugeben mußte, gelogen zu haben. Offen blieb, wer den Zeugen zu seinen falschen Beschuldigungen veranlaßt hatte. Die Hintermänner blieben unbekannt und unbestraft.

Barth, 13. Juni 1938

Die Versammlung der Generale war für Montag, den 13. Juni, auf dem Fliegerhorst Barth bei Stralsund angesetzt. Hitler war zum Wochenende beim Gau-Parteitag in Stettin und traf mittags in Barth ein. Der Kommandant des Fliegerhorstes, Hauptmann Axel v. Blomberg, empfing ihn. Hitler begrüßte ihn sichtbar herzlich und unterhielt sich mit ihm auf dem Weg zum Offizierheim. Ich freute mich, meinen Freund wiederzusehen und mit ihm zu sprechen. Unsere Unterhaltung kreise um die Frage, ob sich die Generale mit den Erklärungen Hitlers zufrieden geben werden. Ich sagte, daß es meines Erachtens die letzte Chance für sie sei, ihre Wünsche oder Forderungen zur Rehabilitierung von Fritsch durchzusetzen. Axel meinte, daß sie nichts unternehmen würden. Er behielt recht.

Am Vormittag hatte Brauchitsch gesprochen und die Versammelten über den Bau des Westwalles und die Pläne zum Angriff auf die Tschechoslowakei unterrichtet. Nach dem Essen verlas der Präsident des Reichskriegsgerichts, General Heitz, eine Zusammenfassung der Untersuchung gegen Generaloberst Frhr. v. Fritsch und das Urteil. Dann gab Hitler seiner Genugtuung Ausdruck, daß die Unschuld des Generalobersten erwiesen sei; sich selbst stellte er als das Opfer eines tragischen Irrtums hin. Die Wiederverwendung des ehemaligen Oberbefehlshabers sei aber nicht möglich, denn er, Hitler, dürfe nicht erwarten, daß Fritsch ihm jetzt noch Vertrauen schenken könne. Auch müsse er die Staatsraison im Auge behalten und könne die bedauerlichen Zusammenhänge nicht vor der Nation und vor aller Welt aufdecken. Fritsch wurde zum Chef des Artillerie-Regiments 12 in Schwerin ernannt, eine aus der Monarchie übernommene Ehrung. Hitler glaubte, Fritsch damit ausreichend rehabilitiert zu haben.

Der Tag in Barth ist mir heute noch in unguter Erinnerung. Während Hitler sprach, dachte ich immer: »Werden die Generale das hinnehmen?« Hitler gelang es, sehr geschickt und eindrucksvoll, Verständnis für sich zu gewinnen. Viele der Generale kannten die Einzelheiten nicht, noch weniger die Intrigen, die zum Sturz von Fritsch geführt hatten. Zum kleinen Kreis der Eingeweihten gehörten auch die wenigen, die von Anfang an gegen Hitler Stellung bezogen hatten, wie Beck, Halder, Carl Heinrich v. Stülpnagel, Witzleben und Hoepner. Eine ebenso kleine Gruppe bekannte sich voll und ganz zu Hitler, darunter Reichenau, Keitel, Guderian und Busch. Sicher mehr als zwei Drittel der anwesenden etwa 40 Generale mußten als indifferent eingestuft werden. Es war mir unverständlich, daß keiner der Generale die Frage stellte, welche staatspolitischen Gründe einer echten Rehabilitierung, z. B. der Beförderung Fritschs zum Generalfeldmarschall, im Wege ständen. Keiner fragte, ob die Schuldigen für die Verleumdung Fritschs ermittelt und zur Rechenschaft gezogen worden seien. Die Namen Himmler und Heydrich standen unausgesprochen im Raum. Ich gewann den Eindruck, die Generale hatten den Fall Fritsch längst abgetan. Hitlers neue Pläne warfen wichtigere Fragen auf. Aber die Chance, das Vertrauen zwischen Hitler und seinen Generalen herzustellen, wurde verpaßt. Ich war der Überzeugung, daß Hitler es verstanden hätte, wenn die Generale sich für ihren ehemaligen Oberbefehlshaber in der richtigen Form eingesetzt hätten. Damit wäre auch Hitler selbst eine Chance gegeben worden, sich zu rehabilitieren. Beide Seiten mußten daran interessiert sein, alles das, was störend zwischen ihnen stand, aus dem Weg zu räumen. Barth war hierfür die letzte Gelegenheit. Schmundt hatte sich mutig und verantwortungsbewußt immer wieder für Fritsch eingesetzt, ohne wirksame Unterstützung bei den Generalen zu finden.

Görings Einmischung in Heeresbelange

Am Tag nach Hitlers Ansprache vor den Generalen in Barth sagte sich Göring zum Vortrag bei Hitler an. Ich geleitete ihn in den Wintergarten, wo Hitler ihn erwartete. Auf dem Wege dorthin sagte er immer wieder: »Der Führer hat doch recht gehabt, der Führer hat doch recht gehabt.«

Was war geschehen? Im Mai 1938 hatte sich Hitler die Befestigungsanlagen zum Schutz der Ostgrenze zwischen Oder und Warthe angesehen. Brauchitsch und der Inspekteur der Pioniere, General Förster, begleiteten Hitler. Hitler sah sich alles sehr genau und interessiert an. Sein Schweigen bei diesem Rundgang war bedrückend. Die Anlagen waren veraltet. Die oberirdischen Bunkerkuppeln waren nur mit Maschinengewehren bewehrt. Damit konnten keine Panzer aufgehalten werden. Es dauerte auch nicht lange, bis Hitler sich mit Brauchitsch und Förster etwas von dem Gefolge absetzte und erregt auf sie einsprach.

Spätere Gespräche mit Hitler ließen sein Entsetzen erkennen. Er war nach früheren Berichten von Blomberg der Auffassung gewesen, daß es sich im Oder-Warthe-Bogen um einigermaßen moderne Verteidigungsanlagen handeln müßte. Im Mai 1938 wollte er Erfahrungen und Anregungen für den Westwall sammeln. Da Blomberg ihm seinerzeit auch von Befestigungsanlagen im Westen berichtet hatte, besonders am Oberrhein und auf den Schwarzwaldhöhen, glaubte er, an der Ostgrenze ähnliche Verhältnisse vorzufinden. Nach dem gewonnenen Eindruck erwartete er nun im Westen nicht viel mehr. Um aber sicher zu gehen, hatte er Göring damit beauftragt, sich die Befestigungsanlagen im Westen anzusehen. Die Heeresführung war tief betroffen und mit Berechtigung empört, daß nicht ein Beauftragter des Heeres entsandt worden war; Göring fühlte sich geschmeichelt.

Er nutzte die Gelegenheit, um dem Heer Vorwürfe zu machen. Ihm war wie jedem anderen bekannt, daß die derzeitigen Generale des Heeres für den Ausbau der Befestigungen im Westen nicht verantwortlich waren. Er berichtete, daß in der sogenannten »Schwarzwaldhochstellung« nichts ausgebaut sei. Es gäbe nur Hinweise, was im Ernstfall und wo gebaut werden solle und wo das erforderliche Material zu beschaffen wäre. Auf dem »Isteiner Klotz«, einem dominierenden Berg, dem Südrand des Schwarzwaldes zur Rheinebene vorgelagert, habe er nur leichte Infanteriewaffen vorgefunden. Von einer Befestigungslinie zwischen Aachen und Basel könne keine Rede sein. Göring hatte ein Feuer geschürt. Das Ergebnis war, daß Hitler sich entschloß, Dr. Todt den Ausbau des Westwalles zu übertragen. Er ließ Brauchitsch zu sich kommen und gab ihm bekannt, die Pionierstäbe hätten nur noch anzugeben, wo welche Bunker gebaut werden sollten. Für die Ausführung der Bauten war allein die Organisation Todt verantwortlich. Hitler selbst hatte ganz bestimmte Vorstellungen vom Ausbau des Westwalles. Er werde seine Gedanken in einer Denkschrift niederlegen und dem Oberkommando des Heeres und der Organisation Todt zuleiten. Brauchitsch war verständlicherweise schockiert über Hitlers Entscheidung, noch mehr aber über Görings unkameradschaftliches Verhalten ihm gegenüber. Dieses Verhalten von Göring wirkte sich für die Zusammenarbeit der beiden Oberkommandos von Heer und Luftwaffe nachteilig aus.

Hitlers Auftrag an Göring und die Art und Weise, wie dieser ihn ausführte, kennzeichneten deutlich die Veränderungen in den militärischen Oberkommandos im Jahre 1938. Göring hatte es verstanden, sich bei Hitler für die gesamte Wehrmacht in den Vordergrund zu stellen und unentbehrlich zu machen. Hitler klammerte sich nach Blombergs Abgang an Göring, weil er einen Mann seines Vertrauens für seine Gespräche über die Wehrmacht, über die Generale und über seine militärischen Pläne brauchte. Was beide oft stundenlang unter vier Augen besprachen, konnten wir nur aus ihren Anordnungen und gelegentlichen Bemerkungen erahnen. Dabei war Göring gegenüber seinem Stab offener als Hitler. Je mehr Vertrauen Hitler zu Schmundt faßte, desto intensiver zog er ihn als Berater hinzu. Keitel fungierte nur als ausführendes Organ für Hitlers Weisungen und Befehle. Zu Beratungen in Fragen der Wehrmacht zog Hitler ihn vor dem Kriege nicht heran.

Neuer Führungsstil

Der neue Führungsstil für die Wehrmacht war mit ganz anderen Maßstäben zu messen als eine herkömmliche Führung im Sinne der Generalstabsvorstellungen. Dem Generalstab des Heeres blieb diese Art der Führung unverständlich. Es gelang dieser Institution nicht, sich auf die gewandelten Verhältnisse einzustellen. Die Folge war, daß zwischen Hitler und den führenden Generalen des Heeres das durch die Fritsch-Krise beeinträchtigte Vertrauensverhältnis gestört blieb.

Ich hatte auf Grund dieser Entwicklung einen schwierigen Stand in unserer Adjutantur. Schmundt und Engel setzten sich energisch für ein gegenseitiges Vertrauensverhältnis zwischen Hitler und Brauchitsch ein. Mit Unmut verfolgten sie das Verhalten Görings, der ihr Bemühen erschwerte. Ich konnte mich ihren Argumenten nicht verschließen, aber auch nicht offen gegen Göring Stellung nehmen. Er war mein Oberbefehlshaber. Andererseits aber fand ich die Zurückhaltung der Generale seit der Fritsch-Krise nicht geeignet, den Einfluß Görings in Heeres-Angelegenheiten auszuschalten. Ich befand mich in einem Zwiespalt, über den ich offen nur mit Jeschonnek sprechen konnte. Meine Verbindung zu ihm wurde immer enger und persönlicher.

Ich wußte, daß Jeschonnek immer mehr Görings vertrautester Berater wurde und seine Ernennung zum Chef des Generalstabes der Luftwaffe nur noch eine Frage der Zeit war. Ich bat Jeschonnek, Göring die Auswirkungen seines Verhaltens vor Augen zu führen und ihm klar zu machen, daß es im Interesse des Ganzen läge, wenn er für ein Vertrauensverhältnis zwischen Hitler und Brauchitsch wirkte. Ich sagte Jeschonnek, Göring habe Hitlers Ohr, könne ihm alles sagen und ihn beeinflussen. Er, Jeschonnek, müsse deswegen immer wieder auf Göring einwirken und ihm die Notwendigkeit der vertrauensvollen Zusammenarbeit der drei Oberbefehlshaber, Göring, Raeder und Brauchitsch, vor Augen führen. Jeschonnek war ganz meiner Meinung, aber er sah wie ich die große Schwierigkeit in der Tatsache, daß sich Göring mehr mit Hitler auf eine Stufe stellte, als mit seinen Kameraden von Heer und Marine.

Jeschonnek hatte aber auch eigene Sorgen. Er sah seiner voraussichtlichen Ernennung zum Chef des Generalstabes mit sehr gemischten Gefühlen entgegen, weil er wußte, daß die Zusammenarbeit mit Göring und seinen Flieger-Freunden aus dem ersten Weltkrieg schwierig sein würde. Sie waren Görings engste Berater und grundsätzlich gegen den Generalstab eingestellt, weil sie dessen Führungsanspruch für die Luftwaffe nicht anerkennen wollten. Leider hatte Jeschonnek zudem das Vertrauen zu Milch verloren. So stand Jeschonnek ziemlich allein vor der Aufgabe, die Göring dem Generalstab gestellt hatte, die Stärke der Luftwaffe, Fliegertruppe und Flakartillerie zu verdoppeln. Vor allem bereitete ihm Görings Befehl Sorgen, hinter dem »Westwall« eine sogenannte »Luftverteidigungszone« mit Flak- und Scheinwerferstellungen auszubauen. Für dieses gewaltige Rüstungsprogramm fehlten die erforderlichen Rohstoffe und die ausgebildeten Soldaten, Engpässe, die bisher schon den Ausbau der Luftwaffe verlangsamt hatten. Göring versprach immer wieder, seine Luftwaffe aus dem Vierjahresplan bevorzugt beliefern zu lassen. Doch die Praxis sah anders aus.

LVZ West

Görings Befehl für den Bau der »Luftverteidigungszone West« war das typische Ergebnis der engen Zusammenarbeit von Hitler und Göring in diesem Jahr. In Hitlers Verärgerung über die Widerstände von Seiten des Heeres beim Bau des Westwalles sah Göring die Chance, sich bei Hitler in ein gutes Licht zu setzen. Die »Luftverteidigungszone« sollte sich als zweite Linie hinter dem

Westwall entlang der ganzen Westgrenze hinziehen. Als Bewaffnung waren vorwiegend die 8,8 cm Flak-Geschütze zur Flugabwehr vorgesehen, deren Stellungen so ausgebaut werden sollten, daß sie auch im Erdkampf zur Panzerabwehr wirksam eingesetzt werden konnten. Das Heer betrachtete Görings Plan als eine Einmischung in seine Angelegenheiten und war darüber verärgert.

Verfehlte Luftwaffenrüstung

Jeschonnek kritisierte Görings Entscheidung als eine Schwächung der eigentlichen Luftwaffenaufgaben. Die für die vermehrte Flak-Produktion erforderlichen Rohstoffe würden dem Flugzeug- und Flugplatz-Bau sowie der Fertigung von Bomben und Bordwaffen entzogen, und zwar in dem Augenblick, als auf Grund der politischen Entwicklung erstmalig die Möglichkeit eines Krieges mit England in den Bereich generalstabsmäßiger Überlegungen rückte. Göring hatte zwar seinen Mitarbeitern versichert, daß Hitler eine Versöhnung mit England und keinen Krieg wollte. Dennoch wäre es Aufgabe des Generalstabes, auf alles vorbereitet sein zu müssen. Jeschonnek war fest davon überzeugt, daß für 1938 noch keine Kriegsgefahr bestehe. Seine große Sorge galt der Flugzeugfertigung und -Auslieferung. Er hatte kein Vertrauen zu Udets Technischem Amt und befürchtete, daß die Forderungen des Generalstabes für Entwicklung, Fertigung und Auslieferung von Kampfflugzeugen nicht erfüllt würden. Jeschonnek war froh, daß sich die Me 109 als Jagdflugzeug so gut bewährte. Udets Passion läge bei den Jagdflugzeugen. Bei den Kampfflugzeugen bevorzugte er den Sturzkampfbomber, in dem Jeschonnek nur eine Übergangslösung sah, so lange es kein gut arbeitendes Zielgerät für den Bombenabwurf im Horizontalflug gab.

Ich war beruhigt, daß im Generalstab der Luftwaffe eine klare Vorstellung von der Ausrüstung der Fliegertruppe herrschte, beschwor aber Jeschonnek, auf Göring einzuwirken, Hitler gegenüber nüchterner zu sein und nicht Versprechungen zu machen oder Schönfärberei zu treiben. Ich hätte den Eindruck, daß Hitler sich viel mehr unter der Leistungsfähigkeit der Luftwaffe vorstellte, als es zur Zeit der Fall wäre. Er würde sich für den Bereich der Flugzeuge ganz auf Göring verlassen und dessen Angaben vertrauen.

Während meines Sommerurlaubs trafen meine Frau und ich im Kurhaus Bühlerhöhe mit dem Chef des Generalstabs der Luftwaffe, General Stumpff, und seiner Frau zusammen. Im Gegensatz zu Jeschonnek und Göring beurteilte er das politische Verhältnis zu England ernster.

Die Gegensätze zwischen ernster Besorgnis und froher Sorglosigkeit kennzeichneten die Stimmung unter den führenden Männern von Staat, Wehrmacht und Partei im Sommer 1938. Die breite Masse des Volkes war glücklich und zufrieden, wie wir es auf unserer weiteren Urlaubsreise in den Harz, nach München zum Tag der Deutschen Kunst und schließlich zu den Bayreuther Festspielen überall feststellen konnten. Das Vertrauen und der Glaube an Adolf Hitlers Friedenswillen überwogen alle Bedenken.

KAPITEL II
Herbst 1938 - August 1939

Krisenzeichen

Mein Dienst begann wieder mit einer Reise nach Breslau zum Deutschen Turnfest am 31. Juli. Hitler sah sich den Festzug an. Die verschiedenen Trachtengruppen aus dem Ausland zogen die besondere Aufmerksamkeit auf sich. Die sudetendeutschen Volksgruppen marschierten mit dem Ruf »heim ins Reich« an Hitler vorbei. Es war eine ergreifende, aber auch alarmierende Demonstration. Den Gesichtern sah man Not und Sorge an, Hitler empfand es ebenso und leitete daraus für sich den Auftrag ab, die Sudetendeutschen aus der tschechischen Unterdrückung zu befreien. Hitler sprach offen aus, die Deutschen im Osten hätten weder in der Tschechoslowakei noch in Polen den Minderheitenschutz, der ihnen nach dem Versailler Friedensvertrag zustehen sollte.

In Berlin fand ich eine veränderte Adjutantur vor. Puttkamer war nach über dreijähriger Tätigkeit zur Truppe zurückgekehrt und übernahm das Kommando auf einem Zerstörer. Er hinterließ nur Freunde. Raeder hatte den Korvettenkapitän Albrecht zu seinem Nachfolger ausgesucht und Hitler vorgeschlagen. Schmundt unterrichtete mich über die militärischen Angelegenheiten der letzten Wochen. Er machte einen niedergeschlagenen Eindruck. Der Westwallbau und die Vorbereitungen für »Grün« hatten die Gegensätze zwischen Hitler und dem Oberkommando des Heeres weiter verhärtet. Im Anschluß an Hitlers Vortrag vom 28. Mai hatte Beck seine Auffassungen in mehreren Denkschriften niedergelegt und Brauchitsch gebeten, sie Hitler vorzulegen. Nach Schmundts Worten hatte Brauchitsch nicht alles schriftlich vorgelegt, aber die Auffassungen Becks mündlich vorgetragen. Dabei hatten sich lebhafte Debatten über die gegenseitigen Standpunkte ergeben. Beck hatte es abgelehnt, Brauchitsch zu begleiten und seine Ansichten selbst vor Hitler zu vertreten. Er glaubte, Hitler durch seine Denkschriften überzeugen zu können, daß ein deutscher Angriff auf die Tschechoslowakei unweigerlich einen französisch-englischen Angriff im Westen zur Folge hätte, woraus sich dann ein neuer Weltkrieg entwickeln müßte. Hitler hatte versucht, Brauchitsch vom Gegenteil zu überzeugen. Schmundt war tief bedrückt von den Folgen dieser Debatten. Hitlers Vertrauen zu Beck war zerbrochen, und er hatte Brauchitsch nahegelegt, sich »nun endlich« von Beck zu trennen. Aber was Schmundt tragischer nahm, war die Entfremdung zwischen Hitler und Brauchitsch. Ich merkte, daß Schmundt noch mehr wußte, es mir als Luftwaffen-Offizier aber verschwieg. Er war von Natur aus etwas mißtrauisch und in dienstlichen Dingen schweigsam. Er wußte damals noch nicht, daß ich im Generalstab der Luftwaffe viele Einzelheiten über die Auffassungen im OKH zu hören bekam und daß Hitler auch mir gegenüber von Heeresangelegenheiten sprach, wenn er gerade keinen Gesprächspartner vom Heer hatte. Leider hat Schmundts für mich verständliche Zurückhaltung eine vertrauensvolle Zusammenarbeit zwischen uns lange Zeit beeinträchtigt.

In den ersten August-Tagen reiste ich als diensthabender Adjutant mit Hitler zum Obersalzberg. Hitler beschäftigte sich fast ausschließlich mit dem Bau des Westwalles, mit dem Operationsplan »Grün« und mit der Frage, wie die Generalität und das höhere Offizierkorps des Heeres von der Richtigkeit seiner Auffassungen zu überzeugen wären. Ich hörte aus seinem Munde viele Vorwürfe gegen das Heer und konnte jetzt erst die Niedergeschlagenheit von Schmundt richtig verstehen. Hitlers Vertrauen zu den Generalen war im Schwinden. Diese Wandlung innerhalb eines halben Jahres und unmittelbar vor einem möglichen Kriegsausbruch war Grund genug, die Entwicklung mit größter Sorge zu verfolgen.

Ablösung Becks

Aus Berlin hatte er auf irgendeinem Wege, ich weiß nicht, ob über Göring oder über Reichenau, erfahren, daß Brauchitsch und Beck vor den versammelten höchsten Generalen ihre Beurteilung der Lage vorgetragen und Hitlers Vorhaben heftig kritisiert hatten. Ein Angriff gegen die Tschechoslowakei würde alle derzeitigen Kräfte des Heeres binden, um schnelle Erfolge erzielen zu können. Die Westmächte würden die Zeit zum Eingreifen nutzen. Der Westwall wäre keineswegs ein Hindernis, das sie aufhalten könnte. Hitler war außer sich, als er das hörte, und befahl Brauchitsch sofort zu sich nach Berchtesgaden. Die Besprechung fand unter vier Augen in Hitlers Arbeitszimmer im ersten Stock des Berghofs statt. Die Fenster standen weit offen. Man konnte ein erregtes Gespräch hören, ohne Einzelheiten zu verstehen. Die Unterhaltung dauerte mehrere Stunden. Als die Lautstärke noch zunahm, sahen wir uns gezwungen, die Terrasse des Berghofs unterhalb Hitlers Arbeitszimmer zu räumen, eine peinliche Situation, die ich nie vergaß. Denn ich habe in meiner langen Dienstzeit bei Hitler nur dieses eine Mal erlebt, daß er während eines Gesprächs mit einem General derart laut geworden ist.

Am 10. August ließ Hitler die für den Mobilmachungsfall vorgesehenen Chefs der Generalstäbe der Armeen und der entsprechenden Verbände der Luftwaffe

Urlaub auf der Bühlerhöhe. Oben: Mit Obergruppenführer Wilhelm Brückner, unten: mit dem Chef des Generalstabes der Luftwaffe Generalleutnant Stumpff und seiner Frau.

Im Flugzeug bei einer der Führer-Reisen. Oben: Ein müder Adjutant, links: Kartenstudium.

Unten: Besuch von Frau v. Below auf dem Berghof, Sommer 1938.

kommen. In einer mehrstündigen Ansprache legte er seine Beurteilung der politischen und militärischen Lage dar, um die Offiziere von seinen Auffassungen zu überzeugen. Die Diskussion erwies, daß ihm das nicht voll gelang. Die gleichen Bedenken wie Brauchitsch und Beck trugen einige dieser Generalstabsoffiziere vor, aber ohne neue überzeugende Gesichtspunkte. Das Ergebnis dieses Tages war eine sichtbare Vertrauenskrise zwischen Hitler und dem Generalstab des Heeres. Die verschiedenen Ansichten der versammelten Offiziere, wie aus der Diskussion und den anschließenden Unterhaltungen zu erkennen war, zeigten aber, daß auch in diesem Kreis keine Einigkeit herrschte. Die Kritik an Beck nahm zu. Sie galt nicht seinen Auffassungen, sondern seinem Verhalten. Durch sein bewußtes Abseitsstehen habe er versäumt, Einfluß auf Hitler zu gewinnen. Schon im Falle Fritsch habe man seine persönliche und wirksame Initiative bei Hitler vermißt. Der Chef des Generalstabes sollte nicht schreiben, sondern handeln. Das Gerücht, Beck wolle zurücktreten, löste unterschiedliche Reaktionen aus. Während ein Teil der Offiziere einen solchen Schritt begrüßte, sagten andere: »Das bedeutet Krieg«. Auch ich war der Auffassung, daß Beck mit energischem Auftreten Erfolg gehabt hätte. Von Hitler wußte ich, daß er ursprünglich eine positive Einstellung zu Beck gehabt hatte, aus der Zeit vor 1933, als Beck Kommandeur des Artillerie-Regiments Nr. 5 in Ulm war. Drei seiner Offiziere waren im sogenannten »Reichswehrprozeß« vor dem Reichsgericht in Leipzig wegen nationalsozialistischer Betätigung angeklagt. Hitler und Beck waren beide Zeugen in diesem Prozeß. Hitler hob das mutige Eintreten Becks für seine Leutnante hervor, das wesentlich zu dem geringen Strafmaß beigetragen hatte. Während der Blomberg-Fritsch-Krise hatte Hitler Beck die Nachfolge von Fritsch angeboten. Beck hatte abgelehnt, solange Fritsch nicht voll rehabilitiert sei. Dies wurde damals als besonders ehrenwert angesehen. Jetzt bedauerte man seine Haltung in dem Glauben, daß sich eine unmittelbare Zusammenarbeit zwischen Hitler und Beck positiv für das Heer hätte auswirken können. Ich selbst war mehr der Auffassung, daß Beck auch wegen seiner Antipathie gegen Hitler, der in seinen Augen noch der »böhmische Gefreite« war, und weil er sich dessen demagogischer Art nicht gewachsen fühlte, abgelehnt hatte. Ihm war auch der Gedanke an die Machtergreifung der »kleinen Leute« und des »einfachen Soldaten« verhaßt. Beck war ein Offizier, der schon 1918 als Monarchist nur schwer umdenken konnte, aber erst recht nicht 1933. Ihm schwebte als Ideal der königlich preußische »Große Generalstab« vor, der mit seinen Rechten und Pflichten dem Kaiser und König direkt unterstand und dessen erster und einziger Berater in allen militärischen Fragen war. Den Umgang mit Diktatoren hatte Beck nicht gelernt und sich darauf nicht verstanden.

Hitler zog mich während der nächsten Tage auf dem Berghof wiederholt in Gespräche. Ich hatte den Eindruck, daß er weniger meine Meinung zu den einzelnen Problemen hören, sondern daß er seine Gedanken nur laut aussprechen wollte. Hitler sagte, daß ihm Brauchitsch erklärt habe, sich nunmehr von Beck trennen zu wollen, eine Maßnahme, auf die er, Hitler, schon lange warte. Als Beck vor einem Jahr von seinem Besuch bei General Gamelin in Paris zurückgekehrt war, habe er überall von der hervorragenden französischen Armee gesprochen, die immer noch die stärkste Europas sei. Dabei habe er keinerlei Truppen gesehen, denn er war in Zivil als Privatmann gereist. Beck säße noch der Schrecken des Weltkrieges in den Knochen, meinte Hitler. Wenn er die französische Armee genau studierte, könnte er selbst feststellen, daß sie veraltet bewaffnet und ausgebildet sei und daß die Maginot-Linie keinerlei Bedeutung mehr habe. Die französische Armee ruhe sich auf ihren sehr zweifelhaften Lorbeeren von 1918 aus und tauge nicht viel mehr als die preußische Armee von 1806.

Brauchitsch hatte als Nachfolger von Beck Halder ausersehen, der schon seit einigen Monaten als Oberquartiermeister I Becks Stellvertreter war. Ich fragte Hitler, ob er damit einverstanden sei. Ich könne mir nicht vorstellen, daß mit Halder ein neuer Geist im Generalstab des Heeres einziehe. Beck selbst habe Ende Januar den Posten des Oberquartiermeisters I für Halder frei gemacht, weil er glaubte, sich auf ihn mehr verlassen zu können als auf dessen Vorgänger Manstein. Darauf entgegnete Hitler: »Ich wollte ja damals Manstein zum Chef des Generalstabes machen. Man sagte mir aber, er wäre zu jung!« Auf meine Frage, warum er ihn jetzt nicht ernennen würde, sagte Hitler, daß er die Entscheidung Brauchitsch überlassen müsse, dessen erster Mitarbeiter der Chef des Generalstabes sei.

Lange nach dem Kriege hatte ich Gelegenheit, dem Generalfeldmarschall v. Manstein den Inhalt dieses Gespräches zu erzählen. Er war völlig überrascht, denn er war der Ansicht, daß er im Februar 1938 auf Anordnung Hitlers von seinem Posten im Generalstab entfernt worden sei. Seine Zweifel ließ er erst fallen, als ich ihn daran erinnerte, daß er im Februar 1940 auch auf Veranlassung Halders aus seiner Stellung als Chef des Generalstabes bei Rundstedt abgelöst worden sei.

Hitlers weitere Themen in diesen Augusttagen 1938 auf dem Obersalzberg waren der Operationsplan »Grün« und der Westwallbau. Er betonte immer wieder, wie wichtig die Zusammenfassung aller Panzer-Verbände zu einem starken Angriffskeil sei, bei dem der Schwerpunkt liegen und mit dem der überraschende und schnelle Durchstoß in die Tiefe des Gegners geführt werden müsse. Zum ersten Mal hörte ich Hitlers Auffassungen über Angriffs-Strategie, die er allen späteren Operationsplänen bis 1942 zugrunde legen ließ und deren Anwendung er auch jetzt beim Generalstab des Heeres durchsetzte. Mit Nachdruck betonte er die Notwendigkeit, daß die anderen Verbände des Heeres sich nicht an den Bunkern der tschechischen Verteidigungslinie festbeißen dürften. Die Lücken müßten auch hier zum schnellen Vorstoß in die Tiefe ausgenutzt werden. Die Erledigung der einzelnen Bunkeranlagen sei eine spätere Aufgabe. Er sei sehr gespannt auf das Probeschießen gegen die nach den tschechischen Maßen erbauten Bunker auf dem Truppenübungsplatz Jüterbog.

Der Bunkerbau war zu dieser Zeit Hitlers Steckenpferd. Seine Gabe, sich in die Kampfführung und Waffenwirkung hineinversetzen zu können, veranlaßte ihn, die verschiedensten Bunkertypen zu fordern. Er ordnete an, daß nur schwere Waffen, also Artillerie, Panzerabwehrkanonen (Pak) und Maschinengewehre durch Bunker-Schießscharten in den Kampf eingreifen dürften. Der Truppe selbst sollten die Bunker nur als Unterkunft dienen. Zum Kampf müßte sie die Bunker verlassen und von vorbereiteten offenen Stellungen aus kämpfen. Hitler hatte die im Mai angekündigte Denkschrift über seine Vorstellungen vom Ausbau des Westwalles inzwischen diktiert und dem Heer und der OT zustellen lassen. Nicht nur sein Interesse für das Bauen, nicht allein seine Grundveranlagung als Architekt und Künstler, beeinflußten Hitlers lebhaften Einsatz für den Bau des Westwalles, sondern es war die Passion eines Erfinders, die ihn immer weiter trieb. Er skizzierte laufend neue Bunkertypen oder Teile davon und tüftelte immer andere Möglichkeiten für den Einsatz verschiedener Waffen aus. Seine lebhafte Phantasie brachte ihn auf immer neue Ideen und die Pionierstäbe am Westwall zur Verzweiflung.

Kaum nach Berlin zurückgekehrt, nahm Hitler am 15. August am Versuchsschießen gegen die auf dem Truppenübungsplatz Jüterbog erstellten »Tschechen-Bunker« teil und sprach anschließend vor den Kommandierenden Generalen des Heeres. Das Schießen mit schwerer Artillerie und der 8,8 Flak zeigte die überragende Durchschlagkraft vor allem der 8,8. Mit der Erkenntnis, daß die tschechischen Bunker also nicht unüberwindlich seien, trat Hitler vor die Generalität. Er teilte den Generalen seinen festen Entschluß mit, spätestens am 1. Oktober die Tschechoslowakei anzugreifen. Erneut versuchte er, seine Zuhörer von seiner Auffassung zu überzeugen, daß der Krieg gegen die Tschechoslowakei keinen Angriff von Westen auslösen würde.

Hitlers Rede gab Beck den letzten Anstoß, sein Rücktrittsgesuch zu schreiben. Hitler gab einige Tage später sein Einverständnis. Halder wurde zu seinem Nachfolger ernannt. Becks Rücktritt wirkte in keiner Weise als eine Demonstration, wie er selbst sich das vielleicht vorgestellt hatte. Hitler und auch Brauchitsch erwarteten diesen Schritt schon längere Zeit. Brauchitsch hatte sogar in den letzten Wochen in allen dienstlichen Angelegenheiten mehr mit Halder als mit Beck zusammengearbeitet. Da vereinbart war, den Wechsel offiziell später bekannt zu machen, blieb Becks Schritt in der Öffentlichkeit wie im Heer ohne jede Wirkung.

Mir war Beck schon seit 1933 ein Begriff gewesen. Als Chef des Truppenamtes im Reichsheer, wie seine Stellung damals hieß, sah ihn jeder junge Offizier als

Vorbild an. Als ich dann 1934 und 1935 viel mit dem Chef des Generalstabes der Luftwaffe, General Wever, zusammenkam, hörte ich ihn voll Achtung über Beck sprechen. Dies blieb nicht ohne Wirkung auf mich. Beck war ein Mann, der sich bei all seinen Handlungen und Aufgaben vom Geistigen hat leiten lassen, dabei aber nicht berücksichtigte, daß Politik ein schmutziges Geschäft ist. Er wollte Hitlers Politik beeinflussen, ohne die Methoden der Politik zu beherrschen. Alle seine Bemühungen und Denkschriften verpufften. Wären sie von Entschlußfreudigkeit und Tatkraft begleitet gewesen, hätten sie von unschätzbarem Nutzen für das Reich sein können. Beck verließ als eine tragische Figur die Bühne, dabei geachtet von Anhängern und Gegnern.

Unglücklich entwickelte sich am 19./20. August der Besuch Hitlers bei einer Übung des II. AK. Kommandierender General war General Blaskowitz, ein Offizier mit einem hervorragenden Ruf schon im Reichsheer. Hitler kehrte entrüstet nach Berlin zurück und kritisierte die Ansichten Blaskowitz' über den Einsatz von Panzern. Nach Hitlers Worten betrachtete Blaskowitz, genau wie die Franzosen, die Panzer als schwere Waffe der Infanterie. Dabei folgte ein Hieb gegen Beck, der dies aus Frankreich mitgebracht und nicht verstanden habe, daß der operative Einsatz den Schwung für die Vorwärtsbewegung und damit die Überlegenheit bringe. Blaskowitz blieb für Hitler ein General ohne Eignung zur Führung von Panzerverbänden.

Ich hatte an dieser Übung nicht teilgenommen, weil der Chef des Generalstabes der französischen Luftwaffe mehrere Tage Fliegerhorste und Flugzeugfabriken in Deutschland besuchte. Ich erlebte ihn bei einigen offiziellen und gesellschaftlichen Anlässen. Der Zweck dieses Besuches war zwischen Hitler und Göring besprochen und gehörte zu Hitlers Programm der Einschüchterung. Milch begleitete die französischen Gäste und verstand es meisterhaft, die Luftwaffe wirkungsvoll zu präsentieren. In den Werken von Junkers, Heinkel und Messerschmitt lief die Produktion auf vollen Touren. Dies gab ein höchst eindrucksvolles Bild. Die Me 109 und die He 111 wurden den Gästen auch im Fluge vorgeführt und beeindruckten die Franzosen sehr, denn die französischen Fliegerverbände waren nur mit veralteten Flugzeugtypen ausgerüstet.

Die deutsche Luftwaffe konnte für sich in Anspruch nehmen, der französischen Luftwaffe überlegen zu sein. Das Bild, das Vuillemin mit nach Frankreich nehmen konnte, beruhte, was die Leistungen betraf, auf Tatsachen. Lediglich mit der Anzahl der Flugzeuge in den Verbänden und in der Produktion hat Milch geblufft. Dies sollte mit dazu beitragen, den Franzosen jeglichen Geschmack am aktiven Eingreifen in einen deutsch-tschechischen Konflikt zu nehmen. Auch Hitlers Gespräch mit dem französischen General am 18. August in der Reichskanzlei diente ganz diesem Zweck. Göring hatte einen günstigen Zeitpunkt für seine Einladung gewählt.

116

Im Sommer 1938 hielt Göring in voller Kenntnis von Hitlers Plänen engen Kontakt mit den Botschaftern von England und Frankreich. Sir Neville Henderson war deutschfreundlich eingestellt. François-Poncet, unterstützt von seiner charmanten Frau, erfreute sich in Berlin großer Beliebtheit. Das Ehepaar Göring war bemüht, auf persönlicher Basis gute Beziehungen zu den beiden wichtigen Ländern zu pflegen. Die private Atmosphäre auf ihrem Landsitz »Carinhall« in der Schorfheide, etwa 50 km nördlich von Berlin, bot dazu die besten Möglichkeiten. Eine Einladung nach Carinhall galt damals in Berlin als eine Auszeichnung. Niemand versäumte es, ihr zu folgen.

Inspektion am Westwall

Unmittelbar nach dem Staatsbesuch des ungarischen Reichsverwesers, Admiral Horthy, vom 21. bis 27. August – äußerer Anlaß war die Taufe des Kreuzers »Prinz Eugen« in Kiel –, trat Hitler eine Besichtigungsreise zu dem im Bau befindlichen Westwall an. Keitel und Jodl nahmen an dieser längeren und ersten rein militärischen Reise Hitlers teil. Im Gegensatz zu den vorangegangenen angenehmen Tagen des Staatsbesuchs, dessen Hauptlast in der Adjutantur Albrecht zu tragen hatte, wurde die Westwall-Reise mit vielen Besprechungen bei Heeresstäben und Besichtigungen von Bunker-Anlagen und Baustellen anstrengend.

Am Vormittag des 27. August trafen wir auf der Station Palenberg, nördlich von Aachen, ein. Dort wurde Hitler von Dr. Todt und dem Oberbefehlshaber an der Westgrenze, General Adam, mit einigen Offizieren erwartet. General Adam begann im Vortragsraum des militärischen Befehlswagens des Sonderzuges sofort mit seinem Einführungs-Vortrag. Hitler erwartete eine Berichterstattung über die bisherige Bauleistung und den voraussichtlichen weiteren Ablauf der Arbeiten. Auf diese Dinge ging General Adam aber nicht ein. Anstatt von dem zuständigen höheren Pionieroffizier das vortragen zu lassen, was Hitler interessierte, hielt Adam einen Vortrag, der schon nach wenigen Worten auf eine Katastrophe zusteuerte. Adam nutzte die Gelegenheit, um Hitler seine Auffassung von der politischen Lage vorzutragen. Im Falle eines deutschen Einmarsches in die Tschechoslowakei rechnete er mit dem Angriff der Franzosen und Engländer. Der von Hitler geforderte Ausbau des Westwalles werde für dieses Jahr bei weitem nicht erreicht werden. Ich empfand nicht so sehr den Inhalt von Adams Vortrag verfehlt als vielmehr seine überhebliche Art. Die ganze Verachtung, die er für Hitler empfand, war weder zu übersehen noch zu überhören. Hitler brach den Vortrag abrupt ab.

Die Szene zwischen Hitler und Adam hinterließ bei mir einen sehr peinlichen Eindruck. Adam war vor Beck Chef des Generalstabes gewesen und als heftiger

Gegner Hitlers bekannt. Er gehörte zu dem Kreis der Generale, für die Hitler schon vor 1933 ein »abscheulicher Parvenu« war, der mit den Funktionären der NSDAP sozialistische und antichristliche Vorstellungen verwirklichen wollte. Aus ihren Antipathien hatte sich ihre Gegnerschaft gegen Hitlers außenpolitische und militärische Absichten ab 1937 entwickelt. Sie schienen in ihre Überlegungen nicht einzukalkulieren, daß Hitler dies alles wußte, sei es aus eigener Beobachtung oder aus Berichten von Göring, der Partei und der Gestapo. Für uns, die wir diese Zusammenhänge kannten, bedeutete die Szene mit Adam eine neue Verhärtung der Beziehungen Hitlers zum Heer, eine Entwicklung, die nur zum Schaden aller sein konnte. So wurde die Westwallreise zu einer recht deprimierenden Angelegenheit.

Die Reise begann in der Gegend von Aachen und führte uns in vier Tagen an der ganzen Westgrenze entlang. Die Presse durfte nichts über die Reise veröffentlichen, um das Ausland über den Bauzustand der Befestigungsanlagen im Unklaren zu lassen. Es war indes anzunehmen, daß die ausländischen Nachrichtendienste genau Bescheid wußten. Die umfangreichen Baustellen mit dem Gewühl von Menschen und Fahrzeugen waren für niemanden zu übersehen. Es war beeindruckend, die Betriebsamkeit zu beobachten und zu sehen, was seit dem ersten Bauauftrag im Mai des Jahres geschaffen worden war. Überall, wo Hitler erkannt wurde, jubelten ihm die Bauarbeiter der OT und des dort eingesetzten RAD zu. Der Jubel der Bevölkerung war nicht geringer, obwohl mancher Bauer wertvolles Ackerland kurzfristig hatte abgeben müssen. Vielfach sah man zwischen den Baustellen noch Korn auf dem Halm, weil das Abernten erschwert war.

Die Reise fand ihren Abschluß auf den Höhen des Schwarzwaldes und am Ufer des Oberrheins, gegenüber Bunkern der französischen Maginot-Linie. Hitler versuchte, mit dem Scherenfernrohr Einzelheiten der französischen Anlagen und ihrer Bauweise zu erfassen. Aber es war nicht viel zu erkennen. Auf dem »Isteiner Klotz« bekamen wir nochmals Hitlers Kritik über den Befestigungsbau aus der Blomberg-Zeit zu hören. Hitlers genaue Kenntnis von allen Vorgängen und von der Technik für den Bunkerbau trieb die zuständigen Pionier-Offiziere zur Verzweiflung. Umgekehrt trieb das Unverständnis der Offiziere für die Technik Hitler zur Verzweiflung.

Aufbau der Waffen-SS

Der August brachte noch eine gravierende Entscheidung. Durch eine Verfügung Hitlers vom 17. August wurden die bereits seit längerer Zeit bestehenden militärischen Einheiten der SS zur SS-Verfügungstruppe und damit zur Waffen-SS zusammengefaßt. Schon im März war während des Einmarsches in Österreich von dieser Absicht gerüchteweise die Rede. Treibende Kräfte waren Bormann und Himmler. Wenn bei Himmler sicherlich persönlicher Ehrgeiz und Geltungsbedürfnis mitsprachen, auch über eine bewaffnete Truppe befehligen zu können, lagen die Gründe bei Bormann im Mißtrauen gegen die »reaktionäre und Hitlerfeindliche Führung des Heeres«. Hitler selbst ist mit dieser Entscheidung bewußt von seinem früheren Versprechen gegenüber Blomberg abgegangen, daß die Wehrmacht der einzige Waffenträger in Deutschland sein sollte. Die Ereignisse im Laufe des Jahres hatten die Gegensätze der Heeresführung zur Partei- und Staatsführung in Erscheinung treten lassen. »Das Heer« galt nicht mehr als eine der zuverlässigen Säulen des Dritten Reiches. Zur Sicherheit der Parteiführung und seiner eigenen Person wollte Hitler eine bewaffnete Truppe zur »Verfügung« und zur Verstärkung seiner SS-Leibstandarte »Adolf Hitler« haben. Ich habe mich in späteren Jahren gefragt, ob Hitler, Himmler und Bormann im Jahre 1938 irgendetwas von Halders Plänen gewußt haben können, Hitler festsetzen oder beseitigen zu lassen in dem Augenblick, wenn Hitler die Tschechoslowakei angreifen würde, glaube es aber nicht. Ich führe vielmehr Hitlers Entscheidung, seine Leibgarde zu vergrößern und gesetzlich zu verankern, auf sein feines Gespür und seine Vorahnungen zurück.

Hitler war wachsam geworden und fühlte sich in Kreisen der Wehrmacht nicht mehr so wohl wie früher. Die Waffen-SS bildete sich mit allen Rechten und Pflichten zur Gardetruppe heran. Besorgt betrachteten wir Eingeweihten diese Entwicklung, weil Hitlers Mißtrauen gegen die Führung des Heeres der Anlaß war. Brauchitsch als Oberbefehlshaber des Heeres war keine selbstbewußte Persönlichkeit und zum Gegenspieler von Hitler nicht geeignet. Ob das unsichere und gehemmte Auftreten von Brauchitsch und Halder seinen wirklichen Grund in ihrer aktiven Tätigkeit in der Widerstandsbewegung hatte? Ich stelle diese Frage, weil ich darin eine Erklärung für das Verhalten dieser Generale in den Jahren 1938 bis 1941 gefunden habe. Mit ihrer ungeschickten Opposition gegen Hitlers politische und militärische Absichten, wie sie im Sommer 1938 in Erscheinung traten, richteten sie nichts aus. Sie waren Generale, keine Politiker, und ungeeignet für eine Verschwörerrolle.

Reichsparteitag »Großdeutschland«

In Nürnberg, beim Reichsparteitag, glaubte man so wenig wie in Berlin trotz laufender Mobilmachungsvorbereitungen in den Garnisonen an die Möglichkeit eines Krieges. Selbstverständlich war viel von den Sudetendeutschen und deren Wunsch »heim ins Reich« die Rede. Man stellte sich das so einfach vor wie im Frühjahr den Anschluß Österreichs. »Der Führer wird's schon machen«, hieß es voll Vertrauen. Allerdings waren auch die Gegensätze zwischen der Auffassung der Generale und der des Führers in vieler Munde. Hitler selbst zeigte sich vor allem den Gauleitern und höheren Parteiführern gegenüber wie immer zugänglich und ließ sich nicht anmerken, was ihn im Innersten beschäftigte.

Der Parteitag hatte den Namen »Großdeutschland« erhalten und feierte damit die Zugehörigkeit der »Ostmark« zum Reich. Die Kulturtagung brachte zur Freude aller Flieger die diesjährige Verleihung des Nationalpreises für Kunst und Wissenschaft an die beiden Flugzeugkonstrukteure Heinkel und Messerschmitt, letzteren auf Vorschlag des mit Messerschmitt eng verbundenen Rudolf Heß. Als Göring und Milch davon hörten, beantragten sie bei Hitler, daß zu gleicher Zeit auch Heinkel ausgezeichnet werden müsse, der in der Gunst des RLM höher stand als Messerschmitt. Auf Heinkel war die Partei nicht gut zu sprechen. Bereits im Jahre 1934 war sogar Hitler gegen Heinkel eingeschaltet worden, weil er noch Juden in seinem Betrieb beschäftigte. Inzwischen hatten aber seine genialen Flugzeugkonstruktionen dazu beigetragen, die deutsche Flugzeugindustrie international bekannt zu machen. Hitler gab den Wünschen Görings nach. Der Preis wurde unter die beiden überragenden Flugzeugkonstrukteure und Konkurrenten geteilt. Die beiden anderen Preise erhielten Todt und Porsche. Natürlich fiel es auf, daß nicht nur bedeutende technische Leistungen an sich ausgezeichnet wurden, sondern Pioniere der Kriegstechnik.

Am späten Abend des 9. September, nach dem Appell der Politischen Leiter unter dem Lichtdom der Flak-Scheinwerfer fand bei Hitler eine Besprechung über den Operationsplan »Grün« statt, zu der Brauchitsch und Halder nach Nürnberg bestellt waren. Nur Keitel und wir militärischen Adjutanten nahmen außerdem noch an der Besprechung teil. Ich war überrascht, aus dem sehr lebhaften Gespräch zwischen Hitler und den beiden Generalen zu hören, daß der Generalstab des Heeres den Weisungen Hitlers für die Schwerpunktbildung der Panzer und motorisierten Divisionen bei der 10. Armee des Generals v. Reichenau nicht gefolgt war. Hitler hatte in der letzten Zeit wiederholt versucht, Brauchitsch von seinen Vorstellungen über den Ablauf der Operationen und die dafür erforderliche Einteilung und Schwerpunktbildung der Armeen zu überzeugen. Während Brauchitsch schließlich nachgab, kämpfte Halder für seinen Operationsplan, nach dem die motorisierten Verbände auf mehrere Armeen aufgeteilt werden sollten. Hitler bekräftigte nochmals seine Argumente für eine raumgewinnende Operation in die Tiefe des Landes durch eine starke Panzerarmee. Aus politischen Gründen sei ein schneller Erfolg notwendig. Die Debatten zogen sich über fünf Stunden bis nach 3 Uhr in der Frühe hin. Die Generale steckten schwere Vorwürfe ein und erhielten schließlich auch den Befehl, die Operationen nach Hitlers Vorstellungen vorzubereiten. Zum Schluß wurde noch über den Westwall gesprochen, und Hitler wiederholte seine Weisungen für den Ausbau der vorgezogenen Stellungen bei Aachen und Saarbrücken. Ich habe diese lange nächtliche Sitzung mit vielen peinlichen Situationen in unschöner Erinnerung.

Während das Thema Tschechoslowakei auf dem Parteitag bisher nur hinter verschlossenen Türen die Wellen hochgehen ließ, erfuhr die Öffentlichkeit am letzten Tag, am 12. September, dem »Tag der Wehrmacht«, aus Hitlers Mund, daß er entschlossen sei, die dreieinhalb Millionen Sudetendeutschen und das Sudetenland »so oder so« . . . »heim ins Reich« zu holen.

Bevor Hitler am Nachmittag zum Schlußkongreß und zu seiner mit großer Spannung erwarteten Rede aufbrach, gab er sich im Hotel im Kreis seiner Parteiführer und Mitarbeiter völlig privat und gelöst. Die Zwiespältigkeit dieses Tages ist mir deshalb in lebhafter Erinnerung geblieben, weil meine Frau eine Rolle dabei gespielt hat. Es war ihr 20. Geburtstag. Brückner hatte sie, ohne daß ich etwas davon wußte, zu Mittag in den »Deutschen Hof« eingeladen. Als ich in Hitlers Gefolge den vollbesetzten Speisesaal betrat, schritt Hitler zu meiner Überraschung, von seinem Diener gesteuert, der einen großen Blumenstrauß trug, an den Tisch, an dem meine Frau mit Brückner, Prof. Brandt und dessen Frau saß. Zum gleichen Augenblick, als Hitler ihr gratulierte, sauste mit lautem Getöse ein großer Stapel Teller auf die Erde und lenkte die Blicke aller Gäste, die sich von ihren Plätzen erhoben hatten, auf diese Szene. Meine Frau hatte noch einen roten Kopf, als ich nach wenigen Augenblicken auch an ihrem Tisch Platz nehmen konnte. Meine Vermutung, daß sie in ihrer Aufregung die »Polterei« verursacht hätte, bestätigte sich allerdings nicht.

Hitler wandte sich in seiner Schlußrede an den tschechoslowakischen Staat und an die westlichen Staatsmänner. Er sah den »Unrechtfrieden« von Versailles 1919 und die »Presselügen« aus London während der Maikrise dieses Jahres als Ursachen der derzeitigen politischen Spannungen in Europa an. Am meisten bestürzten mich aber die Passagen der Rede, mit denen er sich direkt oder indirekt an die Generale wandte. Wenn er am Vormittag voll Vertrauen zu den Soldaten gesprochen hatte, war jetzt sein Mißtrauen gegen die Generale nicht zu überhören. Er warf ihnen Kleingläubigkeit vor und stellte ihnen die Treue und den Gehorsam des einfachen »Musketiers« vor Augen. Mit steinernen Gesichtern saßen die zum »Tag der Wehrmacht« nach Nürnberg gekommenen Generale vor Hitler. Viele verstanden Hitlers Vorwürfe nicht, weil sie den Hintergrund nicht kannten. Es waren sehr deprimierende Stunden in Gegenwart der versammelten Führerschaft der Partei. Das traditionelle Generalsessen am Abend in Hitlers Hotel verlief deshalb auch in kühler Atmosphäre, und ich weiß heute noch, wie froh ich war, als nach dem anschließenden Zapfenstreich der »Tag der Wehrmacht« und der Parteitag ihr Ende gefunden hatten. Niemand ahnte, daß es der letzte Parteitag der NSDAP war.

Am 13. September reiste Hitler nach München. Diesmal waren zwei Wehrmacht-Adjutanten in seiner Begleitung, Schmundt und ich. Dies sollte sich schnell als nützlich erweisen. Hitler wollte den Tag in München wie üblich für seine privaten Interessen nutzen, als das überraschende Telegramm von Chamberlain eintraf, in welchem er seine Bereitschaft erklärte, sofort nach Deutschland zu kommen, um eine friedliche Lösung aus der kritischen Lage zu finden. Hitler war von der Anfrage beeindruckt. Er ließ sich sofort mit Ribbentrop verbinden, besprach sich kurz mit ihm und antwortete Chamberlain, daß er gern bereit sei, ihn auf dem Obersalzberg zu empfangen. Kurz tauchte die rasch wieder fallengelassene Überlegung auf, ob er dem wesentlich älteren Staatsmann entgegenreisen sollte. Hitler hielt es für richtig, den britischen Premierminister in einer Umgebung zu empfangen, die der englischen Vorliebe für das Landleben entsprach.

Die Nachricht von der bevorstehenden Konferenz zwischen Hitler und Chamberlain bedeutete eine Sensation. Hitler war abends auf dem Berghof angeregt und gesprächig. In einer längeren Unterredung mit Schmundt und mir brachte er zum Ausdruck, daß die Vorbereitungen für »Grün« planmäßig weiterlaufen müßten. Er folgerte aus Chamberlains plötzlichem Entschluß, daß es dem Premierminister nicht um die deutsch-tschechische Spannung ginge, sondern um die Angst der Briten vor einer Erstarkung Deutschlands. Dies sei für England immer ein Grund zur Einmischung gewesen. Chamberlains Wunsch deutete Hitler als Beweis dafür, daß weder die britische Bündnispolitik noch die Rüstung soweit abgeschlossen seien, um in einen europäischen Konflikt eingreifen zu können. Für seine eigenen Pläne war es ein Signal, die Zeit zum Handeln zu nutzen.

Am Vormittag des 15. September reiste Chamberlain mit dem Flugzeug bis München, dann weiter mit Hitlers Sonderzug. Aus Berlin war Keitel auf dem Obersalzberg eingetroffen. Hitler wollte ihn in greifbarer Nähe haben. Ribbentrop, Weizsäcker und der Dolmetscher Schmidt trafen kurz vor Chamberlain ein, der seinen engsten Berater, Sir Horace Wilson, und William Strang, einen Beamten aus dem Foreign Office, sowie Sir Neville Henderson mitgebracht hatte. Hitler empfing seinen Gast am Fuß der Freitreppe zum Berghof und geleitete ihn in die große Halle. Er überließ es Chamberlain, wen er bei den Gesprächen bei sich haben wollte. Es war aufgefallen, daß Chamberlain ohne seinen Außenminister gekommen war. Dies legte das Auswärtige Amt so aus, daß er das Gespräch mit Hitler ohne Beisein Ribbentrops führen wollte. Chamberlain verzichtete aber auch auf einen eigenen Dolmetscher. Die Gründe dafür blieben unbekannt.

Nach dem Tee begaben sich Hitler, Chamberlain und Schmidt in das Arbeitszimmer. Die Besprechung dauerte mehrere Stunden, ohne daß jemand der Wartenden hinzugezogen wurde. Chamberlain verabschiedete sich gleich danach, um nach Berchtesgaden zu fahren, wo das Abendessen und die Übernachtung im Hotel vorbereitet waren. Hitler äußerte sich zufrieden über den Verlauf der Unterhaltung. Eine Vereinbarung aber, wie er sie gewünscht hatte, war nicht erzielt worden. Chamberlain war auf Hitlers Forderung nach der Verwirklichung des Selbstbestimmungsrechts für die Sudetendeutschen eingegangen. Er müßte sich aber mit seinem Kabinett besprechen, um einen Weg zu finden, wie das Selbstbestimmungsrecht in der Praxis verwirklicht werden könnte. Dann wollte er zu einem neuen Gespräch nach Deutschland kommen, erbat sich aber von Hitler die Zusage, daß bis dahin keine Gewaltmaßnahmen gegen die Tschechoslowakei unternommen würden.

Am nächsten Tag hörten wir von Hitler nähere Einzelheiten, vor allem auch seine Gedanken über das Gespräch mit Chamberlain und seine Überlegungen zur Sudetenfrage. Grundsätzlich war Hitler bei seiner Absicht geblieben, nach Prag zu marschieren. Nur sehr ungern, wenn es sich im Hinblick auf die gesamteuropäische Lage nicht umgehen ließe, würde er einem englischen Vorschlag zustimmen. Das Weitere aber, ohne Einmischung der Engländer, sollte auf politischem Wege mit den Tschechen unmittelbar geregelt werden. Im übrigen sei das Völkergemisch in der Tschechoslowakei nur sehr schwer zu regieren. Die anderen Minderheiten, Polen, Ungarn und vor allem die Slowaken, würden keine Ruhe geben.

Hitler sprach anerkennend über Chamberlains Bemühungen. Sein Gespräch mit ihm hatte Hitler auch nachdenklich gemacht. Sollte Chamberlain es mit seiner Appeasement-Politik vielleicht doch ehrlich meinen und die Gelegenheit zu einer Verständigung zwischen Deutschland und England greifbar werden, wäre ihm, Hitler, jeder Weg recht. Hitler sagte, die größte Schwierigkeit läge bei dem parlamentarischen System in England. Wenn man sich jetzt mit Chamberlain näher käme, könnte man nicht wissen, was Regierung und Parlament in London dazu sagen würden. Chamberlain habe eine gewisse Unsicherheit gezeigt und nicht gewagt, allein zu entscheiden. Hitler schien zwischen Hoffnung und Enttäuschung hin und her gerissen. Er drückte es in diesen Tagen bei einer Gelegenheit etwa mit den Worten aus, daß eben zwischen England und Deutschland die Bestimmungen des Versailler Vertrages stünden. Die Möglichkeit einer friedlichen Lösung des tschechischen Problems schien auch Hitler zu begrüßen. Nicht nur das ganze Volk, sondern auch Hitlers private und dienstliche Begleitung auf dem Berghof atmete erleichtert auf.

Das Teehaus

Inzwischen hatte Bormann für eine Attraktion auf dem Obersalzberg gesorgt. Auf dem Gipfel des Kehlsteins, etwa 800 m über dem Berghof, war nach seinen Anweisungen in monatelanger Arbeit ein »Teehaus« entstanden. Hitler hatte seine Anteilnahme an dem Bau Bormann gegenüber fast nur durch Neckereien zum Ausdruck gebracht und gemeint, daß Bormann nicht eher ruhen würde, bis der ganze Obersalzberg umgewühlt sei. Aber ernsthaft setzte er hinzu, daß er das Haus auf dem Kehlstein nicht benutzen könne, weil es fast 2000 m hoch läge, dort die Luft für ihn schon zu dünn und wegen seines hohen Blutdrucks schlecht erträglich sei. Er habe ausprobiert, daß die Höhenlage des Berghofs in fast 1000 m genau die richtige für ihn sei. Trotzdem hatte Bormann das Kehlsteinhaus weiter bauen und einrichten lassen. Jetzt war es fertiggestellt, und es gelang ihm, Hitler und seine Gäste am Tage nach Chamberlains Besuch zu einer Fahrt zum Kehlstein zu überreden. Schon die Fahrt auf der eigens für dieses »Teehaus« gebauten Straße war ein Erlebnis. Am Fuße der Bergwand befand sich ein kupferbeschlagenes Tor, von Granitquadern eingefaßt. Es war noch geschlossen und wurde erst geöffnet, als wir darauf zugingen. Man sah in einen langen, geschickt beleuchteten Tunnel. Am Ende des Tunnels befand sich die Tür zum Aufzug, der uns 80 m höher mitten in das »Teehaus« brachte. Durch einen Vorraum gelangte man in ein langes Eßzimmer, dann in die große runde Halle, den Mittelpunkt des Hauses. Die Wände waren unverputzt. Der graue Naturstein verlieh dem Raum die Wirkung einer mittelalterlichen Halle. Viele Fenster gaben die schönsten Ausblicke auf die Bergwelt frei. In dem von Marmor eingefaßten Kamin prasselte das Feuer. Etwa ein Dutzend schwerer Sessel mit kleinen Tischen davor waren in einer großen Runde aufgestellt. Hitler war beeindruckt. Bormann erhielt ein besonderes Lob und konnte sich in der Gunst des Führers sonnen. Hitler erwähnte bald nach dem ersten Eindruck, daß er hier auch Besucher, die er besonders ehren oder beeindrucken wollte, hinaufführen würde.

Bad Godesberg

Die Politik ging weiter. Die tschechische Regierung hatte dem Druck Englands und Frankreichs nachgegeben und sich bereit erklärt, die sudetendeutschen Grenzgebiete an Deutschland abzutreten. Chamberlain wollte sofort, weil er Hitlers Terminkalender bis zum 1. Oktober kannte, die Formalitäten mit ihm besprechen und meldete sich für den 22. September an. Hitler schlug als Treffpunkt Bad Godesberg vor, um Chamberlain die Flugreise zu verkürzen.

Am Mittag traf Chamberlain im Hotel Petersberg, oberhalb von Königswinter,

124

auf der anderen Seite des Rheins gegenüber vom Hotel Dreesen gelegen, ein. Am Nachmittag begab er sich zur ersten Besprechung nach Godesberg. Hitler empfing ihn vor dem Hotel Dreesen und geleitete ihn in das Konferenzzimmer im ersten Stockwerk des Hotels. Ihnen folgten diesmal zwei Dolmetscher, Paul Schmidt und Ivone Kirkpatrick, letzterer später englischer »Hoher Kommissar« in der Bundesrepublik Deutschland. Wieder fand das Gespräch ohne die Außenminister statt. Während Hitler und Chamberlain hinter verschlossenen Türen mehrere Stunden verhandelten, war in den unteren Räumen des Hotels ein lebhaftes Kommen und Gehen. Ribbentrops großer Mitarbeiterstab aus dem Auswärtigen Amt verbreitete durch seine Wichtigtuerei eine unangenehme Atmosphäre.

Die Diplomaten waren die einzigen, die die Verhandlungen nicht mit Optimismus, sondern mit Mißtrauen verfolgten. Sie bekamen Oberwasser, als Hitler und Chamberlain gegen 19 Uhr mit undurchdringlichen Mienen herunterkamen, und Chamberlain bald darauf zum Petersberg zurückfuhr. Kein Abkommen war vorzubereiten, kein Kommuniqué aufzusetzen, geschweige denn ein Abschluß zu erkennen. Hitler zog sich sofort mit Ribbentrop zurück. Schmidt wurde bestürmt, etwas über Inhalt und Ablauf der Verhandlungen preiszugeben. Bis in die späte Nacht hinein hielt das geschäftige Treiben bei Hitler und Ribbentrop an. Man erfuhr, daß die Konferenz noch nicht gescheitert sei, aber die Gegensätze sich verhärtet hätten.

Der nächste Vormittag brachte weiteres Rätselraten. Statt Chamberlain kam ein Brief von ihm an Hitler. Hitler, Ribbentrop und Keitel berieten sich. Hitler diktierte den Antwortbrief. Am frühen Nachmittag fuhr Schmidt mit diesem Brief zum Petersberg. Über den Inhalt beider Briefe wurde nur bekannt, daß sie nichts Neues und nichts Konkretes zum weiteren erfolgreichen Verlauf der Konferenz enthalten hätten. Dem Pressechef Dr. Dietrich und seinen Mitarbeitern riß man die »weißen Blätter« aus den Händen, in der Annahme, aus dem Ausland interessante Nachrichten zu erfahren. Man las aber nur, daß die Welt voller Bangen nach Godesberg schaue.

Sehr bald am Nachmittag fuhren Henderson und Chamberlains Begleiter Wilson vor und begaben sich zu Ribbentrop. Walther Hewel, mit dem ich im Laufe der Tage öfter gesprochen hatte, sagte zu diesem Treffen »endlich« und meinte damit, daß es gut sei, nun Ribbentrop in die Gespräche einzuschalten. Hitler war nach seinen Worten kein gewandter Verhandlungspartner. Debattieren und Diskutieren lag ihm nicht. Es gab nur zwei Arten der Gespräche: Sein Partner brachte etwas Neues, dann hörte er aufmerksam zu. Brachte er nichts Neues, wurde er ungeduldig und unterbrach. Hatte er selbst einen festen Plan und klare Vorstellung von dessen Verwirklichung, ließ er sich nicht von seinen Ansichten abbringen, redete lange und wirkte unhöflich. Das sogenannte diplomatische Geschick für Verhandlungen besaß er nicht. Wenn Chamberlain für die Fortsetzung der Gespräche jetzt Herren seiner Begleitung zu Ribbentrop geschickt habe, so könne man daraus schließen, meinte Hewel, daß Chamberlain viel daran liege, eine Lösung zu finden, und daß weitere Verhandlungen mit Hitler allein keinen Fortschritt bringen würden. Als ich Hewel fragte, wer denn den Gedanken gehabt habe, die Außenminister von Anfang an auszuschalten, zuckte er die Achseln.

Am späten Abend wurden die Verhandlungen fortgesetzt, nun in größerem Kreis. Von deutscher Seite nahmen Ribbentrop, Weizsäcker, Schmidt sowie der Chef-Jurist des Auswärtigen Amtes, Dr. Gaus, von britischer Seite Wilson, Henderson und Kirkpatrick teil. Die Türen des Konferenzsaales schlossen sich. In der Hotel-halle bildeten sich eifrig diskutierende Gruppen. Viele Beamte des Auswärtigen Amtes, bei denen der Minister sehr unbeliebt war, kritisierten, daß es Ribbentrop nun doch gelungen sei, sich hineinzudrängen. Mir fiel aber auf, daß sie, angefangen beim Staatssekretär, devot und servil wirkten, wenn ihr Minister die Szene betrat. Unwürdig empfand ich es, daß die Spaltung der Meinungen unter den deutschen Beamten auch in Gegenwart englischer Diplomaten zu erkennen war.

Bis gegen 2 Uhr früh wurde hinter den verschlossenen Türen verhandelt. Nur ab und zu konnte man einen Blick in den Konferenzsaal werfen, wenn ein Teil-nehmer herauskam oder Meldungen hereingegeben wurden. Eine solche besagte, daß Benesch die Generalmobilmachung angeordnet hätte. Dies buchten wir nicht gerade als gutes Zeichen für eine friedliche Lösung. Das Stimmungsbarometer fiel. Als Hitler und Chamberlain sich bald darauf sichtbar herzlich verabschiedeten, stieg es wieder. Und doch war ein positives Ergebnis der Verhandlungen nicht ab-zusehen. Ich entnahm dies einer Unterhaltung Hitlers mit Keitel, an der wir mili-tärischen Adjutanten teilnahmen. Danach war die für den 28. September geplante Besetzung des Sudetenlandes auf Wunsch von Chamberlain auf den 1. Oktober verschoben worden. Hitler sprach sich über Chamberlain und seine Bemühungen positiv aus und fand anerkennende Worte für seinen persönlichen Einsatz für eine friedliche Regelung. Er glaubte aber nicht, daß die Tschechen sich den britischen und deutschen Vorstellungen fügen würden. Deshalb müsse der Mobilmachungs-plan «Grün» eingehalten werden. In diesem Falle bliebe es dabei, die ganze Tsche-choslowakei zu besetzen. Hitlers Worten in diesem militärischen Kreis war zu entnehmen, daß ihm diese Lösung die liebste gewesen wäre. Er hatte aus den Ge-sprächen mit Chamberlain den Eindruck bestätigt erhalten, daß England und Frankreich jetzt keinen Angriff gegen Deutschland führen könnten.

Als Ergebnis von Godesberg blieben die Fronten unverändert. Hitler hatte auf seinen Forderungen bestanden. Von Chamberlains Verhalten wußten wir nicht, was dahinter stand. Wollte er die Tschechen nicht zum Nachgeben zwingen oder konnte er es nicht? Hitler neigte zur ersteren Auffassung. In Berlin ließ er sich über den Ablauf der militärischen Vorbereitungen Bericht erstatten und gab zu verstehen, daß immer noch mit der Mobilmachung gerechnet werden müsse.

Am 26. September nachmittags empfing Hitler Sir Horace Wilson in der Reichskanzlei mit einem Brief Chamberlains. Dieser teilte ihm mit, daß die Tschechoslowakei Hitlers am 23. September Chamberlain übergebenes Memorandum als unannehmbar bezeichnet habe, das Vorschläge für die Räumung des Sudetenlandes durch die Tschechen enthielt. Gleichzeitig empfahl er direkte deutsch-tschechische Verhandlungen. Darüber war Hitler sehr erregt, denn die britische Regierung selbst habe durch ihre Politik in den vergangenen Monaten direkte Verhandlungen zwischen Berlin und Prag nicht gefördert, sondern hintertrieben. In diesem Zustand der Erregung begab sich Hitler am Abend in den Sportpalast, wo Goebbels eine Volksversammlung organisiert hatte. Goebbels begrüßte Hitler mit den Worten »Führer befiehl, wir folgen Dir«. Damit war die Kundgebung »angeheizt«, und Hitler hielt eine reine Propagandarede an die Adressen Englands, Frankreichs und der Tschechoslowakei. Es fielen die bekannten Worte »Es ist die letzte territoriale Forderung, die ich Europa zu stellen habe«. Damit meinte Hitler die ganze Tschechoslowakei und nicht nur das Sudetenland. An anderer Stelle der Rede drückte er es so aus: »Und ich habe ihm (Chamberlain) weiter versichert, daß in dem Augenblick, in dem die Tschechoslowakei ihre Probleme löst, das heißt, in dem die Tschechen mit ihren anderen Minderheiten sich auseinandergesetzt haben, und zwar friedlich und nicht durch Unterdrückung, daß ich dann am tschechischen Staat nicht mehr interessiert bin. Und das wird ihm garantiert.« Diese Worte sollten ein halbes Jahr später von Bedeutung sein.

Die Krise trieb ihrem Höhepunkt zu. Hitler wurde durch den Automatismus der Mobilmachungsvorbereitungen immer mehr in die militärischen Entscheidungen hineingedrängt. Am Abend des 27. September marschierte eine motorisierte Division durch Berlin. Sie mußte auf Anweisung Hitlers den Weg durch das Regierungsviertel und die Wilhelmstraße nehmen. Dieser »Propagandamarsch« sollte nicht die Kriegsstimmung der Berliner testen, sondern galt den ausländischen Diplomaten und Journalisten. Sie sollten von der Kriegsbereitschaft der deutschen Wehrmacht und deren Stärke berichten. Goebbels, der sich unter das »Volk« gemischt hatte, um dessen Stimme zu hören, stellte fest, daß die Bevölkerung diese Demonstration wenig beachtete. Den Menschen auf der Straße war der wirkliche Grund für diesen abendlichen Marsch unbekannt. Marschierten die Soldaten ins Manöver oder kamen sie von dort zurück? An den Ernstfall, zu dem die Truppen ausrückten, dachte in den Straßen von Berlin niemand. Goebbels hätte mit Leichtigkeit mehr Menschen auf die Beine gebracht und Jubel organisieren können, wenn dies für den Zweck des Marsches notwendig gewesen wäre. Er hätte auch nicht den Weg durch die Wilhelmstraße nehmen lassen, sondern durch die Wohnviertel, wo die militärfrommen Berliner wohnten. Das Volk bewertete die Spannung mit der Tschechoslowakei so wie im Fall Österreich. Die Drohungen der Engländer und Franzosen waren unbekannt.

Am 28. September erschien François-Poncet bei Hitler. Er wußte Hitler in der richtigen Art zu nehmen und bezeichnete die Differenz zwischen der englischen und der deutschen Auffassung als so gering, daß man deswegen keinen Krieg anfangen dürfe. Henderson kam mit einem Brief von Chamberlain, der aber keine Rolle mehr spielte, da inzwischen der italienische Botschafter Attolico in die Reichskanzlei »gestürmt« war und die mündliche Botschaft Mussolinis überbrachte, daß Chamberlain über den englischen Botschafter in Rom Mussolini um seine Vermittlung gebeten habe. Die nächsten Entscheidungen fielen Schlag auf Schlag. Das Ergebnis war, daß Hitler die Regierungschefs von England, Frankreich und Italien zu einer Konferenz am nächsten Tag, dem 29. September, nach München einlud. Der für den gleichen Tag geplante Mobilmachungsbefehl wurde um 24 Stunden verschoben.

Nach meiner Erinnerung war der Ernst der Lage erst erkannt worden, als die Gefahr schon vorbei war. Ich erinnere mich nicht, auch nur einen Augenblick unter dem Eindruck gestanden zu haben, daß sich aus der Sudetenkrise ein europäischer Krieg entwickeln könnte. Ich kannte die militärischen Kampfstärken der Engländer, Franzosen und Tschechen, die nicht für einen Krieg ausreichten. Die Bündnispolitik dieser Staaten hatte noch nicht das für einen Krieg notwendige feste Gefüge. Außer den Tschechen war kein Volk auf die Möglichkeit eines Krieges vorbereitet. Chamberlains ganzes Verhalten bei den bisherigen Verhandlungen hatte das bewiesen. Dem deutschen Volk war Hitler der Garant für den Frieden.

Die unvorhergesehene und unerwartete Viererkonferenz änderte Stimmung und Tätigkeit aller Beteiligten in der Reichskanzlei und im Auswärtigen Amt. Nur in den Oberkommandos der Streitkräfte blieb alles beim alten. Hitler machte einen zufriedenen Eindruck, auch wenn er sein Mißtrauen nicht ganz verbergen konnte, weil der Anstoß zu der Konferenz von London gekommen war. Der Schwarm von Menschen, der sich nach und nach in der Reichskanzlei angesammelt hatte und aus Ministern, Parteiführern, Generalen und deren Mitarbeitern bestand, sah in der bevorstehenden Konferenz eine aussichtsreiche Chance für die Beendigung der Krise. Unter diesem Eindruck fuhr auch ich am Abend in Hitlers Sonderzug nach München und weiter nach Kufstein, wo Hitler mit Mussolini zusammentraf und gemeinsam mit ihm nach München fuhr. Chamberlain und Daladier trafen mit Flugzeugen ein und wurden bei ihrer Fahrt in die Stadt von der Bevölkerung herzlich begrüßt. Kurz nach der Mittagszeit begann die Konferenz in Hitlers Arbeitszimmer im »Führerbau« am »Königsplatz«. Dieses Gebäude war für eine solche Konferenz ausgezeichnet geeignet. Es gab genügend Räume für separate Gespräche jeder Delegation und weite Flure und Treppenhäuser für die wartenden Begleitpersonen. Die Konferenz dauerte mit einigen Unterbrechungen bis spät in die Nacht. Das Abkommen war ausgehandelt, von Völkerrechtlern überprüft, in die verschiedenen Sprachen übersetzt worden und wurde gegen Mitternacht unterzeichnet. Darin war festgelegt worden, daß die Besetzung der sudetendeutschen Gebiete am 1. Oktober beginnen und in vier Etappen bis zum 10. Oktober abgeschlossen sein sollte. Für die Gebiete mit gemischter Bevölkerung war eine Volksabstimmung vorgesehen. Die Zusatzerklärungen enthielten Einzelheiten über die Behandlung der polnischen und ungarischen Minderheiten. Die Garantien für die neue Tschechoslowakei sollten erst gegeben werden, wenn gewisse Voraussetzungen erfüllt waren.

Der Tag dieser entscheidenden Konferenz bot Gelegenheit zu interessanten Beobachtungen. Hitler fiel durch Ruhe und Höflichkeit gegenüber seinen Gästen auf. Wieder war Chamberlain sein Hauptgesprächspartner. Mussolini und Daladier schienen nur Randfiguren zu sein. Dementsprechend gab sich Mussolini uninteressiert, während Daladier einen geradezu unglücklichen und bedauernswerten Eindruck machte. Sein Land war durch einen Beistandspakt mit der Tschechoslowakei, über die man hier zu Gericht saß, besonders verbunden. Ihn mußte verständlicherweise diese Gebietsveränderung ohne die Beteiligung der Tschechoslowakei am meisten berühren. Bei Chamberlain hatte man den Eindruck, daß ihn die tschechische Frage nur noch wenig interessierte und für ihn erledigt war. Die französische Delegation machte auf mich einen soliden Eindruck, geprägt durch das ruhige Auftreten Daladiers. Er glich mehr einem gewissenhaften Anwalt, zu dem man Vertrauen haben konnte. Anders dagegen war mein Eindruck von den Engländern. Sie wirkten unnahbar, undurchsichtig und überheblich.

Am meisten freute sich Hitler, daß die sudetendeutsche Bevölkerung nun zum Reich gehörte und die tschechischen Diskriminierungen ein Ende hätten. Mit Interesse verfolgte er die deutschen und ausländischen Pressemeldungen. Das positive Echo in allen Zeitungen buchte er auch als einen Erfolg für sich, freute sich aber an den Berichten, die er zum Teil von Augenzeugen erhielt, über die Sympathiekundgebungen, die die Münchner Bevölkerung Chamberlain und Daladier bereitet hatte.

Die deutsche Presse hob die Verdienste Chamberlains und Daladiers am Gelingen des Abkommens hervor. Aber Hitler wurde als der Gewinner gefeiert. »Der Führer hat es wieder geschafft.« Es ging eine einmalige Welle der Freude und des Dankes durch das Land, wie wir es noch nicht erlebt hatten. Selbst notorische Zweifler und Ungläubige schienen bekehrt zu sein. Nicht allen war vorher zum Bewußtsein gekommen, daß es in den Verhandlungen mit Chamberlain um Krieg und Frieden gegangen war. Auch war vielen nicht bekannt, daß Hitler bereit gewesen war, die Wehrmacht gegen die Tschechoslowakei einzusetzen und damit Gewalt anzuwenden. Einer, der davon wußte und völlig gebrochen war, als die Mobilmachungsvorbereitungen aufgehoben wurden, war der Chef des

Generalstabes des Heeres, General Halder. Engel erzählte in diesen Tagen, daß er Halder zusammengebrochen an seinem Schreibtisch vorgefunden habe, als das Treffen von München bekannt gegeben worden war. Es erschien mir unglaubhaft, denn gerade Halder hatte immer wieder versucht, eine Mobilmachung des Heeres zu verhindern. Halders Verhalten blieb ein Rätsel, das erst nach dem Kriege mit den Veröffentlichungen über die Tätigkeit der Widerstandsbewegung seine Aufklärung erhielt, der mit dem Münchner Abkommen der Boden entzogen war.

Im Oktober besuchte Hitler verschiedene Teile des Sudetenlandes. Die erste Reise am 3. und 4. Oktober führte uns nach Eger und Karlsbad. Die Eindrücke waren noch stärker als beim Einmarsch in Österreich. Es war der Bevölkerung anzusehen, von welchem Druck sie befreit war. Während uns in Österreich nur frohe Gesichter zujubelten, sahen wir jetzt auch Tränen, aber Tränen der Freude. Die Soldaten, die wir sprachen, erzählten von ergreifenden Szenen, die sie beim Einmarsch erlebt hatten. Die über die Straße gespannten Transparente mit der Aufschrift »Führer, wir danken Dir« kennzeichneten die Stimmung. In den Dörfern und Städten sahen wir viel Not und Armut. Mir stehen diese Bilder noch vor Augen, und ich erinnere mich, wie uns die Eindrücke stumm machten. Spätere Fahrten Hitlers führten uns an die tschechischen Verteidigungslinien. Hitler betrachtete mit Interesse die Bunker- und Befestigungsanlagen. Er fand seine Auffassung bestätigt, daß die Bunker geschickt im Gelände verteilt waren und im Kampf viel Blut gekostet hätten.

Nach dem 5. Oktober begab sich Hitler wieder auf eine längere Reise, an der ich nicht teilzunehmen brauchte. Zunächst besichtigte er weitere Bunkeranlagen der Tschechen längs der Grenze nach Schlesien und fuhr dann quer durch Deutschland zum Gauparteitag nach Saarbrücken. Hier hielt er wie üblich eine Rede, die diesmal aber besonderes Aufsehen erregte. Wir waren überrascht und enttäuscht über seine aggressiven Worte gegen England. Nachdem er am 5. Oktober im Berliner Sportpalast noch versöhnlich gesprochen hatte, war aus seiner Saarbrücker Rede am 9. Oktober eine gewandelte Einstellung zu England deutlich zu vernehmen. Was war geschehen? Hitler hatte auf seiner Fahrt nach Saarbrücken weitere Berichte aus London erhalten. Zwar hatten die Engländer ihren Premierminister bei seiner Rückkehr aus München als »Friedensbringer« gefeiert. Seine Gegner im Unterhaus aber, zu denen die Labour-Partei als Opposition und die Ultrakonservativen gehörten, hatten sich lautstark gegen seine Appeasement-Politik gewandt. Schneller war das eingetreten, was Hitler befürchtet hatte. Dementsprechend entlud sich in der Saarbrücker Rede Hitlers Zorn gegen die rechtsradikalen britischen »Kriegstreiber« Churchill, Eden, Duff Cooper und andere, während er Chamberlains Friedensbemühungen unterstrich. Seine Rede hinterließ aber in Deutschland und in der Welt den Eindruck, daß es nach seiner Auffassung keinen Zweck hatte, mit den Engländern zu verhandeln. Ich erinnere mich sehr genau, wie deprimiert wir in Berlin von Hitlers Rede waren. Die Freude über die Münchner Konferenz verwandelte sich in tiefe Enttäuschung.

Rüstungsanstrengungen

Im Anschluß an den Gauparteitag besichtigte Hitler erneut Bauarbeiten am Westwall und reiste dann über Mainz und Godesberg nach Essen. Am 11. Oktober war ich mit meiner Frau von Berlin im Auto nach Essen gefahren, um bei Krupp Hitlers Besuch vorzubereiten. Am 13. Oktober vormittags traf Hitler in Essen ein, begab sich sofort in die Krupp-Werke und machte einen langen Rundgang durch die Werkshallen, bei dem er vor allem die Notwendigkeit der Produktion von panzerbrechenden Waffen zur Abwehr und zum Einbau in die Panzer selbst betonte. Dabei wies er besonders auf die langen Geschützrohre mit den Kalibern 7,5 und 8,8 cm hin, weil sie den Geschossen die hohe Anfangsgeschwindigkeit und damit eine große Durchschlagskraft gegen Panzer geben könnten. Hitlers Forderung, die bisherigen kurzen Geschützrohre in den Panzern gegen lange auszutauschen, stieß auf Skepsis und teilweise sogar Widerstand. Es hat lange gedauert, bis sich diese Erkenntnis im Panzerbau durchsetzte.

Am Nachmittag war Hitler zu Gast bei Gustav und Berta Krupp von Bohlen und Halbach in der Villa Hügel und bestieg am Krupp'schen Privatbahnhof seinen Sonderzug, um nach München zu fahren. Die folgenden Wochen standen mir zur Verfügung, um meine Kontakte im RLM wieder aufzunehmen.

Hitler verbrachte die zweite Oktoberhälfte auf dem Obersalzberg und beschäftigte sich dort fast ausschließlich mit Rüstungsfragen. Zweimal reiste er in die neuen Grenzgebiete, um sich weitere Befestigungsanlagen der Tschechen anzusehen. Auf dem Berghof empfing er Brauchitsch und Keitel und führte sie in seine Gedanken über die nächsten politischen Pläne ein. In der Tschechoslowakei müsse man auf Unruhen vorbereitet sein. Die Selbständigkeitsbestrebungen der slowakischen Teile dieses Staates würden sich jetzt erst zeigen. Eine solche Gelegenheit wolle er benutzen, um die Rest-Tschechei zu besetzen. Die Wehrmacht müßte jederzeit und so kurzfristig wie möglich dazu bereit sein. Außerdem beabsichtige er, das Memelland dem Reich wieder einzugliedern. Er ordnete an, die entsprechenden Vorbereitungen in Ostpreußen zu treffen. Ausdrücklich erwähnte Hitler in der Weisung den Schutz gegen überraschende Luftangriffe. Im OKL wunderte man sich über diese Anweisung. Keine Luftwaffe in Europa, auch nicht die deutsche, wäre derzeit in der Lage, mit nennenswerten Kräften einen Luftkrieg zu führen. Da ich Hitlers Mißtrauen gegen die bei Göring und in der Luftwaffe herrschenden Auffassungen über Abwehrmaßnahmen gegen Luftangriffe kannte, nahm ich Gelegenheit, mit Jeschonnek über dieses Thema zu sprechen. Die Luftwaffe war gezwungen, ihr Rüstungsprogramm nach der Rohstoffzuteilung auszurichten. Die Flakartillerie und der Bau von Luftschutzbunkern rangierten bei Göring in der Dringlichkeit hinter dem Flugzeugbau. Hitler hatte aber für alles die gleiche Dringlichkeitsstufe gefordert, obwohl Göring immer wieder versuchte, Hitler davon zu überzeugen, daß die Jagdfliegerwaffe die beste Abwehr gegen feindliche Luftangriffe sei. Hitler blieb aber unnachgiebig. Als sich in den Jahren 1943 bis 1945 die deutsche Luftabwehr als unzureichend zeigte, hat Hitler auf seine Weisungen vom Jahre 1938 hingewiesen und Göring und der Luftwaffe schwere Vorwürfe gemacht. Er hatte vorausgesehen, was die Fachleute für unmöglich hielten.

Auch im Luftschutzbunkerbau stand Hitler 1938 im Gegensatz zu den Auffassungen des RLM. Anlaß zu einer heftigen Kontroverse war der von Hitler angeordnete Bau eines großen Luftschutzkellers unter dem Neubau der Reichskanzlei. Hitler hatte eine Betonstärke für die Decke von mindestens 3 m und für die Seitenwände von 2,50 m gefordert. Die Bauleitung ließ sich von der zuständigen Stelle im Luftfahrtministerium Angaben über die in Fachkreisen herrschenden Auffassungen über Bombenwirkungen geben und erhielt Maße, die wesentlich unter Hitlers Forderung lagen. Speer hatte großes Interesse an einer Bauweise, die Zeit sparte, und erbat nichtsahnend Hitlers Entscheidung. Dieser war empört über die veralteten Ansichten in Görings Ministerium und erhob schwere Vorwürfe, bezeichnenderweise damals nicht gegen Göring, sondern gegen den verantwortlichen Amtschef, dessen Namen Hitler sich nennen ließ. Er hat Namen und Vorgang bis zum Ende des Krieges nicht vergessen und wiederholt bei seinen späteren Vorwürfen gegen die Luftwaffe erwähnt.

Im Herbst 1938 war es für Göring unvorstellbar, daß es je Deutschland überlegene Luftflotten geben könnte. Auch ein Krieg lag für ihn außerhalb jeder Wahrscheinlichkeit. Er hatte Hitlers Weisung, die Luftwaffe zu verfünffachen, zwar ernst genommen und seine entsprechenden Befehle an die Ämter im Luftfahrtministerium und an die Industrie gegeben, aber über die Durchführungsmöglichkeiten herrschten Zweifel. Ich fragte Jeschonnek, in welchem Zeitraum das Programm erfüllt sein sollte. Er rechnete nach wie vor mit etwa zwei Jahren. Die Treibstoffversorgung und die Ausbildung der Flugzeugführer waren zwei weitere Sorgen des Generalstabes. Aber die zu bauenden Kampfflugzeugtypen bejahte Jeschonnek. Die Ju 88 sollte das Standardbombenflugzeug werden. Nach Udets Angaben wäre dann die He 177 ein vielversprechendes Nachfolgeflugzeug. Auf Grund von Hitlers Forderung wollte Göring jetzt an die Firma Junkers den Auftrag zum Bau der Ju 88-Großserie vergeben. Jeschonnek wußte, wie auch einige Fachleute im technischen Amt, daß noch nicht alle Kinderkrankheiten dieses Flugzeugstyps behoben waren. Der Generaldirektor von Junkers, Heinrich Koppenberg, hatte sich aber stark gemacht, alle Beanstandungen von seiten der Erprobungsstelle der

Luftwaffe für die Großserie beheben zu können. Udet schenkte ihm volles Vertrauen. Göring und Jeschonnek folgten ihm. Nur Milch blieb mißtrauisch. Die Entwicklung der He 177 dagegen enthielt noch viele Unbekannte, besonders wegen der vier in zwei Tandemformen angeordneten Motore. Das erste Muster sollte im Sommer 1939 fliegen. Mit der Serienfertigung konnte aber nicht vor Ende 1940 gerechnet werden.

Ich hatte den Eindruck, daß Jeschonnek darauf bedacht war, mich so zu unterrichten, daß mir keine Zweifel über die Durchführbarkeit des Rüstungsprogramms der Luftwaffe kommen konnten. Es war mir aber klar, daß nur das Jägerprogramm mit der bereits bewährten Me 109 erfüllt werden konnte. Die Verwirklichung der anderen Flugzeugbauprogramme, vor allem für die Ju 88 und He 177, hielt ich für fraglich und machte Jeschonnek gegenüber kein Hehl daraus, Hitler die Situation so darstellen zu wollen, wie sie meines Erachtens wirklich war. Dies schien mir mehr im Sinne Hitlers und im Interesse der Luftwaffe zu sein, als etwas zu beschönigen.

Auch die generalstabsmäßigen Vorarbeiten und eine kriegsspielartige Untersuchung über einen Luftkrieg gegen England hatten die derzeitige Unzulänglichkeit der Luftwaffe bewiesen. Vor allem gab es keine Kampfflugzeuge mit den notwendigen Eigenschaften für den weiten Anflug über See, einer ausreichenden Eindringtiefe und einer angemessenen Bombentragfähigkeit. Göring hörte das ungern und zwang den Generalstab der Luftwaffe, die von Hitler befohlene Verfünffachung der Luftwaffe so schnell wie möglich zu verwirklichen. Ich beschwor Jeschonnek, Göring dahingehend zu beeinflussen, daß er Hitler nicht nach dem Munde reden, sondern reelle Angaben über die Leistungsfähigkeit der Luftwaffe machen sollte. Dabei wies ich darauf hin, daß Hitler sich auch mit Rüstungsfragen der Luftwaffe beschäftige. Er ließ sich wiederholt von mir Anzahl und Stärke der fliegenden Verbände und der Flakartillerie sagen. Auch Zahlen der Bomben- und Munitionsbestände sowie der Fertigungsmengen aller Waffen mußte ich immer parat haben. Ich trug mir den neuesten Stand jeweils in mein Notizbuch ein. Das wußte Hitler. Einmal fragte er mich: »Haben Sie Ihr kluges Büchlein dabei?« Er wollte irgendeine Auskunft haben. Ich konnte sie ihm geben. Ich hatte die Erfahrung gemacht, daß man nicht alle Zahlen und Daten, die Hitler wissen wollte, im Kopf haben mußte. Ihm war es nur wichtig, daß sie stimmten. Deshalb hatte er, was ich aber erst viel später im Krieg feststellte, mehr Vertrauen zu meinen notierten Unterlagen als zu Angaben, die Göring ihm aus dem Gedächtnis machte.

Am 3. November kam Hitler nur kurz nach Berlin und startete schon am nächsten Tag zu einer neuen Reise, zu der ich als diensttuender Adjutant eingeteilt war. Die erste Station war Carinhall. Görings Tochter Edda, am 30. Mai des Jahres geboren, sollte getauft werden. Hitler stand Pate. Göring und seine Frau waren liebenswürdige Gastgeber. Es blieb aber auch an diesem Tage nicht aus, daß Hitlers Anwesenheit in Carinhall Nervosität auslöste. Hitler blieb deshalb nicht lange.

9. November

Wir fuhren in der Nacht mit dem Zug bis Weimar, wo Hitler am 5. und 6. November am Parteitag des Gaues Thüringen teilnehmen wollte. Im Mittelpunkt stand seine Rede. Wie vier Wochen zuvor in Saarbrücken, sprach Hitler als Parteiführer, nicht als Staatsmann, obwohl bei der Beurteilung dieser und anderer Reden niemand diesen Unterschied machte. Er sprach fast ausschließlich über seine außenpolitischen Vorstellungen und fand deshalb mehr Beachtung als in den Jahren vorher. Wir hatten den Eindruck, daß er seine alte Methode aus der Kampfzeit wieder anwendete, seine Gegner, die er jetzt in England sah, durch ständige Wiederholung von der Bedrohung Europas durch den Bolschewismus ebenso zu überzeugen, wie er vor 1933 seine innerpolitischen Gegner zu überzeugen versucht hatte. So, wie er ohne Revolution an die Macht gekommen war, wollte er die außenpolitischen Ziele ohne Blutvergießen erreichen. Er war so von der Richtigkeit seiner Gedanken erfüllt, daß er glaubte, sie müßten auch im Interesse des Britischen Empire liegen. Nur war die Propagandarede nicht das geeignete Mittel, um konservative Regierungen und Völker zu gewinnen.

Auf dieser Reise hielt Hitler sich fast ausschließlich im Kreise seiner »alten Kämpfer« auf. Auch die Künstler, mit denen er zusammentraf, gehörten zur »alten Garde«. Mit diesen Menschen sprach Hitler offen und frei, jedoch ohne außenpolitische oder militärische Pläne und Absichten zu erwähnen. In Weimar blieben wir 48 Stunden. Seine Rede nahm nicht mehr als zwei Stunden in Anspruch. Die gesamte andere Zeit verbrachte er im Kreise von Künstlern und führenden Parteigenossen des Gaues, an ihrer Spitze Gauleiter Fritz Sauckel. Hitler besuchte Baustellen und Architektenbüros mit Plänen und Modellen von geplanten Neubauten. Professor Hermann Giesler war mit der Neugestaltung von Weimar beauftragt worden. Der Mittelpunkt sollte der »Adolf Hitler Platz« werden. An einem Modell unterhielt Hitler sich lange mit ihm über viele Einzelheiten.

Das Weimarer Nationaltheater unter Leitung des Generalintendanten Dr. Hans Severus Ziegler genoß das besondere Wohlwollen Hitlers. Als Festaufführung hatte Ziegler die »Aida« ausgesucht, unter der musikalischen Leitung des Generalmusikdirektors Paul Sixt.

Hitler fühlte sich in Weimar sichtlich wohl. Er schätzte den zwanglosen Kreis der dortigen Parteigenossen. So waren die beiden Abende in der Halle des »Elephant« lebhaft, interessant und ausgedehnt. Es konnte nicht überraschen, wenn dieser Zuhörerkreis nach einem Hitler-Besuch fasziniert war. Seine politischen Ansichten hatten sie seiner Rede entnommen und glaubten fest an seinen Friedenswillen. Wie ernst er dies meinte, entnahmen sie den Gesprächen mit ihm, in denen er seine Baupläne, seine kulturellen und sozialen Programme darlegte. Für sie war es unvorstellbar, daß ein Mensch, der solche Pläne verfolgte, auch an Krieg denken konnte.

Die Weiterfahrt am nächsten Tag brachte uns nach Nürnberg, wo wir, wie zu den Parteitagen, im »Hotel Deutscher Hof« abstiegen. Hitlers häufige Besuche in Nürnberg galten in diesen Jahren nur dem Ausbau des Parteitagsgeländes, womit Albert Speer beauftragt war.

In Nürnberg erreichte uns die Nachricht vom Attentat auf den Gesandtschaftsrat Ernst Eduard vom Rath in der deutschen Botschaft in Paris. Rath war durch Revolverschüsse eines jungen polnischen Juden namens Herschel Grynszpan schwer verletzt worden. Es bestand Lebensgefahr. Hitler schickte sofort seinen Begleitarzt, Dr. Brandt, mit seinem Flugzeug nach Paris, um alles menschenmögliche für die Rettung des im Dienste für Deutschland verletzten Diplomaten beizutragen. Über das Tatmotiv und warum dieser unbekannte Gesandtschaftsrat das Opfer wurde, gab es zunächst keine näheren Angaben.

Am 8. November, dem Gedenktag für die Parteiversammlung im Bürgerbräukeller am Vorabend des mißglückten »Hitler-Putsches« 1923, trafen wir in München ein. Jedes Jahr hielt Hitler eine Rede an der gleichen Stelle vor den »Blutordensträgern«, den Teilnehmern an dem Marsch zur Feldherrnhalle am 9. November 1923. Mit der Zuhörerschaft an diesem Abend bekam Hitler schnell Kontakt. Er kannte fast alle Gesichter der Männer, die eng zusammengeschlossen um ihn herum saßen. Weit ausholend über Versailles, den Putsch von 1923 bis zu den letzten Ereignissen in diesem Jahr sprach er fast nur über das Verhältnis Deutschlands zu England. Seine Worte klangen wieder mehr propagandistisch, eher für eine Wahlversammlung bestimmt, als daß eine außenpolitische Programmatik zu erkennen gewesen wäre. Die Rede war der Ausbruch der Verärgerung über die vereitelte Hoffnung auf eine deutsch-englische Annäherung. In diesen Tagen fiel das treffende Wort vom »abgewiesenen Liebhaber«. Das Attentat von Paris hat Hitler mit keinem Wort erwähnt. Im Anschluß an die Versammlung im Bürgerbräukeller setzte sich Hitler zu seinen »alten Kämpfern« im Café Heck. Auch diese Tischrunde war zur Tradition geworden, eine Erinnerung an die Jahre vor der Machtübernahme. Sie war eine der wenigen Gelegenheiten, bei denen die alten Kämpfer von 1923 noch mit Hitler zusammentreffen und ihn sprechen konnten. Der Abstand von Hitler zu diesen Männern wurde immer größer und trug ihm aus dem Kreis seiner alten Getreuen manchen Vorwurf ein.

Am 9. November, dem höchsten Feiertag der Partei, wurde stets der Marsch vom Jahre 1923 vom Bürgerbräukeller zur Feldherrnhalle wiederholt, jetzt fortgesetzt bis zu den beiden Tempeln am Königsplatz, wo Hitler an den 16 Sarkophagen der an der Feldherrnhalle »Gefallenen der Bewegung« Kränze niederlegte.

Hitler verbrachte den Nachmittag mit militärischen Gesprächen in seiner Wohnung. Hier erhielt er die Nachricht, daß der Legationsrat vom Rath seinen Verletzungen erlegen war. Ich hörte dazu aus Hitlers Mund keine nennenswerten Bemerkungen und hatte den Eindruck, daß er dem Attentat kein politisches Motiv unterlegte. Am Abend fuhr er, nur von seinen persönlichen Adjutanten begleitet, zum Kameradschaftsabend des Parteiführerkorps im großen Saal des alten Rathauses. Ich war in seiner Wohnung geblieben, da er bald wieder zurück sein wollte und es sich für mich nicht lohnte, etwas anderes zu unternehmen. Für Mitternacht stand noch die Vereidigung der SS-Rekruten vor der Feldherrnhalle auf dem Programm, wohin ich Hitler begleiten mußte. Von dort zurückgekehrt, saßen wir noch einige Zeit herum und warteten, wie üblich, ob Hitler noch Befehle hatte, bis er sich von uns verabschiedete. Erst dann konnten wir gehen. Ein Telephonanruf vom Hotel »Vier Jahreszeiten«, ich möchte mein Zimmer räumen, da die neben dem Hotel liegende Synagoge brenne, die Funken über das Hotel flögen und Gefahr bestände, daß das Feuer übergreife, beunruhigte mich nicht besonders. Ich gab die Nachricht in unserem Kreise weiter, ohne daß wir irgendwelchen Verdacht schöpften. Erst als weitere Anrufe kamen und über Zerstörungen von jüdischen Geschäften berichteten, wurden wir hellhörig und meldeten Hitler die Vorgänge.

Hitler ließ sich sofort den Polizeipräsidenten von München kommen, SS-Obergruppenführer Frhr. v. Eberstein. Dieser wußte nichts. Hitler befahl ihm, mit allen Mitteln gegen die Brandstifter und Marodeure vorzugehen, damit dieser »Wahnsinn« unterbliebe. Je mehr Anrufe von Zerstörungen jüdischer Geschäfte und Synagogen eintrafen, auch aus anderen Städten des Reiches, um so erregter und wütender wurde Hitler. Es war für mich kein Zweifel, daß Hitlers Überraschung nicht gespielt war. Er hatte nichts gewußt, wie auch die Polizei und SS völlig überrascht wurden. Im weiteren Verlauf der Nacht ließ sich Hitler mit Goebbels verbinden. Es war ein längeres Telephongespräch, das er allein von seinem Wohnzimmer aus führte. Danach ließ sich Hitler nicht mehr sehen. Wir diskutierten noch weiter über die Vorgänge. Nach Schaubs Andeutungen mußte Goebbels seine Finger irgendwie im Spiel haben, spontan und unüberlegt, um dem Mordanschlag von Paris ein politisches Motiv zu geben. Hitlers Verhalten, sich nicht zu zeigen, war immer ein Beweis für eine Verärgerung über Vorgänge, von denen er nichts gewußt hatte. Die Brandstiftungen in den Synagogen und die Zerstörungen von jüdischen Geschäften hat er scharf verurteilt.

Über die Schuldigen wurde zunächst nichts bekannt. Die Folge war, daß Hitler selbst der Vorwurf traf, der Anstifter gewesen zu sein. Er wußte das. Trotzdem deckte er die Schuldigen, zumal, wie sich bald herausstellte, Goebbels der Initiator gewesen war. Hitler verhielt sich ähnlich merkwürdig wie in der Blomberg-Fritsch-Krise. Die Aktionen gegen Synagogen und jüdische Geschäfte hatten sich in aller Öffentlichkeit abgespielt und konnten unmöglich vertuscht werden. Für alle Zeiten ging die Nacht vom 9. zum 10. November 1938 als »Reichskristallnacht« in die Geschichte ein, und Hitler war fortan mit diesem Pogrom belastet. Die Treue seinem alten Kampfgefährten gegenüber war ihm wichtiger als sein eigener Ruf. Göring bezeichnete die Vorgänge als einen schweren politischen und wirtschaftlichen Rückschlag für Deutschland. Wenn er auch mit Hitler die von der deutschen Judenschaft an das Reich zu zahlende »Kontribution« in Höhe von einer Milliarde Reichsmark festlegte, so verurteilte er doch diese »Schweinerei«, weil er außenpolitische Rückschläge befürchtete und, zum anderen, weil er als Verantwortlicher für den Vierjahresplan Devisen für die Beschaffung von neuem Schaufensterglas aus dem Ausland zur Verfügung stellen mußte. Ich habe in späteren Jahren Hitler nie über die Ereignisse der »Reichskristallnacht« sprechen hören. Im Volk wurden sie verurteilt. Die Ausschreitungen lösten eher Sympathien für die Juden aus, als daß sie den Antisemitismus förderten.

Als Folge dieser Vorgänge berief Roosevelt den Botschafter der Vereinigten Staaten in Berlin ab. Hitler ließ entsprechend den deutschen Botschafter aus Washington, Dieckhoff, zurückkommen. Die Auswanderungsquote der Juden aus Deutschland stieg rapide an, obwohl bereits im Laufe des Jahres 1938 verschiedene Staaten keine Juden mehr aufnahmen. In Polen war sogar ein Gesetz erlassen worden, daß keine polnischen Juden aus Deutschland einreisen dürften. Im Sommer hatte in Evian auf Initiative von Roosevelt eine internationale Flüchtlingskonferenz stattgefunden, an der 32 Staaten teilgenommen hatten. Es war bekanntgeworden, daß man sich – ohne greifbare Ergebnisse – in erster Linie mit der Frage der Aufnahme deutscher Juden in allen Teilen der Erde beschäftigt hatte. Als Ribbentrop Anfang Dezember zu Gesprächen mit der französischen Regierung in Paris war, berichtete er nach Rückkehr von französischen Überlegungen, für die jüdischen Flüchtlinge aus Deutschland auf der Insel Madagaskar eine Aufnahmemöglichkeit zu schaffen.

Probleme der Luftwaffenrüstung

Die nächsten Wochen bis in den Dezember hinein waren mit sehr verschiedenartigen Terminen und vielen Reisen ausgefüllt. Nach kurzen Aufenthalten auf dem Obersalzberg, in München und Nürnberg trafen wir am 15. November in Berlin ein, um am 17. nach Düsseldorf zum Staatsbegräbnis des ermordeten Legationsrates vom Rath zu fahren. Die Rückreise am 19. November ging über Godesberg, Augsburg, München zum Obersalzberg. Jetzt hatte ich Gelegenheit, mit

Hitler über Fragen der Luftwaffe zu sprechen. Meine Sorge, daß Hitler seine Pläne auf falschen Kenntnissen vom Rüstungsstand der Luftwaffe aufgebaut hatte, bestätigte sich zum Teil. Grundsätzlich war er über die Rüstung der Luftwaffe richtig im Bilde. Die Kampfflugzeuge Ju 88 und He 177 waren ihm ein Begriff. Hitler war aber der Auffassung, daß die Ju 88 genügend erprobt und entsprechend voll verwendungsfähig wäre. Meine Bedenken nahm er schweigend zur Kenntnis. Beim Gespräch über die geplante He 177 zeigte sich wieder einmal sein Instinkt für einfache technische Lösungen. Er bezweifelte, ob die in Tandemform angeordneten Motore, eine Neukonstruktion, die bestmögliche Lösung für ein viermotoriges Kampfflugzeug seien. Göring hatte sich seinen Mitarbeitern aus dem RLM gegenüber dahingehend geäußert, daß Hitler von der Heeres- und Marinerüstung viel wüßte und die technischen Einzelheiten verstehe. Aber über Flugzeuge könne er nicht mitreden. Ich kam allmählich dahinter, daß Göring die falschen Ansichten über Hitlers technische Interessen und Kenntnisse bewußt beeinflußt hatte. Einmal verstand Göring selbst nicht viel davon, das sollte Hitler nicht merken. Zum anderen wollte er es vermeiden, daß Hitler ihm in Einzelheiten hineinredete. Hitler seinerseits vertraute Göring damals uneingeschränkt und war beruhigt, sich um Luftwaffen-Einzelheiten nicht kümmern zu müssen. Ich stellte aber mit der Zeit fest, daß Hitler sich viel mehr Gedanken über die Rüstung der Luftwaffe machte, als Göring ahnte. Wie er ganz allgemein bei allen Rüstungsfragen die Waffenwirkungen als erstes betrachtete, so hatte er bei den Flugzeugen die Wichtigkeit der Bordwaffen und ihrer Kaliber und ihre Tragfähigkeit für Bomben im Zusammenhang mit den jeweiligen Reichweiten der Flugzeuge erkannt, ganz abgesehen davon, daß die Flakartillerie eines seiner Steckenpferde war.

Aus den Unterhaltungen mit Hitler wurde mir auch klar, in welchem Maße er das Abkommen von München nicht als Erfolg, sondern mit zunehmendem zeitlichen Abstand immer mehr als einen Rückschlag ansah. Als Vergleich zog er heran, daß Bismarck mehrere Jahre nach dem Berliner Kongreß im Jahre 1878 gesagt habe, der Kongreß sei die größte Torheit seines politischen Lebens gewesen. Wenn die Rollenverteilung bei dem Kongreß damals auch anders war als in München, so ging es doch um das gleiche Thema, die Erhaltung des Friedens in Europa.

Die Haltung und die Worte der englischen Politiker hatten Hitlers Hoffnung auf einen engeren Kontakt mit England zerschlagen und ihn bestärkt, seinen alten Kurs wieder aufzunehmen; das hieß, keine Zeit zu verlieren. Er machte sich Vorwürfe, daß er nach den Godesberger Gesprächen nicht sofort gehandelt und die ganze Tschechoslowakei besetzt habe. Dann wäre seine Ausgangslage für die Gespräche mit den Polen über Danzig und eine Eisenbahn- und Straßenverbindung durch den »Korridor« viel günstiger. Hitler beurteilte die Lage in Europa nun viel ernster als vor dem Münchner Abkommen und hatte das auch in einer nicht veröffentlichten Rede vor führenden deutschen Journalisten am 10. November abends in München ausgesprochen. Auch die ruhige und sachliche Unterhaltung mit ihm auf dem Berghof bestätigte mir dies. Die englische Politik und Rüstungsanstrengung zwängen, so Hitler, den Zeitverlust wieder einzuholen. Ich machte nochmals darauf aufmerksam, daß die Luftwaffe im Jahre 1939 noch nicht soweit sei, einen Krieg gegen England zu bestehen. Mit den Worten »Machen Sie sich keine Sorgen«, die ich oft aus seinem Munde gehört habe, glaubte er, mich beruhigen zu können. Ich bat ihn trotzdem, sich noch einmal von der Luftwaffe Stand und Planung der Rüstung vortragen zu lassen. Er sagte aber wieder, daß er seine Pläne gegen die Tschechen und Polen nur noch so lange realisieren könne, wie England noch nicht aufgerüstet habe. Deshalb seine Eile und deshalb sein Ärger über den Zeitverlust durch München. Auch wollte er sich nicht wieder etwas aufzwingen lassen. Die falschen Pressemeldungen vom 21. Mai des Jahres über einen angeblichen Aufmarsch deutscher Truppen an der tschechischen Grenze hatten Hitlers Empfindlichkeit ebenso getroffen wie die nach seiner Auffassung geheuchelten Friedensbemühungen der Engländer in München. Aber handeln würde er nur, wenn er durch Überraschung einen Vorsprung erzielen und den Konflikt lokalisieren könne. Er müsse immer bereit sein, um jede sich ihm bietende Gelegenheit nutzen zu können. Aus seinen Worten sprach sein Prinzip, selbst nicht überrascht zu werden und unvorbereitet einer neuen Situation gegenüberstehen zu müssen. In Godesberg und München ist Chamberlain der Erfolg gelungen, weil er unbewußt Hitler das Konzept, das »politische Gebäude« zerstört hatte, das von Hitler wie ein »Kunstwerk« in monatelanger Arbeit aufgebaut worden war.

Im übrigen stand das Leben auf dem Berghof ganz im Zeichen der Architektur. Lieber saß Hitler mit Speer über den Bauplänen für Berlin und Nürnberg als protokollarische Termine einhalten zu müssen. Daran mangelte es im Herbst 1938 nicht. Die Empfänge von Diplomaten, die früher nur in Berlin stattfanden, waren wegen des Umbaus der Reichskanzlei auf den Berghof verlegt worden. Die Diplomaten kamen gerne nach Berchtesgaden. Hitlers Berghof galt immer noch als eine Attraktion, die sie kennenlernen wollten. Der langjährige Botschafter François-Poncet machte seinen Abschiedsbesuch. Er war Hitlers erster ausländischer Gast im »Teehaus«. Sein Nachfolger, Botschafter Coulondre, überreichte kurze Zeit später sein Beglaubigungsschreiben in der großen Halle des Berghofs.

Von den militärischen Gesprächen dieser Tage ist mir ein Thema in Erinnerung geblieben, das Marine und Luftwaffe gleichermaßen betraf. In Kiel bereitete die Marine den Stapellauf des ersten deutschen Flugzeugträgers vor. Weder die Marine noch die Luftwaffe besaßen Erfahrungen im Einsatz dieser Schiffe, schon gar nicht hinsichtlich des Flugbetriebes an Bord. Dazu kam die schlechte Zusammenarbeit zwischen diesen beiden Wehrmachtteilen. Göring forderte ein Mitspracherecht, denn es waren »seine« Flieger. Die Marine beanspruchte mit Recht, daß auf einem Kriegsschiff nur die Marine befehlen könnte. Hitler war zu dieser Zeit ein großer Verfechter der Flugzeugträger, gab aber dem Bau von mittelgroßen Trägern den Vorzug gegenüber den großen Einheiten.

Hitler wohnte der Taufe und dem Stapellauf am 8. Dezember in Kiel bei. Er hatte bestimmt, daß der Flugzeugträger den Namen »Graf Zeppelin« führen sollte. Die Probleme, die mit der Indienststellung dieses Schiffes erwartet wurden, lösten sich von selbst. Nach Ausbruch des Krieges ließ Hitler den weiteren Ausbau des Trägers einstellen.

Vor Weihnachten besuchte ich mit meiner Frau in Paris die internationale Luftfahrtausstellung im »Grand Palais«. Der deutsche Luftwaffen-Attaché, Oberst Hanesse, den ich von Berlin her kannte, nahm sich unserer an. Die meistbeachteten Flugzeuge waren die englischen Jagdflugzeuge »Spitfire« und »Hurricane«. Sie waren noch nicht fertig ausgestattet, so daß man nur einen äußeren Eindruck gewinnen konnte. Beide ähnelten der Me 109 sehr. Da ich deren Flugeigenschaften aus eigener Erfahrung kannte, kam ich zu dem Ergebnis, daß sie unserer 109 ebenbürtig sein müßten. Ihre Leistung hing von den Motoren ab, die noch eingebaut werden sollten und über die nur Vermutungen zu hören waren.

Hitler hörte meinen Bericht aufmerksam an. Ich machte kein Hehl daraus, daß wir mit einer Überlegenheit der englischen Jäger rechnen müßten, weil die Engländer uns im Motorenbau seit Jahren überlegen waren. Einen Ausgleich zu unseren Gunsten könnten nur bessere Flugeigenschaften der Me 109 bringen. Das sei voraussichtlich erst zu beurteilen, wenn die beiden englischen Maschinen ihre Erprobungsflüge gemacht hätten. Hitler zog aus meinem Vortrag wieder die Folgerung, er habe keine Zeit mehr zu verlieren. Im RLM schilderte ich Oberst Jeschonnek meine Eindrücke aus Paris und die Wirkung auf Hitler. Göring verzichtete nach Anfrage auf meinen Bericht. Ich nahm an, daß er von Udet alles Wissenswerte erfahren hatte. Später mußte ich feststellen, daß er nichts wußte. Zum ersten Mal registrierte ich Görings Eigenart, gegnerische Rüstungen zu unterschätzen. Nach seinen Vorstellungen konnte einfach zu dieser Zeit kein Staat in der Welt das Rüstungspotential Deutschlands übertreffen. Trug man ihm das Gegenteil vor, glaubte er es einfach nicht, und der Vortragende lief sogar Gefahr, als Defätist abgekanzelt zu werden. Anders Hitler. Er hörte bei Berichten über ausländische Waffen und Rüstungskapazitäten besonders aufmerksam zu. Manchmal wußte man nicht, was er selbst darüber dachte. Hitlers Anlage, skeptisch und zugleich neugierig zu sein, wirkte sich auf diesem Gebiet positiv aus. Jede ausländische Fachzeitschrift, deren er habhaft wurde, studierte er mit großem Interesse. Sein Auge war durch seine Passion für die Architektur und Malerei geschult. Er las aus den Bildern jede Kleinigkeit heraus. Den Text ließ er sich von Fall zu Fall übersetzen. Manchen Fachmann hat er auf Grund seiner Studien in Verlegenheit gebracht.

In den letzten Tagen vor dem Weihnachtsfest widmete sich Hitler wieder wie im Vorjahr seinen Architektur-Interessen und Bauvorhaben. In München nahm er lebhaften Anteil an der Deutschen Architektur-Ausstellung, nutzte die Reise nach Berlin zu einem Besuch auf der Baustelle des Reichsparteitagsgebäudes in Nürnberg und erwartete in Berlin voller Spannung die Fertigstellung der neuen Reichskanzlei.

Hitler verabschiedete sich am 23. Dezember von seinen Mitarbeitern in Berlin und übergab jedem wieder persönlich Weihnachtsgeschenke. Ich erhielt diesmal einen goldenen Füllfederhalter mit einem goldenen Drehbleistift, meine Frau eine schwere silberne Schale, alles mit seinem Namenszug und »Weihnachten 1938« graviert. Hitler verbrachte die Weihnachtstage wie immer in München und reiste gleich nach dem Fest auf den Obersalzberg. Dort blieb er über den Jahreswechsel im Kreis seiner gewohnten Berghof-Umgebung mit Eva Braun und deren Verwandten und Bekannten. Von unserer militärischen Adjutantur gehörten diesmal Oberstleutnant Schmundt und seine Frau zu diesem Kreis.

Goebbels bezeichnete in seiner Neujahrsansprache das zu Ende gehende Jahr als das erfolgreichste Jahr des nationalsozialistischen Regimes, das unvergänglich in die deutsche Geschichte eingehen werde. Von den Konzentrationslagern wußte die breite Öffentlichkeit wenig. Die Ereignisse der »Reichskristallnacht« wurden vielfach als »Betriebsunfall« gewertet. Auch ich sah den Ablauf des Jahres 1938 und die politische Lage beim Jahreswechsel positiv. Ich blickte zuversichtlich in das neue Jahr, an dessen Ende ich an eine andere Verwendung in der Luftwaffe erhalten sollte. Nach wie vor stand ich aus Gehorsam und Überzeugung zu Hitler, wenn ich auch sein Verhalten im Blomberg-Fritsch-Fall und bei der »Reichskristallnacht« verurteilte. Hitler hatte die Parteileute gedeckt und sich dadurch selbst mit Schuld belastet. Deprimierend blieb der Rückblick auf das Verhältnis Hitlers zum Heer und umgekehrt. Allen Bemühungen von Schmundt und Engel, es zu verbessern, war kein Erfolg beschieden.

Im Laufe des Jahres war mir immer klarer geworden, daß Reichenau von seinen Kameraden falsch beurteilt wurde. Man legte sein Bemühen um die Parteigrößen als Ehrgeiz aus und bezeichnete ihn als Nazi-General. Ich erinnerte mich in diesem Zusammenhang an ein Gespräch, das ich während des Schuschnigg-Besuches auf dem Obersalzberg mit ihm geführt hatte. Damals glaubte ich, er sei verärgert, weil er nicht zum Nachfolger von Fritsch ernannt worden war. Seine Verärgerung hatte aber andere Gründe. Dem Sinn nach sagte er damals: »Ihr werdet es erleben, daß der Einfluß der Partei bei Hitler jetzt auch im militärischen Bereich größer wird und die Generale bald nichts mehr zu sagen haben werden. 1934 haben Blomberg und ich die Macht der SA brechen können, weil wir mehr

Einfluß auf Hitler hatten als die Parteileute. Dafür hatte man mich als Nazi-General verschrien. Jetzt kommt es darauf an, bei Hitler den zunehmenden Einfluß der SS und der Partei in Fragen des Heeres im Keim zu ersticken. Erst wenn das gelungen ist, kann die Rehabilitierung von Fritsch erwirkt werden. Aber die neuen Herren kennen die Partei und ihre Führer nicht und wissen nicht, wie man mit ihnen umgehen muß.«

Nach Ablauf des Jahres 1938 erkannte ich, daß Reichenau recht gehabt hat.

Die Neue Reichskanzlei

Am 8. Januar 1939 traf Hitler in Berlin ein. Speer erwartete ihn am Eingang der alten Reichskanzlei. Einen Tag vor dem von Hitler geforderten Termin meldete er voller Stolz die Fertigstellung der neuen Reichskanzlei. Hitler gab mit herzlichen Worten der Anerkennung und des Dankes seinem Baumeister die Hand, und beide gingen in den Neubau, von einem neugierigen Gefolge begleitet. Es ist nicht leicht, den Eindruck zu schildern. Man müßte in lauter Superlativen sprechen. Seit den Zeiten der Hohenzollern war kein ähnlicher Prachtbau in Berlin oder Potsdam erstellt worden. Er war im Stil der Hitler-Bauten in München und Nürnberg errichtet, nicht jedermanns Geschmack. Mir gefiel der Bau. Der Mosaiksaal, die Marmorgalerie und Hitlers Arbeitszimmer waren meines Erachtens Speers Meisterwerke. Der Mosaiksaal hatte keine Fenster, sondern wurde nach der Tageszeit durch natürliches oder künstliches Oberlicht erhellt. An den Wänden waren große Flächen mit Mosaik ausgelegt. Die großen Marmorplatten des Fußbodens wurden von Streifen aus Marmor und Goldmosaik durchzogen. In diesem Raum standen keine Möbel. Durch einen etwas höhergelegenen, kleinen runden Kuppelsaal gelangte man in die Marmorgalerie. Die Wände waren aus hellem Stuckmarmor, unterbrochen von fünf Türen auf der einen und neunzehn hohen Fenstern auf der anderen Seite, alle von rotem Marmor eingefaßt. Die Fensternischen hatten eine Tiefe von 2,35 m. Gobelins und Möbel in lebhaften Farben bildeten einen guten Kontrast zu dem schweren Material der Wände und des Fußbodens. Messingleuchten an den Wänden gaben ein angenehmes Licht. Die Galerie wurde im täglichen Dienstbetrieb viel benutzt, da sie den Verbindungsflur zwischen den Büros der Präsidialkanzlei und der Wehrmacht-Adjutantur im Ostteil des Neubaus und den Räumen der Reichskanzlei im Westteil bildete.

Die Mitteltür von dieser Galerie aus führte in Hitlers Arbeitszimmer. Tag und Nacht von zwei SS-Posten unter Gewehr flankiert. Die fünf hohen Fenstertüren dieses Raumes öffneten den Blick zum Säulenvorbau auf der Gartenterrasse und in den Garten bis zum gegenüberliegenden Gewächshaus. Das Arbeitszimmer war in den dunklen Farbtönen gehalten, die Hitler für seine Räume bevorzugte. Zum

Rot des Marmors war braunes Palisanderholz für die Kassettendecke verwendet worden. Ein einziger roter Teppich bedeckte den Fußboden. Ich fand ihn schön und nicht protzig, aber etwas zu ernst. Es fehlte auch hier ein kleiner Zug ins Heitere. Diesen besaß Hitler weder in seinem Wesen, noch drückte er sich in der Einrichtung seiner Wohnräume aus. Die Möblierung ordnete sich der Raumwirkung unter. Über dem Kamin hing ein Bismarck-Gemälde von Lenbach. Der Schreibtisch an der entgegengesetzten Seite und ein großer Marmortisch vor den Fenstern waren nach Entwürfen von Albert Speer gefertigt worden. Auf der Marmorplatte, aus einem Stück in der Größe 5 x 1,60 m gearbeitet, lagen im Frühjahr 1945 die Generalstabskarten für die letzten Lagevorträge.

Am Ende der Marmorplatte schloß sich der große, als »Provisorium« bezeichnete Empfangssaal an. Hitler hatte während seines Italienbesuches im Mai des vergangenen Jahres die großen Paläste der Renaissancezeit kennengelernt. Daher wollte er für Veranstaltungen in einem festlichen und repräsentativen Rahmen einen sehr hohen und besonders großen Raum haben. Es war Speer aber nicht mehr möglich, den geplanten Empfangssaal zu vergrößern. Er schlug vor, wie beabsichtigt fertigzubauen und zu einem späteren Zeitpunkt durch Umbauten einen größeren Saal zu schaffen. Der Plan für den Neubau Berlins sah im übrigen vor, daß die jetzige Reichskanzlei später das Parteiministerium aufnehmen sollte, während der endgültige Reichskanzlei- und Führerbau auf dem Platz der Krolloper, gegenüber dem Reichstagsgebäude, errichtet werden sollte.

Am 9. Januar fand die offizielle Übergabe der neuen Reichskanzlei in Gegenwart aller Bauarbeiter im Sportpalast statt. Hitler brachte in seiner Ansprache zum Ausdruck, was wir in den nächsten Wochen oft aus seinem Munde hören sollten: Das Großdeutsche Reich habe jetzt eine Repräsentationsmöglichkeit erhalten, die seiner Bedeutung entspreche. Sein Lob für Speers Arbeit hatte keine Grenzen.

Am 12. Januar begann mit dem Neujahrsempfang – dem ersten und letzten in der neuen Reichskanzlei – eine Reihe offizieller Veranstaltungen, für die Hitler den Bau in erster Linie hatte errichten lassen. Sein tägliches Leben spielte sich weiter in der alten Reichskanzlei ab.

Auf den Neujahrsempfang folgte eine Versammlung der Reichs- und Gauleiter, denen Hitler im Neubau die Aufgaben für das neue Jahr darlegte.

Das Verhältnis Hitler–Heer

Wiederholt hat Hitler in diesen Monaten den Generalen und Offizieren die Führereigenschaften seiner Gauleiter vorgehalten. Hitler hatte geglaubt, daß er das, was er in langen Jahren der Kampfzeit seinen Parteiführern beibringen mußte, im Offizierkorps und in der Generalität vorfinden würde. Im vergangenen Jahr war er sich über seinen Irrtum klar geworden. Vor allem vermißte er die bedingungslose Treue des höheren Offizierkorps ihm gegenüber. Für uns Adjutanten, vor allem für Schmundt, war es schwer, Hitlers Vorwürfe anhören zu müssen, besonders wenn er Partei und SS als Vorbild hinstellte.

Schmundt und Engel setzten ihre Anstrengungen zielstrebig fort, das Verhältnis Hitlers zum Heer zu verbessern. Er sollte erkennen, daß er auch im Offizierkorps des Heeres begeisterte Anhänger hätte. Hitler akzeptierte Schmundts Vorschläge für Veranstaltungen in großem und kleinem Rahmen, um das gegenseitige Kennenlernen zu verbessern. Es begann mit einer Ansprache Hitlers vor den neu beförderten Leutnanten mit anschließendem Abendessen in den Räumen der neuen Reichskanzlei am 18. Januar, dem »Reichsgründungstag«.

Die jungen Offiziere hatten in der Mosaikhalle Aufstellung genommen und eine für Soldaten ungewöhnliche Anweisung vor Beginn der Veranstaltung bekommen, die ihnen verdeutlichte, daß Hitler nicht nur der Oberste Befehlshaber war, sondern auch der Oberste Politiker. Als solcher war Hitler bei seinen Reden Beifall gewohnt. Er hatte verschiedentlich geäußert, daß es für ihn so schwer sei, vor Offizieren zu sprechen, da sie schweigend vor ihm säßen oder stünden, und er kaum Kontakt mit seinen Zuhörern erhalte. Schmundt hatte erfaßt, daß eine Hitler-Rede vor Offizieren und Soldaten nur dann ein ähnliches Echo wie seine öffentlichen Reden hätte, wenn die unsichtbare Mauer zwischen Redner und Zuhörer eingerissen würde. So war den Leutnanten gesagt worden, daß sie auch Beifall klatschen dürften. Hitler begrüßte diese Anweisung sehr. Seiner Gewohnheit entsprechend, holte er in seiner Ansprache weit aus, diesmal aus der preußisch-deutschen Militärgeschichte. Vaterlandsliebe, Einsatzfreude, Treue, Gehorsam und Mut hätten durch viele Jahrhunderte hindurch Preußen und das Deutsche Reich groß gemacht. Ein Offizierkorps mit diesen Eigenschaften sei befähigt, auch dem Großdeutschen Reich den ihm zukommenden Platz unter den Völkern zu sichern. Hitler erwähnte die Erfolge seiner Politik im vergangenen Jahr, ließ aber nichts von seinen Plänen für das neue Jahr durchblicken.

Im Anschluß an die Rede wurden die Offiziere in den Nebenräumen der Mosaikhalle bewirtet. Hitler blieb noch einige Zeit, nahm an einigen Tischen Platz und unterhielt sich mit verschiedenen jungen Offizieren, zog sich dann aber bald zurück. Der Alkohol trug zur schnelleren Auflösung des Abends bei als beabsichtigt. Einige Offiziere, der Örtlichkeiten unkundig, hatten sich zur Entleerung ihres Magens die Ecken des Mosaiksaales ausgesucht. Hitler, dem wir später den weiteren Ablauf des Abends schilderten, zeigte volles Verständnis für die Leutnante. Es beeinträchtigte nicht seine Überzeugung, daß die Veranstaltung gelungen war.

Die Leutnants-Versammlung sprach sich natürlich in allen Garnisonen der Wehrmacht herum und wurde von zahlreichen Offizierkorps begrüßt. Das war eine

Auf dem Berghof. Von links: Speer,
Frick, Ribbentrop, Goebbels, Bormann
(durch Hitler verdeckt) und Bouhler.

Rechts: Der untere Eingang zum Teehaus.

Unten: Empfang des französischen
Botschafters Coulondre vor dem Berghof. Von links: Meißner, Coulondre,
v. Below und Brückner.

16. März 1939. Hitler in Prag. Im Hintergrund Martin Bormann.

Unten rechts: Schmundt und Engel.

Unten: Auf dem Bahnhof von Brünn am 17. März 1939.

Bestätigung von Schmundts Absichten. Die wenigen uns bekannt gewordenen Gegenstimmen überraschten nicht. Sie kamen aus einigen als »reaktionär« bekannten Offizierkorps und aus dem Munde bekannter Gegner des »Nazi-Regimes«. Sie sprachen nicht nur abfällig über Hitler, sondern gaben auch den Hergang der Veranstaltung entstellt wieder. Wir meinten damals, diese Offiziere sollten den Abschied nehmen, wenn sie die Führung der Wehrmacht abstoße.

Etwa einen Monat später fand eine ähnliche Veranstaltung in der Krolloper statt. Diesmal bestand die Zuhörerschaft aus älteren Offizieren, Bataillons- und Regimentskommandeuren. Hitler sprach etwa im gleichen Sinne wie zu den Leutnanten, hob aber, nach meiner Erinnerung, besonders hervor, daß alle Erfolge bisher durch den Nationalsozialismus möglich waren und daß alle zukünftigen Aufgaben, auch für den Offizier, nur durch eine nationalsozialistische Gesinnung und Weltauffassung gemeistert werden könnten.

Auch nach der Kommandeurtagung waren wir interessiert, welches Echo sie gefunden hatte. Dabei stellte ich fest, daß die Teilnehmer ihren Eindruck korrekt wiedergaben, aber daß diejenigen, die nicht dabei gewesen waren, vieles falsch erzählten, ob aus Unkenntnis oder aus Tendenz, war nicht zu unterscheiden. Damals verbreiteten sich in Offizierkorps, mehr aber noch in konservativen und kirchlichen Kreisen auf dem Lande Gerüchte über Hitler, über sein Benehmen, seine Ansichten und über seine Pläne, die nicht den Tatsachen entsprachen. Sie wurden aber geglaubt. Ich habe es oft schwer gehabt, meine Gesprächspartner von der Wahrheit zu überzeugen. Manchmal wurde mir auch mitleidig vorgehalten, daß ich als sein Adjutant pro domo sprechen müsse, Grund genug, meine Darstellung nicht zu glauben. Die Gerüchte beschäftigten sich am häufigsten mit Hitlers Jähzorn und mit seinen »gewöhnlichen« Manieren. Mancher verstand es nicht, daß ich es als adliger Offizier in seiner Umgebung aushalten könne. Sehr verbreitet war auch die Ansicht, daß eine Unterhaltung mit Hitler nicht möglich sei. Er würde pausenlos sprechen, und es sei ausgeschlossen, ihn zu unterbrechen. Und versuchte man es, dann würde er schreien. Erzählte ich, daß sich mein Dienst genauso abspielte wie in jedem höheren militärischen Stab, wurde ich ungläubig belächelt.

Hitler wußte aus den verschiedensten Quellen mehr über seine Mitarbeiter, als er sich anmerken ließ. Es war für uns alle eine völlige Überraschung, als eines Tages ohne Begründung die Entlassung Wiedemanns und seine Versetzung in den Auswärtigen Dienst mit der Ernennung zum Generalkonsul in San Franzisko bekannt wurde. Ich war froh, ihm nicht mehr begegnen zu müssen. Er wirkte für mich undurchsichtig, und seine auffälligen Verbindungen zu ausländischen Diplomaten und Politikern hatte ich immer mit Mißtrauen beobachtet.

Deutschland – Polen

Politisch trat in diesen Januartagen die polnische Frage in den Vordergrund. Ribbentrop hatte am 5. Januar ein längeres Gespräch mit dem polnischen Außenminister Beck. Gemeinsam waren sie bei Hitler auf dem Obersalzberg. Schon Ende Januar machte Ribbentrop einen Gegenbesuch in Warschau. Das fiel allgemein auf. Der Grund für den schnellen Gegenbesuch lag aber darin, daß der 6. Januar der fünfte Jahrestag des Abschlusses des deutsch-polnischen Nichtangriffspaktes war. Hitler hoffte, daß Ribbentrop in der Atmosphäre eines Festaktes einen Weg zu neuen fruchtbaren Verhandlungen finden könnte. Ribbentrop war in großer Sorge um die Entwicklung des Verhältnisses zu Polen. Er kannte Hitlers Forderungen nach einem deutschen Verbindungsweg durch den polnischen Korridor nach Ostpreußen und der Eingliederung Danzigs in das Reich, was Polen ablehnte. Es war Ribbentrops Ehrgeiz, eine Lösung durch neue gegenseitige Vereinbarungen zu finden. Er kam deprimiert aus Warschau zurück. Die Verhandlungen waren nicht vorangekommen. Hitler sagte dazu, mit Pilsudski wäre eine Einigung erzielt worden. Ribbentrop fürchtete jetzt, daß es England gelingen könnte, Polen auf seine Seite zu ziehen. Er kam daher zu dem Schluß, eine Verbindung nach Moskau zu suchen, um auch Rußland einer englischen Beeinflussung zu entziehen. Hitler ließ nicht erkennen, welcher Ansicht er war und welchen Weg er gehen wollte. In der deutschen Öffentlichkeit sprach man viel über die »Korridorfrage«. Selbst oppositionelle Kreise in Deutschland sympathisierten mit einer Politik, die die Beseitigung des polnischen Korridors zum Ziele hatte. Dafür bestand allgemein mehr Verständnis als für die tschechische Frage.

Die Reichstagsrede am 30. Januar

Bedeutungsvoll wurde Hitlers Rede vor dem Deutschen Reichstag am Abend des 30. Januar. Der Schwerpunkt lag in der Rückschau auf das vergangene Jahr. Er sprach offen über die Erkenntnisse, die er aus dem Ablauf der politischen Ereignisse gezogen hatte und welche Folgerungen er daraus ziehen werde. Sein Lob fiel spärlich aus. Uneingeschränkt bedachte er Mussolini damit, während Chamberlain und Daladier nur für ihren Einsatz zum Gelingen des Münchner Abkommens Anerkennung fanden. Darüber hinaus aber kritisierte er Engländer und Juden. Den Engländern warf er vor, sich in Angelegenheiten einzumischen, die sie nichts angingen. Der Versailler Friedensvertrag sei von den westlichen Demokratien gebrochen worden, weil sie nicht abgerüstet und den Deutschen in den Randstaaten das Selbstbestimmungsrecht verwehrt hatten. Er fühle sich deshalb nicht mehr an den Vertrag gebunden. Es war unschwer herauszuhören, daß Hitler auf künftige Vorhaben anspielte.

Die Juden wollte er warnen, die Völker nicht wieder in einen Weltkrieg zu stürzen. Er sprach die schnell bekannt gewordene und viel diskutierte Drohung aus: »Dann wird das Ergebnis nicht die Bolschewisierung der Erde und damit der Sieg des Judentums sein, sondern die Vernichtung der jüdischen Rasse in Europa.«

Aus dem Kreis seiner Mitarbeiter erhielten nur Göring und Ribbentrop ein Lob. Im Blick auf die Innenpolitik warnte er die Kirchen und tadelte konservative Bourgeoisie und Aristokratie. Die »geistreichen Schwächlinge« sollten wissen, daß »Mut, Tapferkeit und Entschlußfreudigkeit« die Voraussetzung für die Übernahme jedes öffentlichen Amtes seien.

Kaum eine Hitler-Rede hat so viel Diskussion ausgelöst wie diese. Das schärfste Urteil, das ich hörte, lautete: »Die ganze Rede war eine einzige Kriegserklärung.« Was die Außenpolitik anbetraf, habe ich derartige Befürchtungen geteilt. Aus seinen Warnungen an die Engländer und Juden war unschwer abzuleiten, daß er vor neuen weitreichenden Entschlüssen stand. Auch seine Drohungen gegen die Kirchen und die Reaktionäre im Reich und seine Forderung nach einer neuen Führungsschicht waren nur im Zusammenhang mit neuen Plänen zu verstehen. Deprimiert hieß es, nach dem erfolgreichen Jahr 1938 habe man von Hitler eine Siegesfeier im Reichstag erwartet, aber eine »Kriegserklärung« erhalten.

Auch mich bedrückten die außenpolitischen Passagen. Seine Vorwürfe, die er an die »kleinmütigen Geister« – meine eigenen Standesgenossen – gerichtet hatte, hielt ich dagegen für berechtigt. Eindeutig war aus seinen Worten noch die Verärgerung über seine Auseinandersetzungen mit den Generalen des Heeres zu entnehmen.

Ich erinnere mich im Zusammenhang mit der Kritik an Hitler während dieser Monate an eine Diskussion mit Kameraden, die ich aus meiner Dienstzeit im Heer kannte. Wir hatten gelernt, daß Friedrich der Große, das Vorbild Hitlers, eine mustergültige Armee mit einem fachlich und charakterlich erstklassigen Offizierkorps von seinem Vater, dem Soldatenkönig, übernommen hatte, die Grundlage für seine siegreichen Feldzüge. Napoleon verdankte seine großen Erfolge der von ihm geschaffenen Armee mit den ihm bedingungslos ergebenen Marschällen. Würde Hitler es riskieren, fragten wir uns, einen Krieg mit einem Heer anzufangen, von dem er wußte, daß die Führung dieses Heeres ihm nicht vertraute? Wir hielten das für ausgeschlossen und folgerten daraus, daß Hitler zuerst ein zuverlässiges schlagkräftiges Heer schaffen würde, bevor er es auf ein außenpolitisches Risiko ankommen ließ.

Beträchtliches Aufsehen erregten organisatorische Veränderungen in der Luftwaffe zum 1. Februar 1939. Göring ließ drei Luftflottenkommandos bilden: Luftflotte 1 (Befehlshaber Ost) General Kesselring; Luftflotte 2 (Befehlshaber Nord) General Felmy und Luftflotte 3 (Befehlshaber West) General Sperrle. Diese Gliederung hat fast den ganzen Krieg über bestanden. Anders war es mit der Neugliederung im Reichsluftfahrtministerium. Udet, seit 9. Juni 1936 Chef des Technischen Amtes, wurde zum »Generalluftzeugmeister« ernannt. Zu seiner bisherigen Aufgabe, Entwicklung und Erprobung des Luftwaffengeräts und der Waffen, unterstellte ihm Göring auch noch die Abteilungen Beschaffung, Nachschub und Versorgung. Udet, eher ein liebenswerter Künstler als ein Schreibtischmensch, war damit zum Chef des wichtigsten Aufgabenbereiches der Luftwaffe geworden, ohne die notwendige Eignung für dieses schwierige Amt zu besitzen. Der für diese Aufgabe unbedingt geeignete Offizier stand in der Person Milchs zwar zur Verfügung, wurde aber nicht eingesetzt. Göring ertrug weder neben sich noch unter sich mögliche Konkurrenten. Hinzu kam, daß er Milch einfach nicht mochte. Beide waren im Wesen und Charakter zu verschieden. Göring stellte seine persönlichen Sympathien und Antipathien über die Sache.

Die zweite bemerkenswerte personelle Umbesetzung im RLM betraf den Chef des Generalstabes. Wie schon lange erwartet, betraute Göring den noch nicht ganz 40 Jahre alten Oberst Jeschonnek mit dieser Aufgabe. Die Ernennung erregte in der ganzen Wehrmacht Aufsehen wegen des »jugendlichen« Alters des neuen Chefs. Im Generalstab des Heeres sprach man abfällig vom HJ-Führer Jeschonnek. Göring mochte den gutaussehenden, frischen, entschlußfreudigen jungen Offizier. Daß er nicht, wie die bisherigen Generalstabschefs, älter war als er, sondern sechs Jahre jünger, war in Görings Überlegungen ebenso ein Gesichtspunkt wie die ihm bekannte Tatsache, daß das Verhältnis zwischen Milch und Jeschonnek schlecht war. Er brauchte also nicht zu befürchten, daß in seinem Hause hinter seinem Rücken gegen ihn gearbeitet würde. Hitler redete Göring in seine Entscheidungen nicht hinein und nahm die Veränderungen und Umorganisationen in der Luftwaffe zur Kenntnis.

Mit der Ernennung Jeschonneks trat auch für mich eine Veränderung ein. Meine Teilnahme am Lehrgang der Luftkriegsakademie in Gatow war in der letzten Zeit sehr unregelmäßig geworden. Der Weg für An- und Abfahrt nahm zu viel Zeit in Anspruch. Jeschonnek schlug deshalb vor, daß ich, sozusagen als »Hospitant«, zu seinem unmittelbaren Stab treten sollte, ohne daß sich an meiner Dienststellung und Aufgabe etwas änderte. Ich erhielt ein kleines Büro neben seinem Vorzimmer. Wann immer es mein Dienst in der Reichskanzlei erlaubte, nahm ich an allen Besprechungen teil und bekam Kenntnis von vielen wichtigen Vorgängen.

Das war für mich eine persönliche und dienstliche Verbesserung und Bereicherung, die ich aber erst in meiner fortschreitenden militärischen Entwicklung schätzen lernte. Denn ein großer Nachteil war es, daß ich seltener zum Fliegen nach Döberitz oder Staaken hinausfahren konnte.

Jeschonnek bezog nach der neuesten Entwicklung der politischen Lage die Möglichkeit eines Krieges mit England in seine Lagebeurteilung mit ein. Göring hatte ihm zwar immer wieder erklärt, daß Hitler keinen Krieg mit England wolle, und ich konnte das nur bestätigen. Aber Jeschonnek antwortete mit seinem beliebten Ausspruch: »Der Teufel ist ein Eichhörnchen.« Was er im Jahre 1938 für unmöglich gehalten hatte, machte er jetzt zur Grundlage seiner Überlegungen. Die generalstabsmäßigen Vorarbeiten wurden intensiviert. Das Fehlen eines geeigneten Langstrecken-Kampfflugzeuges bereitete ihm die größte Sorge. Die Fertigung der Ju 88 war noch immer nicht richtig angelaufen. Jeschonnek hatte die Bedeutung der Technik für die operative Führung voll erkannt. Er beklagte, daß Göring das Verständnis dafür fehlte. Seit Wevers Tod sei der Vorrang der Technik beim Ausbau der Luftwaffe vernachlässigt worden.

Stapellauf der »Bismarck«

Der Stapellauf des Schlachtschiffes »Bismarck«, des größten bisher in Deutschland gebauten Schlachtschiffes, war für den 14. Februar 1939 auf der Werft von Blohm & Voß in Hamburg festgesetzt. Hitler selbst hatte den Namen bestimmt. In den Tischgesprächen dieser Tage gab uns Hitler »Geschichtsunterricht« über Bismarck und damit die Begründung für seine Entscheidung. Er bezeichnete Bismarck als den Wegbereiter der deutschen Flotte. Ohne den Erwerb von Schleswig-Holstein 1864 wäre es unmöglich gewesen, eine deutsche Seemacht aufzubauen und dadurch dem deutschen Welthandel als einem wichtigen Machtfaktor die Wege zu ebnen. Gegen eine Welt von Widerständen habe Bismarck dem Namen des deutschen Volkes Weltgeltung und Hochachtung verschafft.

Auf seiner Reise zum Stapellauf machte Hitler in Friedrichsruh Station, um im Mausoleum am Sarg Bismarcks einen Kranz niederzulegen und im Schloß die Familie Bismarck zu besuchen. Der Stapellauf sollte ein Staatsakt erster Ordnung werden. Es war ein großer Tag für Hamburg und die Marine. Hitler würdigte in seiner Rede den Gründer des Reichs, dessen Namen dieses stolze Schiff tragen sollte. Der Oberbefehlshaber der Kriegsmarine, Generaladmiral Raeder, antwortete mit wenigen Sätzen, und Frau v. Loewenfeld, eine Enkelin Bismarcks, taufte das Schiff.

Nach dem Staatsakt begab sich Hitler an Bord der »Grille« und nahm im Kreis der Admirale und höheren Seeoffiziere ein Frühstück ein. Hitler hielt sich immer gern bei der Marine auf, obwohl ihm, wie Puttkamer es ausgedrückt hatte, »die See unheimlich war«. Er war nicht seefest und hatte kein Verhältnis zur Seefahrt. Das, was ihn an der Marine faszinierte, war die Technik. Ein Schlachtschiff war für ihn das Muster für vollendete Schönheit der Technik. Er kannte die größeren Einheiten aller Flotten der Erde nicht nur beim Namen, sondern auch deren Daten wie Größe, Geschwindigkeit, Panzerung und Armierung. Über diese Themen konnte Hitler stundenlang mit Marineoffizieren diskutieren, unter besonderer Berücksichtigung der Armierung. Für die »Bismarck« war die Bewaffnung mit 8 Rohren vom Kaliber 38,1 cm und 12 Rohren vom Kaliber 15 cm festgelegt. Alle anderen Fragen der Marineführung überließ Hitler Admiral Raeder. Aber dieser ließ sich von Hitler auch nicht hereinreden. Es herrschte ein gegenseitiges Vertrauensverhältnis mit genauer Abgrenzung und Respektierung der Kompetenzen. In der Grundauffassung waren sie sich beim Aufbau der Flotte einig. Beide hatten sich für den Bau großer Schiffe entschieden. Raeder aus Überzeugung und Tradition, Hitler mehr aus politischen Gründen. Die schweren Schiffe trugen dazu bei, die Macht des Reiches zu demonstrieren.

Vor seiner Abreise nach München am 12. März, sofort nach dem Staatsakt anläßlich des Heldengedenktages, empfing Hitler am 10. März die deutschen Marine-Attachés, am nächsten Tag in etwas größerem Rahmen in der neuen Reichskanzlei die Offiziere der Kriegsakademie, also die angehenden Generalstabsoffiziere. Schmundt hatte Hitlers Zusage erhalten, daß diese letztere Veranstaltung jedes Jahr am Tag vor dem Heldengedenktag zur Regel werden sollte. Wir Wehrmacht-Adjutanten waren wieder erstaunt, wie offen Hitler bei beiden Gelegenheiten über seine politischen Pläne sprach. Er erwähnte die Rest-Tschechei, Danzig, den polnischen Korridor und Memel. Es waren Pläne und Absichten, über die er zuvor in unserem Kreis nur andeutungsweise gesprochen hatte. Er ließ allerdings die Frage offen, auf welche Weise er diese Probleme lösen wollte. Es war aber unschwer aus seinen Ausführungen herauszuhören, daß er auch mit dem Einsatz der Wehrmacht rechnete.

Inbesitznahme der »Rest-Tschechei«

Wie nah wir vor einer neuen politischen und vielleicht auch militärischen Kraftprobe standen, sagte er nicht. Am 10. März war aus Preßburg, der Landeshauptstadt der Slowakei, die Nachricht eingetroffen, daß die deutschfreundliche Landesregierung unter Dr. Tiso von der zentralen Regierung der Tschechoslowakei in Prag abgesetzt und in Preßburg und in einigen anderen Städten der Slowakei das Standrecht verhängt worden war. Vorausgegangen waren Unruhen im karpatoukrainischen Landesteil. Hitler hatte sehr ruhig auf diese Meldungen reagiert, da er bereits bald nach der Münchner Konferenz mit Unruhen in dem Vielvölkerstaat gerechnet hatte. Mit Befriedigung verfolgte er die Meldungen aus London und Paris, die deutlich erkennen ließen, daß die seit München geplante Garantie in klarer Erkenntnis des Auseinanderfallens der Tschechoslowakei von England und Frankreich bisher nicht gegeben worden war. Hitlers Aktivität nahm zu. In der Führerwohnung breitete sich wieder die schon gewohnte »Krisenstimmung« aus. Die Zahl der Besucher stieg von Stunde zu Stunde. Hitler war immer von einem Kreis neugieriger Zuhörer umgeben, denen er offen die neuesten Ereignisse, Meldungen und Gespräche schilderte. Nur über seine Anweisungen und Befehle an die Wehrmacht sprach er nicht. Diese gab er an Keitel oder an uns Adjutanten.

Die Maßnahmen der Prager Regierung gegen die Slowakei waren Hitler sehr willkommen. Hitler bat den Ministerpräsidenten Dr. Tiso nach Berlin. Dem Slowakenführer Dr. Tuka, mit dem Hitler bereits im Februar gesprochen hatte, war deutsche Hilfe schon zugesagt worden. Am 13. März abends war Dr. Tiso bei Hitler und am 14. vormittags beschloß das slowakische Parlament in Preßburg die Unabhängigkeit.

Am 12. März hatte Hitler der Presse Anweisung gegeben, das Verhalten der tschechischen Regierung gegen die Minderheiten in ihrem Staatsgebiet anzuprangern und die Stimmung gegen Prag »anzuheizen«. Am gleichen Tag erhielt die Wehrmacht den Befehl zum Einmarsch in die Tschechoslowakei am Morgen des 15. März. Die Würfel waren gefallen. Am 10. hatte ich Hitler gefragt, ob er nicht Göring über die Entwicklungen unterrichten wolle. Hitler wollte ihn aber nicht beunruhigen, da er gerade erst seinen Urlaub angetreten hatte. Er setzte hinzu, daß Görings Aufenthalt in San Remo zur Beruhigung der aufgeregten Gemüter in Italien und anderen Ländern beitragen könnte. Am 13. gab Hitler mir dann sein Einverständnis, Göring zurückzurufen; am 14. traf er in Berlin ein.

Sehr lebhaft erinnere ich mich des Besuchs des tschechischen Staatspräsidenten, Dr. Hacha, am 14. März in Berlin. Am Vormittag kam aus Prag der Wunsch Hachas, mit Hitler zu sprechen. Hitler stimmte sofort zu, ließ uns Soldaten aber wissen, daß es bei dem Angriffsbefehl für den 15. früh in jedem Fall bliebe. Er wollte sich jetzt die günstige Gelegenheit nicht mehr aus der Hand nehmen lassen. Hitler war an diesem Tag sehr ruhig. Nach dem Mittagessen kam die Nachricht aus Prag, daß Hacha am späten Abend in Berlin eintreffen würde und sofort zu Besprechungen zur Verfügung stände. Am Nachmittag sprach Göring, direkt vom Bahnhof kommend, vor und hatte eine kurze Unterredung mit Hitler.

In unserer Wehrmacht-Adjutantur wurde es recht turbulent. Hitler hatte angeordnet, alles für seine Reise in die Tschechoslowakei vorzubereiten. Wir Soldaten waren diesmal für die Durchführung verantwortlich. Auf Grund der Erfahrungen in Österreich, bei der Westwallreise und im Sudetenland war das »Führerhauptquartier« gebildet worden. Schmundt hatte Rommel zum Kommandanten vorgeschlagen, und unter seiner Führung waren die ersten Einheiten des »Führer-begleitbataillons« aufgestellt worden. Wir hatten am 14. nachmittags in unserer Adjutantur eine Einsatzbesprechung mit Rommel und legten fest, daß Hitler mit dem Zug bis Böhmisch-Leipa im Sudetenland, dicht vor der tschechischen Grenze, fahren sollte und die motorisierten Einheiten noch am Abend dorthin in Marsch gesetzt werden mußten. Hitler erklärte sich mit unserem Vorschlag einverstanden, behielt sich aber vor, weitere Entscheidungen von der Entwicklung der Lage abhängig zu machen und sie erst in Leipa zu treffen. Der Sonderzug sollte ab 0 Uhr auf dem Anhalter Bahnhof zur kurzfristigen Abfahrt bereitgestellt werden.

In der Zwischenzeit lief das Leben in der Führerwohnung wie gewohnt weiter. Hitler sah sich abends sogar noch einen Film an. Ich habe ihn vor keiner militärischen Aktion so ruhig erlebt wie vor dieser. Keitel fand sich im Laufe des Abends ein. Kurz nach 23 Uhr wurde Hachas Ankunft gemeldet. Ribbentrop vereinbarte mit ihm den Beginn der Besprechung um 0 Uhr, 15. März. Zur angesetzten Zeit begleiteten wir Hitler in die neue Reichskanzlei. Er war sich sicher, daß Hacha nachgeben würde. Die Tschechei war von ihren ehemaligen Verbündeten verlassen worden. Ein zweites München würde es nicht geben. In zuversichtlicher Stimmung begrüßte er Göring, Ribbentrop und Weizsäcker. Seinen Gast erwartete er am Eingang im Ehrenhof. Ein auffallend großer Personenkreis nahm an der Unterhaltung teil. Ich sah Göring, Keitel, Ribbentrop, Meißner, Weizsäcker, Dr. Dietrich und Hewel als Protokollführer. Hacha hatte den tschechischen Außenminister Chwalkowsky und seinen Kabinettchef mitgebracht. Die Türen wurden geschlossen, für uns begann die übliche Wartezeit.

Im Vergleich zu den Konferenzen von Godesberg und München ging es in dieser Nacht zwangloser zu. Wir verfolgten ein häufiges Kommen und Gehen in Hitlers Arbeitszimmer. Jedes Mal war es möglich, einiges über den Fortgang der Gespräche zu erfahren. Danach war die Verhandlung ein ungleicher Kampf. Wir empfanden Mitleid mit dem alten Herrn. Professor Morell erschien mit der Medikamententasche und verschwand im Konferenzraum. Nach einiger Zeit kehrte er zurück und berichtete, daß sich Hacha nach einem Herzanfall und nach einer Spritze wieder erholt habe. Gegen 2 Uhr wurde die Konferenz unterbrochen. Hacha zog sich mit seinem Außenminister und seinem Kabinettchef zurück, um mit Prag zu telefonieren. Wir fanden Hitler in zuversichtlicher Stimmung, von den Konferenzteilnehmern umgeben, in seinem Arbeitszimmer stehend, vor. Aus seinen Worten entnahmen wir, daß er Hacha die hoffnungslose Situation für die Tschechei nüchtern vor Augen geführt habe. Der Angriffsbefehl sei gegeben worden. In wenigen Stunden würden deutsche Truppen die Grenze überschreiten. Es läge in seiner Hand, zu entscheiden, ob geschossen werden müsse oder nicht und in welcher Form die Tschechei dem Reich einverleibt werde. Keiner seiner Berater widersprach ihm oder mahnte zu einer humaneren Lösung, mit der man zum gleichen Ziel hätte kommen können.

Nach etwa einer Stunde erhielt Hacha das Einverständnis seiner Regierung. Am Ergebnis der Konferenz bestand nun kein Zweifel mehr. Ich ließ mich zum Anhalter Bahnhof fahren und legte mich in meinem Abteil zu Bett. Einerseits war ich von dem langen und anstrengenden Tag sehr müde, andererseits wollte ich von dem weiteren Verlauf und dem Abschluß des »Diktats« nichts mehr sehen und hören.

Als ich aufwachte, rollte der Zug. Es war heller Tag, aber dichter Nebel. Als erstes dachte ich daran, daß die Luftwaffe wegen des schlechten Wetters nicht fliegen konnte, zum anderen, daß trotz aller unschönen Begleitumstände Hitler mit seiner Beurteilung der politischen Lage wieder recht behalten hatte. Beim Frühstück im Speisewagen erfuhr ich mehr. Die Wehrmacht hatte die Grenzen überschritten und rückte überall vor, ohne Widerstand zu finden. Das tschechische Heer hatte Befehl erhalten, in den Kasernen zu bleiben und dort die Waffen an die deutsche Wehrmacht zu übergeben. Ein bitteres Los für eine nicht im Kampf geschlagene Armee!

Aus London kam die Bestätigung, daß die englische Regierung kein Interesse an den Vorgängen zeigte; die deutschen Schritte verstießen nicht gegen das Münchner Abkommen. Erst später am Abend hörte ich von dem Protest der Franzosen. Er blieb nur eine Formsache.

Einmarsch in Prag

Viel neugieriger war ich aber auf Hitlers eigene Reiseabsichten. Einige, zu denen auch ich gehörte, waren der Auffassung, daß Hitler am Abend in Prag sein wollte. Schmundt wandte sich energisch gegen einen solchen Plan. Er hatte die Verantwortung für die Sicherheit des Führers. Als Hitler gegen Mittag im Befehlswagen erschien, sprach er sich ganz klar für eine Weiterfahrt im Auto nach Prag aus. Schmundt konnte ihn nur soweit beeinflussen, seine endgültige Entscheidung erst in Leipa zu treffen. Für mich gab es keinen Zweifel, daß der »Chef« sofort weiterfahren wollte. Und so kam es auch. Bei unserer Ankunft in Leipa – es muß zwischen 14 und 15 Uhr gewesen sein – wurde Hitler von General Hoepner und von General Rommel empfangen. Hoepner hielt im Befehlswagen einen kurzen Vortrag über die »Lage«. Der Einmarsch der deutschen Truppen sei rein friedensmäßig verlaufen. Das tschechische Heer sei nicht zu sehen, die Bevölkerung verhalte sich teilnahmslos. Sie hätte den Schock der Überraschung noch nicht überwunden. Zum Entsetzen von Schmundt befürwortete Hoepner die Weiterfahrt nach Prag. Es seien keine 100 km, also eine Fahrzeit von gut zwei Stunden. Rommel organisierte die Marschkolonne und teilte die Begleiteinheiten des »Führerhauptquartiers« zur Sicherung der Führerkolonne ein. Schmundt bestimmte mich, als Vorkommando nach Prag zu fahren und auf dem Hradschin Quartier zu machen. Ich beschwor ihn, mir wenigstens zwei Stunden Vorsprung zu lassen, was er mir zusagte.

Mit zwei Wagen, einigen Offizieren und Soldaten setzte ich mich sofort in Marsch. Alle Schwierigkeiten, die einem Autofahrer im Winter auf einer unbekannten Straße begegnen können, traten ein, eisige Kälte, Nebel, Schneetreiben, Glatteis, Schneeverwehungen und Staus auf Grund von Unfällen. Als nützlich erwies sich der Frost, dadurch konnten wir hier und da zum Überholen auf die Felder ausweichen. Die Geschicklichkeit der Fahrer und die guten Fahrzeuge brachten uns heil nach Prag. Bei Einbruch der Dunkelheit trafen wir auf dem Hradschin ein. So ungefähr muß es in »Wallensteins Lager« zugegangen sein, dachte ich, als ich mich einem Durcheinander von Menschen und Fahrzeugen gegenübersah. Natürlich traf Hitler, wie ich befürchtet hatte, eher ein, und es war eigentlich nichts fertig. Mit Mühe und Not hatte ich für Hitler selbst einige Räume freimachen können. Hacha kehrte erst einige Stunden nach Hitler in seine Residenz zurück.

Hitler machte einen glücklichen Eindruck, und zum ersten Mal fiel mir in seinen Gesichtszügen ein Ausdruck von Stolz auf. Auf dem Hradschin wehte seine Führerstandarte. Von hier aus ließ er den Erlaß über die Bildung des »Protektorats Böhmen und Mähren« verkünden. Die Präambel hatte er selbst diktiert. Im ersten Satz begründete er seine Maßnahmen mit den Worten: »Ein Jahrtausend lang gehörten zum Lebensraum des deutschen Volkes die böhmisch-mährischen Länder.« Mit dieser Formel war Hitler wieder ganz der Österreicher, daß er aus den ehemaligen österreichischen Länderbezeichnungen Böhmen und Mähren den Namen für das neu zu bildende Protektorat bildete. Ich als Preuße hatte keine Beziehungen zu diesem Land, und wie vielen Norddeutschen schien es auch mir falsch, deswegen ein politisches Risiko einzugehen. Mir gegenüber, in meiner Eigenschaft als Luftwaffen-Adjutant, erwähnte er zufrieden, daß Russen, Engländer und Franzosen die Tschechoslowakei jetzt nicht mehr als »Flugzeugmutterschiff« benutzen könnten. Militärpolitisch mußte ich ihm recht geben, obwohl ich keine akute Gefahr dafür gesehen hatte.

Hitler blieb keine 24 Stunden in Prag. Ich begleitete ihn zum Abschiedsbesuch beim Staatspräsident Hacha in dessen Präsidentenwohnung im Hradschin. Mir stand noch die nächtliche Szene in der Reichskanzlei vor Augen. Hacha machte jetzt einen frischeren Eindruck. Die Atmosphäre wirkte gelockert und trug eine höfliche, aber auf Abstand bedachte Note. Mehr konnte man nicht erwarten.

Danach setzte sich die Wagenkolonne zur Rückfahrt nach Böhmisch-Leipa und zum Sonderzug in Bewegung. Am nächsten Tag brachte uns der Zug über Olmütz nach Brünn, der Hauptstadt von Mähren, von da nach Wien. Die Rückreise nach Berlin traten wir am 18. März an, trafen aber wegen eines Zwischenaufenthaltes in Linz erst am Abend des 19. dort ein. Göring hielt eine seiner schwülstigen Begrüßungsansprachen, die diesmal besonders peinlich auf mich wirkte.

Die russische Frage

Während der Zugfahrt durch Mähren hatte sich ein Gespräch zwischen Hitler und mir ergeben. Hitler schaute versonnen auf die Landschaft und schien mit seinen Gedanken ganz woanders zu sein, eine Situation, die ich schon öfters erlebt hatte. Ich wartete ab, neugierig zu hören, mit welchen Themen er sich nach dem Abschluß des Tschechenproblems jetzt beschäftigte. Ich hatte mich nicht getäuscht. Das Abkommen mit Hacha und die friedensmäßige Besetzung der Tschechei beflügelten Hitlers Gedanken. Er sprach von dem wirtschaftlichen und landwirtschaftlichen Zuwachs für das Reich, der beträchtlich sei und ihm manche Sorge nähme. Waffen und Geräte des tschechischen Heeres ermöglichten ihm, neue Divisionen aufstellen zu lassen. Wir müßten nur dafür sorgen, daß das tschechische Volk zufrieden sei und sich unter dem Schutz des Großdeutschen Reiches wohl fühle. Neurath sei die geeignetste Persönlichkeit für den Posten des Reichsprotektors von Böhmen und Mähren. Er würde schnell das Vertrauen der Tschechen gewinnen. Es müßte Ruhe und Ordnung einkehren, denn er wisse nicht, was die nächsten Wochen bringen würden. Es sei schwierig geworden, die Polen zu isolieren. Sie seien starrköpfig gegen ein Abkommen über Danzig und eine Transitverbindung nach Ostpreußen und suchten Schutz bei den Engländern. Der Erbfeind der Polen sei aber nicht Deutschland, sondern Rußland. Auch uns drohe eines Tages von Rußland eine große Gefahr. Aber warum sollte der Feind von übermorgen nicht der Freund von morgen sein? Er fuhr fort, daß diese Frage sehr gründlich überlegt werden müsse. Die Hauptaufgabe sei es, jetzt einen Weg für neue Verhandlungen mit Polen zu finden. Zunächst wolle er sofort die Rückgliederung des Memelgebietes betreiben und danach für längere Zeit auf den Obersalzberg gehen. Dort habe er die Ruhe für seine Gedanken.

Wie ich später feststellte, hatte Hitler über Rußland bisher nur mit Ribbentrop gesprochen. Da ich von niemandem, auch nicht bei den militärischen Gesprächen, irgend etwas über dieses Thema hörte, habe ich auch nicht darüber gesprochen. Es schien sogar, daß Hitler die Pläne wieder fallen gelassen hatte, denn ich hörte erst wieder im Sommer etwas von einer neuen Handelspolitik und Rußland.

Bei unserer Ankunft in Berlin wimmelte es in der Reichskanzlei wieder von Neugierigen. Es war inzwischen auch eine Situation eingetreten, die dafür Grund genug bot. Auf der Fahrt hatten Dr. Dietrichs »weiße Blätter« und die Verbindung mit dem Auswärtigen Amt die ersten Meldungen von einer Rede Chamberlains gebracht, die er am 17. März in Birmingham gehalten hatte. Im Gegensatz zu seiner Rede am 15. März im Unterhaus, in der er das Desinteresse Englands an den Vorgängen zwischen Berlin und Prag erklärt hatte, bezichtigte er in Birmingham Hitler des Vertrags- und Wortbruchs. Er bezeichnete den Schritt Hitlers als den Versuch, durch Gewalt die Weltherrschaft zu gewinnen. Hitler fand seine Vermutung wieder einmal bestätigt. Andere Männer und Kräfte als Chamberlain bestimmten in England die Politik. Zu ihnen gehörte der Kreis um Churchill, Eden und Duff Cooper. England und Frankreich hatten Protestnoten in Berlin überreichen lassen und anschließend ihre Botschafter abberufen. Hitler antwortete mit der gleichen Maßnahme. Eine Vermutung, die ich während dieser Tage hörte, habe ich nicht vergessen. Im Kreis von Ribbentrops Begleitern sprach man davon, daß Chamberlain die Taktik, an der Tschechei uninteressiert zu sein, mit voller Absicht eingeschlagen habe. Er wollte Hitler zu seinem Schritt ermutigen, um danach das Mittel in der Hand zu haben, das englische Volk in eine antideutsche Stimmung zu versetzen. Ob und wie weit Hitler diesen Gedanken kannte, habe ich nicht erfahren.

Hitlers Schritt gegen die »Rest-Tschechei« ist im deutschen Volk nicht populär gewesen. Die meisten Menschen, mit denen ich sprach, fragten: »War das notwendig?« Auch der Hinweis auf Hitlers Erklärung in der Sportpalast-Rede am 26. September 1938 von der »letzten territorialen Forderung«, gemünzt auf das Sudetenland, war häufig zu hören. Man warf Hitler Wortbruch vor. Ihm blieb diese Mißstimmung nicht verborgen. Bei Tischgesprächen, Unterhaltungen mit Parteileuten, auch im Rahmen militärischer Besprechungen ging er darauf ein. Er warf den Engländern Verdrehungen der Tatsachen vor. Die »letzte territoriale Forderung« hätte sich auf die ganze Tschechoslowakei bezogen und nicht nur auf das Sudetenland und wäre nur im Zusammenhang mit der friedlichen Lösung aller Minderheitenprobleme in der Tschechoslowakei zu sehen gewesen. Die Tschechen seien der Probleme aber nicht Herr geworden, so daß auch die Engländer und Franzosen ihre in dem Zusatzabkommen zum Münchner Abkommen vorgeschlagene Garantie für die Grenzen der Tschechoslowakei nie abgegeben hätten.

Hitler ließ sich in der Verfolgung seiner Pläne nicht beirren. Nur wenn er schnell handeln würde, könnte er seine Ziele ohne Krieg erreichen, argumentierte er. Wir waren deshalb kaum überrascht, als er Ribbentrop anwies, politische Verhandlungen mit Litauen über die Rückgabe des Memelgebietes einzuleiten. Keitel wurde beauftragt, die entsprechenden militärischen Vorbereitungen zu treffen. Schwierigkeiten waren nicht zu erwarten. Deshalb wartete Hitler das Ergebnis der Verhandlungen gar nicht erst ab und entschloß sich, mit der Flotte nach Memel zu fahren. Am 22. März ging Hitler in Swinemünde an Bord des Panzerschiffes »Deutschland«. Am 23. März stiegen wir auf der Reede von Memel auf ein Torpedoboot um und trafen zu den bereits vorbereiteten Befreiungsfeiern im Hafen von Memel ein. Das übliche Programm rollte ab. Die Begeisterung war nicht überschwenglich, aber herzlich. Die Menschen wirkten selbstbewußt und sympathisch. Hitler verhielt sich auffallend ruhig.

Polen

In Berlin schlug die Außenpolitik neue hohe Wellen. Es ging um Polen. Ribbentrop hatte die Gespräche vom Januar des Jahres wieder aufgenommen und mit dem polnischen Botschafter Lipski ein ausführliches Gespräch über die seitdem schwebenden Fragen gehabt. Der Pole war noch schockiert von den letzten Ereignissen in Prag und Memel und soll nur widerwillig mit Ribbentrops Vorschlägen nach Warschau gereist sein. Er war noch nicht zurück. Es lagen aber Nachrichten aus London vor, daß die Polen sich bei den Engländern um Zusicherungen für einen engeren Kontakt zwischen beiden Ländern bemühten. Genaueres wußte man nicht, nur daß sich Chamberlain im Unterhaus geheimnisvoll über gewisse Gespräche ausgedrückt habe. Hitler und Ribbentrop war es anzumerken, daß etwas nicht so lief, wie man es sich wünschte. Erstaunt waren wir, daß Hitler trotzdem für wenige Tage nach München und Berchtesgaden reiste. Er wollte an der Beerdigung des verstorbenen Reichsärzteführers Wagner teilnehmen.

Zuvor fand noch ein Gespräch zwischen Hitler und Brauchitsch statt. Der Wunsch ging von Brauchitsch aus. Hitler stimmte dem Wunsch des Heeres zu, die Truppen aus der Tschechoslowakei in ihre Heimatgarnisonen zurückzuverlegen. Hitler äußerte sich zu Brauchitsch auch über die politische Lage. Gegenüber Polen sollte abgewartet werden. Er wolle die Danzig- und Korridorfrage nicht gewaltsam lösen. Das würde Polen nur in die Arme Englands treiben.

Am 30. März war Hitler wieder in Berlin und nahm sofort Gespräche mit Ribbentrop auf. Eine gewisse Spannung lag in der Luft. Ernst konnte es aber nicht sein, denn Göring sollte nicht aus San Remo zurückgerufen werden, wo er seinen unterbrochenen Urlaub fortsetzte. Das war ein guter Gradmesser für das politische Klima.

Stapellauf der »Scharnhorst«

Am Abend des 31. März bestiegen wir erneut den Sonderzug zu einer Reise nach Wilhelmshaven zum Stapellauf des zweiten großen Schlachtschiffes. Auf der Fahrt erhielt Hitler laufend Nachrichten über eine Rede, die Chamberlain an diesem Tag im Unterhaus gehalten hatte. Es war eine ähnliche Situation wie vor einem halben Jahr auf Hitlers Fahrt nach Saarbrücken. Nur wurde Hitler diesmal von der politischen Entwicklung nicht so überrascht wie damals. Ribbentrop hatte Hitler bereits unterrichtet, daß die Polen weitere Gespräche über die Rückkehr Danzigs zum Reich und über eine exterritoriale Verbindung mit Ostpreußen brüsk abgelehnt hätten. Hitler folgerte daraus, daß die Polen eine solche starre Haltung nur dann einnehmen könnten, wenn sie feste Zusagen für eine Bündnispolitik von England in Händen hätten. Chamberlains Rede bestätigte ihm, daß die Engländer den Polen weitgehende Beistandszusicherungen gegeben haben müßten. Wir befürchteten nichts Gutes für Hitlers geplante Rede in Wilhelmshaven.

Zunächst aber lief das Programm bei der Marine wie geplant ab: Fahrt zur Kriegsmarinewerft, Taufe des Schlachtschiffes durch Frau v. Hassell, der Tochter des kaiserlichen Großadmirals v. Tirpitz, auf dessen Namen und Stapellauf. Anschließend begab sich Hitler an Bord der »Scharnhorst«, beförderte Raeder in Anwesenheit aller Admirale zum Großadmiral und überreichte ihm den Großadmiralstab. Nach einem Frühstück in der Messe der »Scharnhorst« im Kreis der Admirale fuhr Hitler zum Rathaus und hielt auf dem Rathausplatz frei eine temperamentvolle Rede, fast ausschließlich an die Adresse Englands. Er wiederholte den Anspruch, im eigenen deutschen Lebensraum selbst zu entscheiden und nicht erst woanders anfragen zu müssen. Seine Warnung vor der bolschewistischen Weltgefahr verband er mit Spanien. Nach langen Kämpfen sei es Franco jetzt gelungen, Madrid zu erobern und Spanien vor den »Roten« zu retten.

Bestürzt über Hitlers offenen Ausbruch gegen England, begleiteten wir ihn zum KdF-Schiff »Robert Ley«. Hitler hatte die Einladung des Leiters der Deutschen Arbeitsfront, Dr. Robert Ley, zu einer dreitägigen Urlaubsfahrt angenommen. Ich habe diese Seereise in keiner guten Erinnerung. Ich fand sie auch langweilig, weil ich alle Schiffsreisen langweilig finde. Sicher hatte uns Hitlers Wilhelmshavener Rede die Stimmung verdorben. Seine Gewohnheit, mit innenpolitischen Propagandareden Außenpolitik machen zu wollen, hatte mit dieser Rede einen neuen Höhepunkt erreicht.

Hitler hatte an der Fahrt auf der »Robert Ley« viel Freude. Er bewegte sich zwanglos in allen Räumen und im Kreis der KdF-Urlauber. Auf hoher See war eine Begegnung mit dem Schlachtschiff »Scharnhorst« arrangiert. Sie schoß Salut und fuhr dicht an der »Robert Ley« vorbei, die Besatzung in Paradeaufstellung. Der Besuch der Insel Helgoland am zweiten Tag der Reise brachte weitere Abwechslung. Weil es allen so gut gefiel, ließ Hitler die Reise um einen Tag verlängern. Für die Urlauber war die Reise ein großes Erlebnis, man konnte es überall hören. Man mußte Dr. Ley Anerkennung zollen für seine großartige Idee, eine Urlaubsflotte für die Arbeiter zu schaffen, und für seine Energie, dies in so kurzer Zeit verwirklicht zu haben. Hitler bemerkte, mit der »Deutschen Arbeitsfront« (DAF) habe Ley für die deutschen Arbeiter ein weit umfassenderes Sozialwerk aufgebaut, als es in irgendeinem anderen Land der Erde gebe.

Das Erlebnis dieser KdF-Schiffsreise zeigte mir, in welchem Maße Hitlers soziale Vorstellungen verwirklicht worden waren und wie die Arbeiter dies anerkannten. Ich hatte verschiedene Gespräche in diesen vier Tagen. Außer der Begeisterung und Freude über die Reise war das Vertrauen zu Hitler und der Glaube an seine Führung überwältigend.

Hitlers Eindrücke auf der KdF-Reise blieben nicht ohne Einfluß auf sein Denken. Während der Eisenbahnfahrt von Hamburg nach Berlin am 4. April sprach er offen aus, daß er die Kraft und den Mut für die Führung des deutschen Volkes von diesen Menschen bekomme und daß es keine schönere Aufgabe für ihn geben könne, als für solche Menschen zu arbeiten. Wie viele andere dachte auch ich, daß man hier fast von demokratischem Gedankengut sprechen konnte: vom Volk, fürs Volk. Hitler beschränkte aber die in der Demokratie gültige »Gleichheit und Freiheit für alle Bürger« auf die Menschen »seines Wohlgefallens«, nämlich auf die Anhänger der nationalsozialistischen Ideen. Diese fühlten sich unter seinem Regime in ihren Freiheiten natürlich auch nicht beengt.

Nach der KdF-Reise war Hitlers Terminkalender frei für seinen gewünschten längeren Aufenthalt auf dem Obersalzberg. Auf dem Weg dorthin machte er für wenige Stunden in Berlin Station, um mit Keitel und Schmundt über die in den nächsten Monaten zu treffenden militärischen Maßnahmen zu sprechen. Die bis jetzt gültige »Weisung« zur Landesverteidigung war überholt und mußte, wie es generalstabsmäßig üblich war, neu gefaßt werden.

»Fall Weiß«

Am 11. April lag die neue »Weisung für die einheitliche Kriegsvorbereitung der Wehrmacht für 1939/40« vor. Sie spiegelte die letzten Erkenntnisse aus der Haltung Polens wider. Dementsprechend fand sich in der Weisung ein Abschnitt, der nur den »Fall Weiß« behandelte, der Tarnname für die Operationsvorbereitungen gegen Polen. Der Abschnitt »Fall Weiß« fiel nicht mehr auf als vor einem Jahr der »Fall Grün«, der nicht, wie vom Generalstab des Heeres befürchtet worden war, zu einem Krieg geführt hatte. Als ich Hitlers neue Weisung las, fand ich deshalb die Vorbereitung von Maßnahmen nicht außergewöhnlich. Hitler hatte den 1. September als Termin für den Abschluß der Operationsvorbereitungen gesetzt. Diese Weisung löste weder Überraschung noch Beunruhigung aus.

Der 20. April 1939, Hitlers 50. Geburtstag, sollte zu einem grandiosen Ehrentag für ihn werden. Das ganze deutsche Volk nahm daran teil. Presse und Rundfunk feierten den Führer mit langen Leitartikeln, Bilderserien und Kommentaren. In der Führerwohnung begannen die Gratulationen und Feiern bereits am Vorabend. Im Laufe des Tages trafen unübersehbare Mengen von Geschenken in der Reichskanzlei ein. Sie waren auf langen Tischen im großen Eßsaal der Führerwohnung ausgelegt. Hitler sah sie sich am Vorabend seines Geburtstages in Ruhe an. Hier lagen kleinste und bescheidenste Stücke neben wertvollen Gemälden, Teppichen und alten Kunstwerken.

Das Hauptereignis des Vorabends war die Einweihung der Berliner Ost-West-Achse. Wir fuhren zum Brandenburger Tor; am Anfang der großen Prachtstraße erwartete der Generalbauinspektor für die Reichshauptstadt, Albert Speer, den Führer, meldete die Fertigstellung der Ost-West-Achse und hielt eine aus sieben Worten bestehende Rede: »Möge das Werk für sich selber sprechen.« Speer und Hitler fuhren im Wagen stehend die sieben Kilometer lange Prachtstraße ab, gefolgt von etwa 50 weiteren Autos. Ein Meer von leuchtenden Lichtbündeln, Fahnen und Flammen überfluteten die Prachtstraße. Beiderseits der 30 m breiten Fahrbahn standen die Berliner in dichten Reihen und jubelten Hitler zu.

In die Reichskanzlei zurückgekehrt, nahm Hitler vom Balkon den Fackelzug von Abordnungen aller Gaue der Partei ab. Der Wilhelmplatz war schwarz von Menschen. Jubel und Heilrufe schienen an diesem Abend nicht enden zu wollen.

In den Räumen der Führerwohnung hatten sich inzwischen Hitlers engste Mitarbeiter vollzählig eingefunden, die persönlichen und militärischen Adjutanten, die Sekretärinnen, Ärzte, Diener, Flugzeugbesatzungen, die Führer des Begleitkommandos, der Kripo und der Fahrbereitschaft, der Hausintendant mit dem Hauspersonal und den Ordonnanzen, ferner Sepp Dietrich und die Professoren Speer und Hoffmann. Dazu waren nur Bormann, Bouhler und Dr. Dietrich zugelassen. Punkt 0 Uhr begann die Gratulationscour mit den Glückwünschen von Hitlers Sekretärinnen. Es folgte die lange Reihe der Gratulanten. Flugkapitän Baur übergab ein Modell der neuen viermotorigen Führermaschine, einer Focke-Wulf 200 »Condor«, die im Sommer in Dienst gestellt werden sollte. Gleich danach erklärte ich Hitler das Geschenk der Luftwaffe. Auf einer Platte war von jedem Flugzeug, das zur Zeit in den Verbänden der Luftwaffe flog, ein Modell aufgebaut, eine instruktive Anordnung, die Hitler sichtlich interessierte.

Besonders beeindruckt war Hitler aber von einem großen Modell des für den Ausbau von Berlin vorgesehenen Triumphbogens. Speer hatte es nach Hitlers Entwürfen anfertigen lassen, die schon aus der Zeit vor 1933 stammten. Bei solchen Gelegenheiten sprach Hitler über seine Baupläne und daß sie zu Zeugen dieser

…kunft in Memel am 23. März
…9 an Bord des Torpedobootes
…opard«.

…chtigung des Westwalls.
…ts von Hitler General v.
…zleben.

…er Luftverteidigungszone.
…links: Dr. Todt, General
…nger, General Milch.

Besichtigung des Westwalls. I
Fahrt vorbei an der grüßenden I
kerung. Darunter: Der Bau von
kern und Panzersperren.

großen Zeit werden sollten. Es sei nicht sein Ehrgeiz, das alles durch kriegerische Experimente aufs Spiel zu setzen.

Die offiziellen Feierlichkeiten begannen am 20. April um 8 Uhr mit einem Ständchen des Musikkorps der Leibstandarte. Um 9 Uhr kam der päpstliche Nuntius und Doyen des Diplomatischen Korps. Es folgten die Staatspräsidenten der Tschechei, Dr. Hacha, und der Slowakei, Dr. Tiso, das Reichskabinett und die Oberbefehlshaber der Wehrmachtteile.

Um 11 Uhr sollte die große Truppenparade beginnen. Vorher fuhr Hitler mit kleiner Begleitung in langsamem Tempo die Paradeaufstellung aller beteiligten Truppen auf der neuen Prachtstraße ab. Ein großer »Paradestab« war wochenlang mit den Vorbereitungen beschäftigt gewesen. Die Parade begann mit dem Anmarsch des Fahnenbataillons aller Truppenteile. Es nahm vor der Tribüne mit Front zu Hitler Aufstellung. Auf Kommando des auf einem Schimmel reitenden Kommandeurs senkten sich die Fahnen. Hierbei passierte die einzige Panne der fünfstündigen Parade. Das Pferd scheute, und der Kommandeur hatte Mühe, sich auf dem Pferd zu halten und seine nächsten Kommandos in das Mikrophon zu sagen. Die Parade war eindrucksvoll. Auf Hitlers Befehl wurden die modernsten Waffen gezeigt, vor allem neue Panzer und Geschütze. Alle Waffengattungen und Wehrmachtteile paradierten: Infanterie, Kavallerie, Artillerie, Pioniere, Nachrichtentruppe, Flieger, Flakartillerie- und Marineeinheiten. Den größten Teil der Parade nahmen motorisierte Verbände ein. Die Luftwaffe zeigte ihre neuesten Jagd- und Kampfflugzeuge im exakten Vorbeiflug in Staffelformationen. Hitler hatte erreicht, was er mit seiner Geburtstagsfeier beabsichtigte: Die Welt sollte die militärische Stärke des Reiches erkennen.

Die Reichstagsrede am 28. April

Zum 28. April hatte Hitler den Reichstag einberufen lassen, um eine »Regierungserklärung« abzugeben. Akuter Anlaß war ein Brief Roosevelts, der, bevor er in Berlin eintraf, in Washington veröffentlicht worden war. Damit hatte der amerikanische Präsident einen im internationalen diplomatischen Verkehr nicht nur ungewöhnlichen, sondern auch taktlosen Weg gewählt. Hitler erhielt den Brief völlig überraschend und äußerte sich erregt über die Art und Weise, wie Roosevelt mit ihm umspringe. Auch kritisierte er den Ton des Briefes als überheblich. Roosevelts angebliche Absicht, mit diesem Brief für den Frieden wirken zu wollen, wurde durch dessen Form und Ton widerlegt. Roosevelt forderte Hitlers Zusicherung, kein europäisches Land anzugreifen. Etwa 30 Staaten waren namentlich aufgeführt. Weiter schlug er Verhandlungen über Abrüstungen vor. Damit hatte er Hitlers empfindlichsten Punkt getroffen. Seit dem Friedensvertrag von Versailes 1919 hatte die Abrüstungsfrage Hitler immer wieder die zugkräftigsten Parolen für seinen politischen Kampf gegeben. Der Völkerbund sei von den Siegerstaaten des Weltkrieges nur gegründet worden, um die Abrüstung Deutschlands zu überwachen und eine neue Rüstung in Deutschland zu verhindern. Alle Staaten selbst hätten aber nicht nur nicht abgerüstet, sondern aufgerüstet. Hitler warf den westlichen Demokratien vor, das deutsche Volk auf alle Zeiten in einer Pariastellung halten zu wollen. An Roosevelt brandmarkte er besonders dessen »verlogene Politik«. Auf der einen Seite verurteile der amerikanische Präsident die totalitär regierten Staaten, auf der anderen Seite suche er engere Beziehungen zu Rußland.

Hitlers Reichstagsrede am 28. April glich einer politischen Explosion. Die Beamten des Auswärtigen Amtes wählten den Ausdruck, Hitler habe nach allen Seiten »ausgekeilt«, was dieser als Lob ansah. Weit verbreitet war in Deutschland die Ansicht, daß es eine der besten Reden Hitlers gewesen sei. Ich selbst war von seiner Kunst, sich einfach und verständlich auszudrücken, und von der Überzeugungskraft seiner Worte beeindruckt. Für den Sarkasmus, mit dem er dem amerikanischen Präsidenten in 21 Punkten seine Antwort gab, erntete Hitler stürmischen Beifall im Reichstag. Zur aktuellen Außenpolitik erklärte er, daß Polen durch die neuesten Abmachungen mit England das deutsch-polnische Abkommen von 1934 verletzt habe und dieses Abkommen daher für Deutschland nicht mehr als existent gelten könne. Gegenüber England zog er aus dessen Absprachen mit Polen den Schluß, daß die englische Regierung eine neue Einkreisungspolitik gegen Deutschland begonnen und dadurch die Voraussetzung für den Flottenvertrag von 1935 beseitigt habe. Auch diese Abmachung sei damit hinfällig.

Im kleinen Kreis in der Reichskanzlei äußerte Hitler sich ernst und verbittert. Ihm sei immer klarer geworden, daß die Feindschaft der westlichen Demokratien nicht allein der nationalsozialistischen Regierung in Deutschland gelte, sondern dem ganzen deutschen Volk. Davon fühlte sich Hitler persönlich betroffen. Er habe die Liebe des ganzen Volkes an seinem Geburtstag wieder zu spüren bekommen, betonte Hitler, das gäbe ihm die Kraft, in seinen Bemühungen um Deutschland nicht nachzulassen. In der Tat war der Jubel am 20. April nicht organisiert gewesen. Er war vielmehr Ausdruck echter Liebe und Verehrung des Volkes. Ich verstand Hitlers Reaktion auf die Roosevelt-Botschaft, die zu keinem Zeitpunkt ungünstiger kommen konnte. Noch aus seiner Rede vor Arbeitern im Berliner Lustgarten am 1. Mai war seine Verbitterung herauszuhören. Aber durch den Kontakt mit den Zuhörern dieses Tages sprach er sich frei, wie so oft bei seinen Reden. Er brauchte den Jubel ebenso wie der Künstler den Beifall. Einen für ihn typischen Gedanken formulierte Hitler so: »Kein Führer kann mehr an Kraft umsetzen, als seine Gefolgschaft ihm an Kraft gibt.« Dann folgten aber Sätze wie diese, daß er »mit allen Mitteln rüste« und daß ihm der vom deutschen Arbeiter geschaffene Westwall ein »zuverlässigerer Garant unserer Freiheit sei als eine Völkerbundserklärung«. Die Kündigung der Verträge mit Polen und England wirkte auf weite Teile des Volkes und auf die Umgebung Hitlers alarmierend.

Westwallreise

Seine nächste Reise galt dem Westwall. Während er die Besichtigung im August des Vorjahres hatte geheim halten lassen, führte er die neue Reise vom 15. bis 19. Mai mit großem Gefolge und unter Beteiligung der Presse durch. Die Welt sollte erkennen, was das deutsche Volk in so kurzer Zeit geschaffen hatte. Im kleinen Kreis fügte er hinzu, »damit keiner hier im Westen auf den Gedanken kommt, uns in den Rücken zu fallen, wenn wir im Osten gebunden wären«. Diesmal führte der neue Oberbefehlshaber West, General v. Witzleben.

Er hatte die gleiche Einstellung gegen Hitler wie sein Vorgänger Adam, ließ es sich aber nicht anmerken. Besonderes Augenmerk schenkte Hitler dem Ausbau der Luftverteidigungszone. In Vertretung von Göring nahm Milch, seit November 1938 Generaloberst, an diesen Besichtigungen teil. Der Befehlshaber der LVZ, Generalleutnant Kitzinger, erntete ein besonderes Lob von Hitler für die geschickt kombinierte Anlage der Flak-Stellungen zum Einsatz gegen Luft- und Erdziele. Wie jeder, der die Reise mitmachte, war auch ich von der gewaltigen Bauleistung in so kurzer Zeit beeindruckt. Gegen die Artillerie- und Panzerwaffen, mit denen die französische Armee zu dieser Zeit ausgerüstet war, boten die Befestigungsanlagen ausreichend Schutz und Sicherheit. Darüber hinaus aber sollte der Westwall abschrecken. Diesen Zweck, so schien es uns, erfüllte er bereits jetzt, obwohl erst zwei Drittel der Anlagen fertiggestellt waren.

Besprechung am 23. Mai

Überraschend berief Hitler wenige Tage nach Rückkehr von dieser Reise am 23. Mai 1939 die Oberbefehlshaber der Wehrmachtteile und ihre Generalstabschefs zu einer Besprechung in die Reichskanzlei. Es waren anwesend: Göring, Raeder, Brauchitsch, Keitel und Milch, Halder, Bodenschatz, Schniewind, Jeschonnek und Warlimont sowie wir vier Wehrmacht-Adjutanten. Die Weisung des OKW vom 4. und 11. April war allen Anwesenden bekannt. Wir alle nahmen an, Hitler würde weitere Einzelheiten, besonders für die Vorbereitungen des »Falles Weiß«, den Angriff gegen Polen, besprechen. Es kam aber zu keiner Besprechung, sondern Hitler machte wieder eine »tour d'horizon« durch die politische Lage in Europa, ähnlich wie am 5. November 1937 und am 28. Mai 1938. Zum ersten Mal sprach er bei dieser Gelegenheit zwei Gedanken eindeutig aus: Polen würde immer auf der Seite unserer Gegner stehen, und England sei der treibende Motor gegen Deutschland. Er zweifelte an der Möglichkeit einer friedlichen Verständigung mit England und meinte, Deutschland würde nicht um den Krieg herumkommen. Zunächst sei die wichtigste Aufgabe, Polen zu isolieren und es dann aber bei der ersten besten Gelegenheit anzugreifen. Man könne nicht damit rechnen, daß sich die Auseinandersetzung mit den Polen ähnlich lösen lassen werde wie mit den Tschechen. Es dürfe aber nicht zu einer gleichzeitigen Auseinandersetzung mit England und Frankreich kommen. Zu Amerika sagte Hitler nichts. Rußland bezog er nicht unmittelbar in den Kreis der derzeit möglichen Feinde ein. Lange sprach er aber über die Kriegführung gegen England, über die Notwendigkeit der Überraschung und über die Voraussetzung dafür, die Geheimhaltung aller Absichten und Pläne. Das OKW sollte einen Studienstab aus qualifizierten Offizieren der drei Wehrmachtteile bilden, der die generalstabsmäßige Vorbereitung der Maßnahmen und Operationen gegen England übernehmen sollte.

Hitlers Ausführungen und Anweisungen ließen den Schluß zu, daß er die größere Auseinandersetzung mit dem Westen erst in den Jahren 1943 oder 1944 für möglich hielt. Er nannte also die gleichen Jahreszahlen wie am 5. November 1937. Alle Anwesenden standen unter dem Eindruck, daß Hitler in diesem Jahr den Polen seinen Willen aufzwingen wollte, wie er ihn im Vorjahre den Österreichern und den Tschechen aufgezwungen hatte. Niemand zweifelte an Hitlers Worten, daß er dabei kein Risiko eingehen wollte.

Schmundt hatte sich während der Besprechung laufend Notizen gemacht und diese am folgenden Tag handschriftlich zu einem Bericht ausgearbeitet. Er deponierte ihn mit anderen Niederschriften in seinem Panzerschrank. In späteren Jahren hat Schmundt alle derartigen Akten an den »Beauftragten für die Geschichtsschreibung«, General Scherff, abgegeben. In dessen Archiv wurde der »Bericht 23. Mai 1939« von den Alliierten gefunden und diente 1946 der Anklage im Nürnberger Prozeß als Schlüsseldokument (»Kleiner Schmundt«). Es war verständlich, daß verschiedene Angeklagte versuchten, die Echtheit des Dokuments anzuzweifeln und einzelne Angaben in dem Bericht als falsch hinzustellen. Ich selbst habe mich als Zeuge in Nürnberg vorsichtig im Sinne der Angeklagten geäußert. Heute besteht kein Grund, die Echtheit von Schmundts Niederschrift zu verheimlichen. Die aufgeführten Teilnehmer waren alle anwesend, auch Göring und Oberst Warlimont. Es ist völlig ausgeschlossen anzunehmen, daß Schmundt den Bericht erst sehr viel später, etwa 1940 oder 1941, abgefaßt hätte. Ich kannte Schmundts Gewohnheit, solche Aufzeichnungen so schnell wie möglich nach den jeweiligen Ereignissen anzufertigen. Schmundt war als Generalstabsoffizier gewissenhaft und verantwortungsbewußt genug, um die Bedeutung solcher Gesprächswiedergaben richtig zu erkennen. Im übrigen entsprach der Inhalt der Niederschrift Hitlers

Gedanken aus jener Zeit, wie ich sie nicht nur aus der Besprechung vom 23. Mai her kannte, sondern auch aus einzelnen anderen Gesprächen Hitlers im Kreise der Militärs.

Am 22. Mai, also einen Tag vor der Geheimbesprechung, fand die feierliche Unterzeichnung des deutsch-italienischen Freundschafts- und Bündnispaktes im Empfangssaal der neuen Reichskanzlei statt. Das Auswärtige Amt zog alle Register für ganz großes Zeremoniell. Im wesentlichen handelte es sich um einen Beistandspakt auf militärischem und wirtschaftlichem Gebiet. Im allgemeinen Sprachgebrauch erhielt er den Namen »Stahlpakt«. Hinter den Kulissen des prächtigen Unterzeichnungszeremoniells munkelte man bereits, daß das Abkommen wohl auf einen sehr einseitigen Beistand herauslaufen werde. Göring, der in erster Linie die möglichen wirtschaftlichen Folgen befürchtete, nahm in seiner Kritik an Ribbentrop, der als Initiator des Abkommens galt, kein Blatt vor den Mund und schoß giftige Pfeile gegen ihn ab. Sein Ärger wuchs noch, als er von der Verleihung des Annunziaten-Ordens an Ribbentrop hörte, den er noch nicht besaß. Die Inhaber dieses Ordens galten als »Vettern« des italienischen Königs.

Jugoslawischer Staatsbesuch

Kurze Zeit nach diesem spektakulären Ereignis fand vom 1. bis 4. Juni 1939 ein Staatsbesuch in Berlin statt, der durch ein Programm glanzvoller Feste den seinerzeitigen Besuch Mussolinis noch in den Schatten stellte. Hitler hatte das Prinzregentenpaar von Jugoslawien, Prinz Paul und Prinzessin Olga, eingeladen. Die Prinzessin, eine geborene Prinzessin von Griechenland und Dänemark, war eine Schwester der Herzogin Marina von Kent, einer Schwägerin des britischen Königs. Dieses Verwandtschaftsverhältnis hatte mit eine Rolle für die Einladung gespielt. Zudem stattete zum ersten Mal ein Mitglied eines regierenden Herrscherhauses dem Führer des nationalsozialistischen Deutschland einen Besuch ab. Hitler hatte veranlaßt, das Schloß Bellevue im Tiergarten zum Gästehaus der Reichsregierung umzubauen und einzurichten.

Zweimal wollte Hitler allein mit den Gästen zusammen sein. Am zweiten Besuchstag speiste er mit ihnen zu Mittag in seiner Wohnung, am dritten Tag nahmen sie zu dritt den Tee in dem neuen Gewächshaus im Garten der Reichskanzlei. Hitler glaubte, bei Gesprächen im kleinen Kreis mehr Möglichkeit zu haben, seinen persönlichen Einfluß auf die Gäste wirken zu lassen. Seine Themen bei den Unterhaltungen hatte er stark auf die Weitergabe an die Engländer abgestimmt, obwohl er noch nicht wußte, daß das Prinzregentenpaar von Berlin aus nach London zu einem Besuch seiner Verwandten am englischen Hof weiterreisen wollte.

Auf dem Programm stand auch eine Aufführung von Wagners »Die Meistersinger von Nürnberg« in der Staatsoper Unter den Linden, am Dirigentenpult Herbert v. Karajan. Zum ersten Mal erlebte ich den heute berühmten und gefeierten Meister. Er stand damals am Anfang seiner Karriere. Göring war als preußischer Ministerpräsident Hausherr im Staatlichen Opernhaus und setzte sich für Karajan ein, während Goebbels, der auf die preußischen Staatstheater keinen Einfluß ausüben konnte, Karajan nicht mochte, ich weiß nicht, ob aus persönlichen oder künstlerischen Gründen. Hitler war von der Aufführung enttäuscht. Ich hörte ihn über nicht exakte Einsätze sprechen, und daß er es anmaßend von einem jungen Dirigenten fände, ein großes Werk ohne Noten zu dirigieren. Selbst Wilhelm Furtwängler hätte das nicht getan.

So glänzend der äußere Rahmen dieses Staatsbesuches war, so wenig war Hitler mit dem Ergebnis zufrieden, weil er zu seinen Gästen keinen Kontakt gefunden hatte. Mein erster Eindruck vom Empfang auf dem Lehrter Bahnhof hatte mich nicht getäuscht. Beide waren Menschen, die Hitler nicht lagen.

Einige Tage später sollte die Welt Hitlers Erfolge im spanischen Bürgerkrieg zur Kenntnis nehmen. Am 6. Juni zogen die Soldaten der »Legion Condor« mit Blumen geschmückt als Sieger in Berlin ein. Der letzte Befehlshaber der Legion, General Frhr. v. Richthofen, führte die Parade an. Seine beiden Vorgänger, die Generale Sperrle und Volkmann, standen hinter Hitler auf der Ehrentribüne. Unter den etwa 18 000 Soldaten befanden sich 5000, die erst vor wenigen Tagen aus Spanien zurückgekehrt waren. Vor der Kulisse von etwa 300 von Hitlerjungen gehaltenen Tafeln mit den Namen der Gefallenen sprachen Göring und Hitler zu den Spanienkämpfern. Hitler ließ noch einmal kurz Ursachen und Ablauf des spanischen Bürgerkrieges, wie er sie sah, Revue passieren. Dabei griff er die westlichen Demokratien wegen ihrer »verlogenen« Berichterstattung über die deutsche Beteiligung auf Francos Seite an und gedachte der für Deutschland gefallenen Kameraden. Wenigen war es aufgefallen, daß Hitler es geschickt vermied, Rußland und den Bolschewismus zu erwähnen.

Sommerreisen

Hitlers Terminkalender war danach frei von offiziellen oder militärischen Vorhaben. Schmundt nutzte die Zeit, um auf Urlaub zu fahren. Albrecht wollte heiraten. So mußten Engel und ich den Dienst für den Rest des Monats unter uns aufteilen. Ich übernahm die ersten zwei Wochen. Zunächst hatte ich Hitler auf einer interessanten und abwechslungsreichen Reise zu begleiten. Die jeweiligen Ziele gab er erst kurz vor der Abreise an, so daß wir unangemeldet und überraschend unsere Ziele erreichten. Sicherheitsgründe spielten dabei weniger eine Rolle. Hitler wollte jeden Volksauflauf vermeiden und sich möglichst ungestört dort aufhalten können, wo es ihm gerade beliebte. Das erste Reiseziel am 7. Juni 1939 war das im Bau befindliche Volkswagenwerk bei Fallersleben. Vor etwa einem Jahr hatte Hitler den Grundstein zu diesem Werk gelegt. Hitlers persönlichen Adjutanten war es im letzten Augenblick noch gelungen, Ley, Dr. Ferdinand Porsche und Jacob Werlin nach Fallersleben zu bestellen. Ley war der Geldgeber für den Bau des Werkes, Porsche der Konstrukteur des Volkswagens, Werlin Hitlers Automobilberater und Gesprächspartner für Motorisierung.

Ich hatte Werlin im Herbst 1937 auf dem Obersalzberg kennengelernt. Aus Platzmangel waren wir in einem der Gästehäuser, dem »Bechsteinhaus«, zusammen in einem Doppelzimmer untergebracht. Damals erfuhr ich, daß er, Direktor der Mercedes-Benz-Niederlassung in München, Hitler seit 1924 kannte, ihm seine Wagen lieferte und ihn beriet. Schon bald nach der Machtübernahme hatte Hitler über Werlin den Gedanken des »Volksautos« der Autoindustrie schmackhaft zu machen versucht. Wegen der schwierigen wirtschaftlichen Verhältnisse konnten sich die Autofabrikanten nicht entschließen, eine kostspielige Neukonstruktion in Angriff zu nehmen, deren Erfolg ihnen zu ungewiß erschien. Direktor Werlin gelang es, den Konstrukteur Ferdinand Porsche, der früher bei Mercedes tätig gewesen war, für das Projekt zu interessieren, und stellte die Verbindung zwischen Hitler und Porsche her. Damit begann die Konstruktion des »Volksautos«. Nach Hitlers Vorstellung sollte der Wagen nach modernsten Fertigungsmethoden in einem neuen Werk gebaut werden. Als Dr. Ley, der Leiter der DAF, davon hörte, begeisterte er sich für den Plan und bot die Finanzierung durch die »Bank der deutschen Arbeit« an, die Hausbank der »Deutschen Arbeitsfront«. Dort lagen die Mitgliederbeiträge der Arbeiter zur DAF.

Hitler sprach an diesem ersten Tag unserer Reise viel über diese Vorgeschichte und die großen Schwierigkeiten, die zu überwinden waren, zuletzt noch bei der Auswahl des Standortes. Nicht angelehnt an ein Industriegebiet oder eine Großstadt, sondern einsam in der Landschaft, war ein Gelände am Mittellandkanal auf der Besitzung des Grafen Schulenburg in der Nähe seines Schlosses Wolfsburg ausgewählt worden. Dort war auch Platz genug, um neben den Werksanlagen eine neue Stadt zu bauen, die den Namen »Stadt des KdF-Wagens« erhalten sollte.

Bei unserer Besichtigung sahen wir nicht nur die Pläne für die neue Stadt, sondern schon die ersten Arbeiten im Gelände. Für die Fertigstellung des Werkes meinte Ley noch ein Jahr Bauzeit zu benötigen. Der erste »Volkswagen« sollte nach seiner Vorstellung Ende 1940 vom Band laufen. Ich erinnere mich genau der vielen Kritiken über diesen »größenwahnsinnigen« Dr. Ley, dessen utopische Pläne für den Werksbau und dessen Rentabilität sowie für den »Volkswagen« für falsch und undurchführbar gehalten wurden. Hitler unterstützte ihn in seiner Begeisterung und setzte sich in jeder Weise für Ley und den Volkswagen ein. Beide erwarteten eine große Zukunft für dieses kleine Auto, dessen Preis nicht über

1000,– Reichsmark liegen sollte. Die Wehrmacht war damals an Volkswagen nicht interessiert. Sie hielt ihn nicht für kriegsverwendungsfähig.

Der nächste Besuch galt der »Reichstheaterwoche« in Wien. Hitler liebte die Kultur, die Kunst und die geschichtliche Tradition dieser Stadt. Nur die Wiener mochte er nicht und machte aus dieser Einstellung kein Hehl. Deshalb sprach er in Wien, wenn er wie diesmal ohne staatspolitische Pflichten hier weilte, auch nur über Kunst und Kultur. Meist erzählte er Erlebnisse aus seiner Wiener Jugendzeit, welche Opern er gehört, welche Theaterstücke er im Burgtheater gesehen und welche Künstler er bewundert habe. In der Baukunst und in der Malerei bevorzugte er Werke des 19. Jahrhunderts. Die Bauten der Gotik wie der Stephansdom und die Werke der Barockzeit, an denen Wien so reich ist, bewunderte er im höchsten Maße. Zur Kunst des 19. Jahrhunderts habe er aber eine nähere Verbindung, weil sie jünger und nach seinen Vorstellungen noch nicht abgeschlossen sei. Dort müßte angeknüpft werden, und Malerei und Baukunst müßten aus dieser Zeitepoche heraus neue Wege suchen. Hitler hatte in der Malerei selbst versucht, diese Kunstrichtung fortzusetzen. Sein Vorbild für den Stil seiner eigenen Malerei war Rudolf v. Alt. Selbst in der Wahl seiner Motive hatte er Alt nachgeahmt, historische Baudenkmäler bevorzugt und in die sorgfältige Malerei seine ganze Liebe zur Baukunst hineingelegt.

Im Rahmen der Veranstaltungen zur Reichstheaterwoche besuchte Hitler am ersten Abend seines Wiener Aufenthaltes die Festaufführung von Richard Strauss' Oper »Friedenstag« und am zweiten Abend eine Vorstellung im Burgtheater. Lebhaft im Gedächtnis sind mir die anschließenden Gesellschaften geblieben, die Hitler im Kreis von Künstlern verbrachte. Für einen Abend war ein hübsches Restaurant auf dem Cobenzl, oberhalb von Wien, ausgesucht worden. Hitler hatte sichtliche Freude an dem ungezwungenen und fröhlichen Zusammensein im Kreis seiner Gäste von Oper und Schauspiel.

Der letzte Tag der Reise begann mit einem Besuch Hitlers am Grab seiner Nichte Geli Raubal auf dem Wiener Zentralfriedhof. Danach flogen wir nach Linz. Zu Linz hatte Hitler ein anderes Verhältnis als zu Wien. Er fühlte sich unter den Menschen wohl. Der Stadt fehle es aber, wie er meinte, an sichtbaren kulturellen Werten. Das wollte Hitler jetzt nachholen. Ein Erlebnis am Rande ist mir von diesem Tag in Erinnerung geblieben. Der Gauleiter von Linz, Eigruber, zeigte ihm bei einer Stadtrundfahrt Veränderungen im Stadtbild und erklärte seine Pläne für den weiteren Ausbau. Voll Stolz machte Eigruber auf einige neue Wohnblocks für Arbeiter der Hermann-Göring-Stahlwerke aufmerksam. Hitler betrachtete sie stumm und ließ dann ein Donnerwetter über den Gauleiter niederprasseln. Die Wohnungen hatten alle keine Balkone. Das sei unsozial, meinte Hitler, man müsse auch an kinderreiche Familien denken und daran, wie man ihnen Annehmlichkeiten schaffen könne. Dafür sei ein Balkon an jeder Wohnung unentbehrlich.

Von Linz setzten wir die Reise im Auto fort. Hitler besuchte auf dem Wege nach Berchtesgaden bald hinter Wels, nahe bei Lambach, die Orte, die ihn an seine früheste Kindheit erinnerten; Hafeld, wohin sein Vater 1895 nach der Pensionierung im Alter von 58 Jahren gezogen war, und die Schule in Fischlham, die Hitler während seiner ersten drei Schuljahre besucht hatte. Das kleine Schulhaus mit nur einem Klassenraum war nach Hitlers Äußerungen unverändert geblieben, ländlich genügsam und bescheiden. Hitler gab Bormann den Auftrag zum Ankauf des alten Schulhauses durch die Partei und zur Planung einer neuer Schule. Nach Verlassen der Schule wurde Hitler von der Lehrerin begrüßt, und die Kinder jubelten ihm zu. Bei schönstem Wetter fuhren wir durch die sommerliche Voralpenlandschaft in den Abend hinein und waren bei Sonnenuntergang wieder auf dem Obersalzberg.

Hitler traf frisch und angeregt von der Reise auf dem Berghof ein. Am ersten Abend merkte ich aber bereits, daß seine Gedanken schon wieder ganz woanders waren. Der Kontrast zwischen seiner privaten Lieblingsbeschäftigung, dem Bauen, und seinem ständigen Grübeln nach Wegen zur Verwirklichung seiner politischen Vorhaben ist mir nie so aufgefallen wie im Laufe dieser Tage auf dem Obersalzberg. Speer und ich waren abwechselnd seine Gesprächspartner. Beim langen Auf- und Abgehen in der großen Halle ließ Hitler seinen Gedanken freien Lauf. Aus seinen Worten klang der Wunsch, so schnell wie möglich die Basis für seine ihm vorschwebende Friedensarbeit schaffen zu müssen. Diese Basis sollte ein großdeutsches Reich sein, unangefochten und anerkannt unter den Völkern Europas und der Welt. Mir schien es, daß die territoriale Ausdehnung dabei nicht die entscheidende Rolle spielen sollte, auch wenn er hier und da übertrieben lautende Vorstellungen von Ausdehnungen im Osten andeutete. Im Grunde ging es ihm vornehmlich darum, den »jüdischen Bolschewismus« als die größte Gefahr für Deutschland und Europa zu vernichten. Unter dieser ständigen Bedrohung könne das deutsche Volk nicht in Frieden leben und seine eigentliche Aufgabe erfüllen, die Werte der Kultur, die es besitze, zu pflegen und neue zu schaffen, so argumentierte Hitler. Ich gestehe, daß ich von diesen Gedanken beeindruckt war. Die scheinbar klare Beurteilung der Lage überzeugte mich von der Richtigkeit seiner Pläne. Vor allem glaubte ich an seine Worte, wenn er fortfuhr, daß die Voraussetzung für eine Auseinandersetzung mit Rußland ein einiges Europa sein müßte. Daß ein Feldzug gegen Polen kurz und siegreich verlaufen würde, stand für ihn außer Frage. Lieber wäre es ihm jedoch, Danzig und Teile des Korridors ohne Einsatz der Wehrmacht zu gewinnen und ein neues dauerhaftes Bündnis mit Polen zu finden. Er könne es sich nicht vorstellen, daß der polnische Chauvinismus so weit ginge, die Stärke der deutschen Wehrmacht zu unterschätzen und die Möglichkeit einer Hilfe von seiten Englands zu überschätzen. Eine derartige falsche Beurteilung könnte das Ende Polens bedeuten. Hitler glaubte nicht an ein aktives Eingreifen

Englands, weil er davon ausging, daß die Engländer noch mindestens zwei Jahre brauchten, bis sie für einen Krieg gerüstet wären. Diese Zeit wollte er nutzen, denn die Gelegenheit würde nicht wiederkommen, durch eine Lösung des polnischen Problems die Basis für den unumgänglichen Kampf gegen Rußland zu schaffen. Ich fragte Hitler bei einem dieser abendlichen Gänge in der Halle, ob er glaube, daß die Engländer die Vormachtstellung Deutschlands in Europa akzeptieren würden. Hitler meinte, es bliebe ihnen nichts anderes übrig, wenn sie ihr Weltreich behalten wollten. Mit Polen hätten sie sich noch nicht festgelegt. Die vorsichtigen Engländer warteten noch ab. Sie würden sicher ganz still werden, wenn er ein Bündnis mit Rußland zustande bringe. Sicher würden die Polen dann von sich aus von ihrem hohen Roß heruntersteigen, denn vor den Russen hätten sie noch mehr Angst als vor uns.

Deutsch-russische Annäherung

Inzwischen ließen Anzeichen aus Moskau daraus schließen, daß auch Stalin an einer Änderung der sowjetischen Politik gegenüber Deutschland interessiert war. Der Außenminister Litwinow, ein Jude, der bei den Westmächten besonderes Ansehen genoß, war im Mai 1939 durch Molotow ersetzt worden. Meine Frage, welches Interesse Stalin haben könne, sich mit uns zu verbinden, beantwortete Hitler mit dem Hinweis auf wirtschaftliche Schwierigkeiten in Rußland und dem Bemerken, daß »der schlaue Fuchs Stalin« die Chance sähe, auf diese Weise den Unsicherheitsfaktor Polen zu beseitigen. In unserem Interesse läge eine Verständigung mit Rußland, weil wir so Polen isolieren und England gleichzeitig abschrecken könnten. Seine Hauptaufgabe bleibe es, einen Krieg mit England zu vermeiden. Auch Deutschland sei für einen solchen Kampf, der auf Leben und Tod geführt werden müßte, nicht gerüstet. Hitler hoffte, nach dem Abschluß eines deutsch-russischen Bündnisses die Gespräche mit Polen wieder aufnehmen und England ausschalten zu können.

Der »Fall Albrecht«

Mit welchen Dingen sich Hitler neben der großen Politik auch noch beschäftigen mußte, zeigte ein belangloses, aber zeittypisches Ereignis während dieser Tage auf dem Obersalzberg. Großadmiral Raeder sagte sich bei Hitler an. Kapitän z. S. Schulte Mönting, Stabschef OKM, ließ den Termin nicht über mich als diensttuenden militärischen Adjutanten verabreden, sondern wandte sich an Schaub. Als ich von dem Besuch erfuhr, fand ich das Verhalten Schulte Möntings reichlich merkwürdig. Aber die Marine hatte ihre eigenen Methoden, die manchmal unverständlich und, wie auch in diesem Falle, oft ungeschickt waren. Raeder erschien, sprach etwa zwei Stunden mit Hitler hinter verschlossenen Türen und reiste wieder ab. Natürlich erfuhr ich von Hitler, um was es gegangen war. Albrecht hatte eine Frau geheiratet, die nach Raeders Auffassung nicht in das Offizierkorps paßte. Sie sei in Kreisen der See-Offiziere als eine Dame mit »großzügigem« Lebenswandel bekannt. Raeder hatte gefordert, Albrecht aus der Marine zu entlassen. Hitler kannte Raeders veraltete Ansichten in derartigen Fragen und hatte, wie er mir sagte, seine Entscheidung von einer Unterredung mit Albrecht abhängig gemacht. Er wies mich an, Albrecht zu bestellen. Albrecht kam, Hitler ließ sich unterrichten, und Albrecht reiste wieder ab. Ich habe ihm nur guten Tag und auf Wiedersehen gesagt.

In den nächsten Tagen folgte ein weiteres erregtes Gespräch zwischen Hitler und Raeder. Hitler ließ daraufhin Frau Albrecht zum Obersalzberg kommen. Das Ergebnis war, daß Albrecht aus der Marine ausschied und Hitler ihn als persönlichen Adjutanten übernahm.

An dem »Fall« war bemerkenswert, daß sich Raeder, wie schon öfter, gegenüber Hitler durchgesetzt hatte. Er war sich seiner Stellung und seiner Verantwortung dem Offizierkorps der Marine gegenüber bewußt und ist nicht von seinem Standpunkt abgewichen. Er wußte aber auch, daß Hitler auf ihn angewiesen war und jetzt keinen neuen Skandal gebrauchen konnte. So war Raeders Verhalten beispielhaft. Durch ein geschickteres Vorgehen allerdings hätte vermieden werden können, daß Hitler sein Urteil über die Ansichten Raeders auf Grund eines Einzelfalles wieder einmal verallgemeinerte und noch auf andere, seiner Ansicht nach veraltete gesellschaftliche Anschauungen im Offizierkorps von Heer und Marine übertrug. Der Ablauf des Falles Albrecht war ein Beweis dafür, daß der Oberbefehlshaber eines Wehrmachtteiles zwar seine Ansichten gegen Hitler mit Erfolg vertreten konnte, aber das erforderliche psychologische Geschick im Umgang mit Hitler nicht besaß.

Zuspitzung der Lage

Die Freude über die Geburt unseres Sohnes Dirk am 22. Juni wurde durch beunruhigende Informationen vom Obersalzberg überschattet. Von dort hörte ich, daß nach Gesprächen mit Brauchitsch und Keitel militärische Maßnahmen auf Grund der Weisungen von Anfang April in ein Stadium treten sollten, in dem die Geheimhaltung immer schwieriger werde. Hitler sorgte sich darüber sehr, denn für Heer und Marine war es nicht leicht, die jetzt umfangreicher werdenden Maßnahmen zu tarnen. Reservisten mußten eingezogen werden, was zu diesem Zeitpunkt ungewöhnlich war, denn die Manöver fanden üblicherweise erst im September statt. Die Landwirtschaft begann mit der Ernte und brauchte jeden Mann ebenso wie die Industrie zum Einhalten der Liefertermine für die vermehrten Rüstungsaufträge. Es konnte also nicht ausbleiben, daß überall im Lande von bevorstehenden militärischen Ereignissen gesprochen wurde. Auch das Ziel dieser Maßnahme war nach den vorhergegangenen Aktionen unschwer zu erraten. Hitler würde jetzt Danzig und den polnischen Korridor zum Reich zurückholen! Es blieb nur die Frage des Wann und Wie. Noch war die Stimmung im Volk optimistisch. Einen Krieg hielt man für ausgeschlossen: »Das weiß Adolf zu verhindern.«

Ich selbst konnte auch noch nicht so recht an die Möglichkeit kriegerischer Auseinandersetzungen glauben. Die Gespräche mit Hitler auf dem Obersalzberg und die Aussicht auf ein Bündnis mit Rußland hatten mich eigentlich beruhigt. Dennoch fiel es mir schwer, die immer drängender werdenden Fragen meiner Freunde zu beantworten. Gibt es Krieg oder nicht? Können wir noch in die Ferien fahren?

Ich erinnere mich deshalb noch so genau an meine damaligen Überlegungen, weil ich in Erwartung der Niederkunft meiner Frau ein langes Gespräch über die Entwicklung der Lage mit einem Vetter führte, der als ehemaliger Offizier des Weltkrieges zur Luftwaffe eingezogen war. Ich versuchte dessen große Sorgen wegen eines neuen Krieges zu vertreiben, ohne Hitlers russische Pläne zu erwähnen. Tatsächlich glaubte ich zu diesem Zeitpunkt noch, Hitlers Rechnung mit einer friedlichen Lösung würde aufgehen. Nur kurze Zeit später sah es schon ganz anders aus.

Als ich in den ersten Julitagen mit meiner Frau den Termin für die Taufe festlegte, spielte der Terminplan »Weiß« für die Wehrmacht eine wesentliche Rolle. Ich wußte, daß Hitler am 12. August entscheiden mußte, ob der Aufmarsch gegen Polen beginnen sollte, um den für den 26. August festgelegten Angriff einhalten zu können. Deshalb hielt ich diesen 12. August, einen Sonnabend, für den letztmöglichen Tauftag. Die politische Entwicklung hatte mich also Anfang Juli schon zu der Auffassung gebracht, daß es nun wohl doch zu einem Krieg mit Polen kommen könnte.

Rechlin, 3. Juli

Nach zwei Wochen im Familienkreise mußte ich mich bei Hitler in Hamburg melden, wo er sich anläßlich der Trauerfeier für den verstorbenen Kommandierenden General, General Knochenhauer, aufhielt, um anschließend zum Luftwaffenerprobungsflugplatz Rechlin am Müritzsee in Mecklenburg weiterzureisen. Während der letzten Junitage in Berlin hatte ich mich bei Udet und Jeschonnek über den Ablauf des Hitler-Besuches in Rechlin unterrichten lassen. Wir trafen am 3. Juli gegen 10 Uhr auf dem Flugplatz ein. Göring, Milch, Udet und Jeschonnek mit einem großen Stab von Ingenieuren und technischen Offizieren erwarteten Hitler, in dessen Begleitung sich außer persönlichen und militärischen Adjutanten nur Keitel und Bormann befanden. Die Idee für die Vorführung von neuen Flugzeugen, Waffen und Geräten war von Milch ausgegangen, der sich sorgte, daß aus Mangel an Rohstoffzuweisungen das Flugzeug- und Fluggeräteprogramm der Luftwaffe nicht erfüllt werden konnte. Während Milch stets die Tendenz verfolgte, Hitler nüchtern die Sachlage im Rüstungsbereich darzustellen, versuchte Göring bei Hitler den Eindruck zu erwecken, daß die von ihm befohlene Vergrößerung der Luftwaffe in jedem Falle vorgenommen werde. Deshalb hatte er Udets Vorschlag zugestimmt, Hitlers Augenmerk auf ganz andere Dinge zu lenken.

Udet war sozusagen »Hausherr« in Rechlin. Dementsprechend hatte er das Programm für die Vorführung in seinen Ämtern ausarbeiten lassen und mit Göring festgelegt. Göring, der selbst nur wenig von der Technik verstand, ließ sich leicht durch Effekte beeinflussen und blenden. Seinen Mitarbeitern hatte er zu verstehen gegeben, daß Hitler wenig Ahnung von Flugzeugen, aber großes Interesse für Technik und vor allem für Waffenwirkung habe. Göring und Udet hatten deshalb bewußt die Erprobungsstelle mit der Durchführung beauftragt. Als Nebenzweck wollten sie erreichen, Hitler von Fragen über die derzeitige Ausrüstung der Fliegerverbände abzulenken.

Die sehr interessante und vielseitige Vorführung hinterließ bei allen Zuschauern einen nachhaltigen Eindruck. Milch bemühte sich zwar, Hitler zu erklären, daß sich die gezeigten Flugzeuge, Waffen und Geräte alle erst in der Erprobung befänden. Niemand sagte aber, daß sie nach Bestehen aller Teste frühestens in zwei bis drei Jahren der Truppe zur Verfügung stehen konnten. Sobald Hitler für das eine oder andere Objekt besonderes Interesse zeigte oder zu verstehen gab, daß er die Entwicklung für besonders wichtig hielt, versicherte Göring, für schnellste Einführung bei der Truppe zu sorgen.

Die eindrucksvollste Vorführung war zweifellos der Flug der He 176, des ersten Raketenflugzeuges der Welt. Zwar konnte dieses Versuchsflugzeug nur wenige Minuten fliegen, erreichte aber eine Geschwindigkeit von nahezu 1000 km/h, eine phänomenale Leistung für die damalige Zeit. Die Jagdflugzeuge Me 109 und He 100 präsentierten sich daneben als veraltete Maschinen, obwohl es sich dabei um moderne Konstruktionen handelte. Die He 100 schien der Me 109 überlegen zu sein. Göring und Udet hatten aber bereits entschieden, daß nur die 109 weitergebaut werden sollte. Einmal lief ihre Produktion schon seit längerer Zeit, zum anderen sollte das Heinkel-Werk sich auf Kampfflugzeuge spezialisieren. Das damalige Standardkampfflugzeug, die He 111, wurde in stark überladenem Zustand bei mühelosem Start durch zwei Zusatzraketen als Starthilfe gezeigt. Das war bereits eine Konzession angesichts der ungenügenden Eignung der He 111. Um ihre Aufgabe als Standardkampfflugzeug erfüllen zu können, mußte sie überladen werden, entweder für eine größere Reichweite mit Zusatztanks oder mit mehr Bomben für eine größere Angriffswirkung. Neben Navigations- und Funkgeräten fanden die Bordwaffen für Jagdflugzeuge Hitlers besonderes Interesse. Das zweimotorige Jagdflugzeug Me 110 war mit einer neuentwickelten 3 cm-Bordkanone ausgerüstet. Das gefiel Hitler besonders. Er wies auf die Notwendigkeit von hoher Feuergeschwindigkeit bei großkalibrigen Bordwaffen hin, vor allem für Jagdflugzeuge.

Göring, Milch und Udet rechneten nach Hitlers bisherigen Äußerungen mit einer kriegerischen Auseinandersetzung frühestens 1943. Auf diesen Zeitpunkt war die Vorführung abgestimmt. Ich nahm trotzdem auf der Rückfahrt nach Berlin Gelegenheit, Hitler nochmals darauf hinzuweisen, daß alles, was er gesehen hatte, Zukunftsmusik sei. Er sagte, daß er das verstanden habe; er werde aber noch eingehend mit Göring darüber sprechen. Als ich ihm vorschlug, zu einem Luftwaffen-Rüstungsgespräch Fachleute, am besten Milch, hinzuzuziehen, war er sehr einverstanden. Dieses so dringend notwendige Gespräch hat wegen der politischen Entwicklung nicht mehr stattgefunden. Dadurch blieben von der Rechliner Vorführung völlig falsche Vorstellungen bei Hitler haften und führten später zu unberechtigten Vorwürfen gegen die Luftwaffe. Der Engpaß bei der Luftwaffe war und blieb die Rohstoffversorgung. Darüber war nicht gesprochen worden. Es blieb unverzeihlich, daß Göring und seine Mitarbeiter aus dieser Unterhaltung keine Konsequenzen zogen. Die ersten siegreichen Feldzüge 1939 und 1940 trübten darüber hinaus den Blick für die Wirklichkeit. Erst zwei Jahre später, nach der ersten Krise des Rußlandfeldzuges, erkannte man die verhängnisvollen Fehler.

Es folgten arbeitsreiche Tage in Berlin. Ich berichtete Jeschonnek und seinem Stab, außerdem auch im OKW, Abteilung Landesverteidigung, dem Luftwaffen-Generalstabsoffizier, meinem Freund Major Speck v. Sternburg, von meinem Gespräch mit Hitler über den Rüstungszustand der Luftwaffe. Jeschonnek begrüßte zwar meinen Vorstoß bei Hitler, aber er stand zu sehr unter dem Einfluß von Göring, der nur einen Angriff auf Polen für möglich hielt, aber keinen Krieg mit England. Sternburg sah die Entwicklung der politischen Lage anders an. Er schien mir durch seinen Chef, Oberst Warlimont, beeinflußt. Warlimont, ein intelligenter Generalstabsoffizier ohne Ausstrahlung, gehörte zu den Offizieren, die ihre Meinung nicht sagten und durch diese Haltung überheblich wirkten. Sternburg dagegen nahm kein Blatt vor den Mund. Er war der Auffassung, daß England und Frankreich im Falle eines deutschen Angriffs den Polen sofort zu Hilfe kommen würden und sah entsprechend ernst in die Zukunft. Ich konnte mich seinem Standpunkt nicht anschließen, obgleich mich seine Argumente beeindruckten.

Für mich galt es nun, mich in die Vorbereitungen »Weiß« einzuarbeiten, da ich für Hitlers nächste Reise wieder als diensttuender Adjutant eingeteilt war. Auf Grund der OKW-Weisung hatten die Wehrmachtteile ihre Operationsbefehle herausgegeben. Stäbe und Truppe arbeiteten unter Wahrung höchstmöglicher Geheimhaltung. Aber der Eindruck ließ sich trotzdem nicht mehr verwischen, daß etwas Außergewöhnliches vorbereitet wurde. Erstaunlich fand ich das zu diesem Zeitpunkt überraschend friedliche Verhältnis zwischen Hitler und der Heeresführung. Vor einem Jahr, als die Gefahr eines großen Krieges minimal war, versuchten Oberbefehlshaber und Generalstabschef Hitler von seinen Angriffsplänen gegen die Tschechoslowakei abzubringen. Gewiß war 1938 noch Beck Chef des Generalstabes, aber die negative Grundeinstellung von Brauchitsch als Oberbefehlshaber und Halder gegenüber Hitler hatte sich seither nicht geändert. Jetzt, da sich doch seit der Besetzung der Tschechoslowakei die politische Lage nicht wieder entspannt hatte und ein Angriff auf Polen einen europäischen Krieg auslösen konnte, schien die Führung des Heeres keine Bedenken zu haben. Mich machte dieses Verhalten unsicher und zugleich mißtrauisch, denn auch im Generalstab der Luftwaffe hatte man Sorgen und teilte Görings optimistische Beurteilung der Lage nicht.

Am 6. Juli flog Hitler zum ersten Mal mit seinem neuen Flugzeug, der viermotorigen Focke-Wulf 200 »Condor« nach München. Er war begeistert von der Maschine, sie schien ihm ruhiger in der Luft zu liegen und geräuschärmer zu sein. Etwas skeptisch beurteilte er nur das einziehbare Fahrgestell, etwas Neues, das Hitler noch nicht kannte. Aber er gewöhnte sich daran. Die Maschine hatte sechs bis acht Plätze mehr als die bisherige Ju 52 und flog fast 100 km/h schneller. Das bedeutete eine beträchtliche Verkürzung der Flugzeit von Berlin nach München.

Hitler reiste noch am Abend mit dem Auto bis zum Obersalzberg und blieb eine Woche dort, die für mich wieder ganz unter dem Zeichen von Rüstungsplänen stand. Wie sehr Hitler sich um Einzelheiten kümmerte, zeigen einige Episoden. Eines Tages fiel Hitler ein, daß die Marine für die Schlachtschiffe »Scharnhorst« und »Gneisenau« bestimmte 38 cm-Rohre im Arsenal liegen hatte. Ich mußte sofort Hitlers Weisung an Keitel weitergeben, daß Eisenbahnlafetten hergestellt und die Rohre darauf montiert werden sollten. Ein anderes Mal ging es um die Fertigung der Flakmunition. Keitel hatte vor einiger Zeit bei Rüstungsgesprächen Hitler über die Forderung der Luftwaffe nach mehr Flakmunition unterrichtet und sich wegen Rohstoffmangel dagegen ausgesprochen. Hitler hatte ihm zugestimmt und eine monatliche Fertigung von 100 000 Schuß 8,8 cm und eine entsprechende Anzahl für andere Kaliber festgelegt. Ich versuchte, Hitler zu beweisen, daß auf diese Weise für jedes der zur Zeit bei den Einheiten der Flakartillerie vorhandenen

175

2500/8,8-Geschütze nur 40/8,8-Granaten monatlich zur Verfügung gestellt werden könnten. Hitler gab jedoch nicht nach. Er argumentierte, die Lager der Munitionsanstalten seien voll, und zunächst müsse die Geschützproduktion Vorrang vor der Munitionsfertigung haben.

Eingehend beschäftigte er sich mit dem Operationsplan des Heeres für einen Feldzug gegen Polen. Brauchitsch und Halder hatten die Einzelheiten mit Hitler besprochen und dessen Zustimmung erhalten. Einige Punkte, teils strategischer, teils taktischer Art, griff er immer wieder auf, ebenso wie Fragen der personellen Besetzung der Armee- und Heeresgruppen-Oberkommandos. Ganz anders als noch vor einem Jahr ging jetzt aus Hitlers Worten deutlich hervor, daß er ganz auf Kampf eingestellt war.

Aus Tarnungsgründen ließ Hitler seine privaten Vorhaben und die offiziellen, jährlich wiederkehrenden Veranstaltungen nicht ändern. Die Vorbereitungen für den Reichsparteitag liefen weiter, ebenso für die 25-Jahr-Feier der Schlacht von Tannenberg, Ende August. Hitler selbst nahm an den Veranstaltungen anläßlich des »Tages der deutschen Kunst« in München teil und besuchte die Bayreuther Festspiele vom 25. Juli bis 2. August, mit einer kurzen Unterbrechung zu militärischen Gesprächen in Berlin und am Westwall bei Saarbrücken. Ein Künstlerempfang am 1. August im Siegfried-Wagner-Haus in Bayreuth ließ noch einmal alle militärischen Pläne vergessen. Mit der Aufführung der »Götterdämmerung« am 2. August fand Hitlers Besuch in Bayreuth ein Ende. Es war der Tag, an dem 25 Jahre zuvor der Weltkrieg begonnen hatte. Von diesem Jahrestag wurde aber wenig gesprochen. Eine größere Rolle spielten in den nächsten Tagen das 25-jährige Dienstjubiläum von Schmundt und Hitlers eigener Diensteintritt als Kriegsfreiwilliger beim Infanterie-Regiment »List«. Hitler erhielt viele Glückwunschtelegramme und eine große Anzahl Gratulanten versammelte sich auf dem Berghof. Seinen Chef-Adjutanten Schmundt beförderte Hitler zum Oberst, ein Zeichen, daß er ihn anerkannte und Vertrauen zu ihm hatte. Im Kreise der höheren Generalstabsoffiziere des Heeres war das Gegenteil der Fall. Wenn Schmundt schon als Nachfolger von Hoßbach mit Mißtrauen empfangen wurde, hatte er im Laufe der Zeit dazu noch viel Kritik einstecken müssen. Eigentlicher Grund hierfür war immer noch der Gegensatz OKW-OKH. Das OKH wollte und konnte sich nicht damit abfinden, daß das OKW als Hitlers militärischer Stab Aufgaben für die gesamte Wehrmacht zu erfüllen hatte, also auch für das Heer, ganz gleich, ob es sich um Führungsfragen oder Wirtschafts- und Rüstungsfragen handelte.

Die Generalstabsoffiziere des Heeres sahen in Schmundt einen Mann des OKW und nicht den ersten Adjutanten und militärischen Berater ihres Oberbefehlshabers. Sie verweigerten ihm die Anerkennung, die sie Hoßbach gezollt hatten, obwohl beider Eignung und Tätigkeit gleich war. Nur in der Aufgabenstellung war ein Unterschied. Hoßbach hatte den Auftrag vom Chef des Generalstabes,

General Beck, darüber zu wachen, daß Hitler sich nicht in die Angelegenheiten des Heeres mischte, während Schmundt den Auftrag von Hitler hatte, sich als sein militärischer Adjutant nur ihm und nicht einer anderen Stelle gegenüber verantwortlich zu fühlen. Jetzt war Schmundt eineinhalb Jahre in der schwierigsten Stellung, die der Generalstab des Heeres zu vergeben hatte. Nach allem, was Schmundt seitdem erlebt hatte, gab es für ihn nur die eine Frage, pro Hitler oder contra Hitler. Er hatte sich für ihn entschieden, während sein bester Freund aus seiner Dienstzeit im Infanterie-Regiment 9, Henning v. Tresckow, sich contra entschieden hatte. Beide waren Soldaten, hatten die gleiche Gesinnung und glaubten beide, in der Erfüllung ihrer Aufgabe das Beste für ihr Vaterland zu tun. Schmundt hat schwer an seiner Aufgabe getragen und sich die Entscheidungen nicht leichtgemacht. Die große Gewissenhaftigkeit, seine persönliche Bescheidenheit und Uneigennützigkeit und seine Treue trugen ihm das Vertrauen Hitlers ein. Er wäre sich als ein Hundsfott vorgekommen, es zu mißbrauchen. Er faßte seine Stellung als rein militärische Aufgabe auf. Besonders lag ihm an einem guten Verhältnis zwischen Hitler und der Führung des Heeres. Immer wieder mußte er gegen den Einfluß der Partei und der SS bei Hitler kämpfen. Mit seinen Bemühungen hatte er zeitweise Erfolg, während ihn einige seiner Kameraden im Generalstab dafür als »Parsifal«, also als »reinen Tor« bezeichneten. Schmundt war kein »Narr« in der Beurteilung seines Chefs. Er durchschaute Vorgänge und Personen sehr genau. Er war verzweifelt über das distanzierte Verhalten der Generale. In einem Gespräch mit Schmundt über dieses Thema hielt ich ihm einmal vor, die Personalbesetzung in den hohen Kommandostäben des Heeres mehr beeinflussen zu müssen. Dies hätte er nur über Hitler erreichen können. Dazu war Schmundt aber zu anständig, denn das wäre in seinen Augen ein Intrigieren gegen die Generale des Heeres gewesen. Er selbst erntete dafür nur Undank und arrogantes Mitleid.

Nach den Bayreuther Festspielen reiste ich nach Berlin, um einige Tage Urlaub zu machen. Da die Taufe unseres Sohnes am 12. August in Nienhagen, auf dem Gut meiner Schwiegereltern, von mir mit dem Datum verknüpft worden war, an dem Hitler entscheiden mußte, ob der Aufmarsch des Heeres für den Angriff am 26. August beginnen sollte, mußte ich natürlich immer wieder daran denken. Eine Taufpatin erzählt mir noch heute, daß ich ihr damals während des festlichen Geschehens gesagt hatte: »Sieh es Dir genau an – das wird nie wiederkommen!« Diese Worte bestätigen, wie ich an jenem 12. August 1939 die Lage beurteilte. Es war mir immer klarer geworden, daß Polen den einmarschierenden deutschen Truppen Widerstand leisten würde. Mit zwei von unseren Gästen konnte ich offen darüber sprechen, Boehm-Tettelbach und Karl Hanke. Boehms Mutter war Amerikanerin. Er kannte die englisch sprechende Welt. Hanke war bis vor kurzem Staatssekretär bei Goebbels im Propagandaministerium gewesen und hatte den Gestellungsbefehl zur Panzertruppe in der Tasche. Beide glaubten nicht, daß England bei einem deutschen Angriff gegen Polen neutral bleiben würde, was gleichzeitig die Auseinandersetzung mit Frankreich bedeuten mußte. Hanke meinte auch, daß ein deutsch-russisches Bündnis ohne Eindruck auf die Briten bleiben würde. Das entsprach auch meiner Auffassung, doch konnte ich nicht glauben, daß Polen es riskieren würde, sich gegen zwei überlegene Mächte zur Wehr zu setzen. Vielleicht wäre das doch eine Chance für neue Gespräche mit Polen.

Ich schätzte Hanke. Wir waren mit ihm befreundet und hatten in den letzten Monaten viele gemeinsame Gespräche. Ich kannte seine klugen und von tiefem Ernst bestimmten Ansichten zu vielen Fragen der Politik und des Lebens. Er war in der letzten Zeit im Zusammenhang mit der Affäre Goebbels' mit der tschechischen Film-Diva Lida Baarova genannt worden. Hitler hatte gerade vor kurzem in Bayreuth das Ehepaar Goebbels mit sanfter Gewalt wieder zusammengebracht. Aber davor lagen bewegte Wochen. Magda Goebbels hatte sich um Rat und Hilfe an Hanke gewandt, zunächst noch in der Hoffnung, daß Hanke auf ihren Mann einwirken könnte, seine Eskapaden zu beenden. Beide wußten auch, daß Hitler dies wünschte. Hankes Bemühungen bei Goebbels blieben ohne Erfolg und führten zu einer Entfremdung zwischen Goebbels und Hanke, zugleich zu einer Verbindung von Magda Goebbels und Hanke. Sie war entschlossen, sich von Goebbels scheiden zu lassen. Als Hitler hiervon erfuhr, griff er ein. Magda akzeptierte seinen »Richterspruch«.

Wir selbst waren allerdings schon seit einiger Zeit überzeugt, daß Magdas große Liebe in Wirklichkeit Adolf Hitler hieß und daß sie, zumindest zeitweise, auch auf Gegenliebe gestoßen ist. Ihre Heirat mit Goebbels kann nur ein Ausweg für sie gewesen sein, um in der Nähe von Hitler leben zu können. Anders war uns die Ehe zwischen dem hinkenden Goebbels und der außergewöhnlich attraktiven Magda nicht erklärlich.

Für meine Frau und mich wurde der Tauftag zu einer Art Abschluß unserer beiden ersten Ehejahre. Wir ahnten, daß sich unser Leben von jetzt ab ändern würde, ohne daß wir dabei allerdings an das dachten, was uns die Zukunft noch an Sorgen und Gefahren bringen sollte.

Deutsch-russische Vereinbarung

Nach kurzem Aufenthalt in Berlin fuhren meine Frau und ich mit dem Auto zum Obersalzberg. Dort fanden wir das gewohnte Leben vor. Äußerlich deutete nichts darauf hin, daß die Politiker und die Militärs mit ungewöhnlichen Aufgaben beschäftigt waren. Schmundt und Hewel unterrichteten mich über die letzten Ereignisse. Am 12. August 1939 hatte Hitler, wie erwartet, den Befehl zum Aufmarsch der Wehrmacht gegen Polen gegeben und als X-Tag (Angriffstag)

Sonnabend, den 26. August, festgelegt. Am 14. waren Brauchitsch und Halder zu einem längeren Gespräch auf dem Berghof gewesen. Schmundt meinte, Hitler habe sie nur kommen lassen, um ihnen nochmals »eine Spritze zu geben«. Nach Hitlers Meinung sei Polen weitgehend isoliert und werde in etwa 14 Tagen zusammenbrechen. In dieser Zeit könnten England und Frankreich keine fühlbare Hilfe zur Entlastung bringen. Sollte England ernsthaft eingreifen, würde es sein ganzes Weltreich aufs Spiel setzen. In diesem Falle wollte Hitler trotzdem Polen angreifen. Rußland werde sich heraushalten. Es habe nur Interesse an den baltischen Staaten und an Bessarabien. Hewel bestätigte, daß Ribbentrop die Gespräche mit den Russen über ein Handelsabkommen vorantreibe, die günstig zu verlaufen schienen. Mißtrauen sei in bezug auf das Verhalten der Italiener angebracht. Der längere Besuch des italienischen Außenministers, Graf Ciano, am letzten Wochenende habe dem Zweck gedient, Hitler von einem Krieg gegen Polen abzubringen aus Sorge vor dem Eingreifen Englands. Hewel hatte den Eindruck, daß es Hitler nicht gelungen war, Ciano davon zu überzeugen, daß die Sorge vor einem großen Krieg unbegründet sei.

Trotzdem vertraute Hitler weiterhin Mussolini. Hewel fügte hinzu, daß seiner Meinung nach die Italiener nicht nur die deutschen Absichten gegen Polen sehr genau kennen würden, sondern auch über die englischen Auffassungen unterrichtet seien. Hitler hätte Ciano gegenüber sehr offen über seine Gedanken und Pläne zum Fall Polen gesprochen. Aber wie immer in seinen Gesprächen mit den Italienern, hatte Hitler vieles übertrieben dargestellt, wie es zum Teil gar nicht seinen eigenen Auffassungen entsprach. Es war Hitler mehr denn je auf den Zweck und die Wirkung seiner Worte angekommen. Die Italiener sollten für seine Pläne gegen Polen gewonnen werden, und in der Gewißheit, daß alles, was er sagte, über Rom nach London gelangte, glaubte er, die Engländer mit seiner militärischen Stärke und Entschlossenheit beeindrucken zu können.

Die Presse berichtete in jener Zeit fast täglich über zunehmende Ausschreitungen der Polen gegen die deutsche Minderheit in den ehemaligen deutschen Teilen von Westpreußen und Oberschlesien. Die auf dem Obersalzberg eingegangenen Berichte von unserer Botschaft in Warschau und den deutschen Konsulaten in Polen sahen nicht nach Propaganda aus, sondern trugen einen ernsten Charakter und lauteten von Tag zu Tag alarmierender. Hitler sprach viel, auch im Kreis seiner privaten Gäste, über die »unhaltbaren« Zustände und über die zunehmende Zahl der Flüchtlinge. Der Flüchtlingsstrom der Deutschen aus Polen habe nach den Registrierungen unserer Behörden schon die Zahl 70 000 überschritten. Daß die Auslandsorganisation der NSDAP wie in Österreich und dem Sudetenland als »agent provocateur« wirkte, konnte in Polen ausgeschlossen werden. Das Verhalten der polnischen Behörden und der polnischen Bevölkerung glich einem Terror gegen die Deutschen, ganz gleich, welcher politischen Einstellung oder Religion sie waren. Das blieb auch auf Hitler nicht ohne Wirkung. Er schloß wie im Juni aus der konsequenten antideutschen Haltung der polnischen amtlichen Stellen auf eine Bereitschaft der Polen, den Kampf aufzunehmen. Das sei nur aus dem polnischen Chauvinismus heraus zu verstehen. Denn Polen sei isoliert. Es käme darauf an, in den ersten Angriffstagen rasche Erfolge zu erzielen.

Dies war der Grund für viele taktische Überlegungen, mit denen sich Hitler in allen Einzelheiten beschäftigte. Besonderen Wert legte er auf die Inbesitznahme unzerstörter Weichsel-Brücken bei Dirschau und Graudenz und auf Überraschungsunternehmungen im oberschlesischen Industriegebiet, um etwaigen Zerstörungen zuvorzukommen. Er genehmigte der SS, Stoßtrupps in polnischen Uniformen einzusetzen.

Diese ersten Eindrücke auf dem Berghof machten mir klar, daß Hitler nicht mehr gewillt war nachzugeben, wenn nicht noch ein Wunder geschah, das sich allerdings am 19. August anzubahnen schien. Das deutsch-russische Wirtschaftsabkommen war unterzeichnet worden. Die Verhandlungen hatten sich immer wieder in die Länge gezogen, weil Hitler dem sowjetischen Wunsch nach politischen Vereinbarungen nicht entsprechen wollte. Erst nach dem Ciano-Besuch und der dabei gewonnenen Erkenntnis, daß England in Hitlers Angriff auf Polen den casus belli für sich sehen würde, war es Ribbentrop gelungen, Hitler umzustimmen. Hitler hatte sich von Ribbentrop überzeugen lassen, daß der Abschluß eines Nichtangriffspaktes mit den Russen die letzte Chance sei, Englands Eingreifen im Falle eines deutsch-polnischen Konfliktes zu verhindern, und schlug Stalin vor, Ribbentrop so bald wie möglich zu empfangen. Stalins Zusage, Ribbentrop am 23. August zu empfangen, traf am Abend des 21. August auf dem Berghof ein. Hitler wußte, daß seit längerem eine englisch-französische Militärkommission in Moskau mit den Führern der Roten Armee über ein Militärabkommen verhandelte. Lange besprach sich Hitler an diesem Abend mit seinem Außenminister und gab ihm seine letzten Direktiven für die Gespräche mit Stalin. Ribbentrop glaubte sich am Ziel seiner monatelangen Bemühungen und am Anfang einer neuen friedlichen Ära in Europa.

Im Bewußtsein einer politischen Entspannung der Lage trat Hitler am 22. August mittags um 12 Uhr vor die in der großen Halle des Berghofes versammelten Generale und Admirale, die ihm Göring meldete, um sie über die jüngsten Entwicklungen zu informieren. Auf Hitlers Weisung waren die Oberbefehlshaber der Wehrmachtteile mit den Generalstabschefs und wichtigsten Amtschefs der Oberkommandos bestellt worden, ferner die für den Mobilmachungsfall vorgesehenen Oberbefehlshaber der Heeresgruppen und Armeen mit ihren Chefs und die entsprechenden Führer von Marine und Luftwaffe. Sie hatten in Zivil zu erscheinen, und wir mußten ihre Anreise nach einem genauen Plan auf verschiedenen Wegen und zu unterschiedlichen Zeiten organisieren. Hitler sprach fast zwei Stunden nach einem handgeschriebenen stichwortartigen Konzept. Der Hauptzweck seiner Rede bestand darin, das Vertrauen der Generale zu seinem Entschluß, Polen anzugreifen, zu gewinnen. Voller Überzeugungskraft schilderte er seine Beurteilung der Lage unter Berücksichtigung aller politischen, militärischen und wirtschaftlichen Faktoren der einzelnen europäischen Staaten. Größte Überraschung und Erstaunen löste seine Mitteilung aus, daß Ribbentrop auf dem Wege nach Moskau sei, um mit Stalin einen Nichtangriffspakt abzuschließen. Nach dieser Erklärung folgte eine kurze Mittagspause. Ein Bündnis mit Rußland stieß bei den Offizieren, die alle aus der Reichswehrzeit die Zusammenarbeit mit der Roten Armee kannten, auf Verständnis und Sympathie. Eine Art Entspannung und Erleichterung war zu spüren.

Am Nachmittag sprach Hitler noch über einige taktische und operative Einzelheiten. Er forderte von den Soldaten Härte des Einsatzes und bewegliches Handeln aller militärischen Führer und betonte, daß er an den deutschen Soldaten und an einen schnellen Sieg in Polen glaube. Die Welt müsse Respekt vor der Schlagkraft der deutschen Wehrmacht gewinnen, denn die große Auseinandersetzung in späterer Zeit sei unvermeidlich.

Obwohl ich wußte, daß mehrere Generale gegen Hitler und seine Kriegspolitik eingestellt waren, und obwohl einige Punkte in Hitlers Beurteilung der Lage offengeblieben waren, wie etwa die Frage nach dem möglichen Einfluß der USA bei verschiedenen Regierungen in Europa, gab es keine Fragen oder Gegenargumente. Zweifellos hatte das Bündnis mit Rußland einige Skeptiker mundtot gemacht. Die Schlußworte sprach Göring. Im Namen der versammelten Generale und Offiziere gelobte er dem Führer Treue, Gehorsam und bedingungslose Gefolgschaft. Nachdem die Gäste den Berghof verlassen hatten, unterhielt sich Hitler noch einige Zeit mit Göring, nach dessen Fortgang mit Schmundt, der anschließend ein sorgenvolles Gesicht zeigte. Er hatte allen Grund dazu, denn Hitlers Worte zu ihm über die Führung des Heeres waren deprimierend. Mit seinen Vorwürfen griff er bis zu Generaloberst Hans v. Seeckt zurück, der von März 1920 bis Oktober 1926 Chef der Heeresleitung der Reichswehr war und in dieser Eigenschaft den Begriff von der »unpolitischen Reichswehr« geprägt hatte. Auch die Spannungen des Vorjahres ließ er noch einmal aufleben. Seeckt habe jedes Selbstbewußtsein im Offizierkorps zerschlagen und starke Persönlichkeiten verabschiedet. Er habe die Generale der Reichswehr mehr mit Politik beschäftigt als mit ihrem ureigensten Metier. Beck sei ihm im gleichen Fahrwasser gefolgt. Er wisse aus Hoßbachs Zeiten, daß die Generale ihn von allen Führungsfragen und Aufgaben des Heeres fernhalten wollten, damit sie in ihrer alten Art weitermachen konnten. Deshalb müsse er, um die Generale zu überzeugen, sich schärfer und deutlicher ausdrücken, als ihm oft lieb sei. Er müsse damit rechnen, daß nur ein Teil von dem, was er sage, verstanden und gemacht werde. Hitler geißelte den »Kleinmut« der Führung des Heeres.

Ich konnte Schmundts Verzweiflung verstehen, denn in seiner Gesinnung und Denkungsart kam er aus dem Kreis der Offiziere, die Hitler scharf kritisierten. Wir standen vor der Tatsache, daß sich Deutschland in wenigen Tagen in einem Krieg befinden würde, den Hitler für unvermeidlich hielt und führen wollte, ohne Vertrauen zu den Generalen zu haben, und den die Generale für ein Unglück hielten, ohne etwas gegen Hitler zu unternehmen.

Als Hitler am nächsten Tag, dem 23. August, vormittags früher als üblich auf der Terrasse des Berghofes zu seinem dort wartenden Stab hinaustrat, richtete er die erste Frage an Hewel, ob Nachricht von Ribbentrop vorläge. Hewel konnte nur berichten, daß sich der Außenminister noch auf dem Flug von Königsberg nach Moskau befinde. Erst am Nachmittag rechnete Hewel mit ersten Nachrichten aus Moskau.

Der Tag verlief mit vielen militärischen und politischen Gesprächen. Noch vor dem Mittagessen empfing Hitler Henderson mit einem Brief von Chamberlain. In Gegenwart Hewels führte er eine längere Unterredung mit dem Botschafter. Am Nachmittag diktierte Hitler das Antwortschreiben und übergab es Henderson persönlich. Schmundt holte Hitlers Entscheidung für den Angriffstermin ein, der auf den 26. August, 4 Uhr 30, festgelegt wurde. Die deutsche Botschaft in Moskau meldete Ribbentrops Eintreffen. Die Besprechung im Kreml sollte um 18 Uhr beginnen. Hitlers Stimmung war wechselnd an diesem Tag, je nach seinen Gesprächen oder nach Vorlage von Berichten des Auswärtigen Amtes und der Presse. Am meisten hatte ihn das Gespräch mit Henderson erregt. Er warf den Engländern vor, daß sie bereits im April den Polen einen Blankoscheck für ihren Widerstand gegen seine gemäßigten Forderungen auf Danzig und einen Verbindungsweg durch den Korridor gegeben hätten. Seitdem hätten die Ausschreitungen gegen die Volksdeutschen in Polen ständig zugenommen. Das hätten die Polen nie ohne Ermutigung durch die Engländer getan. Die Engländer wollten lieber einen neuen Krieg gegen Deutschland führen, als einer Revision des Versailler Vertrages zuzustimmen, während er nie etwas zum Schaden Englands unternommen habe. Wir standen unter dem Eindruck, daß Hitler an diesem Tage besonders scharf gegen England eingestellt war.

Zum Abend hin steigerte sich die Spannung. Hitler war mit seinen Gedanken bei Ribbentrop in Moskau und wurde von Stunde zu Stunde unruhiger. Gegen 20 Uhr ließ er bei der Botschaft in Moskau anfragen und erhielt nur die lakonische Antwort, daß noch nichts über die Verhandlungen verlautet sei. Auf dem Obersalzberg ging ein herrlicher, warmer Sommertag zu Ende. Die Türen zur Terrasse standen weit offen, und Hitler hielt sich in wechselnder Begleitung viel im Freien auf. Während dieser Wartezeit ergab es sich, daß Hitler auch mich ins Gespräch zog und mit mir längere Zeit auf der Terrasse auf- und abging. Diese Stunde ist mir auch wegen einer ungewöhnlichen Himmelserscheinung als eine der eindrucksvollsten Begegnungen mit ihm in Erinnerung geblieben. Anlaß war eine harmlose Frage nach der Stärke und Ausrüstung der polnischen Luftwaffe, und ob sie in der Lage sei, Angriffe gegen Berlin zu fliegen. Schließlich sei der Weg von der polnischen Grenze bis zur Reichshauptstadt keine 150 km weit. Ich hielt es für ausgeschlossen, daß die polnischen Fliegerverbände nach deutschen Überraschungsangriffen am Morgen des Angriffstages noch in der Lage wären, Angriffe gegen deutsche Städte zu fliegen. Hitler sagte dazu, unsere ersten Schläge aus der Luft und auf der Erde müßten wirkungsvoll sein und die Welt in Erstaunen versetzen. Zunächst aber, und damit ging er zum Thema des Tages über, werde die Welt nach Bekanntwerden des deutsch-russischen Nichtangriffspaktes den Atem anhalten. Ich sagte Hitler, daß ich Stalins Bereitschaft zu diesem Abkommen nur mit Mißtrauen betrachten könne. Ich könne mir vorstellen, daß Stalin ganz böse Hintergedanken habe. Hitler sagte dazu, er sehe den Vertrag als eine Art Vernunftehe an. Stalin gegenüber müsse man natürlich immer auf der Hut sein, aber im Augenblick sehe er in dem Pakt mit Stalin eine Chance, England aus dem Konflikt mit Polen herauszuhalten. Während wir auf- und abgingen, verfärbte sich der Nordhimmel hinter dem Untersberg zuerst türkisgrün und ging dann über violett in ein schaurigschönes Rot über. Zunächst vermuteten wir einen größeren Brand in einem der Orte nördlich des Unterberges, bis das rote Licht den ganzen Nordhimmel erfaßte und klar als ein unheimlich wirkendes Nordlicht zu erkennen war, eine Naturerscheinung, die in Süddeutschland nur ganz selten auftritt. Ich war stark beeindruckt und sagte zu Hitler, daß dieses Naturereignis auf einen blutigen Krieg hindeute. Hitler antwortete, wenn es schon sein müsse, dann so schnell wie möglich. Je mehr Zeit verginge, um so blutiger würde er. Albert Speer hat dieses Gespräch, das ich ihm 1967 erzählte, ein halbes Jahr nach seiner Rückkehr aus Spandau, in seinen »Erinnerungen« nicht richtig wiedergegeben und meine Bemerkung Hitler in den Mund gelegt.

Kurz nach diesem Erlebnis wurde Hitler an das Telephon gerufen. Ribbentrop berichtete über den positiven Verlauf der Verhandlung und hatte eine konkrete Frage, bei der es um die Abgrenzung der beiderseitigen Interessensphären ging. Stalin beanspruchte für sich die baltischen Staaten Litauen, Estland und Lettland. Hitler warf einen Blick auf eine schnell herbeigebrachte Karte und ermächtigte Ribbentrop, den sowjetischen Standpunkt zu akzeptieren. Es vergingen dann noch einige Stunden, bis Ribbentrop in einem neuen Telephongespräch mit Hitler kurz vor 2 Uhr, am 24. August, die Unterzeichnung des Nichtangriffspaktes meldete. Hitler beglückwünschte seinen Außenminister und sagte zu uns nur: »Das wird wie eine Bombe einschlagen.«

Das trat auch ein. Überraschung, Erstaunen, Entsetzen, Mißtrauen und Verurteilung: so reagierte die Öffentlichkeit in Deutschland und in der ganzen Welt. Hitler ließ sich ständig über das Echo unterrichten und versuchte, sich ein Bild zu machen, ob und welche Wirkung das Abkommen auf England, Frankreich und Polen haben würde. Am Nachmittag des 24. August flog Hitler nach Berlin und erwartete Ribbentrops Rückkehr aus Moskau in der Reichskanzlei. Sofort nach der Landung fuhr Ribbentrop zu Hitler. Wie ein Triumphator schritt er durch die Räume der Führerwohnung und wurde von Hitler sehr herzlich begrüßt und beglückwünscht. Hitler zog sich mit ihm und Göring zu einem längeren Gespräch zurück. Ribbentrop berichtete aus Moskau. Er legte den von ihm unterschriebenen Nichtangriffsvertrag vor. Eine neue Teilung Polens zeichnete sich ab.

Im Laufe des Abends hörte ich unterschiedliche Auffassungen über die neue Lage. Ribbentrop war der festen Überzeugung, daß der deutsch-russische Vertrag eine neue Basis für erfolgreiche Verhandlungen mit Polen geschaffen hätte. Vor allem aber war es ihm ernst mit dem auf zehn Jahre abgeschlossenen Nichtangriffspakt mit Rußland. Er war von Stalin und den Verhandlungen mit ihm sehr beeindruckt. Stalin lag ihm nach seinen Schilderungen mehr als die »blasierten« britischen Politiker. Deutschland müsse wieder dort Anschluß für seine Politik suchen, ebenso wie Bismarck, als seine Politik mit England an einem toten Punkt angekommen war. Bei Ribbentrops Berichten über seine Verhandlungen im Kreml fiel mir auf, daß er auch eine ganz andere Seite seines Wesens als gewohnt zeigen konnte. Er berichtete nämlich gelöst, frisch, unkompliziert und natürlich. Sowie er auf die Engländer zu sprechen kam, wurde sein Gesicht kalt und undurchdringlich.

Die letzten Tage vor Kriegsausbruch

Hitlers außenpolitische Ansichten waren unverändert. Trotz der Schwierigkeiten mit den Engländern und mancher scharfen Worte gegen die »bornierten« altkonservativen britischen Politiker galt seine Sympathie immer noch diesem »Herrenvolk«. Nur deren Uneinsichtigkeit gegenüber der bolschewistischen Gefahr, die den europäischen Staaten drohe, kritisierte er scharf. Aber Englands Politik werde nach wie vor von seiner Insellage bestimmt. Als Inselreich sei England nie einer unmittelbaren Bedrohung von einem europäischen Staat ausgesetzt gewesen. Noch jetzt fühle es sich hinter dem Ärmelkanal sicher. Die Kombination der geographischen Lage mit ihrer Politik habe den Briten in Jahrhunderten ein beneidenswert glückliches Maß an Sicherheit und Souveränität gegeben. Anerkennung und Neid empfand Hitler gegenüber den Engländern, Abscheu und Angst gegenüber den Russen. Ribbentrops Euphorie über den Bündnisvertrag teilte er nicht. Dieser diente Hitler nur als ein taktisches Manöver innerhalb seiner Politik, wie er glaubte, daß er auch für Stalin nichts anderes bedeutete. Wenn Hitler es in diesen Tagen auch nicht offen aussprach, so war aus vielen seiner Bemerkungen doch deutlich zu entnehmen, daß seine ganze Außenpolitik auch weiterhin nur dem einen Ziel diente, den Bolschewismus zu zerschlagen. Mehr als bisher und auch in späterer Zeit stand er in diesem Punkt gegen die Ansichten Ribbentrops.

Eigenartig war Görings Verhalten, aber typisch für ihn. Eifersüchtig betrachtete er Ribbentrops politischen Erfolg in Moskau und tadelte ihn, sich nicht genügend für die deutsch-englische Verständigung eingesetzt zu haben. Wie ich von Bodenschatz wußte, hatte Göring viel mit Hitler über England gesprochen. Hitler habe Ribbentrops Auffassung übernommen, daß England in einem harten politischen Kampf nur bis zu einer gewissen Grenze nachgeben würde. Diese wäre seiner Meinung nach im März erreicht gewesen. Hitlers weitere Pläne konnten danach nur mit einer neuen politischen Konstellation erfolgreich fortgeführt werden. Deshalb habe Ribbentrop den Kontakt mit Rußland gesucht und gefunden. Da Hitler auf seine politische Konzeption nicht verzichten konnte, habe er sich Ribbentrops Plan, wenn auch erst sehr spät, angeschlossen. Göring sei es nicht gelungen, Hitler umzustimmen, berichtete Bodenschatz. Gewiß begrüße Göring das Abkommen mit Rußland, befürchte aber eine neue Gefahr: daß Ribbentrops Einfluß auf Hitler wieder stärker geworden sei. Göring und Ribbentrop mochten sich nun einmal nicht, so Bodenschatz.

Ich hatte den verhängnisvollen Einfluß persönlicher Sympathien und Antipathien unter den »Großen des Reiches« auf die Behandlung und Abwicklung wichtiger politischer Vorgänge mit Unverständnis verfolgt. Göring spielte dabei eine besonders negative Rolle. Solange es sich um interne Angelegenheiten der Wehrmacht handelte, gab es immerhin noch Mittel und Wege für einen Ausgleich auf anderer Ebene. Jetzt lautete die Frage aber: Frieden oder Krieg. Und da schien es mir, daß alle Verantwortlichen nur den deutschen Interessen dienen dürften und alle persönlichen Ressentiments vergessen müßten. Sowohl aus Görings Stab als auch aus Ribbentrops Umgebung hörte ich, daß ihre Chefs Hitlers Beurteilung der politischen Lage und seine darauf basierenden Entschlüsse nicht teilten. Ich bezweifelte nicht, daß zwar jeder für sich Hitler gegenüber seine Ansichten vertrat, aber sich nicht durchzusetzen vermochte. Nur ein gemeinsamer Vorstoß beider, die seit anderthalb Jahren Hitlers außenpolitische Hauptberater waren, hätte Aussicht auf eine wirksame Einflußnahme gehabt. In der Situation dieser Tage wäre es darauf angekommen, durch vertrauensvolle Einigkeit zwischen Göring und Ribbentrop, Hitler zum Verzicht auf den Einsatz der Wehrmacht gegen Polen zu bewegen und den Weg zu neuen Verhandlungen freizumachen. Jeder wollte aber für sich allein den Ruhm in Anspruch nehmen, Hitlers nächster und bester Berater zu sein.

Als einer der Soldaten in Hitlers Stab wußte ich, daß uns am Abend des 24. August nur noch 36 Stunden vom Angriff gegen Polen trennten. Nach den Gesprächen mit Henderson am Vortag war Hitler nicht mehr voll davon überzeugt, daß England neutral bleiben würde. Henderson hatte zur Zeit des Gespräches schon Kenntnis von Ribbentrops Reise nach Moskau, wenn ihm das Ergebnis auch noch nicht bekannt war. Aus Hendersons Worten glaubte Hitler jedoch schließen zu müssen, daß die britische Regierung von der neuen Entwicklung beeindruckt war. So neigte sich bei den Eingeweihten am Abend des 24. August die Stimmung nach der pessimistischen Seite. Hitler selbst sah jetzt den einzigen Ausweg aus der politischen Sackgasse nur noch in einem schnellen Feldzug gegen Polen, dessen Erfolges er sich absolut sicher war.

Das Abendessen bei Hitler stand dagegen noch ganz im Zeichen des Friedens. Der Moskauer Vertrag wurde als neue Überraschung in Hitlers Politik positiv gewertet, und Goebbels hatte über die Presse dazu beigetragen, das Genie des Führers durch diese neue Tat herauszustellen. Er saß an dem großen runden Tisch Hitler gegenüber und ermunterte die beiden Moskau-Reisenden, ihre Eindrücke und Erlebnisse zu schildern. Flugkapitän Baur und Heinrich Hoffmann waren die »Helden« des Abends. Hitler hatte Hoffmann auf dessen Bitte hin das Mitfliegen gegen den Willen Ribbentrops ermöglicht. Er hatte ihm sogar den Auftrag erteilt, der Überbringer seiner persönlichen Grüße an Stalin zu sein. Seine Erzählungen gaben ein interessantes Bild von dem russischen Diktator und der Atmosphäre in seiner Umgebung. Die Berichte aller Mitreisenden lauteten positiv, als ob sie Hitlers Einstellung zum Bolschewismus nach der guten Seite hin beeinflussen wollten. Hitler hörte aufmerksam zu, ließ sich aber nicht beeindrucken. Goebbels benutzte die Gelegenheit, Hoffmann, wie schon häufig, mit seinem Zynismus zu attackieren. Er habe in »Väterchen Stalin« wohl einen guten Saufkumpan gefunden!

Aufschlußreich in bezug auf den Zeitpunkt der Kursänderung Hitlers gegenüber Stalin war für mich eine Bemerkung Ribbentrops, mit der er zweifellos nur betonen wollte, wie richtig er Stalins politische Absichten schon im Frühjahr durchschaut habe. Einem Satz Stalins, in dessen Rede auf dem Parteikongreß am 10. März, hatte Ribbentrop entnommen, daß der sowjetische Diktator interessiert daran wäre, die Politik gegenüber dem Deutschen Reich auf eine freundschaftliche Basis zu stellen. Stalin hatte ihm jetzt bestätigt, daß dies damals in seiner Absicht gelegen hätte. Dieser Bericht Ribbentrops gab mir die Erklärung für Hitlers Andeutungen über eine neue Einstellung zu Rußland, die er am 16. März auf der Rückfahrt von Prag mir gegenüber gemacht hatte. Danach muß Ribbentrop damals schon mit Hitler gesprochen und sein Einverständnis für den neuen Kurs eingeholt haben. Hitlers Mißtrauen gegenüber Ribbentrops Plänen und dem Verhalten des Kreml blieb jedoch bestehen und hat ihn auch während der Dauer des Bündnisses von 1939 bis 1941 nicht verlassen.

Am Vormittag des 25. August ließ ich mich zunächst beim Generalstab der Luftwaffe über den Stand der Mobilmachungsvorbereitungen unterrichten und mir die endgültigen Zahlen der einsatzbereiten Fliegerverbände und deren Aufträge für den ersten Angriffstag geben. Dann traf ich mich mit meinen Kameraden

in unserer Adjutantur zur Besprechung über Organisation und Aufgabe für das
»Führerhauptquartier« in den nächsten Tagen. Dabei hörte ich von der glücklichen
Entscheidung, daß Puttkamer auf Schmundts Vorschlag wieder als Marine-
Adjutant zu uns zurückkehrte. Hitler und sein ganzer Stab nahmen ihn mit Freude
auf.

Wieder einmal, im letzten Augenblick, entledigte sich Hitler der unangenehmen
Aufgabe, Mussolini in einem Brief über den Angriff gegen Polen am nächsten
Morgen und über den Moskauer Vertrag zu unterrichten. Dazu schien es uns
höchste Zeit zu sein, denn die Italiener hatten schon mehrmals ihre Verärgerung
darüber zum Ausdruck gebracht, daß Hitler seine Verbündeten immer erst post
festum unterrichtete. Hitler nahm die Verstimmung aber als das kleinere Übel in
Kauf, im Gegensatz zu dem Nachteil, der ihm durch die »italienische Schwatz-
haftigkeit«, wie er sich ausdrückte, entstehen könnte. Auch die Japaner wurden erst
spät von Ribbentrops Verhandlungen mit den Russen unterrichtet und brachten
ihre Verärgerung im Auswärtigen Amt vor. Dabei waren die Japaner selbst Meister in der Geheimhaltung.

Um die Mittagszeit bat Hitler nochmals den britischen Botschafter zu sich. Er
hatte dafür einen aktuellen Anlaß. Am Abend vorher hatten Chamberlain im Unterhaus und der britische Außenminister Halifax im Oberhaus Reden gehalten,
über die die englische Morgenpresse in großer Aufmachung berichtet hatte. Im
Mittelpunkt standen scharfe Vorwürfe gegen Hitler, er wolle die Welt erobern.
Hiergegen verwahrte sich Hitler in seiner Unterredung mit Henderson. Er erklärte aber ohne Umschweife, das deutsch-polnische Problem lösen zu wollen. Danach
werde er für weitgehende Abmachungen mit England bereit sein. Hewel war von
dem in einer guten Atmosphäre geführten Gespräch angetan und optimistisch. Am
frühen Nachmittag gab Hitler den endgültigen Befehl für den Angriff gegen Polen
am nächsten Morgen. Die Würfel schienen gefallen zu sein. Hitler hatte noch eine
Besprechung mit dem französischen Botschafter Coulondre, um danach Ribbentrop
zu empfangen. Mit dieser Unterredung traten die Ereignisse in ein neues Stadium.
Die einzelnen Phasen der folgenden dramatischen Stunde erfuhren wir nach und
nach im Laufe des Abends.

Über die Presse und das Auswärtige Amt war eine Erklärung der englischen
Regierung über die Ratifizierung des britischen-polnischen Beistandspaktes vom
6. April des Jahres bekannt geworden. Zu gleicher Zeit, etwa am späten Nachmittag des 25. August, brachte Attolico Mussolinis Antwort, der mitteilte, daß Italien
für einen Krieg noch nicht bereit sei. Daraufhin schlug Ribbentrop Hitler vor, den
Angriffsbefehl für den nächsten Morgen zurückzuziehen, um Zeit zu gewinnen
und die Lage neu zu überdenken. Keitel wurde bestellt. Hitler fragte ihn, ob ein
Anhaltebefehl noch die vordersten Einheiten vor Angriffszeitpunkt erreichen würde. Keitel ließ beim Heer anfragen und erhielt verhältnismäßig schnell die Ant-

wort, daß es möglich wäre, wenn der Befehl sofort gegeben würde. Hitler entschied daraufhin, daß alle Truppenbewegungen angehalten werden sollten, was beim Generalstab des Heeres einen außerordentlichen Schock auslöste. Göring und Brauchitsch fanden sich auf Grund dieser sensationellen Wende in der Reichskanzlei ein. Auch Brauchitsch war der Ansicht, der Anhaltebefehl werde noch rechtzeitig bei den Angriffsspitzen eingehen. Trotzdem blieben die nächsten Stunden spannungsvoll. Hitler ließ sich bis spät in die Nacht unterrichten, ob der Befehl die immerhin im Aufmarsch befindlichen Truppen in der vordersten Linie erreichte. Gegen alles Unken und alle Kritik über »Ordre und Contreordre« war »Desordre« – das Durcheinander – ausgeblieben. Das fast unmöglich Erscheinende gelang. Lediglich ein oder zwei Patrouillen waren nicht mehr erreicht worden, was dem Feind aber zu keinem Verdacht Anlaß geben konnte. Der Tag schloß mit Ribbentrops Triumph, Hitler mit Erfolg beeinflußt zu haben. Brauchitsch war stolz, daß die Nachrichtenverbindungen für die Durchgabe des Gegenbefehls so gut funktioniert hatten. Göring glaubte, daß jetzt seine Stunde gekommen sei, um, wie schon in vielen kritischen Situationen, Hitler aus einer ausweglos erscheinenden Lage herauszuhelfen. Hitler verabschiedete sich mit der Bemerkung, die Lage neu überdenken zu wollen. Die Stimmung bei den wieder zahlreich in der Führerwohnung Versammelten war unterschiedlich. Einige glaubten, der Krieg sei durch Hitlers Geschick wieder abgewendet worden. Andere meinten, es habe sich nichts geändert. Die Fronten seien so versteift, daß es keinen anderen Ausweg mehr gebe als Krieg. Zu diesen gehörte auch ich.

Die Ereignisse des 25. August hatten Hitler zweifellos einen Schock versetzt. Sein Plan war ihm durch Vorgänge von außerhalb, auf die er keinen Einfluß hatte, zerstört worden. Er hatte sich aber schnell wieder in der Gewalt. Als er am nächsten Vormittag die unteren Räume der Führerwohnung betrat, hatte er bereits die Auslandspressemeldungen gelesen und zeigte sich beruhigt, daß an der deutsch-polnischen Grenze tatsächlich nichts passiert war. Die beiden Vorgänge vom Vortage sah er jetzt in einem engen Zusammenhang. Mussolinis Absage müsse von London beeinflußt worden sein. Der dortige italienische Botschafter, Graf Grandi, zwar Mitglied des faschistischen Großrates in Rom, aber durch und durch anglophiler Monarchist, eng mit Ciano befreundet, hatte nach Hitlers Überzeugung eine entscheidende Rolle gespielt und Mussolinis Brief an Hitler veranlaßt. Grandi sei von den Engländern über die Ratifizierung des britisch-polnischen Beistandspaktes unterrichtet worden und habe Rom vorgewarnt. Auch den umgekehrten Weg schloß Hitler nicht aus. Vielleicht hatte Rom beschlossen, sich aus einem Krieg herauszuhalten. Grandi habe die Engländer davon unterrichtet und diese damit ermutigt, den englisch-polnischen Beistandspakt zu ratifizieren. Für diese Version sprach eine Bemerkung Cianos bei seinem letzten Besuch auf dem Obersalzberg: Italien sei noch nicht für einen Krieg bereit, und es sei bei Abschluß des Stahlpaktes die Möglichkeit einer kriegerischen Auseinandersetzung erst für 1942 oder 1943 angedeutet worden. Hitler bezeichnete es aber als gleichgültig, welche Seite den Anstoß gegeben habe, ausschlaggebend war für ihn die Tatsache des engen Nachrichtenaustausches zwischen Rom und London.

Harte Worte fielen gegen den Bundesgenossen, ohne daß Hitler aber die Treue Mussolinis anzweifelte. Die ganze Schuld schob er monarchistischen Kreisen des italienischen Heeres und der italienischen Diplomatie zu, deren antideutsche und proenglische Fäden beim Hof zusammenliefen. Es begann das Rätselraten, welche Konsequenzen Hitler aus dieser Situation ziehen werde. Selbst in den Räumen der Reichskanzlei sprachen sich Mitarbeiter Ribbentrops für die italienische Politik aus in der Hoffnung, Hitler damit von seinem Feldzug gegen Polen ganz abzubringen.

Aus den militärischen Gesprächen, die Hitler führte, ging aber ganz klar hervor, daß er von seinem Plan, Polen anzugreifen, bestimmt nicht mehr abgehen würde. Gewiß hatte er die letzte Hoffnung noch nicht aufgegeben, durch politische Schritte die starre Haltung Polens aufzuweichen, und leitete entsprechende politische und militärische Maßnahmen ein. Zunächst allerdings veranlaßte er, daß die Vorbereitungen für die 25-Jahr-Feier der Schlacht von Tannenberg am 27. August und für den Reichsparteitag vom 2. bis 10. September eingestellt wurden. Keitel erhielt Anweisung, die Mobilmachungsvorbereitungen fortzusetzen. Der Stoppbefehl dürfe auf keinen Fall als Zeichen der Schwäche ausgelegt werden. Ribbentrops Vorschlag zielte dahin, vor allem zu versuchen, mit den Polen Kontakt zu bekommen. Hitler selbst setzte gewisse Hoffnungen auf Frankreich. Dieses Land habe die Hauptlast des Weltkrieges zu tragen gehabt. Er könne sich nicht vorstellen, daß es bereit sei, noch einmal für England die Kastanien aus dem Feuer zu holen. Ein Brief Daladiers an Hitler unterstrich allerdings die französischen Verpflichtungen gegenüber Polen. Hitler berief sich in seiner Antwort auf das Unrecht des Versailler Friedensvertrages; dessen Revision gebiete ihm sein Ehrgefühl als Deutscher. Die Möglichkeiten, alle Fragen mit Polen auf friedlichem Wege zwischen beiden Ländern zu regeln, seien durch das Einwirken der britischen auf die polnische Regierung bewußt hintertrieben worden.

Als der Inhalt dieses Briefwechsels am 26. August bekannt wurde, fiel das Stimmungsbarometer in der Reichskanzlei wieder. Dazu trug ebenfalls ein neuer Brief Mussolinis bei. Er enthielt eine lange Wunschliste von Rohstoffen für die italienische Industrie und Rüstungsmaterial für die Streitkräfte. Hitler registrierte den Brief als neuen Beweis, daß Italien sich mit allen Mitteln aus dem Krieg heraushalten wolle.

Göring war auf einem ganz anderen Weg tätig gewesen. Seit Anfang August hatte er über den schwedischen Industriellen Birger Dahlerus Verbindung zu einigen englischen Industriellen, die über Kontakte zu Regierungskreisen verfügten, aufgenommen. Jetzt bat Göring ihn zu sich und fragte ihn, ob er als neutraler Privatmann bereit wäre, seine internationalen Verbindungen zur Erhaltung des Friedens in Europa zur Verfügung zu stellen. Dahlerus war dazu bereit, reiste in den nächsten Tagen mehrmals zwischen Berlin und London hin und her und hatte am Abend des 28. August auch ein Gespräch mit Hitler in Anwesenheit von Göring. Die Vermittlung schien sich günstig zu entwickeln. Hitler nahm ein am gleichen Abend vom britischen Botschafter überreichtes Memorandum positiv auf, aus dem hervorging, daß die polnische Regierung bereit sei, in direkte Besprechungen mit der deutschen Regierung einzutreten. In seinem Antwortschreiben vom 29. August nahm Hitler den Vermittlungsvorschlag an und bat um Entsendung eines polnischen Bevollmächtigten nach Berlin im Laufe des 30. August. Henderson faßte dies als Ultimatum auf und erregte sich so, daß Ribbentrop eingreifen mußte, da Hitler Anstalten machte, die Besprechung mit dem Botschafter abzubrechen. Das durfte jetzt nicht passieren. Ribbentrop sah neue Chancen, mit den Polen zu zweiseitigen Verhandlungen zu kommen. Er wußte, daß Hitler zu Gesprächen ohne Beteiligung der Engländer immer noch bereit war.

Der kurzfristige Termin für das Entsenden eines polnischen Bevollmächtigten hatte rein militärische Gründe. Hitler war von den Generalen beraten worden, den Angriffstermin wegen der Wetterlage nicht weiter hinauszuschieben. Die Grundbedingung für schnelle Operationen war der Einsatz der Luftwaffe. Das Heer hatte deshalb als letzten Termin für den Beginn der Operationen in diesem Jahr den 2. September genannt. Es blieben ihm also nur noch vier Tage Zeit. Deshalb mußte der polnische Unterhändler sofort kommen.

Hitler berichtete sehr freimütig über seine Gespräche mit dem britischen Botschafter. Der letzte Notenaustausch schien ihm den Weg für Verhandlungen mit den Polen freigemacht zu haben. Er beurteilte die Entwicklung wieder positiver und betonte erneut, daß es ihm nur auf Danzig, die Verbindungswege durch den Korridor nach Ostpreußen und auf die Beendigung der Ausschreitungen gegen die deutschen Volksgruppen in Polen ankäme. Bis zum 29. August standen wir alle, die wir die lebhafte Betriebsamkeit in der Führerwohnung seit dem 25. August miterlebten, ganz unter dem Eindruck, daß die Gefahr eines Krieges gebannt sei. Wesentlich hatte dazu auch beigetragen, daß Hitler die Reichstagsabgeordneten, die zum 26. August nach Berlin berufen worden waren, am 27. August nach einer kurzen Rede im Empfangssaal der neuen Reichskanzlei wieder nach Hause geschickt hatte. Dies schien uns ein Zeichen, daß Hitler mit dem Anhaltebefehl vom 25. August selbst an eine Entspannungsmöglichkeit glaubte. Er hatte diese Ansicht auch vor den Abgeordneten geäußert und betont, es sei sein sehnlichster Wunsch, die Probleme ohne Blutvergießen zu lösen. Allerdings hatte er auch wieder seine Bereitschaft erklärt zu kämpfen, wenn England dem deutschen Volk weiterhin sein Recht auf Revision des Versailler Vertrages streitig machen würde.

Der 30. August begann verhältnismäßig ruhig. Ribbentrop und Göring kamen öfter zu Besprechungen in die Reichskanzlei. Es ging darum, die deutschen Vorschläge für das Gespräch mit dem polnischen Beauftragten zu formulieren. Hitler diktierte selbst das Memorandum und legte seine Vorschläge in 16 Punkten fest, die uns der derzeitigen Lage angepaßt und in keiner Weise übertrieben erschienen. Neu war der Vorschlag einer Volksabstimmung im »polnischen Korridor«. Die Stadt Danzig sollte zum Deutschen Reich zurückkehren, während Gdingen polnisch bleiben sollte. Je nach Ausgang der Abstimmung schlug Hitler eine exterritoriale Eisenbahn- und Straßenverbindung zwischen dem Reich und Ostpreußen oder zwischen Polen und Gdingen vor. Hitler war sehr skeptisch, ob ein polnischer Unterhändler kommen würde, Göring dagegen optimistisch. Er hatte Dahlerus nach London übermitteln lassen, daß Hitlers 16 Punkte eine faire und annehmbare Verhandlungsbasis darstellen würden. Anstelle eines polnischen Beauftragten traf die Nachricht von der polnischen Mobilmachung ein. Hitler ließ Brauchitsch und Keitel kommen und legte am Nachmittag dieses 30. August den Angriffsbeginn auf Freitag, den 1. September, früh 4 Uhr 45, fest.

Auch bis abends 24 Uhr kam von polnischer Seite weder eine Stellungnahme noch ein bevollmächtigter Unterhändler. Kurz vor 24 Uhr sagte sich aber Henderson bei Ribbentrop an. Es wurde sofort vermerkt, daß die Engländer einen neuen Kontakt erst nach Ablauf des 30. August aufnahmen. Henderson übergab ein neues Memorandum seiner Regierung und gab zu einigen Punkten mündliche Erklärungen ab. Seine Regierung hätte sich nicht in der Lage gesehen, der polnischen Regierung den deutschen Vorschlag zur Entsendung eines Bevollmächtigten zu empfehlen. Henderson schlug vor, Ribbentrop möge den polnischen Botschafter zu sich bitten und ihm die ausgearbeiteten deutschen Vorschläge übergeben, um damit den Dialog mit Polen in Gang zu bringen. Ribbentrop bezeichnete dies als zwecklos. Er müßte annehmen, daß Lipski keine Vollmachten habe, sonst wäre er von sich aus gekommen. Und nur einem von der polnischen Regierung bevollmächtigten Unterhändler dürfe er die Vorschläge übergeben. Henderson erbat sich daraufhin eine Ausfertigung der Vorschläge für seine Regierung. Auch dies lehnte Ribbentrop ab, da die Aushändigung des Schriftstückes an die Engländer nach dem gestrigen Memorandum mit der Ankunft des polnischen Unterhändlers gekoppelt war. Ribbentrop las aber dem britischen Botschafter, der gut deutsch verstand, die Vorschläge der Reichsregierung vor und flocht einige eigene Erklärungen mit ein.

Soweit waren die Ereignisse fortgeschritten, als Ribbentrop nach dem Gespräch mit Henderson in die Reichskanzlei kam, wo ihn Hitler und Göring ungeduldig erwarteten. Der 31. August war inzwischen angebrochen. Es folgten dramatische Stunden. Göring setzte sich dafür ein, Hitlers »16 Punkte« den Engländern zu geben oder Lipski auszuhändigen, auch wenn er keine Vollmachten hätte. Hitler sprach sich dagegen aus. Er hatte schon den ganzen Abend verschlossen, ernst und zeitweise teilnahmslos gewirkt. Er schien seinen Entschluß endgültig gefaßt zu haben. Jetzt, nachts, brach es mit heftigen Vorwürfen gegen England aus ihm heraus. Er hätte die Ratifizierung des britisch-polnischen Abkommens am 25. August schon als einen Beweis dafür gesehen, daß England einen Krieg auf dem Kontinent herausfordern wollte. Die Behauptung im britischen Memorandum vom 28. August, daß London im Besitz einer Zusage der polnischen Regierung zur Bereitschaft für Verhandlungen mit der deutschen Regierung sei, habe er gleich bezweifelt. Der Ablauf des 30. August sei ihm nun der Beweis, daß die Erklärung der Engländer eine Lüge war. Danach könnte er ihr Verhalten nur als Verzögerungsmanöver auffassen, weil die Polen zu keinen Gesprächen bereit seien oder bereit sein sollten. Aus diesen Gründen hielt Hitler es für aussichtslos, weiter zu verhandeln, und zwar weder mit den Engländern noch mit den Polen. Trotzdem erklärte Göring, nochmals mit Hilfe seines schwedischen Mittelsmannes mit den Engländern sprechen zu wollen. Hitler hielt nichts von der Vermittlerrolle Dahlerus'. Ribbentrop hatte sich dieser Auffassung angeschlossen. Die englische Politik zeige dieselben Merkmale wie 1914, argumentierte Hitler. Alle britischen Noten dienten nur dem Zweck, im Falle eines Krieges die Schuld von London abzuwälzen. Es folgte eine mir unvergeßliche Szene. Hitler stand in einem größeren Kreis, darunter Göring und Ribbentrop. Göring sagte, daß er immer noch nicht an eine Kriegserklärung der Engländer glauben könne. Hitler klopfte ihm auf die Schulter und entgegnete: »Mein lieber Göring, wenn der Engländer an einem Tag ein Abkommen ratifiziert, dann bricht er es nicht nach 24 Stunden!« Es war ihm klar, daß die Briten zu ihrem Beistandspakt mit Polen stehen würden. Es sei Englands jahrhundertealte Politik, aufzupassen, daß in Europa alles nach seinen Wünschen und Vorstellungen unter dem Deckmantel von Freiheit und Menschenrecht verliefe. Den polnischen Standpunkt kritisierte Hitler voller Hohn. Bei der derzeitigen Konstellation in Europa gäbe es für Polen nur eine Wahl: mit Deutschland und nicht gegen Deutschland. Von Rußland hätten sie nichts Gutes zu erwarten, das sei ihnen bekannt. Und England sei weit. Sein Angebot an Polen sei ehrlich gewesen, denn seine Aufgabe liege in Rußland. Alle anderen Kämpfe dienten nur dem einen Ziel, sich den Rücken für die Auseinandersetzung mit dem Bolschewismus freizumachen. Und daran müsse ganz Europa interessiert sein, besonders aber England, das ein Weltreich zu verlieren habe.

Am 31. August war die graue Uniform der Soldaten häufiger in der Reichskanzlei zu sehen als an den Vortagen. Der für den 1. September befohlene Angriffsbeginn war bis jetzt nur den Militärs bekannt. In einer kurzen Konferenz mit Brauchitsch und Keitel am Vormittag unterschrieb Hitler die »Weisung Nr. 1 für die Kriegführung«, in der der Angriffsbeginn nunmehr schriftlich festgelegt wurde. Der Angriff gegen Polen sei nach den für den »Fall Weiß« getroffenen Vorbereitungen zu führen. Größeren Raum nahmen die Weisungen für die Front

Die Marmorgalerie in der Neuen Reichskanzlei.

Am Lagetisch im großen Saal der Alten Reichskanzlei, ab 26. September 1939 Mittelpunkt des FHQ in Berlin. Von Links: v. Puttkamer, Schmundt, Hitler, Jodl und Keitel.

im Westen gegen Frankreich, Belgien und Holland ein. Die Verantwortung für Eröffnung von Feindseligkeiten sollte England und Frankreich überlassen bleiben. Im Falle von Angriffen galt für alle Wehrmachtteile der Befehl, sich defensiv zu verhalten und dadurch zum siegreichen Abschluß der Operationen gegen Polen beizutragen. Am Nachmittag um 16 Uhr hatte Hitler die letzte Möglichkeit, den Angriffsbefehl zurückzuziehen. Diesmal trafen aber keine neuen Nachrichten ein, die ihn umstimmen konnten.

Die diplomatische Tätigkeit riß den ganzen Tag über nicht ab. Von Italien kamen Anregungen für eine Konferenz, ähnlich wie vor einem Jahr in München. Mussolinis Angebot stieß jedoch bei den von ihm angesprochenen Mächten auf Zurückhaltung. Am Nachmittag sagte sich Lipski im Auswärtigen Amt an und wurde zwischen 18 und 19 Uhr von Ribbentrop empfangen; er brachte aber keine Vollmacht für Verhandlungen mit. Lipski erklärte, daß seine Regierung in der vergangenen Nacht von der britischen Regierung über eine Möglichkeit zu direkter Aussprache zwischen der deutschen und der polnischen Regierung unterrichtet worden sei. Warschau werde in den nächsten Stunden eine formelle Antwort nach London geben. Als Hitler von dem Gespräch Ribbentrop-Lipski erfuhr, reagierte er noch einmal mit harten Vorwürfen gegen England und Polen. Am 29. August abends seien sein Vorschlag und seine Bereitschaft für das direkte Gespräch zwischen der deutschen Regierung und einem polnischen Bevollmächtigten dem britischen Botschafter übergeben worden. Über 24 Stunden habe die britische Regierung gebraucht, um es den Polen zuzustellen, oder die polnische Regierung, um es aufzunehmen. Die Art und Weise, wie in dieser ernsten Stunde diplomatische Schritte bei Engländern und Polen behandelt würden, seien ihm ein neuer Beweis dafür, daß beide Staaten durch ihre Politik den Ausbruch eines Krieges bewußt herbeiführen wollten.

Mittags wurde in der Reichskanzlei bekannt, daß Hitler zum 1. September, 10 Uhr, den Reichstag einberufen hatte. Der Strom der Besucher in die Räume der Führerwohnung wurde daraufhin noch stärker als an den Tagen zuvor. Regelmäßig waren in den letzten Tagen Heß, Goebbels, Himmler, Bormann, Bouhler, Dietrich, Lutze und Frick zu sehen, ferner Bodenschatz, Hewel und Wolff (der Verbindungsmann Himmlers zu Hitler). Die meisten Minister und Reichsleiter hatten mindestens einen Begleiter bei sich. Häufig hielten sich Göring und Ribbentrop in größerer Begleitung selbst zu Gesprächen bei Hitler auf. Brauchitsch und Keitel brachten nur ihre ersten Adjutanten mit und blieben nur so kurz wie möglich in der Führerwohnung. Durch das lebhafte Kommen und Gehen so vieler Menschen herrschte ständig große Unruhe, der auch Hitler ausgesetzt war. Es war seine Art, mit den alten Parteigenossen offen über die anstehenden Fragen zu sprechen. Wenn er nicht gerade im Wintergarten oder im Musiksalon hinter verschlossenen Türen Gespräche mit einem ausländischen Diplomaten oder mit Generalen führte, sah man ihn immer von vielen braunen Parteiuniformen umgeben. Alle wollten etwas Neues hören, und es war nicht schwer, aus Hitlers Worten zu entnehmen, daß er gewillt war, das Problem Polen jetzt »so oder so« zu lösen. Wie immer, stieß Hitler bei seinen Parteigenossen auf ein zustimmendes Echo. Auf Grund jahrelanger Erfahrungen kam keiner der Parteifreunde auf den Gedanken, Hitler bei grundsätzlichen politischen Entscheidungen zu widersprechen. Ich fand, angesichts der Hast in der Reichskanzlei und der ständigen Beeinflussung durch die Parteiführer wäre es besser gewesen, Hitler hätte sich nach dem Anhaltebefehl am 25. August auf den Obersalzberg zurückgezogen. Dort hätte er die Ruhe und Abgeschiedenheit gehabt, um in eigenen Überlegungen die Entschlüsse für seine bisher schwerstwiegenden Entscheidungen zu fassen. Sicherlich wären dort auch die Berater mehr zu Wort gekommen, die Hitlers Entscheidung nicht bejahten, an erster Stelle Göring. Seine intensiven Bemühungen, um über Dahlerus für den Frieden zu wirken, waren Beweis genug, daß er Hitlers Politik nicht traute. Aus seiner Umgebung hörte ich, mit welchen drastischen und sorgenvollen Äußerungen er die politische Entwicklung begleitete. Aber Hitler gegenüber sprach er nicht so offen. Er wollte sich vor Hitler und den Parteiwürdenträgern in der Reichskanzlei keine Blößen geben. Auch Brauchitsch und Halder standen gegen Hitler, sagten aber nicht ihre Meinung. Selbst Ribbentrop führte während dieser Krisentage Hitler immer wieder die Entschlossenheit der englischen Politiker vor Augen. Aber er konnte Hitler – von Ausnahmen wie am 25. August abgesehen – am wenigsten beeinflussen. Ribbentrop nahm auch an keiner militärischen Besprechung teil. Er hatte also keine Vorstellung davon, ob und wie Hitler seine »Politik mit anderen Mitteln« fortsetzen konnte und wollte.

Im Kreis einiger Gleichgesinnter in Hitlers Umgebung sprachen wir ganz offen über die ausweglose Lage. Zu diesem Kreis gehörten Hewel, Bodenschatz, Schmundt, Puttkamer und Dr. Brandt. Wir beklagten das Nebeneinander unter Hitlers Beratern in diesen Tagen. Göring und Ribbentrop sprachen kaum ein Wort miteinander und trafen nur in Gegenwart Hitlers zusammen. Ein vertrauensvolles Gespräch unter vier Augen gab es für sie nicht. Ebenso war das Verhältnis der Oberbefehlshaber der Wehrmachtteile zueinander. Keiner wagte es, seine wahre Meinung vor seinen gleichgestellten Kameraden zu offenbaren. Die Schlüsselfigur für derartige Zusammenkünfte wäre Göring gewesen. Aber er stellte sich mehr auf eine Stufe mit Hitler als auf die der Minister und Oberbefehlshaber. Es bleibt also eine reine Hypothese, welchen Einfluß Göring, Ribbentrop, Raeder und Brauchitsch auf Hitler hätten ausüben können, wenn sie ihre übereinstimmenden Auffassungen zur politischen Lage am 31. August in geschlossener Einmütigkeit vorgetragen hätten. Hitler hätte sich dem nicht widersetzen können. Hypothetisch bleibt auch die Annahme, daß Göring als Nummer 1 in dieser Situation ganz anders als Hitler entschieden hätte. Er eignete sich nicht dazu, die Rolle des »Kronprinzen« zu spielen. Vergeblich hofften wir in dieser kritischen Stunde auf Görings Einwirken auf Hitler, und daß er seine bedingungslose Treue zu Hitler als sein erster Paladin auch durch das Beziehen gegensätzlicher Positionen unter Beweis stellen würde.

Am Abend ließ Hitler eine Zusammenfassung der wesentlichen Ereignisse der letzten drei Tage einschließlich des deutschen 16-Punkte-Vorschlages über den Rundfunk bekannt geben. Die Sendung endete mit der Feststellung, daß die polnische Regierung auf die deutschen »loyalen, fairen und erfüllbaren« Forderungen nicht eingegangen sei. Wer Ohren hatte zu hören, erfuhr aus dieser Rundfunkmeldung schon, was am nächsten Tag geschehen sollte.

Als erstes wurde am frühen Morgen des 1. September 1939 mit einem Aufruf des Führers und Reichskanzlers an die Wehrmacht dem deutschen Volk und der Welt bekanntgegeben, daß Hitler der Wehrmacht den Befehl zum Angriff gegen Polen gegeben hatte. Das Weitere hörte die Welt aus Hitlers Reichstagsrede, zu der er zum ersten Mal im grauen Rock erschienen war. Seine SS-Diener hatten anläßlich früherer Reisen zu Manövern und zum Westwall ohne Wissen Hitlers einen feldgrauen Rock arbeiten lassen. Hitler hatte es aber in Friedenszeiten schroff abgelehnt, den braunen Rock auszuziehen. Jetzt entsann er sich des vorhandenen grauen Rockes und legte ihn an, um ihn, wie er in der Reichstagsrede sagte, erst »nach dem Sieg« wieder auszuziehen. Er trug am linken Arm nicht die Hakenkreuzbinde, sondern das Hoheitsabzeichen der SS.

Der Reichstag empfing Hitler mit überwältigendem Applaus und Heilrufen, weit mehr als üblich, und während seiner Rede brauste der Beifall immer wieder auf. Er schilderte zunächst die Entwicklung des Verhältnisses zu Polen vom »Diktat von Versailles« bis jetzt. Das Leben sei für die deutschen Minderheiten in den ehemals deutschen Gebieten unter polnischer Herrschaft von Jahr zu Jahr unerträglicher geworden. Schon vor seiner Machtübernahme sei Gelegenheit zur Revision der unerträglichen Zustände gewesen. Er selbst habe Vorschläge für eine Revision auf dem Wege friedlicher Verständigung gemacht. Es sei alles vergeblich gewesen, sagte er, und verwahrte sich gegen die Behauptung, einen Vertrag gebrochen zu haben, wenn er die Revisionen von sich aus vornehme. Hitler bezog sich mit diesen Worten auch auf Englands und Frankreichs »Verstöße« gegen den Versailler Vertrag, weil sie selbst nicht abgerüstet hatten.

Alle Handlungen der deutschen Regierung seit 1919 gegen Versailles und besonders gegen den »polnischen Korridor« waren in Deutschland populär. Doch die Erkenntnis, die sich im Laufe des Tages durchsetzte, daß Hitler im Osten einen richtigen Krieg angefangen hatte, ernüchterte die Gemüter, und allerorts war die erste Frage, was jetzt wohl England und Frankreich machen würden. Trotzdem wurde Hitler auf seiner Fahrt zum Reichstag und zurück mit Jubel begrüßt. Auf dem Wilhelmsplatz hatte sich eine große Menschenmenge angesammelt.

In den Räumen der Reichskanzlei nahmen der Zustrom Neugieriger und die Unruhe von Stunde zu Stunde zu. Mit Spannung erwarteten alle die neuesten Meldungen des Auslandpressedienstes. Die Diskussionen drehten sich nur um die eine Frage, ob England den Krieg erklären werde oder nicht. Die hohen Parteifunktionäre vertraten die Auffassung, daß England doch wieder nur »bluffen« würde, sonst wäre Hitler doch gar nicht gegen die Polen angetreten. Sie wußten noch nicht, daß Hitler im vollen Bewußtsein der Möglichkeit eines Krieges mit England den Befehl zum Angriff gegen Polen gegeben hatte. Aus seinen Worten in diesen drei Spannungstagen war aber trotz aller nüchterner und richtiger Beurteilung der politischen Lage herauszuhören, daß er im tiefen Innersten doch noch auf ein Nachgeben der Engländer hoffte. Die ersten Nachrichten von der Ostfront und den bereits zu erkennenden Erfolgen bestärkten Hitler gegen alle Mahnungen und Drohungen der Engländer und Franzosen, die im Laufe des Tages teils über die Botschafter eingingen, teils den jeweiligen Parlaments- und Kammerreden in London und Paris zu entnehmen waren, hart zu bleiben. Am Abend des 1. September überreichten die Botschafter von England und Frankreich nacheinander Noten, in denen ihre Regierungen die Bereitschaft erklärten, ihre Beistandsverpflichtungen gegenüber Polen zu erfüllen, falls die deutschen Truppen nicht aus polnischem Gebiet zurückgezogen würden. Die Lage wurde immer klarer und ernster. Der 2. September verging mit weiteren Mutmaßungen und Hoffnungen hüben und drüben. Die Front meldete Erfolge. Mussolini machte den letzten Versuch für eine Konferenz zur Beendigung der Feindseligkeiten. Es war aber schon zu spät.

3. September

Am 3. September um 9 Uhr überreichte Henderson im Auswärtigen Amt ein Ultimatum mit der Ankündigung, daß England sich ab 11 Uhr als im Kriegszustand mit Deutschland befindlich betrachten werde, wenn die deutsche Regierung bis zu dieser Stunde nicht eine befriedigende Zusicherung zur Einstellung der Kampfhandlungen und zum Rückzug der Truppen aus Polen gegeben habe. Einige Stunden später überreichte der französische Botschafter ein ähnlich lautendes Ultimatum. Das waren die Kriegserklärungen.

Der Dolmetscher Schmidt, Mitglied von Ribbentrops Ministerbüro, begab sich sofort in die Reichskanzlei, wo Hitler und Ribbentrop im Wintergarten auf und ab gingen. Sie wußten bereits, daß Henderson eine Note überreichen wollte. Ribbentrop hatte sich verleugnen lassen, weil es ihm klar war, daß das nur die Kriegserklärung sein konnte. Als Schmidt den Wintergarten betrat, fand er – allerdings anders, als er in seinem Buch »Statist auf diplomatischer Bühne« erzählt – Hitler und Ribbentrop nebeneinander stehend vor und übergab das Schriftstück. Göring traf erst später ein. Durch die Glastüren habe ich diese Szene beobachtet. Ich hatte den Eindruck, daß beide mehr enttäuscht als überrascht waren. Betroffene Ratlosigkeit verbreitete sich aber auch unter den wartenden Gästen und lastete auf allen.

Im Laufe des Nachmittags dieses schicksalschweren 3. September, als es kein Zurück mehr gab, ging Hitler mit mir im Wintergarten auf und ab und ließ in verbitterten Worte seinen Gedanken über das »kurzsichtige Verhalten« der britischen Regierung freien Lauf. Plötzlich hielt er inne und fragte mich, ob ich etwas zum Schreiben bei mir hätte. Ich dachte, er wolle mir irgend etwas für das OKW oder die Luftwaffe auftragen. Er sagte aber, es müsse ein Aufruf an das deutsche Volk geschrieben werden. Ich hatte nicht mehr die Zeit für den Vorschlag, eine der Sekretärinnen holen zu lassen, die immer schreibbereit im Hause waren. Hitler fing an: »Parteigenossen und Parteigenossinnen.« Ich unterbrach und fragte ihn, ob der Aufruf nur für die Parteimitglieder bestimmt sein sollte. Er verhielt einen Augenblick und sagte dann: »Schreiben Sie: ›An das deutsche Volk‹«. Dann diktierte er mir, und ich hatte Mühe, mitzukommen, denn ich konnte nicht stenographieren. Hitler sah das und nahm dann Rücksicht, so daß ich das meiste aufschreiben konnte. Ich war trotzdem froh, als er endete, und diktierte unmittelbar danach meine Notizen einer Sekretärin. Das Konzept legte ich dann Hitler vor. Am Tisch im Rauchzimmer stehend, fing er sofort an zu korrigieren. Ich stand hinter ihm und schaute ihm über die Schulter. Diese Szene nahm Heinrich Hoffmann auf, und ich war nicht wenig überrascht, das Bild, das mir nach Kriegsende einigen Verdruß eintragen sollte, am nächsten Tag auf der Titelseite der Berliner Ausgabe des »Völkischen Beobachters« zu finden.

Die Aufrufe an die Partei und die Wehrmacht im Osten und im Westen diktierte Hitler später einer Sekretärin, ebenso wie die umfangreichen Antworten an die britische und französische Regierung, in denen er die Entgegennahme ultimativer Forderungen ablehnte. In allen Proklamationen stellte er die Kriegsschuld der Engländer an die Spitze. Dies war wohl auch die am meisten verbreitete Ansicht im deutschen Volk. Der Artikel 231 des Versailler Friedensvertrages, der dem deutschen Volk die Alleinschuld am Ausbruch des Krieges 1914 aufgebürdet hatte, war seit Mai 1919 von ungeheurer innenpolitischer Brisanz. Er vergiftete die Atmosphäre und belastete das Verhältnis zu den Siegermächten schwer. Die »Kriegsschuldlüge«, die lange vor Hitlers Machtergreifung Politik und Geschichtschreibung beeinflußt hatte, war zum wirkungsvollsten Kampfmittel Hitlers geworden. Mehr und mehr hatte sich die Erkenntnis durchgesetzt, daß die Schuld für ein so fundamentales Geschehen, wie es der Ausbruch des Weltkrieges war, keinesfalls allein einem Volk zugeschrieben werden könnte. Diese Tatsache spielte daher bei allem Mißtrauen gegenüber Hitlers Politik auch jetzt eine Rolle. In der innerdeutschen Diskussion über den erneuten Kriegsausbruch stand die Frage nach der Rolle der englischen Politik zur Erhaltung der »balance of power«, des Gleichgewichts der Kräfte in Europa, als Kriegsursache an erster Stelle. An zweiter Stelle folgte das »unvernünftige« und »anmaßende« Verhalten der Polen. Erst dann sprach man davon, daß Hitler durch geschicktere Politik wie in früheren Krisen auch jetzt den Ausbruch eines Krieges hätte umgehen können und müssen. Aber alle Überlegungen und Diskussionen waren überflüssig. Der Krieg war ausgebrochen und drohte durch weitere Kriegserklärungen zu einem neuen Weltkrieg zu werden. Die ersten großen Erfolge der Wehrmacht in Polen machten aber schnell wieder die »Schwarzseher« und »Miesmacher« mundtot und führten zu der Schlußfolgerung, »Hitler weiß schon, was er tut«.

Betrachtungen bei Kriegsausbruch

Für mich stand außer Frage, daß der Ausbruch des Krieges seine Ursache in Hitlers Entschlossenheit hatte, den Bolschewismus zu bekämpfen. In mehr als zwei Jahren hatte ich Hitler fast täglich erlebt, seine Gedanken kennengelernt und seine Ansichten zu den Fragen des Lebens, des Volkes, des Staates, der Partei, der Politik und der Kriegführung gehört. Aus der langen Reihe der Erlebnisse habe ich mir ein Bild über die Ursachen machen können, die zu Hitlers Fehlentscheidungen in der letzten Woche vor Kriegsausbruch geführt hatten.

Im innerpolitischen Kampf war Hitler 1933 als Sieger gegen den Kommunismus in Deutschland hervorgegangen. Seine einzige Lebensaufgabe als Kanzler des Deutschen Reiches sah er in der Vernichtung der »jüdisch-bolschewistischen« Macht in Rußland. Dort lag seiner Ansicht nach die einzige Gefahr für eine friedliche Zukunft des Deutschen Volkes. Alle seine politischen Entscheidungen waren Stufen auf diesem Wege. In der Innenpolitik stand die soziale Ordnung und Sicherheit am Beginn seiner Ziele und Erfolge. Seine Außenpolitik war von Anfang an darauf abgestellt, sich die territoriale Basis für seinen Kampf gegen Rußland zu schaffen und abzusichern, daß ihm keine andere Macht in den Rücken fallen könnte. Er hatte geglaubt, bei den Signatarmächten des Versailler Vertrages Verständnis dafür zu finden, daß die Bestimmungen nicht für alle Zeiten gelten könnten. Frankreich hatte am meisten Furcht vor einer Wiedererstarkung des Deutschen Reiches und zeigte keinerlei Verständnis für die berechtigten Wünsche Deutschlands nach einer Revision von Versailles. Dabei hatte Hitler den Franzosen erklärt, daß er an Elsaß-Lothringen nicht interessiert wäre. Diese Gebiete brauchte er nicht für seinen Kampf im Osten. Aber er brauchte die Gleichberechtigung unter den Staaten Europas, das Ende der Diffamierung und der im Versailler Vertrag festgelegten allgemeinen Rüstungsbeschränkung. Dies war für Hitler eine Grundvoraussetzung für die Sicherheit im Rücken. Als Frankreich im Januar 1935 die zweijährige Dienstpflicht einführte, sah Hitler darin den Beweis für das Scheitern aller Abrüstungspläne. Er erließ am 16. März 1935 die Gesetze zum Aufbau der Wehrmacht und ordnete die allgemeine Wehrpflicht an. Der französisch-sowjetrussische militärische Beistandspakt vom 2. Mai 1935 bedeutete für Hitler eine neue Einkreisungsgefahr für Deutschland. Als die französische Kammer dieses Abkommen am 27. Februar 1936 ratifizierte, gab Hitler am 7. März 1936 der Wehrmacht den Befehl zum Einmarsch in das entmilitarisierte Rheinland. Hitler lag, wie er selbst sagte, jetzt ständig auf der Lauer. Aber er wußte auch, daß die nächsten Schritte zur Revision des Versailler Vertrages über die Grenzen des deutschen Reiches führen und daher politisch und militärisch sehr genau vorbereitet werden mußten. So beruhigte er die Welt am 30. Januar 1937 in seiner Reichstagsrede zunächst mit den Worten: »Die Zeit der Überraschungen ist vorüber«. Er selbst arbeitete aber umso intensiver an seinen Plänen für den Kampf gegen den Bolschewismus. Dafür brauchte er außer einem freien Rücken, um den Zweifrontenkrieg auszuschließen, eine starke Wehrmacht und ein sicheres Aufmarschgebiet.

Es ging Hitler um Österreich, die Tschechoslowakei und Polen. Österreich war für Hitler ein deutsches Land. Die Angliederung hat er nie als ein Problem angesehen. Bei der Tschechoslowakei kritisierte er immer die antideutsche und prorussische Einstellung der Regierung, unabhängig von der sudetendeutschen Minderheitenfrage. Freiwillig würde Prag sich nicht zu einem Bündnis mit dem deutschen Nachbarn entschließen. Deshalb plante Hitler ab Frühjahr 1938 den Einsatz der Wehrmacht, um Druck auf Prag auszuüben. Hinsichtlich der Tschechoslowakei kam es Hitler auf die Freiheit der Sudetendeutschen und das Bündnis mit Deutschland an. Jegliche Möglichkeit, daß eine andere Macht in Europa in der Tschechoslowakei Fuß fassen könnte, mußte ausgeschaltet werden. Das fleißige tschechische Volk sollte Nahrungsmittel und Rüstungsmaterial für Deutschland liefern. Dieses Ziel hatte Hitler im März 1939 erreicht.

Ganz anders war Hitler zu Polen eingestellt. Ausgehend von dem deutschpolnischen Nichtangriffs-Vertrag aus dem Jahre 1934 und in Kenntnis der alten Feindschaft Polens gegen Rußland sah Hitler in den Polen seine Verbündeten im Kampf gegen den Bolschewismus. Er glaubte, die Angst der Polen vor den Russen müßte eine Ausgangsbasis für einen deutsch-polnischen Ausgleich sein. Deshalb hielt Hitler seine territorialen Forderungen gegen Polen in zumutbaren Grenzen. Erstmalig wurde Hitler aber durch die Ereignisse im Mai 1938 aufgeschreckt. England betrieb die Einkreisung Deutschlands, damals in Verbindung mit Prag. Am 31. März 1939 erfolgte der zweite Schlag durch das britische Garantie-Versprechen an Polen.

Diese Entwicklung beeinträchtigte Hitler in seinen Plänen gegen Rußland. Er erkannte, daß er um Polen kämpfen mußte. Gegen England wurde er zunehmend mißtrauischer und befürchtete, daß die britischen Politiker in einem Kampf Deutschlands gegen den Bolschewismus nur die Erstarkung Deutschlands sahen, nicht aber die Rettung Europas vor dem Bolschewismus. So wandelte sich Hitlers Außenpolitik vom Frühjahr 1938 an grundsätzlich. Er kalkulierte einen Krieg gegen den Westen mit ein, bevor er sich gegen Rußland wenden konnte. Er glaubte aber, durch schnelles Handeln den Engländern noch zuvorzukommen. Die Eile trieb ihn von Erfolg zu Erfolg durch die Jahre 1938 und 1939, bis sie ihm in der Woche zwischen dem 25. August und 1. September 1939 zum Verhängnis wurde. Hitler stand vor einer neuen Lage, die nicht allein durch die Politik bestimmt war, sondern auch durch die militärischen Kräfte. Hitlers Anlagen als Politiker und Oberbefehlshaber lagen nicht bei schnellen Entscheidungen und Befehlen. Er brauchte wie ein Künstler Zeit und Muße, um ein neues Werk zu schaffen. Diese Zeit nahm er sich nicht, blieb in dem Hexenkessel Berlin, unterlag vielen Einflüssen und kam zu falschen Entschlüssen. Seine bisherigen Vorbereitungen waren nur auf eine Auseinandersetzung mit Polen abgestimmt. Dafür reichte die derzeitige Rüstung der Wehrmacht. Von dem Augenblick an aber, als Hitler fest mit dem Eingreifen Englands und Frankreichs rechnete, mußten neue und weittragende Überlegungen einsetzen. Dafür nahm er sich nicht die Zeit.

Wie war es zu erklären, daß Hitler nicht zu seinem früheren Grundsatz »ich kann warten« gerade in diesen Krisentagen zurückgekehrt war, als er die große Auseinandersetzung auf sich zukommen sah, mit der er erst später rechnete? Dafür gab es zwei Gründe. Die Verhandlungen mit Stalin und dessen Forderungen, die ihm Hitler großzügig erfüllt hatte, bestätigten Hitler die Gefahr des Bolschewismus. Seine Hoffnung, daß England ihm im Osten zum Schutze Europas und damit zur Erhaltung des britischen Weltreiches freie Hand lassen würde, war nunmehr zerstört. Beide Gefahren glaubte Hitler nur abwenden zu können, indem er schnell handelte. Ein Sieg über Polen könnte die Lage schon ändern. So nüchtern und real Hitler die Haltung seiner Gegner beurteilte, so unverständlich waren seine Hoffnungen auf Unterstützung durch die europäischen Mächte, wenn er den Kampf mit dem Bolschewismus aufnehmen würde. Dies war ebenso ein Fehler wie die Tatsache, daß Hitler die Möglichkeiten der wirtschaftlichen und militärischen Hilfen Amerikas für England unterschätzte. Wenn er darauf aufmerksam gemacht wurde, antwortete er, je nach Gesprächspartner, daß er bis zum Eingreifen der USA längst alle Probleme in Europa gelöst hätte, oder »wehe, wenn wir bis dahin nicht fertig sind«. Die erste Antwort war propagandistischer Art, während er die zweite Version denen gegenüber verwendete, zu denen er Vertrauen hatte.

Beide Antworten unterstrichen aber sein »Nicht mehr warten können« und trugen mit dazu bei, daß Hitler die schwerste Entscheidung seines Lebens sozusagen zwischen Tür und Angel getroffen hat. Manche sagten, sein Ehrgeiz ließ ihn nicht ruhen. Andere sagten, Hitler glaubte, nicht mehr lange zu leben, deshalb mußte er sich beeilen. Diese Erklärungen konnten mich nicht überzeugen, obwohl an beiden etwas Wahres war. Ich glaube, daß Hitler sich bei seiner Entscheidung zu stark von seinem »inneren Auge« hat leiten lassen. Er sprach oft davon, daß die Lage für Deutschland in den Jahren 1943 bis 1945 am schwersten sein würde. Deshalb müsse er bis dahin seine politischen Pläne gelöst haben. Zum ersten Mal hatte er es am 5. November 1937 erwähnt. Seitdem verblüffte er seine Umgebung oft mit Prognosen, die wir uns nicht erklären konnten, die wir aber im allgemeinen auf seinen scharfen Verstand und auf sein gründliches und logisches Durchdenken aller Probleme zurückführten. Häufig verbanden sich bei seinen Überlegungen sachliche Nüchternheit und traumhafte Sicht. Ich glaube, daß sein lebhafter Geist und seine stark ausgeprägte Phantasie ihm visionäre Zukunftsbilder ausmalten.

Eng neben seiner Veranlagung zu einer Art traumhafter Sicht lag auch sein Selbstbewußtsein, das sich bis zum Sendungsbewußtsein steigerte. Mit Unbehagen hatte ich, schon bevor ich in Hitlers Stab versetzt worden war, in öffentlichen Reden von ihm gehört, daß er stolz sei, zum Führer des deutschen Volkes ausersehen worden zu sein. Und später im kleinen Kreis, auch vor den Generalen, sprach er davon, daß er die ihm gestellten Aufgaben erfüllen müßte, denn nach ihm könnte es keiner. Diese Überheblichkeit stand im Gegensatz zu seiner inneren Bescheidenheit. Die gleichen Gegensätze traten auch zu Tage, wenn er eigene wohldurchdachte und erprobte Einsichten fallenließ, wie bei seinem Entschluß, den Zweifrontenkrieg in Kauf zu nehmen, ein Risiko, das er immer schärfstens kritisiert hatte.

Hitler zitierte in seinen Gesprächen gern seine Vorbilder Friedrich den Großen und Bismarck. Sie hätten vor ebenso großen Entscheidungen gestanden wie er und nur durch Mut und Willen Preußen und Deutschland zur Größe geführt. Er erwähnte aber nicht, daß beide außer ihrer eigenen Persönlichkeit über ein starkes, gut ausgebildetes und ausgerüstetes Heer verfügten. Friedrich der Große hatte es von seinem Vater übernommen, und Bismarck hatte es gegen viele Widerstände aufbauen lassen, ehe er es einsetzte. Vor allem wußten beide aber, daß sie sich auf das Offizierkorps vom ältesten General bis zum jüngsten Fähnrich verlassen konnten. Zu Beginn des Krieges 1939 hat Hitler die Bedeutung dieser unbedingten Treue und Gefolgschaft des gesamten Offizierkorps für die Führung eines Krieges unterschätzt. Er verließ sich auf die »Musketiere«.

Im Sommer 1939 hat Hitler wiederholt: »Ich habe das Warten verlernt, ganz abgesehen davon, daß ich nicht die Zeit habe zu warten.« Diese Ungeduld wurde ihm und damit dem Deutschen Reich in der letzten Woche vor dem Kriege zum Verhängnis. Hitler unterschätzte seine Feinde in Europa und überschätzte sich und die keineswegs für einen langen Abnutzungskrieg geeignete Wehrmacht. Dadurch beging er den größten Fehler seines Lebens und ließ den ersten Schuß abgeben für ein Ziel, das auch auf dem Verhandlungswege erreichbar schien.

Einen Gedanken zum Ausgang der turbulenten Wochen und zum Beginn des Krieges habe ich noch aus einigen Gesprächen mit guten Freunden in Erinnerung. Wir fanden es tragisch, daß die Regierenden in den kritischen Phasen der Politik die Gesichtspunkte des Gegners nicht genügend erkannten und respektierten. England wollte nicht zugeben, daß für Deutschland die Revision des Versailler Vertrages zu einer politischen Notwendigkeit geworden war; Hitler wollte nicht anerkennen, daß Englands Forderung der »balance of power« in Europa eine Lebensfrage zur Erhaltung seines Weltreiches war. Aber trotz dieser tragischen und nach meinen eigenen Erlebnissen und Beobachtungen vermeidbaren Entwicklung, war ich weit davon entfernt zu glauben, daß Hitler scheitern mußte. Mir saß mit dem Kriegsausbruch zweifellos eine gewisse Angst im Genick, die ich mir aber als Offizier nicht eingestehen wollte. Ich hatte am 2. August 1934, nach dem Tod des Feldmarschalls v. Hindenburg, den Eid auf Adolf Hitler geleistet und fühlte mich daran gebunden.

KAPITEL III
September 1939 - Juni 1941

Was bewog die Polen dazu, den ungleichen Kampf gegen die deutsche Wehrmacht aufzunehmen? Sie waren davon überzeugt, daß die französisch-englischen Streitkräfte sofort im Westen angreifen würden, wo – verglichen mit der Ostfront – nur wenige kampfkräftige deutsche Verbände standen. Dann müßten, wie sie annahmen, sogleich deutsche Truppen von der Ost- an die Westfront geworfen werden. Vor allem aber neigten sie französischen Vorstellungen zu, die besagten, daß innerhalb der ersten drei Tage des Krieges ein innerpolitischer Umschwung in Deutschland die Regierung ausschalten und den Polen den Weg nach Berlin freimachen würde. Dies waren Nachrichten aus dem Kreis der deutschen Widerstandsbewegung, denen Frankreich und Polen große Bedeutung beimaßen. Wir erfuhren davon erst einige Wochen später, nach Aktenfunden aus polnischen Ministerien, später, 1940, ergänzt aus französischen Beutepapieren.

Wir standen Anfang September nur staunend vor der Entwicklung des Feldzuges in Polen. Die Polen waren in keiner Weise für einen modernen Krieg gerüstet. Ihre Kräfte waren veraltet. Sie verfügten zwar über 36 Infanterie-Divisionen, zwei Gebirgs-Divisionen, je eine Gebirgs- und mot. Brigade und elf Kavallerie-Brigaden. Es fehlten aber Panzer und Artillerie. Das deutsche Heer setzte dagegen mehr als 50 Divisionen ein, davon sechs Panzer- und vier mot. Divisionen, eine klare Überlegenheit. Die polnische Luftwaffe war kein selbständiger Wehrmachtteil. Die etwa 450 modernen und 450 Flugzeuge veralteter Typen waren auf die Armeen verteilt. Die Führung der polnischen Verbände war gut. Zum Teil kämpften sie verbissen ohne Kenntnis der Gesamtlage.

Der deutsche Angriff auf Polen war in den Augen der Masse des deutschen Volkes nicht der Beginn eines großen Krieges, sondern die Bereinigung des Versailler Diktates. Erst mit der englischen und französischen Kriegserklärung am 3. September 1939 begann für die Deutschen der Krieg.

Während der ersten drei Kriegstage entstand das »Führerhauptquartier«, dessen Zusammensetzung, Einteilung und Gliederung während des ganzen Krieges nahezu unverändert blieb. Hitler wurde von zwei persönlichen Adjutanten, meist Brückner und Schaub, zwei Sekretärinnen und zwei Dienern begleitet. Hinzu trat der Begleitarzt, Professor Dr. Brandt, stellvertretend Prof. v. Hasselbach. Es folgten die vier militärischen Adjutanten, Schmundt, Puttkamer, Engel und ich. Den militärischen Arbeitsstab stellte das OKW. An der Spitze stand Keitel mit einem Adjutanten. Es folgte entsprechend seiner Beorderung für den Mobilmachungsfall Generalmajor Jodl, Chef des Wehrmachtführungsstabes bis zum Ende des Krieges, seit Januar 1944 Generaloberst. Ihm zur Seite standen ein, in den beiden letzten Kriegsjahren zwei Generalstabsoffiziere vom Heer und der Luftwaffe. Am 1. September 1939 übernahm Hauptmann i. G. Deyhle diese Aufgabe. Die weiteren Angehörigen dieses Stabes, eine größere Anzahl von Offizieren aller Wehrmachtteile unter Leitung des stellvertretenden Chefs WFSt, Oberst i.G. Warlimont, versahen ihre Aufgabe räumlich abgesetzt vom FHQ. Bodenschatz und der SS-Gruppenführer Wolff waren die Verbindungsoffiziere von Luftwaffe und SS zu Hitler. Bodenschatz blieb in dieser Stellung bis zu seiner Verwundung am 20. Juli 1944, während Wolff im Jahre 1943 durch den Gruppenführer Fegelein ersetzt wurde. Vertreter des Auswärtigen Amtes war bis Kriegsende der Gesandte, später Botschafter Hewel, der mit Hitler in Landsberg in Haft gesessen hatte. Die Marine stellte nach dem Wechsel im Oberkommando der Marine, Januar 1943, Admiral Voß als Verbindungsoffizier ins FHQ. Während des Polenfeldzuges waren auch vom Heer und von der Luftwaffe je ein Generalstabs-Offizier in das FHQ abkommandiert, Oberst v. Vormann und Hauptmann Klostermann. Beide blieben nur bis Anfang Oktober und gingen dann zu ihren Wehrmachtteilen wieder zurück. Dagegen trat im Sommer 1942 Oberst i.G. Scherff zu unserem Stab mit der Aufgabe, die Unterlagen für die Geschichtschreibung zu sammeln.

Feldzug in Polen

Hitlers Stellung zur Führung des Heeres war im Laufe des Krieges mancher Wandlung unterworfen. Zu Beginn des Krieges bestand bereits eine gewisse, seit Anfang 1938 herrührende Spannung. Sie wirkte sich in erster Linie auf personellem Gebiet aus. Die schnellen Erfolge überbrückten verläufig alle Differenzen und verhinderten ernstliche Krisen. Hitler hatte vergeblich versucht, auf die Stellenbesetzung der Armeeoberbefehlshaber Einfluß zu nehmen. Das Heer bestand darauf, den Generalen v. Kluge und Blaskowitz Armeen zu geben, während Hitler dies nicht für richtig hielt. Im Falle Blaskowitz hatte Hitler sich selbst ein Bild von dessen Einstellung zur Motorisierung des Heeres gemacht und hielt ihn für eine größere Aufgabe nicht ausreichend befähigt. Im Falle Kluge hatte sich Hitler von Göring beeinflussen lassen, der mit Kluge verschiedentlich zusammengekommen war und dessen freimütige Ansichten zu verschiedenen militärischen Vorgängen und Entscheidungen kannte. Er hatte Hitler über Kluges offene Äußerungen berichtet. Das OKH setzte sich aber gegen Hitler durch, und Kluge wurde mit der Führung der 4. Armee im Abschnitt des Korridors zum Vorgehen gegen die Weichsel beauftragt. Hitler gewann schnell einen guten Eindruck von Kluge und war stark betroffen, als er am 4. September auf Grund eines Flugzeugunfalles ausfiel.

Der Schwerpunkt der Operationen lag bei der 10. Armee des Generals v. Reichenau. Er hatte die Aufgabe, mit seinen Panzer- und mot. Divisionen den Angriff aus Schlesien in Richtung auf Warschau zu führen. Hitler hatte ihm bei den Vorbesprechungen nahe gelegt, nicht nach rechts und links zu schauen, sondern unbeirrt sein Ziel nur vorne zu sehen. Zur Sicherung der Flanken waren nach Norden die 8. Armee unter Blaskowitz, nach Süden die 10. Armee unter List eingesetzt. Blaskowitz' Divisionen glaubten, ähnlich wie die benachbarte Armee Reichenau, so schnell wie möglich Warschau erreichen zu können, und schauten nur nach vorne. Als die 30. ID unter General v. Briesen auf eine Länge von 30 km marschierte, brachen die polnischen Divisionen aus dem Raum von Posen nach Süden durch. Es gab für einige Stunden eine schwierige Lage, bis Briesen seine Division links um machen ließ und den Vorstoß aufhalten konnte. Er selbst wurde dabei verwundet. Hitler machte Blaskowitz schwere Vorwürfe wegen dieser Nachlässigkeit.

Hitler verhielt sich während des Polenfeldzuges zu militärischen Fragen sehr neutral; sein Hauptquartier befand sich während der ersten Tage in Hinterpommern und dann in Oberschlesien im abgestellten Zug. Er war sich des Erfolges sicher und wartete täglich auf ein Zeichen der Polen, kapitulieren zu wollen und über ein »Restpolen« verhandeln zu können. Nach Beginn der Feindseligkeiten hatte Hitler am 1. September im Reichstag gesagt, daß er die »Frage Danzig« und »die Frage des Korridors lösen« wolle, daß aber »im Verhältnis Deutschlands zu Polen eine Wendung eintritt, die ein friedliches Zusammenleben sicherstellt«. Hitler war zu Verhandlungen bereit. Der Pole kämpfte, sehr tapfer, aber ohne Aussicht auf Erfolg, jeder Frontabschnitt in eigenem Rahmen. Fernsprechverbindungen gab es kaum. Die einzelnen Fronten vertrauten der Zusage der Engländer, so schnell wie möglich eine Entlastung zu bringen, warteten aber auf dieses Eingreifen vergeblich. Die polnische Regierung setzte sich von Warschau ab und trat am 17. September auf rumänisches Gebiet über. Dies war das Signal für Hitler. Er entschied, die Teile Polens, die vor 1918 zu Deutschland gehört hatten, dem Reich wieder einzugliedern, den Russen den östlichen Teil bis zur Linie Narew-Weichsel-San zu überlassen und den Rest zu einem Generalgouvernement mit der Hauptstadt Krakau unter der Führung des Reichsleiters Dr. Frank zusammenzufassen.

Ab 17. September rückten russische Verbände in Ostpolen ein, bis zu der mit Ribbentrop festgelegten Linie Narew-Weichsel-San. Die deutschen Truppen hatten diese Linie in Richtung Osten bereits überschritten, und es gab Verärgerung, das gewonnene Gelände wieder abtreten zu müssen. Hitler hatte sehr auf den Einmarsch der Russen gewartet. Er war der letzte Anlaß für ihn, die Neugliederung des polnischen Staatsgebietes nach seinen Vorstellungen vorzunehmen. Hitler wiederholte in diesen Tagen, die Garantieversprechungen der Engländer an Polen vom März und August des Jahres seien der beste Beweis dafür, daß England den Krieg haben wollte, um ihn zu beseitigen. Sie hätten es aber wie 1914 verstanden, die Kriegsschuld den Deutschen zuzuschieben, und dies der ganzen Welt glaubhaft gemacht.

Am 19. September besuchte Hitler Danzig. Er nahm sein Quartier in Zoppot im Casino-Hotel und fuhr am Nachmittag über Oliva in die Stadt. Der Jubel und das Menschengedränge waren unbeschreiblich. Im Artus-Hof wurde Hitler vom Gauleiter Forster begrüßt. Hitler antwortete mit einer längeren freien Rede, in der er die Angliederung Danzigs an das Reich aussprach. Ich hatte den Eindruck, daß viele Sätze England galten, wie etwa: »Für die Kriegshetzer war allerdings auch Polen nur ein Mittel zum Zweck. Heute erklärt man ja bereits ganz ruhig, daß es sich bei diesem Kriege gar nicht um den Bestand Polens handele, sondern um die Beseitigung des deutschen Regimes.« Oder: »Wenn Polen heute den Krieg gewählt hat, dann hat es ihn gewählt, weil andere es in diesen Krieg hineinhetzten.« Mit Blick auf die westlichen Gegner sagte Hitler: »Ich habe weder gegen England noch gegen Frankreich irgendein Kriegsziel.« Er schloß: »Da das englische Ziel nicht Kampf gegen ein Regime, sondern Kampf gegen das deutsche Volk, gegen die deutschen Frauen und Kinder heißt, so wird die Reaktion bei uns eine entsprechende sein. Und immer wird am Ende eines feststehen: Dieses Deutschland kapituliert niemals.«

Kampf um Warschau

Während unseres Aufenthaltes in Zoppot galt Hitlers Aufmerksamkeit dem Kampf um Warschau. Er sagte, daß der Kommandant von Warschau immer noch auf die Hilfe der Weststaaten warte. Am 21. September hatte er Hitlers Angebot angenommen, das gesamte diplomatische Korps und Angehörige fremder Staaten aus der Stadt zu evakuieren. Sie wurden nördlich von Warschau von Vertretern unseres Auswärtigen Amtes in Empfang genommen und nach Königsberg weitergeleitet. Die Stadt richtete sich auf den Kampf ein. Den Berichten der Diplomaten war zu entnehmen, daß in Warschau sehr merkwürdige Nachrichten von der Front im Westen eingegangen waren. Eine davon besagte, daß die Franzosen in Süddeutschland weit einmarschiert seien und daß das Ruhrgebiet seine Arbeit eingestellt habe. Auf Grund solcher Meldungen war zu verstehen, daß der Warschauer Kommandant die Verteidigung der Stadt fortsetzte.

Am 21. September begann der Artilleriebeschuß, und die Luftwaffe erhielt den Befehl, Bomben-Angriffe gegen Warschau zu fliegen. Hitler flog am 22. und 25. September an den Rand von Warschau, um sich die Wirkung des Bombardements anzusehen. Am 22. September befand sich Hitler ganz in der Nähe der Stelle, an der der ehemalige Oberbefehlshaber des Heeres, Frhr. v. Fritsch, verwundet wurde und kurz danach starb. Hitler, von der Todesmeldung sichtlich betroffen, schwieg zu der Nachricht.

Mich hat an diesem Tage bei der Fahrt auf den Straßen die starke polnische Flüchtlingsbewegung sehr beeindruckt. Jüngere Jahrgänge, dabei auch viele Juden, überwogen. Ich hoffte, daß unserem Volk je ein solches Schicksal erspart würde. Fünf Jahre später waren dann auch unsere Kinder auf der Flucht.

Am 25. September flog Hitler noch einmal in den Raum vor Warschau und verfolgte von einem guten Beobachtungsplatz aus die Ereignisse. Für diesen Tag hatte das OKH den Angriff befohlen. Viele Teile der Stadt standen in Flammen. Es war ein unwirklicher Eindruck von einem sinnlosen Kampf. Zwei Tage später, am 27. September, bot der Kommandant von Warschau die Übergabe der Stadt an. Die letzten polnischen Kräfte kapitulierten am 1. Oktober auf der Halbinsel Hela vor Gdingen.

Während des polnischen Feldzuges hatte die Luftwaffe einen Angriffsstil entwickelt, der bis in das Jahr 1941 entscheidend blieb. An den beiden ersten Tagen des Krieges wurden die polnischen Flugplätze angegriffen und dabei die Masse der Flugzeuge zerstört. Die Verbände des Heeres marschierten unbehelligt durch polnische Luftstreitkräfte in Polen ein. Die Luftwaffe war in der Lage, mit allen ihren Kräften das Vorgehen des Heeres zu unterstützen. Es entwickelte sich eine enge Zusammenarbeit zwischen Heer und Luftwaffe, Grundlage für die Kämpfe in den nächsten beiden Jahren.

Der Dienst in unserer Adjutantur hatte nun einen sehr gleichmäßigen Rhythmus. Der Schwerpunkt lag bei den täglichen Lagebesprechungen mit Jodl oder dem Generalstab des Heeres. Diese Besprechungen fanden täglich um 12 Uhr statt und dauerten im allgemeinen eineinhalb bis zwei Stunden. Die abendliche Lagebesprechung, meist um etwa 18 oder 19 Uhr, fand in einem kleineren Rahmen statt. Jodl trug die Lage vor, und wenn wie in den ruhigen Zeiten 1939 und 1941 zwischen den einzelnen Feldzügen nichts Besonderes zu melden war, fielen uns Adjutanten die routinemäßigen Erläuterungen von Heer, Marine und Luftwaffe zu.

Die tägliche Vormittags-Lage war von zentraler Bedeutung. Hierbei besprach Hitler mit den Offizieren alle Ereignisse und Maßnahmen. Er gab zu den jeweiligen Operationsplänen seine Gedanken und Anweisungen bekannt. Bis zum Herbst 1941 hat Hitler allerdings ganz selten einen direkten Befehl gegeben. Er beschränkte sich darauf, seine Zuhörer zu überzeugen, so daß sie von sich aus seine Ansichten verwirklichten. Das war auch der Grund für die oft sehr langen Gespräche bei Hitler. Ab Dezember 1941, als Hitler auch die Führung des Heeres übernahm, ging er nur langsam dazu über, durch direkte Befehle seine Ansichten durchzusetzen, und versuchte es weiter, seine Gesprächspartner mit zum Teil längeren Darlegungen für seine Absichten zu gewinnen. Erst im letzten Kriegsjahr machte er mehr Gebrauch von der klaren Befehlsgebung, zu einer Zeit, als die Möglichkeiten, Befehle in seinem Sinne auszuführen, schon sehr begrenzt waren.

Während des Polenfeldzuges hatte ich Gelegenheit, Hitlers ungemein feines Gefühl und seine scharfe Logik bei der Beurteilung militärischer Lagen kennenzulernen. Er konnte sich gut in die Lage seiner Gegner hineinversetzen und ihre militärischen Entscheidungen und Bewegungen vorausahnen. Seine Lagebeurteilung entsprach der Wirklichkeit, während er auf dem Gebiet der Politik immer sehr leicht visionär wirkte und sich gern von Emotionen und Wunschdenken leiten ließ.

Hitler, Halder, Brauchitsch

Im Herbst 1939, nach dem Polenfeldzug, wurde die Führung des Heeres von der Begeisterung der Truppe mitgerissen. Brauchitsch und Halder blieben freilich auch dann skeptisch und pessimistisch. Sie standen aber nach dem Polenfeldzug mit ihren Ansichten allein und hätten für ihren Plan, Hitler auszuschalten oder zu beseitigen, keine Gefolgschaft in der Truppe gefunden. Zu einem Entschluß konnten sie sich gleichwohl nicht durchringen. Obwohl beide innerlich gegen Hitlers Pläne und Gedanken eingestellt waren, gingen sie einen weiten Weg an der Seite

Hitlers 50. Geburtstag. Rechts: Hermann Göring gratuliert dem Führer.

Links: Hitler vor dem Geschenk der Luftwaffe, den Modellen sämtlicher deutscher Flugzeuge

Unten: Geburtstag privat; von links Frau Anni Brandt mit Sohn, Frau v. Below, Adolf Hitler und Prof. Karl Brandt.

Mai 1939. Hitler vor dem Deutschen Eck in Koblenz.

September 1939. Lagebesprechung, von links: Strau[ss] v. Kluge, Hitler, Bodenschatz und Keitel.

Unten: Hitler begrüßt General v. Küchler

Hitlers, immer in der Hoffnung, bei irgendeiner Gelegenheit eingreifen zu können. Diese Gelegenheit kam aber nie.

In meinen Gesprächen mit Hitler war vom Beginn des Krieges an seine Sorge um die Einstellung der Generale des OKH klar herauszuhören. Er wußte, daß er dort einige – wenige – Gegner hatte. In der Luftwaffe und der Marine hatte er diese Sorge nicht. Das Heer ging unter Brauchitsch nach wie vor einen eigenen Weg, den Hitler ändern wollte. Es ist ihm nicht gelungen. Hitlers Kritik am Generalstab und Offizierkorps des Heeres beruhte auf falschen Voraussetzungen. Er hatte zu viel erwartet und war enttäuscht und überrascht von der »mittelmäßigen Qualität«, wie er sich mir gegenüber einmal ausdrückte. Da Hitler sich aber selbst unter militärischen und politischen Erfolgszwang gesetzt hatte, mußte er dies in Kauf nehmen und die Verbesserung der Führungsqualität in seinem Sinne auf einen späteren Zeitpunkt verschieben, der sich nicht mehr bot.

Nach dem Polenfeldzug stellten mir Verwandte und Freunde verschiedentlich die Frage, mit welchen Menschen Hitler sich umgebe, von wem er sich in der Kriegführung beraten lasse. Man höre so oft, es sei eine Atmosphäre der Servilität, Nervosität und Verlegenheit um ihn. Ich will nicht ausschließen, daß ein Außenstehender, der nur ein- oder zweimal zum Vortrag zu Hitler gekommen war, unter diesem Eindruck stehen konnte. Im großen Kreis der täglichen Lagebesprechung ging es um ganz bestimmte Themen. Hier war es dem einzelnen nur möglich, zu dem jeweiligen Fragenkomplex seine Ansichten zu vertreten. Besondere Fragen und Probleme erörterte Hitler in Einzelgesprächen, zu denen nur ein begrenzter Personenkreis Gelegenheit hatte. In der Tat wirkten bei militärischen Vorträgen anfangs des Krieges manche Berichterstatter befangen und unsicher, meist innerlich oppositionell eingestellte ältere Generalstabsoffiziere. Ich wußte damals noch nichts von einer verbreiteten aktiven Opposition gegen Hitler. Aber es ist verständlich, daß Personen, die auf zwei Schultern tragen, irgendwann und irgendwo unsicher werden. Wenn Hitler dann Fragen stellte und auf Einzelheiten einging, kam es vor, daß Vortragende die Antwort schuldig blieben. Am erschütterndsten war es aber, wenn sie später in ihrem Kameradenkreis erzählten, wie furchtbar es wäre, mit einem nicht generalstabsmäßig geschulten Menschen wie Hitler militärische Fragen erörtern zu müssen. Ich habe das einige Male miterlebt und muß sagen, daß Hitlers Fragen eigentlich ganz normal und nicht außergewöhnlich waren. Sie betrafen im allgemeinen Einzelheiten, die im Rahmen des Vortrages übersehen worden waren, die Hitler aber im Gesamtzusammenhang wichtig erschienen.

Während des Polenfeldzuges war jeden Morgen Hitlers erste Frage, wenn er zum Vortrag Jodls in den Befehlswagen trat: »Was gibt es Neues im Westen?« Jodl konnte ihn beruhigen, denn an der Westfront geschah nichts. Hitler hatte sich offensichtlich in Gedanken längst Plänen für eine schnelle Fortsetzung der Operationen in Frankreich zugewandt. Es überraschte mich daher nicht, daß Schmundt uns am 8. September mitteilte, Hitler wolle so schnell wie möglich den Krieg gegen Frankreich anfangen. Während der folgenden Tage sprach Hitler im kleinsten militärischen Kreis immer wieder über die Möglichkeiten des Kampfes gegen Frankreich. Er war fest entschlossen, im Oktober oder November den Angriff zu führen. Er rechnete nicht mit einem Einlenken Englands oder Frankreichs nach dem siegreichen Abschluß in Polen und war fest davon überzeugt, daß England das Heft für die Fortsetzung des Krieges an sich reißen würde. Gerade darum entschloß sich Hitler, den Engländern weitere deutsche Erfolge vorzuführen, um sie zu überzeugen, daß eine Fortsetzung des Krieges gegen Deutschland sinnlos sei.

Unter diesem Eindruck standen wir, als wir am 26. September nachmittags um 17 Uhr auf dem Stettiner Bahnhof in Berlin eintrafen. Hitlers Ankunft wurde kaum bemerkt.

Für den Nachmittag des nächsten Tages, 17 Uhr, hatte Hitler Göring, Raeder, Brauchitsch, Keitel, Jodl, Halder, Jeschonnek und Bodenschatz in die neue Reichskanzlei bestellt. Auch wir militärischen Adjutanten nahmen an dieser Zusammenkunft teil. Das Thema, so schnell wie möglich den Feldzug gegen Frankreich zu beginnen, hatte sich in diesem Kreis schon herumgesprochen. Hitler kannte zu dieser Zeit auch bereits die ablehnende Auffassung des OKH. Es war deshalb nicht verwunderlich, daß Hitler eine ausführliche Ansprache hielt und seine Gedanken zum Westfeldzug darlegte. Der gewonnene Polenfeldzug habe die Stellung Deutschlands in der Welt verändert. Die große Zahl der neutralen Staaten zittere vor uns. Die Großstaaten sähen in uns eine große Gefahr. Der Polenfeldzug habe ihre Angst und ihren Respekt vergrößert. Es bestehe in der ganzen Welt keine Liebe zu Deutschland. England werde versuchen, weiter gegen uns zu arbeiten. Wir müßten deshalb mit der Fortsetzung des Krieges rechnen. Die Zeit arbeite gegen uns. Engländer und Franzosen würden in einem halben Jahr besser sein als heute. England werde viele Divisionen aufbringen, vielleicht nicht angriffsfähig, aber geeignet zum Widerstand.

Panzerwaffe und Luftwaffe seien der Schlüssel unseres Erfolges in Polen gewesen. Heute sei der Westen auf diesen Gebieten schlecht gerüstet. In einem halben Jahr werde es wahrscheinlich anders sein. Hätten sie Waffen gehabt, hätten sie den Polen helfen können. Es sei falsch, das eigene Vorgehen im Westen hinauszuschieben. Wenn wir zum Stellungskrieg gezwungen würden, könnte ein Erfolg nur durch Luftwaffe und U-Boote möglich gemacht werden.

Die eigenen minimalen Verluste in Polen könnten schnell wieder ergänzt werden. Es sei notwendig, soviel Verbände wie möglich an die Westfront zu schicken. Die Qualität sei nicht ausschlaggebend, der Angriff nicht schwerer als in Polen. Entscheidend sei das Wetter in den ersten drei bis vier Tagen. Zwischen dem 20. und 25. Oktober solle der Angriff geführt werden mit dem Ziel, den Feind vernichtend zu schlagen. Das Kriegsziel heiße, England auf die Knie zu zwingen.

Das waren Hitlers Worte. Er war fest davon überzeugt, daß ein schneller Angriff im Westen Erfolg haben würde.

Am 28. September reiste Ribbentrop abermals nach Moskau, zur Unterzeichnung des »Deutsch-Sowjetischen Grenz- und Freundschaftsvertrages«. Die Grenze zwischen beiden Staaten war künftig der Bug, die baltischen Länder fielen an Rußland. Hitler gab ohne lange Überlegung sein Einverständnis, veranlaßte aber, daß eine »gemeinsame politische Erklärung der Reichsregierung und der Sowjetregierung« veröffentlicht wurde. Diese enthielt die Wendung, »daß es den wahren Interessen aller Völker entsprechen würde, dem gegenwärtigen zwischen Deutschland einerseits und England und Frankreich andererseits bestehenden Kriegszustand ein Ende zu machen«. Weiter heißt es in dieser Erklärung: »Sollten jedoch die Bemühungen der beiden Regierungen erfolglos bleiben, so würde damit die Tatsache festgestellt sein, daß England und Frankreich für die Fortsetzung des Krieges verantwortlich sind.«

Diese deutsch-russische Erklärung stellte die deutsche Presse sehr breit und auffallend heraus. Hitler glaubte allerdings nicht daran, daß die Engländer daraufhin irgendwelche Schritte unternehmen würden. Er drängte auf die schnellstmögliche Fortsetzung der Kämpfe im Westen. Polen betrachtete er als Glacis, das irgendwann einmal für uns militärische Bedeutung erhalten und für einen Aufmarsch ausgenutzt werden könnte. Bahnen, Straßen und Nachrichten-Verbindungen müßten in Ordnung gehalten werden. Sonst könnte aber in dem Gebiet »polnische Wirtschaft« gehalten werden.

Am 5. Oktober flog Hitler nach Warschau, um die Parade der 8. Armee abzunehmen. Auf dem Flugplatz wurde er von Brauchitsch, Blaskowitz und Reichenau empfangen. Zwei Stunden lang marschierten die Truppenteile an ihrem Obersten Befehlshaber vorbei. Dies war die einzige Parade, die Hitler in der Hauptstadt eines eroberten Landes abnahm. Am Nachmittag besuchte Hitler das Belvedere-Schlößchen, den ehemaligen Wohnsitz des verstorbenen Marschalls Pilsudski, und flog anschließend nach Berlin zurück.

Zum 6. Oktober hatte Hitler den Reichstag einberufen lassen. Er schilderte den Verlauf des Polenfeldzuges, die Leistung und den Schwung der Truppe, die schnellen Erfolge und die geringen Verluste. Im weiteren Verlauf seiner Rede ging Hitler ausführlich auf die politische Lage in Europa ein. Es bestünde keinerlei Grund für die Fortsetzung des Krieges. Dieser Krieg regelte im Westen überhaupt kein Problem. Er machte Vorschläge für humanitäre Vereinbarungen, schlug die Abschaffung bestimmter Waffen und das Verbot von Einsätzen der Luftwaffe gegen Zivilisten vor. Aber man konnte auch heraushören, mit welchem Mißtrauen Hitler sich an England wandte. Am Ende seiner Rede legte er die Entscheidung in Churchills Hand. Sollte sein Mißtrauen sich bestätigen, würden wir kämpfen. Er zweifele keine Sekunde daran, daß Deutschland siegen würde. Schließlich dankte er dem Herrgott, »daß er uns in dem ersten schweren Kampf um unser Recht so wunderbar gesegnet hat«, und bat, »daß er uns und alle anderen den richtigen Weg finden läßt, auf daß nicht nur dem deutschen Volk, sondern ganz Europa ein neues Glück des Friedens zuteil wird«.

Diese Rede blieb bei der Masse des Volkes nicht ohne Wirkung. Man vertraute dem Führer und glaubte – im Gegensatz zu Hitler – daran, daß England und Frankreich einsichtig sein würden. Hitler zweifelte nicht an der englischen Entscheidung zum Krieg und stellte seine Arbeit und alle Maßnahmen ganz auf die baldige Fortsetzung des Kampfes an der Westgrenze ein. Der Wehrmacht erteilte er am 9. Oktober die Weisung Nr. 6, in der er festlegte, am Nordflügel der Westfront sei durch den luxemburgisch-belgischen und holländischen Raum eine Angriffsoperation vorzubereiten: »Dieser Angriff muß so stark und so frühzeitig als möglich geführt werden.« Wie ernst es Hitler mit der schnellen Fortsetzung des Krieges war, ging am 10. Oktober aus einer Denkschrift hervor, die er den Oberbefehlshabern der Wehrmachtteile übergab und zum Teil mit ihnen durchsprach. In der Denkschrift hatte Hitler klar ausgedrückt, daß »das deutsche Kriegsziel in der endgültigen militärischen Vernichtung des Westens zu bestehen habe«. Über Rußland sagte er: »Durch keinen Vertrag und durch keine Abmachung kann mit Bestimmtheit eine dauernde Neutralität Sowjetrußlands sichergestellt werden. Zur Zeit sprechen alle Gründe gegen ein Verlassen dieser Neutralität. In acht Monaten, in einem Jahr oder gar in mehreren Jahren kann dies auch anders sein.« Damit gab Hitler seine Grundansicht zu dem Vertrag mit der Sowjetunion gegenüber den Oberbefehlshabern zu erkennen.

Kurz nach Beendigung des Polen-Feldzuges besuchte Hitler auf Anregung von Großadmiral Raeder U-Boot-Besatzungen in Wilhelmshaven. Dort lagen einige Boote, die gerade von ihrer ersten Feindfahrt zurückgekehrt waren. Raeder verfolgte damit die Absicht, daß Hitler durch Gespräche mit dem Führer der U-Boote und den U-Boot-Kommandanten ein tieferes Verständnis für die Hauptaufgabe der U-Boote, den Handelskrieg, gewinnen sollte. Konteradmiral Dönitz gab in einem kurzen Vortrag ein Bild von den bisherigen Ereignissen. Hitler besichtigte die U-Boot-Besatzungen, die zum Teil mit wilden Bärten angetreten waren, verweilte dann eine längere Zeit im Kreis der U-Boot-Offiziere in der Messe und ließ sich eingehend über die bisherigen Erfahrungen der Besatzungen berichten. Zu diesem Kreis gehörte auch Kapitänleutnant Schuhart, der mit U 29 am 17. September den britischen Flugzeugträger »Courageous« versenkt hatte. Hitler nahm einen vorzüglichen Eindruck von der Führung der U-Boot-Waffe sowie der Frische und dem Geist der Besatzungen nach Berlin mit.

Am 14. Oktober meldete die britische Admiralität die Versenkung des Schlachtschiffes »Royal Oak« in Scapa Flow. Hitler war begeistert von der kühnen Tat und lud die Besatzung von U 47 nach Berlin ein. Hitler empfing sie in der Reichskanzlei und dekorierte den Kommandanten, Kapitänleutnant Prien, mit dem Ritterkreuz.

Völlig überrascht wurde Hitler von einem Vorstoß Raeders am 10. September. Der Großadmiral verdeutlichte ihm die Bedeutung Norwegens für Deutschland in einem Seekrieg unter Hinweis auf die Sicherstellung der Erzlieferungen aus Narwik. Das Problem sei in seiner Tragweite so ernst, daß er sich gezwungen sehe, Hitler die Besetzung Norwegens vorzuschlagen. Hitler bat Raeder nur, ihm die von der SKL vorbereiteten Unterlagen zu überlassen. Bis zum Ausbruch des finnisch-russischen Winterkrieges am 30. November wurde über diese Frage nicht mehr gesprochen.

Hitlers ganzes Streben war es, den Krieg so schnell wie möglich zu beenden. Ihm schwebte vor, noch im Herbst 1939 mit seinen Divisionen am Kanal zu stehen und Frankreichs Kampfwillen gebrochen zu haben. Es ging ihm darum, allen Überlegungen in England und Frankreich zuvorzukommen. Er forderte vom Heer, daß der Angriff gegen Frankreich, Belgien und Holland am 12. November geführt werden könnte. Mit Brauchitsch und Halder sprach er den Operationsplan durch und gab sein Einverständnis, obwohl er im Grunde andere Gedanken für die Durchführung dieser Operation hegte. Es war jetzt aber keine Zeit mehr für grundlegende Änderungen. Das OKH versuchte immer wieder, so am 16. und 27. Oktober, Hitler von seinem Plan abzubringen. Brauchitsch und Halder schilderten die Divisionen, die gerade in Polen gesiegt hatten, als nicht ausreichend für den Kampf im Westen geeignet. Am 5. November war Brauchitsch allein bei Hitler und übergab ihm eine Denkschrift, in der er auf die derzeitigen Schwächen im Heer hinwies. Hitler steigerte sich im Laufe des Gespräches immer mehr in die Gegenargumente hinein, so daß Brauchitsch verstummte. Hitler wies darauf hin, daß die Ausbildung der Truppe in vier Wochen noch die gleiche sei. Das Wetter könne auch im Frühjahr ungünstig sein. Die Armee wolle überhaupt nicht kämpfen, deshalb werde das Aufrüstungstempo im Heer langsam und schleppend betrieben. Hitler war empört und verärgert über Brauchitsch und erwähnte dies auch uns gegenüber. Er machte kein Hehl daraus, daß seiner Ansicht nach Brauchitsch und Halder durch andere Generale ersetzt werden müßten. Die derzeitige Lage, kurz vor einer neuen Operation, ließe aber einen Wechsel im Oberkommando des Heeres nicht zu.

Attentat im Bürgerbräu-Keller

Inzwischen rückte der erste Angriffstag näher, und Hitler wurde am 7. November um die Entscheidung gebeten. Vor Beginn der allgemeinen Lagebesprechung erschien der Chefmeteorologe der Luftwaffe, Dr. Diesing, und trug die miserable Wetterlage und Wetterentwicklung vor. Hitler entschloß sich, die nächste Entscheidung in zwei Tagen, am 9., zu treffen. Er fügte hinzu, daß er nach München fliegen werde, um dort am 8. abends zu reden; aber am 9. November vormittags sei er wieder pünktlich in Berlin. Schmundt begleitete Hitler auf dieser kurzen Reise. Auch seine Rede im Bürgerbräu-Keller hatte nur ein Thema: England.

Am späten Abend dieses Tages, ich lag bereits im Bett, unterrichtete man mich telefonisch, daß im Anschluß an die Parteiversammlung im Bürgerbräu-Keller ein Sprengstoff-Attentat verübt worden war. Hitler hatte den Saal schon verlassen, als eine Bombe unter dem Mittelpfeiler explodierte. Diese Nachricht wirkte als Alarmsignal. Sie machte uns deutlich, daß Hitler Gegner hatte, die zu allem entschlossen waren. Man merkte es Hitler am nächsten Vormittag, als er in die Reichskanzlei zurückkam, sichtlich an, daß ihn das Ereignis innerlich stark beschäftigte. Die Glückwünsche, die er erhielt, nahm er ruhig und gefaßt auf. Er sagte, es sei ein Wunder, daß er nicht getroffen worden wäre, für ihn ein Zeichen, seine Aufgabe an der Spitze des Reiches zu erfüllen. Aus München kam die Nachricht, daß das Attentat acht Menschenleben gekostet hatte und über 60 Menschen verletzt waren. Hitler nahm lebhaften Anteil an dem Schicksal der Hinterbliebenen und Verletzten. Er flog drei Tage später wieder nach München, nahm an dem Staatsakt vor der Feldherrnhalle teil, besuchte die Verletzten im Krankenhaus und sah sich tief beeindruckt den demolierten Saal im Bürgerbräu-Keller an. Die Untersuchungen erwiesen, daß der beim Übertritt in die Schweiz gefaßte Bombenleger namens Elser sehr wahrscheinlich keine Hintermänner gehabt hatte.

Hitlers Erwägungen zum Operationsplan

Im Oktober nutzte Hitler die Zeit, um seine eigene Vorstellung von der beabsichtigten Operation durchzusetzen. Im großen Lageraum war eine Reliefkarte von dem ganzen Angriffsraum westlich der deutschen Westgrenze aufgestellt worden. Hitler hielt sich viel und lange an dieser Karte auf und machte sich seine Gedanken über den Plan. Nach dem Abendessen, zu der Zeit, in der er sich im

Frieden einen Film angesehen hatte, ging er mit dem diensttuenden militärischen Adjutanten dorthin zurück, um sich ein bis zwei Stunden lang über die Möglichkeiten einer Angriffsbewegung zu unterhalten. Im wesentlichen bestand diese »Unterhaltung« aus lautem Denken Hitlers. Er studierte die Straßenführung, auch die Flußläufe und andere Hindernisse für eine Truppenbewegung. Im Laufe der Herbst- und Wintermonate wurde ihm immer klarer, daß er den Angriff mit dem Schwerpunkt durch die Ardennen führen mußte auf der Linie Sedan-Rouen. Am 30. Oktober 1939 ordnete er bereits an, eine Panzer- und eine mot. Division über die Linie Arlon – Sedan anzusetzen. Bei dem derzeitigen Operationsplan bedeutete diese Verlegung nur eine taktische Verstärkung der Heeresgruppe B unter Generaloberst v. Rundstedt. Aus diesem ersten Entschluß Hitlers entwickelte sich in kurzer Zeit die Entscheidung, die Panzerkräfte zu massieren. Die Wetterlage machte es notwendig, den Angriffstermin weiter zu verschieben. Hitler nutzte die Zeit, um seine Pläne energisch durchzusetzen. Am 11. November 1939 erließ das Heer ein Fernschreiben an die Heeresgruppen A und B, in dem es hieß, der Führer habe nunmehr angeordnet, eine Gruppe schneller Truppen zu bilden, die unter Ausnutzung des waldfreien Streifens beiderseits Arlon, Tintigny, Florenville in Richtung Sedan vorgehen solle. In der Weisung Nr. 8 vom 20. November 1939 ließ Hitler klar ausdrücken, daß Vorkehrungen zu treffen seien, um rasch den Schwerpunkt der Operationen von der Heeresgruppe B zur Heeresgruppe A verlegen zu können. Im Sinne der Weisung besprach Jodl im Generalstab diese Forderung Hitlers. Im Generalstab des Heeres neigte man nicht dazu, diesen Weisungen strikt zu folgen. Die Überlegungen wurden nur langsam in Befehle umgewandelt. Es galt immer noch der erste Operationsplan, der in Abständen von sechs bis acht Tagen aus Wettergründen verschoben wurde. Die seinen Vorstellungen sehr nahe kommenden Gedanken Mansteins kannte Hitler zu dieser Zeit noch nicht.

Im November hielt Churchill im britischen Rundfunk eine sehr aggressive Rede, in der es hieß: »Ich will nicht zu prophezeien versuchen, ob Hitler mit der Raserei eines in die Enge getriebenen Wahnsinnigen sich in das schlimmste aller seiner Verbrechen stürzen wird. Aber das eine will ich mit Sicherheit behaupten: Das Schicksal Hollands und Belgiens, ebenso wie das Polens, der Tschechoslowakei und Österreichs wird durch den Sieg des britischen Weltreiches und der französischen Republik entschieden werden. Wenn wir besiegt werden, dann werden alle versklavt sein, und den Vereinigten Staaten wird es überlassen bleiben, allein die Menschenrechte zu verteidigen. Wenn wir nicht zerstört werden, so wird die Existenz und Freiheit all dieser Länder gerettet und wiederhergestellt werden.« Churchill hatte damit einen Blick in die Zukunft getan. Er war noch nicht Regierungschef, erwartete aber, daß der Kriegsverlauf den englischen König zwingen würde, ihm die Verantwortung zu übertragen.

215

Hitler hielt es auf Grund der Entwicklung der Ereignisse für notwendig, der militärischen Führung am 23. November seine Ansichten über die allgemeine Lage bekannt zu machen. Anwesend waren Göring, Raeder und Brauchitsch mit ihren Chefs, außerdem die Oberbefehlshaber der Heeresgruppen und Armeen mit ihren Chefs sowie die entsprechenden Befehlshaber von Marine und Luftwaffe.

Hitler begann mit der Entwicklung seiner eigenen Arbeit seit 1919 über 1923 bis zur Übernahme der Macht im Jahre 1933. Die Wehrmacht habe er aufgestellt, um zu schlagen. Zwangsläufig sei es so gekommen, daß zunächst im Osten eine Lösung gefunden werden mußte. Die Überlegenheit unserer Wehrmacht habe den Erfolg in Polen in kurzer Zeit gebracht. Rußland sei gegenwärtig ungefährlich. Außerdem hätten wir den Vertrag mit Rußland. Stalin werde sich nur so lange daran halten, als er es für gut hielte. Wir könnten Rußland nur entgegentreten, wenn wir im Westen frei seien. Der russischen Wehrmacht maß Hitler noch für ein bis zwei Jahre geringeren Wert bei.

Italien schätzte er unter Führung von Mussolini positiv für die deutschen Vorhaben ein. Den Hof bezeichnete er als deutschfeindlich. Italien werde in den Krieg erst eingreifen, wenn Deutschland selbst gegen Frankreich offensiv vorgegangen sei. Ein Tod des Duce würde Gefahren für uns bringen. Amerika bezeichnete Hitler als »noch für uns ungefährlich«. Auch Japan schilderte er als unsicher. Es sei noch nicht bekannt, ob es sich gegen England einstellen werde. »Die Zeit arbeitet für den Gegner. Das derzeitige Kräfteverhältnis kann sich für uns nur verschlechtern. Ich werde angreifen und nicht kapitulieren. Das Schicksal des Reiches hängt nur von mir ab.« So beurteilte Hitler sich selbst in diesem Kampf. Die englische Aufrüstung fange jetzt erst an, und die erste Phase der Rüstung werde erst in ein bis zwei Jahren erreicht sein. Die französische Wehrkraft stehe der deutschen bei weitem nach. Die deutsche Überlegenheit sei heute gegeben, und die Millionen Deutsche, die jetzt Soldaten seien, seien hervorragend. Alles liege in der Hand der militärischen Führer. Hinter der Armee stehe die stärkste Rüstungsindustrie der Welt.

Ihn bedrücke, daß die Engländer immer stärker in Erscheinung träten; sie seien zähe Gegner. In sechs bis acht Monaten würden sie mit einem Mehrfachen an Kräften in Frankreich stehen. Holland und Belgien stünden auf der Seite der Engländer. Sie warteten nur auf deren Hilfe, um ins Ruhrgebiet einzufallen. Vom Besitz des Ruhrgebietes hänge die Kriegführung ab. Für uns sei es wichtig, eine bessere Ausgangslage zu haben. Ein Flug nach England fordere zur Zeit zu viel Brennstoff. Das könne nur geändert werden, wenn wir Holland und Belgien besetzt hätten: »Es ist ein schwerer Entschluß für mich. Ich habe zu wählen zwischen Sieg oder Vernichtung. Ich wähle den Sieg.«

Hitler teilte dann seinen Entschluß mit, Frankreich und England zum schnellstmöglichen Zeitpunkt anzugreifen. Die Neutralität von Holland und Belgien bezeichnete er als »bedeutungslos«. Die militärischen Bedingungen sah Hitler als günstig an. Vorbedingung sei aber, daß die Führung von oben das Beispiel fanatischer Entschlossenheit gebe. Wenn die Führung im Völkerleben immer den Mut gehabt hätte, wie ihn jeder Musketier haben muß, so gäbe es keine Mißerfolge. Hitler schloß seine Ausführungen mit den Worten: »Es handelt sich um Sein oder Nichtsein der Nation. Ich bitte Sie, den entschlossenen Geist nach unten weiterzugeben. Ich werde in diesem Kampf stehen oder fallen. Ich werde die Niederlage meines Volkes nicht überleben. Nach außen keine Kapitulation, nach innen keine Revolution.«

Am späten Nachmittag hatte Hitler mit Brauchitsch noch eine ernste und lange Aussprache. Es ging ihm darum, Brauchitsch zu überzeugen. Brauchitsch bat den Führer, ihn seines Postens zu entheben, wenn er ihm nicht genüge. Das lehnte Hitler ab und wies auf die Notwendigkeit hin, daß jeder Soldat auf seinem Posten bleiben müsse.

Entwicklungen zum Jahresende

Nach dem Abendessen begab Hitler sich mit mir in den großen Lageraum und ging längere Zeit mit mir dort auf und ab. Er mußte seine Gedanken laut aussprechen, um sich selbst über mögliche Fehler klar zu werden. Er wiederholte die alten Vorwürfe gegen Brauchitsch und Halder und deren ablehnende Haltung zur West-Offensive. »Die 100 deutschen Divisionen, die jetzt im Laufe der nächsten Monate fertig aufgestellt sein werden, sind zur Zeit den Divisionen der Engländer und Franzosen überlegen. Schon in einem halben Jahr kann es anders sein«, sagte Hitler. Dies war seine Hauptsorge, denn er selbst wußte nicht, in welchem Tempo die beiden großen Weststaaten ihre Heere aufrüsteten. Außerdem wollte Hitler im Frühjahr das eigene Heer wieder frei haben für eine große Operation im Osten gegen Rußland. Dies war die erste Andeutung, die ich von Hitler über Rußland hörte. Sie schien mir utopisch. Für ihn waren es offenbar seit langem durchdachte Pläne, für die er nun die Wehrmacht einzusetzen beabsichtigte.

Am 29. November wurden die diplomatischen Beziehungen zwischen Rußland und Finnland abgebrochen. Hitler verfolgte diese Entwicklung sehr skeptisch. Er hielt es für ausgeschlossen, daß das kleine Finnland dem Ansturm der sowjetrussischen Kräfte widerstehen könnte. Er las alles, was die Presse über die Entwicklung dieses Kriegsschauplatzes brachte, und wies die Diplomaten in Moskau und in Helsinki an, möglichst viele und genaue Berichte über die Kriegsentwicklung zu bringen. Er beobachtete mit Erstaunen im Laufe der folgenden Monate, daß der Krieg den Russen keine Erfolge brachte. Er fragte sich, ob Rußland nicht in der Lage sei, sich in Finnland durchzusetzen. Hitler hat diese Frage nie beantworten können. Er verfolgte die Entwicklung des Krieges in Filmwochenschauen und versuchte, sich dadurch ein Bild vom Geschehen zu machen. Das Material, das bei ihm einging, war aber spärlich und vermittelte keinen abschließenden Eindruck. Hitlers Sympathien galten zweifellos mehr den Finnen als den Russen. Er mußte sich aber zurückhalten, da sein Bündnisvertrag mit Rußland ihn zwang, sich neutral zu verhalten.

Am 12. Dezember fand eine wichtige Konferenz bei Hitler statt, an der ich selbst nicht teilnahm, über die ich aber von meinem Kameraden Puttkamer die wissenswerten Einzelheiten erfuhr. Hitler empfing Raeder und besprach mit ihm die nordischen Probleme. Im Falle Finnland ergab sich Einmütigkeit darüber, keine Unterstützung Finnlands über das »unzuverlässige« Schweden laufen zu lassen. Rußland gegenüber müsse ein gewisses Entgegenkommen gezeigt werden. Ferner berichtete Raeder über seine Gespräche mit dem Norweger Vidkun Quisling. Sie lauteten keineswegs so, daß man blindes Vertrauen zu ihm fassen könne. Raeder drängte aber sehr, das norwegische Problem anzufassen, denn für die Kriegführung der Marine sei der Besitz der norwegischen Häfen unerläßlich. Hitler neigte sehr zu Raeders Ansicht. Er erwog, Quisling persönlich zu sprechen, um einen Eindruck von ihm zu gewinnen. Die Gespräche fanden einige Tager später in der Reichskanzlei statt. Hitler fällte aber noch keine Entscheidung.

Das Jahr ging seinem Ende entgegen. Die Situation an der Westgrenze war ungeklärt. Hitler hatte den Plan, die Offensive nach Frankreich hineinzuführen, nicht aufgegeben. Allerdings war am 12. Dezember der Angriffstermin auf den 1. Januar, am 27. Dezember die nächste Entscheidung auf den 9. Januar 1940 verschoben worden. Er hatte sich entschieden, Weihnachten bei Truppenteilen im Westen zu verbringen. Am 23. Dezember besuchte er nicht weit von Limburg an der Lahn eine Aufklärungsstaffel. Den Nachmittag verbrachte er beim Infanterie-Regiment »Großdeutschland«, den Abend bei der Leibstandarte »Adolf Hitler«. Hier hielt er eine kurze Rede. Am nächsten Tag, dem 24. Dezember, nahm Hitler das Mittagessen bei einer schweren Flak-Batterie in der LVZ ein. Nachmittags hielt sich Hitler zwischen den deutschen und französischen Linien auf den Spicherer Höhen auf und besuchte dort – sehr interessiert – einige Stellungen. Erst spät an diesem Tag kehrte er zu seinem Zug zurück. Am 1. Weihnachtsfeiertag besuchte er noch das wieder neu aufgestellte »Regiment List« und fuhr danach mit seinem Zug nach Berlin zurück.

Hitlers Erscheinen bei den Soldaten hatte einen großen Eindruck hinterlassen. Die Truppe begrüßte den Führer als den Sieger in dem Kampf in Polen und den Befreier der ehemaligen deutschen Gebiete in Posen und Westpreußen. Für die Kämpfe im Westen waren die Soldaten sich des Erfolges sicher und warteten nur auf den Befehl zum Antreten. Einige höhere Stäbe an der Westfront schienen diese Zuversicht nicht zu teilen. Hitler strahlte bei seinen Besuchen Ruhe und Sicherheit aus. Zweifel kamen nicht auf. In den wenigen, kurzen Worten, die er bei den einzelnen Besuchen sprach, stellte er den Soldaten die Überlegenheit der deutschen Wehrmacht nach den Erfolgen dieses Jahres auch gegenüber Frankreich vor Augen. Deprimierend wirkte allenfalls das schlechte Wetter. Das Thermometer zeigte in diesen Tagen Temperaturen um 0° C an. Über der ganzen Landschaft lag leichter Nebel. Man konnte nicht weit sehen, ein ausgesprochen ungemütliches und bedrückendes Wetter. Das erkannte auch Hitler, und er zeigte sich bemüht, gegen diese Stimmung anzugehen.

Am 27. Dezember ließ sich Hitler in Berlin noch einmal den neuesten Stand der Pläne des Heeres berichten, verabschiedete sich dann aber, um für einige Tage nach München und auf den Obersalzberg zu reisen. Schmundt begleitete ihn. Es standen 14 Tage bevor, in denen voraussichtlich nichts Außergewöhnliches passieren würde.

Das neue Jahr begann ruhig. Das Wetter hatte sich nicht verändert. Über dem ganzen Lande lag weiter der grau-weiße sichtbehindernde Schleier.

Am 3. Januar erhielt Hitler einen langen Brief von Mussolini, in dem dieser unter anderem vorschlug, Hitler solle die »Wiederherstellung des polnischen Staates« in die Wege leiten und an der Westfront nicht angreifen. Mussolini beanstandete die Freundschaft mit Rußland, das die größte Gefahr für ganz Europa bliebe. Ich habe Hitlers unmittelbare Reaktion auf diesen Brief nicht miterlebt und kenne nur seine späteren teils sachlichen, teils ärgerlichen Bemerkungen zu dem Schreiben. Er ließ den Brief unbeantwortet und sah keinen Grund, sich mit Mussolini zu treffen. Sie waren seit Mai 1938 nicht mehr zusammengekommen. Der Brief zeigte ihm erneut, daß die italienische Regierung ganz britisch und französisch eingestellt war.

Am 9. Januar ließ Hitler sich als erstes die Wetterlage vortragen. Der Meteorologe wies auf eine bevorstehende Wetterbesserung im Osten hin und glaubte, am nächsten Tag dazu nähere Angaben machen zu können. So verschob Hitler die Entscheidung auf den 10. Januar. Der »Wetterfrosch« berichtete, daß sich in Ost-Europa ein Hoch von seltener Stärke und Dauerhaftigkeit bilde, am 12. und 13. Januar kurze Eintrübung zu erwarten sei, daß aber dann 12 bis 14 Tage klares Winterwetter mit -10° bis -15° C über ganz Europa herrschen werde. Hitler bestimmte den 17. Januar als A-Tag. Sollte eine Wetterverschlechterung eintreten, werde er den Angriff auf das Frühjahr verschieben. Es herrschte an diesem Tag eine gespannte Stimmung in der Reichskanzlei. Am Nachmittag kamen Brauchitsch und Halder zur Besprechung, am 12. oder 13. Januar sollte die Luftwaffe schwere Bombenangriffe gegen feindliche Fliegerhorste im französischen Nordraum fliegen.

Der 11. Januar wurde zu einem schwarzen Tag. Ein Kurier-Offizier vom Fliegerführer 220 (Münster), unterwegs zu einer Besprechung beim I. Flieger-Korps

(Köln), hatte sich verflogen. Der Flugzeugführer war wegen Benzinmangels gezwungen, in Belgien bei Mecheln notzulanden. In der Aktentasche des Kuriers befanden sich die neuesten Aufmarschpläne für den A-Tag. Hitler nahm die Meldung gelassen auf und wartete zunächst auf nähere Meldungen, welche Unterlagen bei dieser Gelegenheit in belgische Hand gefallen waren. Der deutsche Militärattaché aus Brüssel meldete, es sei gelungen, alle Schriftstücke zu verbrennen. Hitler blieb mißtrauisch. Nach einigen Tagen rundete sich das Bild. Der Kurier-Offizier war bereits beim ersten Versuch, die Papiere zu verbrennen, daran gehindert worden. Man hatte ihn und den Flugzeugführer, auch ein Offizier, festgenommen und zu einer belgischen Militärbaracke gebracht. Dort mißglückte ein zweiter Versuch, die Akten zu verbrennen. Die Belgier besaßen den gültigen deutschen Angriffsplan und gaben ihn sofort an den französischen Generalstab weiter. Hitler blieb ruhig, nicht zuletzt, weil der ihm nahestehende Göring als Chef der Luftwaffe für diesen Vorfall in letzter Instanz die Verantwortung trug. Aber im Inneren war Hitler sehr erregt und aufgebracht. Bereits am Abend des 11. Januar äußerte er sich nach dem Abendessen in der Unterhaltung mit den diensttuenden militärischen Adjutanten offen und deutlich über den Leichtsinn, mit dem die geheimsten Aktenstücke bei der Luftwaffe transportiert würden. Der Vorfall veranlaßte Hitler, noch am 11. Januar den »Grundsätzlichen Befehl Nr. 1« zu geben, nach dem niemand, keine Dienststelle, kein Offizier, mehr von einer geheimzuhaltenden Sache erfahren durfte, als aus dienstlichen Gründen unbedingt erforderlich war. Auch das »gedankenlose Weitergeben von Erlassen, Verfügungen und Mitteilungen, deren Geheimhaltung von entscheidender Bedeutung ist«, war nach diesem Befehl, der in allen militärischen Büros und Schreibstuben aufgehängt werden mußte, künftig verboten.

Die diesige und trübe Wetterlage änderte sich nicht. Es bestand keine Garantie, daß die Luftwaffe für drei Tage zusammenhängend gutes Flugwetter haben würde. Hitler entschied daraufhin, daß die Vorbereitungen zum Angriff vorerst eingestellt würden. Der jetzt dem Feind bekannte Operationsplan mußte geändert werden. Hitler war nun fest entschlossen, die Masse der deutschen Panzerverbände schwerpunktartig zusammenzufassen, durch die Ardennen an die Maas zwischen Dinant und Sedan zu führen und von dort aus den Vorstoß freizugeben bis zur Mündung der Somme. Er war nach der Mechelner Affäre festen Willens und setzte sich trotz mancher Schwierigkeiten im OKH gegen alle Bedenken durch.

Am 24. Januar, dem Geburtstag Friedrichs des Großen, sprach Hitler im Sportpalast vor 7000 Offizieranwärtern, die vor ihrer Beförderung zum Leutnant standen. Hitler hatte im Jahr zuvor diese Gepflogenheit aufgenommen und benutzte diesen Appell, um den jungen Offizieren seine Auffassungen über die derzeitige Lage in Europa klarzumachen. Er führte aus, daß »dieses Europa, das von Frankreichs und Englands Gnaden dirigiert wird, unserem Volk das Dasein nicht vergönnt... Welche Einschränkungen wir auch vornehmen, wir werden niemals Frankreich und England besänftigen können... Wenn schon dieser Kampf für mein Volk ein nicht zu vermeidender ist, dann habe ich absolut den Willen, diesen Kampf bei meinen Lebzeiten noch durchzuführen«. Hitler erntete lebhaften Beifall von den jungen Zuhörern, mehr als im vergangenen Jahr.

Am 30. Januar stand Hitler wieder auf dem Podium des Sportpalastes. Der Tag der Machtergreifung war in Friedenszeiten immer ein fester Termin für eine Hitler-Rede vor dem Reichstag gewesen. Hitler wählte in diesem Jahr aber die Gelegenheit, sich unmittelbar an das Volk zu wenden. Er wurde mit ungeheurem Beifall empfangen, und während seiner Rede gab es immer wieder Zeichen der Begeisterung. Er richtete scharfe Angriffe gegen England und sagte: »Herr Churchill brennt schon auf die zweite Phase. Er läßt durch seine Mittelsmänner – und er tut es auch persönlich – die Hoffnung ausdrücken, daß nun endlich bald der Kampf mit den Bomben beginnen möge. Und sie schreien schon, daß dieser Kampf natürlich auch nicht vor Frauen und Kindern haltmachen wird. Wann hat denn auch jemals England vor Frauen und Kindern haltgemacht!«

Vorbereitung zu »Weserübung«

Mittlerweile traten die Vorbereitungen für das Unternehmen »Weserübung« in den Vordergrund, nachdem Hitler sich bis dahin überwiegend mit dem »Fall Gelb« beschäftigt hatte.

Am 16. Februar erregte ein Zwischenfall im norwegischen Jössing-Fjord, also innerhalb norwegischer Hoheitsgewässer, Hitlers Interesse und Ärger. Der deutsche Dampfer »Altmark« wurde dort von dem britischen Kreuzer »Cossack« geentert. Die »Altmark«, ein Versorgungsschiff des im Dezember in der La Plata-Mündung versenkten Panzerschiffes »Admiral Graf Spee«, hatte etwa 300 britische Seeleute von versenkten britischen Schiffen an Bord und versuchte, entlang der norwegischen Küste den Weg zurück nach Deutschland zu finden. Hitler stellte die Frage, warum die Besatzung der »Altmark« keinen Widerstand geleistet habe und keine Bewegungen englischer Einheiten in diesem Seegebiet gemeldet worden seien.

Am 21. Februar empfing Hitler General v. Falkenhorst, der ihm von Jodl als ein für den Kampf in Norwegen geeigneter General empfohlen worden war, und erteilte ihm den Auftrag, eine Invasion Norwegens zu planen. Da größte Geheimhaltung nötig war, konnten Falkenhorst, um zufällige Mitwisser auszuschließen, zunächst keine amtlichen Unterlagen wie Karten zur Verfügung gestellt werden. Falkenhorst kaufte sich daher einen Baedeker von Norwegen, zog sich in ein Hotelzimmer zurück und trug Hitler am Nachmittag des gleichen Tages seine Absichten vor. Hitler schloß sich seinen Vorschlägen an; die Gestaltung des Landes ließ wenig Varianten zu.

Am 23. Februar war Raeder bei Hitler und berichtete, daß in der Nordsee zwei Zerstörer verlorengegangen seien. Er vermutete, daß deutsche Flugzeuge die Schiffe versenkt hätten. In den folgenden Tagen bestätigte sich dies und löste Unruhe bei Marine und Luftwaffe aus. Auch Hitler nahm Anteil an diesem Vorgang und machte beiden Wehrmachtteilen Vorwürfe wegen leichtfertigen Ansetzens unkoordinierter Unternehmungen. Er ordnete an, Vorkehrungen zu treffen, daß sich solche unglaublichen Vorkommnisse nicht wiederholten.

Auseinandersetzungen um den Operationsplan

Hitlers Hauptaugenmerk galt – trotz der für »Weserübung« laufenden vorbereitenden Maßnahmen – nach wie vor dem Westfeldzug. Die täglichen Lagebesprechungen mit Keitel und Jodl arteten oft zu sehr eingehenden Betrachtungen des zu erwartenden Widerstandes an der belgischen und französischen Grenze aus. Hitler hatte sich genaue Unterlagen über die Grenzbefestigungen, über die einzelnen Forts und Grenzsperren geben lassen und machte seine eigenen Pläne für den beabsichtigten Angriff. Seine Vorschläge und Gedankengänge dafür brachten Halder, wenn er hinzugezogen wurde, zur Verzweiflung. Er vertrat den Standpunkt, das sei Sache der Kommandeure und der Truppe, während Hitler die Ansicht verfocht, daß die wichtigsten Einzelunternehmen für den ersten Angriffstag vorher genau festgelegt und bestimmt werden müßten. So ergaben sich unzählige Gespräche. Sehr wichtig allerdings war eine Unterredung Hitlers mit General v. Manstein am 17. Februar in der Reichskanzlei. Schmundt hatte in den Tagen um den 1. Februar die Heeresgruppe A besucht und eingehend mit Rundstedts Chef des Generalstabes, Manstein, und dem Ia, seinem Regimentskameraden von IR 9, Tresckow, gesprochen. Dabei erkannte Schmundt, daß die Heeresgruppe bereits seit dem Herbst 1939 andere Vorstellungen von den ersten Operationen hatte als der Generalstab des Heeres. Mehrmals hatte Manstein seine Stellungnahme an den Generalstab geschickt, war von General Halder aber abgewiesen worden. Die Operationen sollten nach dem Plan des OKH geführt werden. Da Manstein mit seinen Gedanken nicht locker ließ, veranlaßte Halder seine Abberufung bei Rundstedt und die Versetzung als Kommandierender General des in der Heimat neu aufzustellenden XXXVIII. Armeekorps. Diese Maßnahme erregte allgemeines Aufsehen; denn es war ungewöhnlich, in dieser Situation zwischen zwei Feldzügen ausgerechnet einen Wechsel in der Chefstelle einer Heeresgruppe vorzunehmen. Das OKH hatte in den Vorwochen dem Führer gegenüber Mansteins Gedanken und Vorstellungen mit keinem Wort erwähnt. Schmundt nahm die Parallelität von Hitlers und Mansteins Ansichten erstaunt zur Kenntnis, trug nach seiner Rückkehr Hitler sogleich Mansteins Überlegungen zur Westoffensive vor und rannte damit natürlich offene Türen ein. Hitler war genauso überrascht, weniger indes vom Verhalten Halders, dem er mißtraute. Selbstverständlich würde Hitler, hätte er früher von Mansteins Gedanken gehört, als er sich selbst noch nicht über die Schwerpunktverlagerung im klaren war, den General sofort zu sich gebeten haben. So kam es erst zu einem Gespräch anläßlich Mansteins Meldung zum Antritt seiner neuen Dienststellung.

Hitler ließ sich Mansteins Plan vortragen. Dieser stimmte ganz mit Hitlers Vorstellungen überein und enthielt als Wichtigstes die Verlagerung des Schwerpunktes für die Angriffsoperationen von der Heeresgruppe B zur Heeresgruppe A, mit der Masse der Panzer- und mot. Divisionen. Hitler drang jetzt darauf, daß das OKH diese Änderung des Schwerpunktes sofort ausarbeitete.

Nachdem Manstein gegangen war, hatte Hitler noch ein längeres Gespräch mit Schmundt, bei dem harte Worte über Brauchitsch und Halder fielen. Beide Generale würden nachweislich seine Gedanken und Vorstellungen über die Westoffensive sabotieren und ihm die Arbeit außerordentlich erschweren. Jetzt wolle er keine Veränderung im Oberkommando, aber nach Erledigung der Westoffensive werde er einen Wechsel vornehmen.

Todt Minister für Bewaffnung und Munition

Hitlers Unzufriedenheit mit dem OKH erhielt in den nächsten Tagen neue Nahrung. Von verschiedenen Seiten hörte Hitler Klagen über die Versorgung des Heeres mit Waffen und Munition. Er stand unter dem Eindruck, daß ein völlig veralteter Stab im OKH nach den bisherigen Methoden und in dem üblichen bürokratischen Stil diese Aufgabe betrieb. Er hielt es deshalb für notwendig, eine Änderung zu schaffen. Seine Antipathie gegen das Heer bewog ihn dazu, diese Aufgabe einem zivilen Minister zu übergeben. Hitler richtete ein »Reichsministerium für Bewaffnung und Munition« mit weitgehenden Vollmachten ein und gab die Anweisung, alle Stellen zu höchster Leistung zusammenzufassen. Am 17. März wurde der Generalinspektor für das deutsche Straßenwesen, Dr. Ing. Todt, mit dieser Aufgabe betraut. Diese Ernennung schlug beim Heer wie eine Bombe ein. Todt hatte es schwer, sich eine Position zu schaffen und auszubauen. Er brauchte über ein Jahr, um den richtigen Weg zu finden und einen vertrauensvollen Kontakt zu allen verantwortlichen Stellen seines großen Arbeitskreises zu schaffen.

Am 24. Februar fuhren wir nach München. Dort sprach Hitler am Abend im

Hofbräuhaus zum 20. Gedenktag der Verkündung des Parteiprogramms vor seinen alten Parteigenossen. Seine Rede vor dieser Zuhörerschaft stand ganz im Zeichen des bevorstehenden Kampfes mit den Staaten Westeuropas. Hitler sprach offen und ohne Scheu von der starken Gegnerschaft der Engländer und erwähnte dabei auch den Einfluß der Juden.

Mission Sumner Welles'

Für Anfang März hatte sich der amerikanische Unterstaatssekretär Sumner Welles in Berlin angesagt, der als Sonderbeauftragter Roosevelts die Hauptstädte Europas bereiste, über Rom und Berlin weiter nach London und Paris, von da wieder zurück nach Rom. In Berlin sprach er mit Göring, Ribbentrop und Heß. Hierfür diktierte Hitler einen Leitfaden. Er wies darauf hin, in den Unterhaltungen größte Zurückhaltung zu zeigen. Sumner Welles sollte das Wort führen. Das Verhältnis Deutschlands zu den Vereinigten Staaten sei zur Zeit nicht gut. Sollte Sumner Welles mit der Absicht geschickt worden sein, hier einen Wandel einzuleiten, liege das im Interesse der beiden Völker. Weiter betonte Hitler das gute Verhältnis zu Rußland. England und Frankreich hätte er im Oktober sein letztes Friedensangebot gemacht, aber nur Hohn geerntet. Erst wenn der englisch-französische Vernichtungswille gebrochen sei, könne ein befriedetes Europa aufgebaut werden. Das deutsche Reich sei entschlossen, diesen Krieg siegreich zu beenden. Hitler empfing den amerikanischen Sonderbeauftragten am 2. und am 4. März in Gegenwart von Ribbentrop, Meißner und des amerikanischen Geschäftsträgers Kirk.

Am 8. März schrieb Hitler an Mussolini und nahm in langen Ausführungen zu allen politischen Problemen Stellung. Es kam ihm darauf an, Italien an seiner Seite zu halten, gerade jetzt, wo Welles durch Europa reiste. Ribbentrop überreichte den Brief am 10. März in Rom und hatte ein längeres Gespräch mit Mussolini, aus dem er entnahm, daß es Sumner Welles nicht gelungen war, Mussolini zu beeinflussen. Dem Duce lag viel an einer Unterredung mit Hitler, die am 18. März auf dem Brenner stattfand. Am 19. vormittags war Hitler wieder in Berlin und gab bei der Lagebesprechung am Vormittag Göring, Keitel und Jodl einen zufriedenen, fast begeisterten Bericht von dem Gespräch. Er war besonders froh, daß Mussolini weiter auf die deutsche Karte setzte und nach wie vor bereit war, seine Soldaten auch im Kampf gegen Frankreich einzusetzen. In diesem Punkt war Hitler aber zurückhaltend.

Ostern verbrachte Hitler auf dem Obersalzberg. Ich hatte Dienst. Am 22. März flogen wir von Tempelhof zum Flugplatz Ainring bei Salzburg. Meine Frau gehörte zur Begleitung. Es waren vier sehr angenehme und erholsame Tage. Hitler

September 1939. In Westpreußen wird Hitler von der befreiten Bevölkerung begrüßt.

Im ehemaligen polnischen Korridor mit Keitel, v. Kluge, Strauß u. a.

Juni 1940. Hitler mit Göring und Schmundt vor dem Felsennest.

hatte seit Ausbruch des Krieges die abendlichen Filmveranstaltungen eingestellt und verbrachte die Abende mit seinen Gästen auf dem Berghof in der großen Halle vor dem Kamin. Sonst verliefen die Tage wie üblich. Hauptthemen waren Mussolini und die Italiener sowie Hitlers Baupläne für Berlin und München. Am Ostermontag hatte Hitler eine längere Unterhaltung mit Dr. Todt über die Rüstung für das Heer und über seine neue Aufgabe. Ich wurde von Hitler mehrmals an diesen vier Tagen zu längeren Gesprächen herangezogen. Seine große Sorge galt der Führung des Heeres. So sprach er an einem Abend nur über seine Vorstellung und Pläne für die Heeresrüstung. Ihm lag in erster Linie an einer wirkungsvollen Panzerabwehrwaffe unter Verwendung der 8,8 cm Flakkanone. Auch die Herstellung von Panzern und Panzerkanonen mit langen Läufen beschäftigte ihn intensiv. Diese Gespräche dauerten manchmal zwei bis drei Stunden. Hitlers Gäste nutzten diese Zeit zu einer Filmvorführung in der Kegelbahn.

»Weserübung«

Am 1. März hatte Hitler die Weisung für »Weserübung« herausgegeben. Es war inzwischen zu erkennen, daß die Engländer auch Maßnahmen zur Besetzung Norwegens trafen. Dem wollte Hitler zuvorkommen.

Am 5. März versammelte Hitler die Oberbefehlshaber der drei Wehrmachtteile zu einer Besprechung über »Weserübung«. Bei dieser Gelegenheit erfuhr Göring zum ersten Mal nähere Einzelheiten über die Operation, reagierte entsprechend lebhaft und zornig und versuchte – vergebens – auf die Planung des Vorhabens einzuwirken. Göring war enttäuscht, wenn nicht sogar beleidigt, weil Hitler diese Aufgabe nicht ihm, Göring, übertragen hatte.

Am 1. und 2. April hatte Hitler die letzten Gespräche mit Falkenhorst, Göring und Raeder und gab den Befehl zur Durchführung »Weserübung«, der Besetzung von Dänemark und Norwegen, am 9. April. Am 3. April liefen die ersten Transport-Dampfer in Richtung Norwegen aus. Hitler befürchtete, daß die Engländer uns doch noch zuvorkommen könnten. In der Nacht vom 6. zum 7. April begannen die Operationen der Kriegsmarine im großen Umfang. Die Truppen für Narvik wurden auf Zerstörer verladen und liefen aus. Am 8. April befand sich die gesamte deutsche Flotte in See.

Am Vormittag des 8. April gaben Engländer und Franzosen durch Noten im norwegischen Außenministerium bekannt, daß sie mit dem Minenlegen in norwegischen Hoheitsgewässern begonnen hätten. In Oslo herrschte Empörung über die Schritte der Alliierten. Aber Hitler begrüßte diesen Schritt; denn damit konnte er seine Maßnahmen gegen Norwegen begründen.

Am Morgen des 9. April erschienen in den Auswärtigen Ämtern von Oslo und

Kopenhagen die deutschen Gesandten und überreichten Schreiben, in denen Norwegen und Dänemark aufgefordert wurden, die Besetzung ihrer Länder durch deutsche Truppen anzuerkennen. Die Dänen fügten sich, während sich der König von Norwegen und seine Regierung widersetzten. In dem Schreiben der deutschen Regierung stand die Mitteilung, daß Quisling die Leitung der Regierung in Oslo übernehmen sollte. Dieser Forderung wollte sich die norwegische Regierung nicht beugen.

Zu gleicher Zeit begann die Besetzung der Häfen Oslo, Kristiansand, Stavanger, Bergen, Drontheim und Narvik. Die Luftwaffe fiel auf den Flughäfen Oslo und Stavanger ein. Diese Besetzungen machten keine Schwierigkeiten. Die Angriffe von See verliefen mit unterschiedlichem Erfolg. Am schwierigsten war die Lage in Narvik. Zehn deutsche Zerstörer hatten 2000 deutsche Gebirgsjäger unter Führung von General Dietl an Land gesetzt. Sie fanden keinen Widerstand. Aber die erwartete Unterstützung durch drei Versorgungsschiffe und den Tanker »Kattegat« blieb aus. Die englischen Zerstörer waren dem deutschen Konvoi gefolgt und konnten in den Kämpfen der ersten drei Tage auch alle deutschen Zerstörer versenken.

Die Kräfte, die Falkenhorst von Oslo aus auf der Straße nach Drontheim in Marsch setzte, kamen aus Wettergründen und wegen des hartnäckigen norwegischen Widerstandes nur sehr langsam voran. Wirkungsvolle Erfolge blieben aus. Für Hitler wurde die Entwicklung der Lage beängstigend. Westlich des Rheins stand die Armee und wartete Tag für Tag auf den Angriffsbefehl. Hitler selbst war äußerst ungeduldig, denn wertvolle Tage gingen für seinen Frankreich-Feldzug verloren. Er neigte in großer Nervosität und Ratlosigkeit dazu, das Gebiet um Narvik räumen zu lassen und gegebenenfalls auch Drontheim aufzugeben. Hätte sich die allgemeine Wetterlage in Europa beruhigt und einen stabilen Hochdruck gebracht, dann würde Hitler sich vermutlich auch durchgesetzt haben. Sein Hauptgesprächspartner war Jodl. Er kannte Narvik und wußte sehr genau, was ein energischer Truppenführer wie Dietl in dem völlig unwegsamen Gelände machen konnte. Am 14. April waren die Engländer 160 km nördlich von Drontheim, am 17. April bei Andalsnes, 250 km südlich des Hafens gelandet. Jodl beurteilte diese britische Aktion sehr gelassen. Er gab dem britischen Unternehmen keine Chance. Am 22. April schickte er seinen Heeresgeneralstabsoffizier, Oberstleutnant v. Loßberg, nach Norwegen. Schmundt entschloß sich zur gleichen Zeit, nach Oslo zu fliegen, da er Loßberg mißtraute. Am 23. April abends war Loßberg wieder in Berlin und berichtete Hitler. Am 24. abends traf Schmundt ein. Hitler sprach über Loßbergs Vortrag abfällig. Er sei großspurig und wisse keine Einzelheiten. Schmundt kannte seinen Chef besser. Er berichtete eingehend über die Kämpfe zwischen Oslo und Drontheim und beruhigte Hitler. Auf der schmalen Straße sei ein wirkungsvoller Kampf nur schwer anzusetzen. Es bleibe kein anderer Weg, als sich geduldig weiterzukämpfen. Es sei kein Zweifel, daß dies gelingen würde. Entscheidend sei die Hilfe der Luftwaffe, für deren Einsatz aber längere Zeit zu schlechtes Wetter gewesen sei.

Die englischen Truppen, die versuchten, sich zu vereinigen, hatten schließlich einen schweren Stand. Sie kämpften ohne Unterstützung aus der Luft und ohne wirkungsvolle eigene Flak. Von deutscher Seite wurden von Drontheim aus beide Angriffsspitzen aus der Luft bekämpft und ihnen erhebliche Verluste zugefügt. Sie zogen sich daraufhin zurück und verließen am 1. und 3. Mai norwegischen Boden. In der Folge gelang es, alle Krisenherde bis auf den Raum von Narvik zu bereinigen.

Die Engländer verstärkten dort Anfang Mai ihre Kräfte. Es lag ihnen daran, den Deutschen den Zugang zum Erzgebiet wieder zu entreißen. Es erwies sich als schwierig, Dietls Truppen zu verstärken. Luftunterstützung war von Drontheim aus nicht möglich. Dietl selbst blieb zuversichtlich und arbeitete Tag und Nacht, um seine Stellungen auszubauen und zu verbessern. Ein Vorstoß der Flotte und der erfolgreiche Westfeldzug brachten Erleichterung.

Seit dem Angriff gegen Frankreich, Holland und Belgien, der mit großem Schwung begonnen hatte, verfolgte Hitler die Kämpfe in Norwegen kaum noch. Er hatte am 19. April gegen den Widerstand des OKH den Gauleiter von Essen, Terboven, nach Norwegen geschickt und ihn mit der Führung der Verwaltung beauftragt.

Nachdem Hitler am 30. April 1940 von Jodl die Meldung erhalten hatte, daß die Verbindung von Oslo nach Drontheim hergestellt war, war er erleichtert.

Am 10. Juni nahm Hitler Einfluß auf den Schlußbericht des Oberkommandos der Wehrmacht zum Kampf in Norwegen und besonders in Narvik, in dem es auf seine Anweisung hieß: »Ostmärkische Gebirgstruppen, Teile der Luftwaffe sowie der Besatzungen unserer Zerstörer haben in zwei Monaten lang andauernden Kämpfen einen Beweis ruhmvollen Soldatentums für alle Zeiten gegeben.« Am 13. Juni erließ Hitler einen Tagesbefehl an die Soldaten in Norwegen. Er dankte Führung und Truppe für ihre Tapferkeit und ihren Opfermut, durch die sie halfen, »von dem deutschen Reich eine große Gefahr abzuwenden«. Hitler gab zu, daß der Kampf um Norwegen eine schwere Aufgabe gewesen war und ohne die siegreichen Operationen in Frankreich nicht so schnell zum Erfolg geführt hätte. Aber für die Fortsetzung des Kampfes gegen England war der Besitz von Norwegen von großer Bedeutung. Hitler schwebte vor allem ein großzügiger Ausbau der Stadt und des Hafens Drontheim vor. Drontheim sollte die nördlichste deutsche Stadt werden.

Der Feldzug in Norwegen hatte im besonderen Maße die Führungsqualität Jodls herausgestellt. Mit aller Offenheit hatte er seine Ansichten Hitler gegenüber vertreten und in der Krise durchgesetzt. Hitler hat nach Beendigung der Kämpfe

Jodls Leistungen anerkannt und gelobt. Er schätzte ihn als einen bedingungslos und treu ergebenen Gefolgsmann, dessen Vorschlägen er im Verlauf des Krieges noch oft folgte.

Während der gesamten Zeit des Norwegen-Feldzuges war Hitler mit seinen Gedanken bis in Einzelheiten bei den Vorarbeiten für den Frankreich-Feldzug. Mit General Student besprach Hitler die Unternehmung Den Haag und Schelde-Mündung, einige Male versammelte er die Armeeführer zu Gesprächen in der Reichskanzlei. Sein Mißtrauen gegen Brauchitsch und Halder wuchs. Mehrmals im Laufe des Winters war er nahe daran gewesen, die Führung des Heeres auszuwechseln. Nur die Nähe der großen Aufgabe hielt ihn von einem solchen Schritt ab. Brauchitsch und Halder erwarteten nach dem, was sie sagten, schwere Kämpfe in Frankreich, die sich auf Jahre ausdehnen könnten. Ob dies ihre wirklichen Gedanken waren oder ob sie sie nur so äußerten, um Hitler vom Angriff gegen Frankreich abzuhalten, kann ich nicht sagen. Hitler wußte, daß er den beiden Generalen nicht trauen konnte, und neigte von Anfang an mehr zu den Auffassungen der Heeresgruppen-Oberbefehlshaber Leeb, Rundstedt und Bock, die sofort angreifen wollten.

Angriff im Westen

Am 1. Mai gab Hitler den Angriffsbefehl für den 5. Mai. Am 2. Mai fand eine Besprechung mit Göring und der Luftwaffenführung über den Auftrag zur Landung in der »Festung Holland« statt, an der auch die Generale Student und Graf Sponeck, der Kommandeur der Luftlandedivision, teilnahmen. Da es Hitler vor allem auf den Überraschungseffekt und schnelle Erfolge ankam, legte er großen Wert darauf, mit den Offizieren, die solche besonderen Aufgaben zu erfüllen hatten, vor dem Einsatz eingehend zu reden; Sponeck sollte mit seiner Division über Den Haag und Rotterdam abspringen.

Am 3. Mai sprach Hitler noch einmal im Sportpalast zu 6000 Oberfähnrichen und stellte ihnen ihre Aufgabe deutlich vor Augen. Der Erfolg in Norwegen und seine optimistische Ansicht über den Frankreich-Feldzug gaben ihm den Schwung für seine Rede. Am 4. Mai verschob Hitler den Angriff nochmals auf den 7. Mai und zuletzt auf Görings Bitten auf den 10. Mai 1940. Dies sei aber der letzte Aufschub, bemerkte er. Am 9. Mai diktierte Hitler eine Proklamation an die Soldaten der Westfront, die mit dem Satz endete: »Der heute beginnende Kampf entscheidet das Schicksal der deutschen Nation für die nächsten tausend Jahre. Tut jetzt Eure Pflicht. Das deutsche Volk ist mit seinen Segenswünschen bei Euch.«

Je näher der Angriffstermin rückte, umso ruhiger und optimistischer wirkte Hitler. Es schien mir, daß seine vielen Bedenken, die er zu dem einen oder anderen

Vorhaben gehabt und die er im Laufe der vergangenen sechs Monate mit den zuständigen Befehlshabern erörtert hatte, nun nicht mehr zu beeinflussen waren und die Ereignisse ihren Weg nehmen mußten. Hitler vertrat die Auffassung, daß Frankreich nach etwa sechs Wochen kapitulieren würde. Dies war ihm für die Gesamtentwicklung so wichtig, weil er sich davon eine Wirkung auf die britische Einstellung versprach. Er sagte, daß England den Krieg dann nicht fortsetzen könnte, denn in dem Falle würde es sein Kolonialreich verlieren. Das sei unvorstellbar. England würde daher nach einem deutschen Sieg in Frankreich auch einlenken.

Am 9. Mai war nun der Tag gekommen, an dem Hitler zur Westfront in das im Laufe des Winters neu ausgesuchte und angelegte Hauptquartier abreisen konnte. Speer hatte zunächst eine Burg zwischen Bad Nauheim und Usingen ausgebaut. Diese Lösung mißfiel Hitler. Daher hatte er Todt und Schmundt beauftragt, ein neues Quartier weiter nördlich im Gebiet der Eifel auszusuchen und auszubauen. Es sollte so einfach wie möglich sein. Todt fand im Bereich des Westwalles eine Flakstellung bei Münstereifel, die nach wenigen Umbauten für die Belange des FHQ ausreichte.

Am Nachmittag des 9. Mai um 16.48 Uhr stand Hitlers Sonderzug auf dem Bahnhof Berlin-Finkenkrug, wenige Kilometer westlich vom Flugplatz Staaken an der großen Bahnlinie nach Hamburg bereit. Hitler fuhr, nur von Kripo und Sicherheitsdienst begleitet, dorthin. Alle anderen Mitglieder der Reisegesellschaft mußten den Bahnhof aus Geheimhaltungsgründen auf teilweise seltsamen Umwegen erreichen.

Pünktlich fuhr der Zug ab und nahm seinen Weg in Richtung Hamburg. Hitler hatte seine Reise als Besuchsreise bei Truppenteilen in Dänemark und Norwegen ausgegeben. Ob das geglaubt wurde, habe ich sehr bezweifelt, denn jeder Mitreisende hatte seine privaten Verbindungen zu »Eingeweihten«. Der Zug fuhr bis Hagenow-Land. Dort war ein längerer Aufenthalt, um telefonische Meldungen entgegenzunehmen. Es gab nichts Neues. Von hier aus nahm der Zug seinen Weg in Richtung auf Hannover. Diese Kursänderung entging niemandem, und sehr schnell wurde allen klar, welchen Zweck unsere Reise hatte. Am Abend hatten wir noch einen kleinen Aufenthalt in Burgdorf bei Hannover. Ich holte die letzte Wettermeldung ein, auf Grund derer Hitler den endgültigen Befehl für den Angriff gegen Frankreich, Holland und Belgien am nächsten Morgen gab.

Hitler war auf dieser Fahrt in glänzender Stimmung. Er war sich des Erfolges sicher und hatte keinerlei grundlegende Zweifel. Das Abendessen im Speisewagen verlief lebhaft, und Hitler gab seiner Hoffnung Ausdruck, daß die einzelnen, von ihm persönlich mitvorbereiteten Aktionen an der Grenze gut gelingen mögen. Besonders erwähnte er das Unternehmen gegen das belgische Fort Eben-Emael. Noch bei Dunkelheit erreichte unser Zug sein Ziel, eine kleine Station in der Nähe von Euskirchen. Dort erwarteten uns die dreiachsigen Mercedes-Wagen und brachten uns in einer knappen halben Stunde in das gut getarnte Führerhauptquartier »Felsennest«. In dieser Anlage konnte nur die militärische Begleitung Hitlers untergebracht werden. In Hitlers Bunker wohnten außer ihm nur noch Schaub, Keitel und ein Diener, in einem zweiten Bunker Jodl, drei Führeradjutanten, Keitels Adjutant und Dr. Brandt. Außer diesen beiden Wohnbunkern gab es noch den Speisebunker und eine Lagebaracke, etwas abseits am Hang. In dieser Baracke gab es ein Lagebesprechungszimmer und außerdem Unterkunftsräume für Puttkamer, Deyhle und einen Feldwebel als Schreiber. In der Speisebaracke stand ein langer Tisch mit 20 Plätzen, an dem während des Aufenthalts im Felsennest alle Mahlzeiten eingenommen wurden. An der freien Wand auf der Längsseite hing eine Karte, die das ganze Land darstellte, das jetzt erobert werden sollte.

Die übrige Begleitung und die Pressestelle fanden ihre Unterkunft in einem nahegelegenen Dorf, in dem einige Häuser beschlagnahmt worden waren.

Der erste Kampftag verlief zunächst ruhig. Hitler zog sich noch einmal zurück, um etwas zu schlafen. Gegen Mittag kamen die ersten noch recht spärlichen Meldungen. Es wurde bekannt, daß die Brücke bei Maastricht zerstört war, die schnell wieder hergerichtet werden mußte. Die Brücken am Albert-Kanal konnten zum Teil unzerstört genommen werden. Die Luftlandung mit den Lastenseglern auf dem Fort Eben-Emael hatte geklappt. Mehr war am ersten Tag noch nicht zu erfahren. Es stellte sich aber im Laufe des Tages heraus, daß die belgischen und holländischen Truppen den Angriff am 10. Mai erwartet hatten. Der Angriffstag war verraten worden. Aber der Widerstand war überall nur gering. Gesprengte Brükken, Hindernisse und Sperren hielten den ersten Aufmarsch an einigen Stellen nur kurzfristig auf. An anderen Frontabschnitten lief der Vormarsch glatt.

Die Stimmung der Truppe war ausgezeichnet. Die Soldaten waren siegessicher. Auf der Gegenseite standen die nur für hinhaltenden Widerstand gerüsteten Belgier und Niederländer. Die französische Armee war in einer schwierigen Lage: Da sie den Angriff im Norden durch Belgien vermutete, mußte sie zuerst in eine eigene Ausgangsstellung einrücken, um den Kampf aufzunehmen. Insgesamt waren die Kräfte der drei Staaten einem modernen Krieg mit Panzern und Luftwaffe nicht gewachsen. Dies stellte sich im Laufe der ersten zehn Tage ganz klar heraus. In Holland kapitulierte die Armee am 14. Mai. Der gegen Rotterdam angesetzte Luftangriff konnte infolge von Schwierigkeiten in der Nachrichtenübermittlung nicht mehr verhindert werden, obgleich die Kapitulation inzwischen erfolgt war. Die Stadt erlitt bedauerliche Schäden. Es waren auch erhebliche Verluste bei der Bevölkerung zu beklagen.

Die Belgier legten die Waffen am 24. Mai nieder. Die bedingungslose Kapitulation unterzeichneten sie am 28. Mai. Der König der Belgier blieb im Lande.

Ein überaus unangenehmer Vorfall trug sich am ersten Kampftag zu. Die Stadt Freiburg im Breisgau meldete einen Bombenangriff. Mehrere Flugzeuge, wie sich dann ergab zwei Maschinen, hatten Bomben geworfen. Es gab Verluste unter der Zivilbevölkerung und nicht unbeträchtliche Schäden. Leider stellte sich bei der Untersuchung dieses Angriffs heraus, daß Maschinen eines deutschen Kampfverbandes, der den Auftrag hatte, eine französische Stadt westlich des Rheins anzugreifen, versehentlich die Bomben auf Freiburg abgeworfen hatte. Hitler wurde über den Fehlwurf unterrichtet, entschied aber, den Vorgang totzuschweigen. Dies glückte aber nur zum Teil. In der Propaganda wurde die Angelegenheit wiederholt als alliierter Terrorangriff hingestellt.

Der deutsche Hauptstoß hatte sich in den ersten Tagen durch die Geländeschwierigkeiten hindurchgearbeitet und am 12. Mai abends die Maas bei Dinant erreicht. Am 20. Mai standen die Spitzen des XIX. AK, befehligt von General der Panzertruppe Guderian bei Amiens und Abbéville an der Somme-Mündung, ein unwahrscheinlich schneller Erfolg.

Der Kampf auf dem Fort Eben-Emael am 10. und 11. Mai war kompliziert, und die beiden Führer dieser Aktion mußten sich etwas Besonderes einfallen lassen, um den Widerstand zu brechen. Am Nachmittag des 11. Mai kapitulierte die Besatzung des Forts. Hitler ließ die siegreiche Mannschaft in sein Hauptquartier kommen und zeichnete die beiden führenden Offiziere mit dem Ritterkreuz aus. Sie gaben Hitler eine eingehende Schilderung des Kampfes.

Am 14. Mai 1940 schrieb ich meinem Onkel Otto v. Below: »Die ersten 4-5 Tage dieses Feldzuges sind erfolgreicher abgelaufen als der Führer, Heer und Luftwaffe es je zu ahnen wagten. Die Bomber haben überall, sowohl gegen feindliche Luftwaffe wie gegen Teile des feindlichen Heeres unheimlich gewirkt. Die feindliche Luftwaffe ist zu 60 % bereits ausgeschaltet. Unsere massiert vorgehenden motorisierten Verbände werden überhaupt nicht angegriffen. Schnell sind die Übergänge und Brückenköpfe an der Maas bei Dinant und Sedan gewonnen worden. Der Gegner geht in Holland und Belgien überall zurück. Dagegen rücken die englischen Truppen und Teile der Franzosen von Nordfrankreich in den Raum von Brüssel–Gent–Courtrai. Der Gegner hat bisher noch in keiner Weise unsere eigentliche Absicht und Schwerpunkt erkannt. Dazu stellt das Heer sich jetzt bereit und dann soll der große Schlag überraschend beginnen. Ich deutete ihn Dir Weihnachten an. Die Ausgangsstellung haben wir erreicht.«

Auf der französischen Seite berief die Regierung am 19. Mai General Weygand zum Nachfolger Gamelins. Weygand mußte aus Syrien anreisen. Sein Name ließ noch einmal in ganz Frankreich eine Welle der Hoffnung aufbranden. Er war im Weltkrieg Fochs bewährter Gehilfe gewesen und genoß großes Vertrauen. Er wandte sich besonders den verworrenen Verhältnissen im Norden zu. Aber alle Versuche von Zusammenstellungen neuer Verbände kamen zu spät. Die Panzerverbände der Generale Guderian und Reinhardt (XXXXI. AK) rollten am 23. Mai, von der Somme-Mündung kommend, an Boulogne und Calais vorbei und rückten weiter nach Osten vor. Am 24. Mai erhielten sie den von Hitler ausgegebenen Befehl, nicht weiter vorzugehen, sondern an der Linie Gravelines, St. Omer, Bethune stehenzubleiben. Diese Anweisung löste allgemeine Wut und viel Widerspruch aus. Brauchitsch und Halder hatten versucht, Hitler von dieser Entscheidung abzubringen. Hitler wußte, daß die gesamten englischen Kräfte in einer Stärke von über 300 000 Mann in dem Raum südlich von Dünkirchen bis etwa nach Lille standen in der Absicht, sich von Dünkirchen aus nach England zurückzuziehen. Hitler begründete seine Entscheidung gegenüber Brauchitsch und Halder mit zu erwartendem langwierigem und hartnäckigem Widerstand der Engländer. Er wolle nicht, daß die eigenen motorisierten Kräfte sich dort festkämpften, sondern daß sie so schnell wie möglich herausgezogen und an der neuen Front zum Angriff nach Süden bereitgestellt würden. Hitlers Absicht war es, den Kampf gegen die französischen Kräfte so schnell wie möglich zu beenden und zu verhindern, daß sich in Südfrankreich neuer Widerstand aufbaute. Er wußte am 24. Mai nicht, welche feindlichen Kräfte im französischen Raum standen. Seine Sorge aber war es, daß die Engländer über Bordeaux neue Divisionen heranführten und eine neue Front aufbauten.

Hitlers Verhalten in der Beurteilung der Lage bei Dünkirchen war auch durch Göring stark beeinflußt worden. Göring sah eine Chance für seine Flieger, eine Entscheidung herbeizuführen. Er brachte Hitler gegenüber seine feste Überzeugung zum Ausdruck, daß seine Flieger die englische Armee am Rückzug nach England hindern könnten. Hitler verließ sich auf diese Zusage, obwohl ich nicht den Eindruck hatte, daß er voll davon überzeugt war. Sie paßte aber in seine Vorstellung von den nächsten Operationen. Zweifellos bestärkt durch Görings Zusicherung, flog Hitler am 24. Mai zur Heeresgruppe A, um mit Generaloberst v. Rundstedt den Entschluß für die nächsten Operationen zu besprechen. Es fand eine sehr eingehende und lange Besprechung über die Lage vor Dünkirchen statt. Hitlers Grundgedanke war die schnelle Weiterführung der Operation nach Südfrankreich. Die englische Armee hatte für ihn keine Bedeutung. Halder kämpfte um die Möglichkeit, mit allen vorhandenen Kräften in den englisch-französischen

Kessel einzudringen und ihn zu vernichten. Nach Hitlers Ansicht würde dieser Kampf mehrere Tage beanspruchen und den Angriffstermin nach Südfrankreich zu lange verzögern. Hitler überließ die Entscheidung Rundstedt. Dieser wählte die schnellstmögliche Fortsetzung der Operation. Dementsprechend wurden die Kräfte an der Somme und Aisne neu gruppiert. Die Heeresgruppe B, Generaloberst v. Bock, führte von der Küste bis etwa Rethel, anschließend folgte die Heeresgruppe A, Generaloberst v. Rundstedt, bis zur Saar, während die Heeresgruppe C unter Generaloberst Ritter v. Leeb nach wie vor in ihrer alten Stellung stand. Der Angriff am 5. Juni hatte am rechten Flügel beim Panzerkorps Hoth und beim Korps Manstein Erfolg. Dieser setzte sich schnell bei den benachbarten Verbänden durch und brachte die gesamte Front in Bewegung.

In Frankreich war unterdes der Marschall Pétain an die Spitze des Staates gerufen worden, auf den die Bevölkerung viel Hoffnung setzte. Hitler bezweifelte, daß es ihm noch gelingen könnte, einen erfolgreichen Widerstand aufzubauen. Im Brief vom 29. Mai an meinen Onkel schrieb ich: »Der schnelle Übergang über die Maas hat den Gegner so überrascht, daß er zunächst keinen Widerstand leistete. Unsere Panzer und motorisierten Divisionen haben dann schnell alle Hindernisse überwunden und sind zum Meer geeilt. Die Infanterie-Divisionen sind mit unerhörten Marschleistungen nach Westen marschiert und hatten schnell eine ausreichende Abwehrfront nach Süden aufgebaut. In aller Ruhe und Sicherheit im Rücken konnte der Sack im Norden zugeschnürt werden. Die Elite der französischen Divisionen ist hier vernichtet. Die englischen Divisionen sind aufgerieben, einzelne Teile haben sich ohne Gerät nach England gerettet. Auf unserer Seite sind 50 % unserer Divisionen überhaupt noch nicht ins Gefecht gekommen. Der Führer selbst ist ganz ergriffen von dem großen Gelingen.«

In den Tagen auf dem Felsennest ließ Hitler den Meteorologen Dr. Diesing zu sich kommen und überreichte ihm eine goldene Taschenuhr mit Gravur. Er empfing ihn zuvorkommend und sprach mit ihm über die verschiedenen Vorträge, die er ihm in der langen Wartezeit im Winterhalbjahr gehalten hatte.

Zu Beginn der neuen Offensive verlegte Hitler sein Hauptquartier in den Südzipfel von Belgien in den kleinen Ort Bruly de Pêche. Wieder hatten Schmundt und Todt den Ort ausgesucht, der in fieberhafter Eile für die Aufnahme des FHQ hergerichtet worden war. Ich habe dieses Quartier in besonders guter Erinnerung, denn hier erfuhren wir auch vom Abschluß des Waffenstillstandes.

Am 14. Juni trat die 1. Armee südlich Saarbrücken zum Durchbruch durch die Maginot-Linie an. Mit starker Artillerie- und Fliegervorbereitung führten mehrere Divisionen den Angriff und schafften nach zwei harten Tagen den Durchbruch. Am 16. Juni folgte der zweite Schlag im Südabschnitt. Die 7. Armee überschritt den Rhein. In wenigen Tagen war das Schicksal der französischen Kräfte besiegelt. Die Besatzungen einiger Befestigungswerke verteidigten sich noch tagelang nach der Kapitulation, bis eine hohe französische Militärmission sie zur Übergabe veranlaßte.

Am 10. Juni hatte Mussolini den Franzosen den Krieg erklärt. Italienische Truppen hatten am 11. Juni Kampfhandlungen aufgenommen. Hitler hatte mit großer Sorge diesen Entschluß erwartet, denn eine Unterstützung bedeutete das nicht, eher zusätzliche Belastungen. Am 14. Juni fiel Paris, zur offenen Stadt erklärt, ohne Kampf, am 15. Juni Verdun. Hitler registrierte diese Erfolge still und teilnahmsvoll. Die Erinnerungen aus dem Ersten Weltkrieg wirkten bei ihm, wie auch bei anderen Kriegsteilnehmern, lebhaft nach.

Sieg und Waffenstillstand

Am 18. Juni erreichte Hitler der Wunsch der Franzosen nach einem Waffenstillstand. Davon zutiefst ergriffen, gab er über das Auswärtige Amt den Franzosen Bescheid, daß er zunächst mit den Italienern sprechen müsse. Er flog am gleichen Tag nach München, um Mussolini zu treffen. Er mußte ihn nun als Waffengefährten begrüßen und fand daran keinen Gefallen. Aber Mussolini trat mit heller Begeisterung auf und versprach gewaltige Erfolge. Zwei Tage später, am 20. Juni, traf die französische Waffenstillstandskommission in Tours ein. Die Verhandlungen sollten am 21. Juni vormittags 11 Uhr in Compiègne an der Stelle beginnen, wo am 11. November 1918 der Waffenstillstand von Erzberger, Marschall Foch und Admiral Wemyss unterzeichnet worden war. Hitler hatte sich diese Szene schon längere Zeit vorgestellt und war jetzt ganz davon erfüllt, diese Rolle vor der Geschichte spielen zu können. Im Wald von Compiègne ließ er den Waggon, in dem die Zeremonie 1918 stattgefunden hatte, aus der Halle ins Freie schieben. Er bestimmte zur Teilnahme an der ersten Verhandlung die drei Oberbefehlshaber, zusätzlich Keitel und die Reichsminister Heß und v. Ribbentrop. Wegen verspäteter Ankunft der französischen Delegation mußte der Beginn der Verhandlungen auf 15 Uhr verschoben werden. Hitler traf allein an dem historischen Waggon ein, schritt die Front des angetretenen Ehrenbataillons ab und begab sich in den Wagen. Nach einigen Minuten traf die französische Waffenstillstandskommission unter Führung des Generals Huntziger ein. Sie folgte sofort in den Wagen. Keitel verlas die Präambel zum Waffenstillstandsabkommen. Hitler und seine Begleitung verließen danach den Wagen und fuhren wieder ab. Keitel hatte die anschließenden Verhandlungen zu leiten, die sich bis zum 22. Juni hinzogen. In der Nacht vom 24. zum 25. Juni, um 1.35 Uhr, wurde der Waffenstillstand im Rundfunk bekannt gemacht und wirksam. Wir waren alle mit Hitler im Speiseraum des FHQ versammelt und hörten schweigend die Übertragung an. Am Ende erklang vor den Fenstern geblasen von Hornisten des Führer-Begleitbataillons, das Signal: »Das Ganze Halt«.

Es war zweifellos ein tief beeindruckender, ergreifender Vorgang. Es dauerte lange, bis wieder eine frohe Unterhaltung in Gang kam. Jubel und tiefer Ernst waren schwer zu vereinigende Gegenpole.

In Frankreich löste sich die Spannung der letzten Tage. Die Flüchtlingsmassen, die alle Straßen verstopften, kehrten wieder in ihre Heimatorte zurück. Hitler nutzte die Zeit zu einigen Reisen im besetzten französischen Gebiet. Er hatte in den Tagen nach der Verlegung des FHQ nach Bruly de Pêche bereits die alten Kampfstätten des Weltkrieges und das Gefallenendenkmal bei Langemarck besucht sowie die Vimy-Höhe und die Lorettohöhe. Nun fuhr er mit zwei alten Mitkämpfern aus dem Weltkrieg, einer davon der jetzige Reichsleiter Max Amann, zu ehemaligen Stellungen, in denen sie gelegen hatten, nicht weit von Reims entfernt. Am 28. Juni flog Hitler zu einem inoffiziellen Besuch nach Paris, wo er sich nur wenige Stunden am frühen Morgen aufhielt. Er besuchte den Arc de Triomphe, Napoleons Grab im Invalidendom und das Opernhaus. Im Invalidendom sprach er den Wunsch aus, der Sarkophag von Napoleons Sohn, dem Herzog von Reichstadt, solle von Wien nach Paris überführt werden. Im Opernhaus bestimmte er selbst, wie er geführt werden wollte, und erläuterte seiner Begleitung viele Einzelheiten der Konstruktion und der Ausstattung. Er hatte zu dieser Reise die Professoren Speer, Breker und Giesler eingeladen.

Am 29. Juni verlegte Hitler sein Hauptquartier in den Schwarzwald. Dort hatte Schmundt ebenfalls eine Flakstellung in der Nähe vom Kniebis zum FHQ einrichten lassen. In diesen Tagen im Schwarzwald war es Hitler deutlich anzumerken, daß eine schwere Last von seinen Schultern genommen war. Er zeigte sich aufgeschlossen und wandte sich auch anderen Aufgaben zu, die nicht unmittelbar mit dem Krieg zusammenhingen. So ließ er die Gauleiter der Westgaue zu sich kommen und übertrug dem Gauleiter Bürckel die Verwaltung von Lothringen, dem Gauleiter Robert Wagner (Baden) die Verwaltung des Elsaß und Wien Baldur v. Schirach, der den Frankreichfeldzug im Verbande des Regiments »Großdeutschland« als Leutnant mitgemacht hatte.

An zwei Tagen unternahm Hitler Fahrten ins Elsaß. Am ersten Tag besuchte er Straßburg, sah sich das Münster an und die alten Straßen und Stadtteile. Der andere Teil seiner Reise und auch der zweite Tag galten der Besichtigung von Teilen der Maginotlinie. Zu diesen Fahrten hatte er Lammers und Meißner eingeladen. Meißner stammte aus dem Elsaß und gab während der Reise viele bezeichnende Anekdoten zum besten.

Für Hitler erhob sich während der Tage im Schwarzwald die große Frage, wie sich England künftig verhalten werde. Er konnte sich nicht vorstellen, daß Churchill zu Friedensverhandlungen bereit wäre. Bezeichnend für Churchills Denkungsart und sein Verhalten war der 3. Juli. Mit einem Flottenverband erschienen die Engländer vor Mers-el-Kebir, in der Nähe der nordafrikanischen, französischen Hafenstadt Oran und forderten die dort liegenden Teile der französischen Flotte ultimativ zur Übergabe auf. Nachdem der französische Admiral dies ablehnte, eröffnete die Royal Navy sofort das Feuer auf die französische Flotte und versenkte sie. Hitler sagte zwar, er werde in der nächsten Reichstagssitzung England noch einmal ein ernsthaftes Angebot machen. Er rechne aber nicht damit, daß er Erfolg haben werde. Er wolle an sich einen Kampf mit England vermeiden, weil er darauf gefaßt sei, daß eine Auseinandersetzung mit Rußland nicht zu vermeiden wäre. Diese wolle er ohne einen Feind im Rücken führen. Der Kampf war also beendet, aber ein neuer stand bevor.

Mit Brauchitsch war bereits in Belgien vereinbart worden, etwa 20 Infanterie-Divisionen aufzulösen. Dabei hatte er aber bestimmt, daß zehn neue Panzer-Divisionen aufgestellt werden mußten.

Der Frankreichfeldzug hatte einige in Hitlers Umgebung viel besprochene Fragen aufgeworfen, einmal die Verluste der Waffen-SS. Auf Grund forscher, leichtsinniger und unerfahrener Führung hatten die wenigen Verbände der SS ungemein hohe Verluste. Die jungen SS-Soldaten hatten sich ohne Überlegung und ohne Geschick eingesetzt, bewundernswert, aber unverantwortlich. Hitler sprach über diese Vorfälle und über die Möglichkeiten, sie abzustellen. Am meisten aber wunderten sich die Teilnehmer des Ersten Weltkrieges über das Versagen der französischen Armee und ihrer Führung. Auch Hitler zeigte sich darüber überrascht, auch wenn er am Ausgang dieses Feldzuges nie gezweifelt hatte.

Weiterführung des Krieges gegen England

Über die Weiterführung des Krieges gegen England hatten Hitler und Brauchitsch noch in Bruly de Pêche ein erstes Gespräch, bei dem nach meiner Erinnerung Brauchitsch beiläufig erwähnte, falls England jetzt nicht an einen Friedensschluß dächte, müßte wohl erwogen werden, so schnell wie möglich überzusetzen. Hitler war hierzu positiv eingestellt, wollte aber noch die Entscheidung der nächsten Tage abwarten.

In der englischen Kriegführung, meinte Hitler, drücke sich Churchills großer persönlicher Ehrgeiz aus. Seine Chance sei allein der Krieg, auf den er seit Mitte der dreißiger Jahre hinarbeite. Seinen Verbündeten für diese Aufgabe suche er in den USA und fände ihn in Roosevelt. »Gewiß habe ich England überrascht«, sagte Hitler, »und Roosevelt kann noch nicht in vollem Umfang mitmachen. In Amerika läuft ein solches Programm langsamer.« Aber Churchill organisiere die Stimmungsmache gegen Deutschland in der englisch sprechenden Welt bis zu den Behauptungen, daß Hitler den Krieg wolle. Wenn jetzt eine Invasion gegen die

Insel glücken würde, wäre es zumindest fraglich, ob England den Krieg vom Empire aus weiterführen könne, wie es Churchill jetzt im Unterhaus erklärte.

Auf den Höhen des Schwarzwaldes, am Ende einer schweren, aber siegreichen Operation fand Hitler noch einmal harte Worte über das Verhalten der Heeresführung. Schon Fritsch und Beck hätten immer wieder versucht, ihn zu hindern, einen Krieg anzufangen. Sie glaubten dies dadurch zu erreichen, daß sie die Aufrüstung sabotierten und vor der Übermacht Frankreichs warnten. Daran hätte er nie geglaubt und habe jetzt den Beweis für seine richtige Beurteilung der französischen Kräfte. Da Brauchitsch und Halder ganz in den Fußstapfen von Fritsch und Beck marschierten, müßte er ihren Ratschlägen gegenüber sehr mißtrauisch sein.

Hart verfuhr Hitler nach Abschluß dieses Feldzuges mit den Angehörigen ehemals regierender Häuser, die an der Front kämpften. Anlaß war der Soldatentod des Prinzen Wilhelm von Preußen Ende Mai. Hitler hatte die Meldung ungehalten quittiert und befohlen, daß alle Prinzen aus der Front herausgezogen würden und nur noch Dienst außerhalb unmittelbarer Feindeinwirkung tun dürften. Diese zunächst vielfach umgangene Entscheidung wurde allgemein mit Mißfallen aufgenommen, nicht nur im Kreise der Betroffenen, die sich dadurch diskriminiert fühlten. Hitler fürchtete aber, daß durch bekannt werdende besondere Tapferkeit dieser Offiziere der monarchische Gedanke in Deutschland Nahrung erhalten könnte. Das Problem der »international gebundenen Offiziere« ist erst nach dem 20. Juli 1944 durch zahlreiche Verabschiedungen recht radikal gelöst worden.

Am 6. Juli kehrte Hitler mit dem Zug nach Berlin zurück. Um 15 Uhr traf er auf dem Anhalter Bahnhof ein und wurde auf dem Bahnsteig von der gesamten Reichsregierung erwartet. Göring, tief beeindruckt, sprach einige Begrüßungsworte. Hitler schritt die Front einer Ehrenformation ab und fuhr unter unwahrscheinlichem Jubel und Applaus der Menschenmassen, im Wagen stehend, im Schrittempo zur Reichskanzlei. Der Wilhelm-Platz stand voller Menschen, die Hitler durch ständige Zurufe zwangen, mehrmals am Nachmittag auf den Balkon hinauszutreten. Die Reichskanzlei füllte sich mit einer großen Anzahl von Besuchern, Ministern, Reichs- und Gauleitern. Den ganzen Nachmittag über herrschte viel Unruhe und Bewegung, die erst abends ihr Ende fand. Generale hatten sich nicht eingefunden.

In Berlin stellte ich nach dem siegreichen Feldzug gerade in den sogenannten gebildeten Kreisen eine sehr pessimistische Auffassung fest. Der Westfeldzug hinterließ eine Mischung von Furcht, Unverständnis und widerwilliger Bewunderung.

Hitlers Leben in Berlin nahm jetzt wieder seinen üblichen Gang. Es begann am Vormittag um 12 Uhr mit dem Lagevortrag Jodls. Daran schlossen sich oft weitere militärische Besprechungen an, vor allem mit den Oberbefehlshabern der drei

Wehrmachtteile. Nach dem Essen ergaben sich im allgemeinen einige zivile Termine bis zu Jodls abendlichem Lagevortrag. Den Abend verbrachte Hitler wie früher im Kreis seiner Tischgesellschaft, allerdings ohne die Filmvorführung. Nur die jeweilige Wochenschau schickte das Propagandaministerium herüber, und Hitler sah sie sich noch ohne unterlegten Ton an, während ein Ordonnanz-Offizier den vorbereiteten Text von einem beigefügten Blatt vorlas. Hitler pflegte oft Änderungen vorzunehmen. Der weitere Abend verlief dann im allgemeinen ruhig im Kreis vor dem Kamin mit den verschiedensten Gesprächsthemen. Diese Abende waren in den Wintermonaten 1940/41 meist sehr anregend, weil Hitler sehr eingehend die Probleme der Kriegführung behandelte. Ihn interessierte dabei zunächst die Entwicklung auf der Balkanhalbinsel und die Bedrohung des rumänischen Ölgebietes sowie das Verhalten Rußlands. Gesprächsgegenstände waren auch Großbritannien und die USA, hier namentlich die Präsidentenwahl im November.

Wesensverschiedenheiten Hitlers und Görings

Geistige Starrheit und Überheblichkeit habe ich nie bei Hitler bemerken können. Es war jederzeit möglich, ihn durch Gegenargumente zur Korrektur einer Stellungnahme zu veranlassen. Nur mußte die Argumentation fundiert und überzeugend sein. Es kam vor, daß er nicht sofort zustimmte, aber darüber nachdachte und später die andere Ansicht anerkannte. Hitlers Gedächtnis war ebenso überdurchschnittlich gut wie sein Wissen auf vielen Gebieten, z.B. Musik, Geschichte und Teilen der Naturwissenschaften. Natürlich war er Autodidakt, aber seine Selbstbildung hatte er über Jahrzehnte hindurch betrieben und auf eine ungewöhnlich breite Basis gestellt. Wenn auch viele seiner Äußerungen nicht einem streng wissenschaftlichen oder historischen Maßstab standhalten konnten, so zeigten sie doch, in welchem Umfange er sich mit vielen Themen auseinanderzusetzen versuchte, die einem Durchschnittsmenschen ein Leben lang fremd blieben. Daraus ist auch zu erklären, daß Hitler bei seinen Erzählungen selten auf Widerspruch stieß. Fachleute der unterschiedlichen Wissensgebiete, die freilich in seinem Kreis nicht oder kaum vertreten waren, hätten ihn sicherlich in manchem korrigieren können. Die Zuhörer überwogen vor den Gesprächspartnern.

Göring lehnte es grundsätzlich ab, an Hitlers Tafel teilzunehmen. Dies beruhte nicht allein darauf, daß ihm das Essen zu schlecht war. Es war häufig nicht schlechter und nicht besser als bei Göring selbst. Er hatte aber nur wenig Kontakt zu dem Kreis, der dort ziemlich regelmäßig sich in gleicher Zusammensetzung begegnete. Auch spielte er in Gegenwart von Hitler die zweite Rolle, und das wollte er anderen Menschen nicht zeigen.

Im Laufe des Jahres 1940 war es mir möglich, noch mehr als bisher Vergleiche zwischen diesen so wesensverschiedenen Persönlichkeiten zu ziehen. Mein Eindruck verstärkte sich, daß Hitler vor grundsätzlichen Entscheidungen lange zögerte und eingehende Beratung benötigte. Dann gab er Befehle und ließ sich nicht mehr umstimmen. Bei Göring trat immer deutlicher seine oftmals leichtfertige Entscheidungsfreude hervor. Er liebte es nicht, sich lange mit einem Arbeitsgebiet beschäftigen zu müssen. Nach einem Vortrag wollte er entscheiden und dann nichts mehr mit dem Thema zu tun haben. Dabei trat auch zu Tage, daß er in der Auswahl seiner Mitarbeiter sehr schwierig wurde. Er konnte es, selbst von rascher Intelligenz, nicht ertragen, wenn ein Mitarbeiter ihn merken ließ, daß er von dem jeweiligen Arbeitsgebiet mehr verstand als Göring selbst.

Hitler schaute bei der Auswahl seiner Mitarbeiter stets auf besondere Qualitäten. Ich habe immer wieder erlebt, daß Hitler sich bemühte, möglichst viele neue Generale kennenzulernen. Im Laufe der Jahre hatte ich Gelegenheit, auf Hitlers Frage nach tüchtigen Frontoffizieren ohne Generalstabsvorbildung, ihn wiederholt auf die Generale Hube, Rommel und Nißl, die ich persönlich kannte und schätzte, hinzuweisen. Die ersten beiden haben die in sie von Hitler gesetzten Erwartungen auch erfüllt. Der dritte, General Nißl, verstarb leider viel zu früh.

Planungen »Seelöwe«

Am 7. Juli traf der italienische Außenminister, Graf Ciano, in Berlin ein. Hitler empfing ihn sogleich. Das Gespräch war unerfreulich, denn Ciano meldete Gebietsforderungen an auf Gebiete, die noch nicht erobert waren, wie z.B. Malta, Ägypten und Somaliland. Hitler erzählte ihm von den Erfolgen in Frankreich und drohte, England mit Feuer und Schwert anzugreifen. Diese Worte richtete Hitler direkt an England, denn er wußte, daß Ciano den Inhalt des Gespräches durch Mittelsmänner den Engländern zur Kenntnis geben würde. Hitler lud Ciano wohl auch aus diesem Grund zu einem kurzen Besuch nach Frankreich ein, damit er einen unmittelbaren Eindruck der Ausdehnung der deutschen Herrschaft erhielt.

Am 10. Juli trafen wir in München ein. Am Vormittag sprach Hitler mit dem ungarischen Ministerpräsidenten, Graf Teleki, und dem ungarischen Außenminister, Graf Csaky. Beide waren nur daran interessiert, ihre Ansprüche auf das rumänische Siebenbürgen anzumelden. Von diesem Thema wollte Hitler zunächst nichts wissen. Die Ungarn reisten enttäuscht wieder ab. Am Abend fuhren wir zum Obersalzberg, wo Hitler am 11. Juli den Großadmiral empfing. Raeder wollte erfahren, was Hitler nun mit England vorhatte. Hitler wollte vor einer Entscheidung erst das Echo aus England auf seine bevorstehende Reichstagsrede abwarten. Raeder drängte nicht zu einer Landung in England. Er meinte, daß der U-Boot-

Krieg und Luftangriffe auf große Zentren, wie London, Liverpool usw. England auch ohnedies friedensbereit machen würden. Hitler und Raeder bezeichneten eine Landung in England als letztes Mittel. Sie hielten die Luftherrschaft über dem Kanal und über Südengland für die unerläßliche Vorbedingung.

Am 13. Juli kam General Halder auf den Berg. Auch mit ihm besprach Hitler etwa eine Stunde das Problem einer Invasion Englands. Ich erkannte aus Hitlers Worten, daß er sich nur schwer zu einer solchen Operation entschließen konnte. Aber trotzdem gab er dem Heer den Befehl, mit den Vorbereitungen für einen Angriff sofort zu beginnen. Hitler ließ erkennen, daß er der Meinung sei, England hoffe noch auf eine Hilfe von Rußland. Ein Zerfall des britischen Weltreichs liege nicht im deutschen Interesse, sondern nutze nur Japan oder den USA. Die Front gegen England wollte Hitler durch die Einbeziehung Spaniens in die europäische Abwehr vergrößern. Ribbentrop müßte einen Besuch in Madrid einplanen.

Das OKW bereitete entsprechend Hitlers Absichten die »Weisung Nr. 16 über die Vorbereitungen einer Landungsoperation gegen England« vor und gab sie am 16. Juli Hitler zur Unterschrift. Das Unternehmen erhielt den Decknamen »Seelöwe«. Der erste Satz lautete: »Da England, trotz seiner militärisch aussichtslosen Lage noch keine Anzeichen einer Verständigungsbereitschaft zu erkennen gibt, habe ich mich entschlossen, eine Landungsoperation gegen England vorzubereiten und, wenn nötig, durchzuführen«. Hitler unterschrieb und ließ am gleichen Tag den Reichstag zu einer Sitzung zum 19. Juli einberufen.

Vom Obersalzberg aus machte Hitler am 14. Juli einen kurzen Abstecher zu den Stahlwerken in Linz und zum Panzerwerk Wels. Bei der Besichtigung dieser Rüstungsbetriebe drängte er auf deren raschen Ausbau, ein klares Indiz – neben dem besonderen Interesse für lange, schwere Rohre bei neuen Panzermodellen –, daß er eine Fortsetzung des Krieges für sehr wahrscheinlich ansah.

Beförderungen

Im übrigen beschäftigte er sich eingehend mit den Vorbereitungen für seine Rede vor dem Reichstag und erwog nicht ohne Sorgen und Bedenken, welche Generale und Admirale bei dieser Gelegenheit befördert werden sollten. Man erwartete allgemein die Beförderung des Oberbefehlshabers des Heeres, des Generalobersten v. Brauchitsch, zum Generalfeldmarschall. Nach Hitlers Ansicht war diese Beförderung nicht berechtigt. Er sah aber ein, daß dem Heer eine besondere Auszeichnung zukam. Hitler fand den Ausweg in der gleichzeitigen Beförderung der drei Heeresgruppen-Oberbefehlshaber Rundstedt, Leeb, Bock und der Armee-Oberbefehlshaber Kluge, List, Reichenau und Witzleben. Nicht einfach war auch die Frage der Beförderungen bei der Luftwaffe. Hitler wollte die Chefs der Luft-

Oben und rechts: Hitler besichtigt Stellungen aus dem 1. Weltkrieg in Flandern, in
denen er selbst eingesetzt war.

Feier der Beförderung zum Major im Kreis
Kameraden.

Reichspressechef Dr. Dietrich bringt neue Meld
der Auslandspresse ins Felsennest.

flotten 2 und 3, Kesselring und Sperrle, zu Feldmarschällen befördern. Darauf wurde Göring vorstellig und forderte auch die Beförderung Milchs. An sich lag ihm angesichts seines schlechten Verhältnisses zu Milch gar nichts daran. In Verbindung mit dieser Beförderung erhob sich nun die Notwendigkeit, auch den Chef OKW, Keitel, zum Feldmarschall zu machen, damit er künftig im Dienstgrad nicht hinter dem Staatssekretär der Luftfahrt rangierte. Keitels Beförderung würde zwar im Heer nicht anerkannt werden. Aber angesichts dieser Sachlage konnte er nicht übergangen werden. Diese Frage machte manche Gespräche Hitlers mit Keitel und Schmundt erforderlich.

Reichstagssitzung am 19. Juli

Die Reichstagssitzung war auf 19 Uhr angesetzt. Die Plätze von sechs gefallenen Abgeordneten blieben leer und waren mit Lorbeerkränzen geschmückt. Auf dem ersten Rang des Hauses waren die Oberbefehlshaber der Heeresgruppen und Armeen sowie die in vergleichbaren Dienststellungen der Luftwaffe und der Marine befindlichen Generale und Admirale zu sehen. Überhaupt beherrschten diesmal Uniformen aller Wehrmachtteile das Bild in der Krolloper. Jubel empfing Hitler. Göring eröffnete die Sitzung mit der Ehrung der Gefallenen. Danach ergriff Hitler das Wort zu einer langen Rede. Nach Ausführungen über die »naturnotwendige Revision« des Versailler Friedensvertrages kritisierte er das »internationale jüdische Völkergift«, für das »der Krieg ein willkommenes Mittel ist, seine Geschäfte zum besseren Gedeihen zu bringen.« Die Akten des Alliierten Obersten Kriegsrates seien bei dem Ort la Charite gefunden worden und gäben ein Bild von den Plänen der Alliierten. Nach dem Sieg über Polen sei er von Chamberlain und vor allem von den englischen Kriegshetzern, Churchill, Eden usw., beschimpft und beleidigt worden, als er sein Friedensangebot machte. Als »kühnstes Unternehmen der deutschen Kriegsgeschichte« bezeichnete Hitler den Kampf gegen Norwegen. Zum Westfeldzug bemerkte er, mit der Zusammenfassung der gesamten Wehrmacht sei die »totale Vernichtung der französisch-englischen Streitkräfte erreicht« worden. Er schilderte dann Einsatz und Erfolge der eingesetzten Armeen und Verbände der Luftwaffe und stellte dabei die Leistungen der führenden Generale und deren Beförderungen besonders heraus, vor allem Göring mit der Beförderung zum Reichsmarschall und der Auszeichnung mit dem Großkreuz des Eisernen Kreuzes. Neben verschiedenen Beförderungen zu Generalobersten, darunter Halder, fiel besonders die Beförderung zum General der Artillerie bzw. der Flieger der beiden Generalmajore Jodl und Jeschonnek auf.

Hitler ging dann auf das Bündnis mit Italien ein und erwähnte mit Dank das Verhältnis zu Mussolini selbst. Das Zusammengehen mit den italienischen Verbänden übertrieb Hitler etwas. Es folgte eine eher beiläufige Stellungnahme zu England. »Ich sehe keinen Grund, der zur Fortführung dieses Kampfes zwingen könnte«, sagte Hitler und erwähnte am Schluß seiner Rede die »Gnade der Vorsehung«, die uns das große »Werk gelingen ließ«.

Ich war von der Reichstagsrede enttäuscht. Seine Stellungnahme zum deutsch-englischen Konflikt hatte ich auf Grund seiner eigenen Äußerungen vor der Rede gründlicher und ausführlicher erwartet. Ich machte mir Gedanken, ob er eine andere Einstellung zum Kampf gegen England gewonnen hatte. Es fehlten eingehende und konkrete Vorschläge. Ich fragte mich: Beurteilte er die Einstellung Churchills zu Deutschland richtig?

Die erste Antwort aus England, eine kurze, aber klare Ablehnung jeder Art von Versöhnungsversuchen, brachte die Presse etwa eine Stunde nach Schluß der Rede. Im Laufe des Abends und der Nacht folgten weitere eisige englische Reaktionen. Hitler fand sich in seinen Auffassungen und Vermutungen bestätigt.

Am 21. Juli hatte Hitler in der Reichskanzlei ein Gespräch mit den Oberbefehlshabern der Wehrmachtteile. Es sei ihm noch unklar, was aus England würde. Wenn England den Krieg fortsetze, dann warte es auf einen Umschwung in Amerika oder es hoffe auf Hilfe von Rußland. Hitler sah in unserem Plan, nach England überzusetzen, ein großes Risiko. Stalin habe Verbindung mit England und großes Interesse, die politische Entwicklung in Europa in der Schwebe zu halten. Rußland müsse sehr genau beobachten, und der Plan eines Angriffes gegen Rußland überlegt werden. Es kam Hitler bei größter Geheimhaltung zunächst nur auf generalstabsmäßiges Durchdenken des Planes an, um selbst einen Begriff von der Größe der Aufgabe, von Dauer und Zielen zu erhalten.

Danach reiste Hitler zu den Bayreuther Festspielen. Er besuchte am 23. Juli eine Aufführung der »Götterdämmerung«, sein einziger – und letzter – Besuch der Wagner-Festspiele während des Krieges. Die Veranstaltungen wurden in den Kriegsjahren vornehmlich für Rüstungsarbeiter und verwundete Soldaten beibehalten.

In den nächsten Tagen empfing Hitler teils in Berlin, teils auf dem Obersalzberg eine ganze Reihe offizieller Besucher. Die rumänischen, bulgarischen und slowakischen Ministerpräsidenten erschienen, um für die Abrundung und Erhaltung ihrer Hoheitsgebiete zu kämpfen. Die Neuordnung dieses Raumes begann sich abzuzeichnen. Hitler zog es wieder vor, noch keine endgültigen Entscheidungen zu treffen und die Lösung der Balkanfragen aufzuschieben. Seine Gedanken beschäftigten sich immer häufiger mit den Vorgängen im russischen Raum. Er ließ sich abermals den Film über die Winterkämpfe an der finnischen Grenze vorführen, war aber genau so enttäuscht wie ein halbes Jahr zuvor, da der Film keine endgültigen Aufschlüsse über Motorisierung, Bewaffnung und Kampfkraft der russischen Armee vermittelte.

Zum 31. Juli bestellte Hitler sich erneut die Oberbefehlshaber der Wehrmachtteile und deren Generalstabschefs. Zunächst trug Raeder die laufenden Arbeiten für »Seelöwe« vor. Als möglichen Termin nannte er die Tage zwischen dem 19. und 26. September. Besser sei es aber, den Termin auf Frühjahr 1941 zu verschieben. Darauf ging Hitler nicht ein. Er entschied sich für den 15. September. Ob die Aktion dann beginnen könne, hänge von der Luftwaffe ab. Sie solle in den nächsten Tagen beginnen, verschärfte Angriffe gegen englische Jagdflugplätze, Häfen und Seestreitkräfte zu führen. Trete der erhoffte Erfolg ein, werde »Seelöwe« durchgeführt. Anderenfalls werde der Termin auf 1941 verschoben. Weiter ging Hitler auf das Problem Rußland ein. Er bezeichnete es als sicher, daß die Engländer neuen Kontakt mit Rußland gefunden hätten. Hitler rechnete mit einem russischen Angriff ab Herbst 1941. Sei Rußland aber zerschlagen, gehe eine große Hilfe für England verloren. Hitler bezeichnete seinen Entschluß als endgültig, Rußland im Frühjahr 1941 anzugreifen. Die Operationen müßten im Sommer 1941 zu einem sichtbaren Erfolg führen. Halder wurde beauftragt, die hiermit zusammenhängenden Fragen grundlegend zu prüfen.

Luftschlacht um England

Am folgenden Tag, dem 1. August, gab Hitler die »Weisung Nr. 17 für die Führung des Luft- und Seekrieges gegen England« heraus: »Um die Voraussetzungen für die endgültige Niederringung Englands zu schaffen, beabsichtige ich, den Luft- und Seekrieg gegen das englische Mutterland in schärferer Form als bisher weiterzuführen.« Die Luftwaffe habe »mit allen zur Verfügung stehenden Kräften die englische Luftwaffe möglichst bald niederzukämpfen«. Als Termin der »Verschärfung des Luftkrieges« war der 5. August festgesetzt. Diese Weisung war notwendig. Ich hatte beobachtet, daß die Verbände der Luftwaffe im nördlichsten Teil von Frankreich zusammengezogen waren und sich fertig machten für den Kampf gegen England. Sie hatten aber bisher keinen Befehl erhalten, ob und wann die Einsätze beginnen sollten. Ich erfuhr von Jeschonnek, daß er seine Einsatz-Befehle mit allen Einzelheiten dem Reichsmarschall zugeleitet hatte, der sie aber seit Tagen schon in seinem Panzerschrank verwahrte und sich nicht beeilte, sie weiterzuleiten. Ich erkannte, daß sich die vielen Gespräche Hitlers mit dem Reichsmarschall in den vergangenen vier Wochen wohl in erster Linie um die Fortsetzung des Krieges nach Osten gedreht haben mußten. Dadurch war Göring zu dem Schluß gekommen, gegen England werde nichts mehr unternommen. Er richtete sich auf das Jahr 1941 und den Angriff gegen Rußland ein. Es war für ihn auf jeden Fall eine Überraschung, als er jetzt die Weisung Nr. 17 erhielt und die Unterrichtung der Truppe veranlassen mußte. Am 5. August war das Wetter für

Luftangriffe ungünstig. Erst am 8. August wurden die ersten Jagd-Angriffe gegen die englischen Verbände geflogen. Göring fuhr selbst zum Cap Gris Nez, um von dort aus die Angriffsoperation zu leiten. Die Jäger brachten den Engländern in den ersten Kampftagen fühlbare Niederlagen bei. Nur war es schwierig für unsere Flieger, Beweise für die Erfolge zu bringen. Die täglich gemeldeten Zahlen waren zum Teil erstaunlich hoch. So lauteten die Abschlußerfolge am Kanal etwa am 11. August 90 Flugzeuge bei 21 eigenen Verlusten, am 12. waren es 92 Flugzeuge bei 24 eigenen Verlusten, am 13. August 132 Abschüsse bei 28 eigenen Verlusten. Göring meldete Hitler phantastische Erfolge. Er rechnete damit, daß die Engländer am Ende ihrer Kräfte waren. Hitler zeigte sich aber von den Erfolgsmeldungen wenig beeindruckt. Im September ließ ich mir im Generalstab der Luftwaffe vom zuständigen Ic die Zahlen der englischen Jäger geben. Danach gab es 600 Jagdflugzeuge in den Verbänden und 600 Flugzeuge älterer Bauart, die im Notfall noch an der Front Verwendung finden konnten. Diese Zahlen legte ich Hitler vor, der dieses Problem bei nächster Gelegenheit mit Göring besprach. Dieser zeigte sich entsetzt, fragte mich, wer sie mir gegeben habe, und rief sofort beim Generalstab der Luftwaffe an. Er erhielt die gleichen Zahlen, gab aber Hitler Bescheid, daß die Angaben seines Generalstabes nicht zutreffend seien. Die Angelegenheit war damit noch nicht erledigt. Er gab dem Generalstab Befehl, daß Anfragen des Führers über statistisches Material vor Abgabe an Hitler ihm vorgelegt werden müßten. Es dauerte nicht allzu lange, bis Hitler wieder einmal irgendwelche Flugzeugzahlen von mir wissen wollte. Ich sagte ihm, ich würde sie mir von Göring geben lassen. Es war gegen Mitternacht. Ich rief Göring an – er lag schon zu Bett – und fragte ihn. Ärgerlich verwies er mich an den zuständigen Offizier im Generalstab. Von Bodenschatz erfuhr ich am nächsten Tag, wie zornig Göring auf mich gewesen sei. Er sagte mir, Göring habe befohlen, alle derartigen Anfragen wieder wie früher zu erledigen. Göring hat mich nie auf diesen Vorgang angesprochen oder sich mir gegenüber verärgert gezeigt.

Im Laufe des Monats August flogen die Engländer ihre ersten Einzelangriffe noch ohne große Wirkung gegen Berlin. Das einzig Störende dieser Angriffe war, daß man sich manchmal nachts für einige Zeit in den Keller begeben mußte. Hitler empfand diese recht harmlosen Angriffe der Engländer auf Berlin als eine Schande und erörterte mit Göring Gegenmaßnahmen. Sie beschlossen, sofort mit nächtlichen Luftangriffen gegen England zu beginnen. Göring begab sich wiederum nach Nordfrankreich und besprach dies mit Sperrle, Kesselring und den Kommodores der Kampfverbände. In der Nacht zum 7. September begannen die Einsätze gegen London, neue Höhepunkte in der »Luftschlacht um England«. Es bestand kein Zweifel darüber, daß die Angriffe erhebliche Schäden, auch Verluste unter der Zivilbevölkerung in London und anderen Orten verursachten. Aber das, was man sich vom Luftkrieg versprach, wurde nicht erreicht. Einmal erlaubte es die Wetterlage nicht, daß Nacht für Nacht Großangriffe geflogen werden konnten. Zum anderen verstärkte sich die Abwehr der Briten von Nacht zu Nacht, der britische Flakschutz wurde zusehends verbessert. Auch gelang es den Briten, manchen Bombenangriff vom eigentlichen Ziel entweder abzulenken oder ganz zu vereiteln. Auch die Kampfkraft der deutschen Verbände nahm ab. Der Nachschub konnte teilweise den Bedarf nicht decken. Am wirkungsvollsten waren die »Terrorangriffe« gegen London und am 14. November der Nachtangriff gegen Coventry. Alle übrigen Angriffe gegen die Großstädte im Südteil Englands waren zwar eine Störung mit zum Teil auch erheblichen Menschenverlusten, hatten aber keinerlei Einfluß auf die Kriegführung. Wäre es möglich gewesen, Luftangriffe auf eine Stadt mehrere Wochen lang Nacht für Nacht zu fliegen, hätte dies vermutlich Wirkung gezeigt. Für dieses Verfahren fehlten uns aber die Kräfte. Es war in der damaligen Zeit unmöglich, allein durch Luftangriffe eine militärische Entscheidung herbeizuführen. Hitler selbst erkannte als einer der ersten in der deutschen Führung, daß der Luftkrieg gegen England das gesteckte Ziel nicht erreicht hatte und auch nicht erreichen würde. Den Inhalt seiner häufigen Gespräche mit Göring darüber kannte niemand. Aber aus Hitlers Bemerkungen mir gegenüber mußte ich entnehmen, daß er Görings Ansichten über den Luftkrieg nicht teilte. Würde die Luftschlacht am Kanal keinen Sieg bringen und die Royal Air Force kampffähig bleiben, mußte Hitler andere Entschlüsse fassen. Das wußte er sehr genau.

Während im August am Kanal die Schlacht tobte, merkte man in Berlin sehr wenig vom Krieg. Wenn nicht gerade die wenigen nächtlichen Einzeleinflüge der Engländer störten, herrschte friedensmäßige Ruhe. Am 14. August überreichte Hitler dem Reichsmarschall und den Feldmarschällen des Heeres die Marschallstäbe in seinem Arbeitszimmer in der neuen Reichskanzlei. Er nahm Gelegenheit, ihnen für ihre Verdienste zu danken, und betonte die Verpflichtungen, die ihnen dieser Rang auferlegte. Die drei Marschälle der Luftwaffe fehlten an diesem Tage, denn die Kämpfe am Kanal forderten ihre dortige Anwesenheit. Am 4. September holte Hitler die Verleihung der Marschallstäbe an Milch, Sperrle und Kesselring nach. Am gleichen Tage eröffnete er mit einer Rede im Sportpalast das Winterhilfswerk 1940/41. Dabei dankte er dem deutschen Volk für seine Haltung in dem vergangenen Kriegsjahr und forderte alle Volksgenossen auf, der Welt gegenüber »eine Demonstration unseres unlösbaren Gemeinschaftssinnes« zu zeigen. Ich persönlich hatte am 28. August die Freude über die Geburt unserer ältesten Tochter Hilke.

Am 6. September fand in Rumänien eine Wachablösung statt. Am 30. August war Rumänien im 2. Wiener Schiedsspruch dazu verurteilt worden, die Hälfte Siebenbürgens an Ungarn abzugeben. Dieser Entscheid zwang König Carol II. zur Abdankung zugunsten seines Sohnes Michael. Die Regierung übernahm General Antonescu, ein begeisterter Nationalist, der Rumänien in den nächsten Jahren an die Seite Deutschlands führte. Zwar mußte Rumänien in einem rumänisch-bulgarischen Vertrag auch noch die Süddobrudscha an Bulgarien abgeben, aber Hitler war der Ansicht, daß die Grenzstreitigkeiten auf dem Balkan nunmehr behoben seien. Er hatte in der letzten Zeit oft über die Südostprobleme gesprochen, denn ihm lag daran, das rumänische Erdölgebiet um Ploeşti für Deutschland zu gewinnen. Eine Brigade hatte er nach Rumänien geschickt, die dieses Gebiet sichern sollte. Aber die Sorge blieb, denn die Engländer saßen im östlichen Teil des Mittelmeers, und Hitler traute ihnen die Besetzung des rumänischen Ölgebiets zu. Das war auch in den kommenden Monaten eine seiner besonderen Sorgen.

Zurückstellung oder Aufgabe von »Seelöwe«?

Am 13. September hatte Hitler die Oberbefehlshaber der Wehrmachtteile, deren Stabschefs und die neu beförderten Generalobersten bei sich zum Essen und zu einer anschließenden Besprechung über technische Fragen, besonders über Panzer und Panzerabwehr-Waffen. Am nächsten Tag ließ Hitler die Oberbefehlshaber der drei Wehrmachtteile und deren Generalstabschefs zu sich kommen und besprach die Aktion »Seelöwe«. Nicht alle glaubten mehr an die Ausführung des »Seelöwen«. Hitler stellte aber einen erfolgreichen »Seelöwen« nach wie vor als die derzeit beste Lösung für einen Erfolg gegen England dar. Die Vorarbeiten für das Landeunternehmen seien beendet, jetzt benötige man nur vier bis fünf Tage gutes Wetter wegen der kleinen Schiffseinheiten, die nur begrenzt seetüchtig seien. Außerdem müsse die Luftwaffe einige Tage von morgens bis abends gegen die feindliche Jagdabwehr fliegen können. Die Wetterlage war aber äußerst instabil. Hitler entschied, daß das Unternehmen vorerst noch nicht abgesagt wurde. Die Engländer sollten in Ungewißheit gehalten werden. Der Forderung der Luftwaffe, Luftangriffe auf Wohnbezirke freizugeben, hielt Hitler entgegen, daß Angriffe auf kriegswichtige Ziele wichtiger seien. Angriffe, um Massenpanik auszulösen, müßten das letzte Mittel sein. Die Gefahr britischer Gegenschläge auf deutsche Städte sei zu groß.

Ich hatte bei diesem Gespräch den Eindruck, daß Hitler die Hoffnung auf eine erfolgreiche Invasion in England im folgenden Frühjahr aufgegeben hatte. Im Herbst 1940 ließ ihn die große Unbekannte, die ziemlich improvisierte Überfahrt über das Meer, zurückschrecken. Er war unsicher.

Am 22. und 24. September empfing Hitler Mölders und Galland nach ihrem 40. Luftsieg und ließ sich von ihnen ein klares und nüchternes Bild vom Luftkrieg geben. Er erkannte, daß die englische Luftwaffe doch stärker war, als ihm das von der eigenen Luftwaffe gesagt worden war. Zudem hatte das wechselhafte Wetter es den Fliegern nicht möglich gemacht, vier bis fünf Tage ohne Unterbrechung zu fliegen. Mölders betonte, daß eine solche Aktion nur einmal möglich sei, denn die deutschen Flieger müßten dann wieder aufgefrischt werden. Die Qualität der englischen Flugzeugführer sei den deutschen gleich. Sie hätten natürlich den unvergleichlichen Vorteil, über eigenem Gebiet zu fliegen. Ein abgeschossener Engländer könnte sich durch Fallschirmabsprung retten und stünde für neue Einsätze sofort wieder zur Verfügung. Die deutschen Flugzeugführer wären aber verloren. Dies Gespräch beeindruckte Hitler sehr und bekräftigte seine Absicht, die Invasion nur zu riskieren, wenn er alle Trümpfe in der Hand habe.

Am 26. September hatte Hitler unter vier Augen ein Gespräch mit dem Großadmiral. Aus Hitlers Äußerungen bei der Lagebesprechung schloß ich, daß Raeder gegen einen Rußlandkrieg und für einen Kräfteeinsatz im östlichen Teil des Mittelmeeres, also Ägypten, Palästina, Libanon bis zur Türkei hin, eingetreten war. Hitler sagte dazu, daß ihm Raeders Auffassung zwar einleuchte, er müsse zuvor aber die Haltung Spaniens sondieren. Das wichtigste im Mittelmeer sei Gibraltar. Wenn Gibraltar ganz in spanischer oder deutscher Hand wäre, könnte man auch die östlichen Gebiete des Mittelmeeres näher betrachten.

Am 27. September wohnte Hitler der feierlichen Unterzeichnung des Dreimächtepaktes zwischen Deutschland, Italien und Japan bei. Nach dem offiziellen Teil gab Hitler ein Essen für die Gäste in seiner Wohnung. Hitler wollte, daß diese Vertragsunterzeichnung in der ganzen Welt, besonders in den Vereinigten Staaten und in Rußland, Beachtung fand. Er sah in der japanischen Flotte und Armee den wichtigsten Machtfaktor im pazifischen Raum. Sein ganzes Streben in diesen Herbstwochen war es, eine kräftige und wirkungsvolle Allianz gegen England zusammenzuschweißen. Ribbentrop wurde veranlaßt, einen Brief an Stalin zu schreiben, um ihn für die deutschen Maßnahmen gegen England zu interessieren. Ribbentrop selbst war sehr an einer stabilen Allianz mit Rußland interessiert und sah dafür auch gute Möglichkeiten. Hitler verhielt sich hierzu sehr abwartend. Die Aktionen der Russen in den letzten Wochen in Rumänien sowie die radikale Sowjetisierung der Baltenstaaten hatten ihn sehr bedenklich gemacht. Ich beobachtete immer wieder, wie seine Gedanken um Rußland kreisten. Es waren für mich schwierige Wochen. Am Kanal flogen unsere Kampfverbände Nacht für Nacht, wenn das Wetter es zuließ, gegen englische Ziele, aber in Berlin dachte der Chef darüber nach, ob und wie er am schnellsten Rußland niederwerfen könnte. Meine Frage nach seinen Absichten konnte Hitler noch nicht klar beantworten. Er hatte selbst noch keine Entscheidung getroffen. Aber es war klar, daß er sich von Woche zu Woche mehr dem Plan zuwandte, so schnell wie möglich das russische Problem zu lösen.

Am 4. Oktober traf Hitler sich mit dem Duce auf dem Brenner. Ich habe über das Gespräch nur wenig erfahren. Hitler hat mehr über Frankreich als über England gesprochen und versucht, territoriale Wünsche des Duce zu drosseln. Vom

Brenner fuhren wir für einige Tage zum Obersalzberg und waren erst am 8. Oktober wieder in Berlin. In diesen Tagen gab Hitler sein Einverständnis, die Anordnungen für »Seelöwe« zu lockern. Obwohl Hitler sich nach außen hin die endgültige Entscheidung über eine Invasion in England vorbehielt, glaubte in der Wehrmacht fortan niemand mehr an diese Möglichkeit. »Seelöwe« verschwand für alle Zeiten in der Versenkung.

Hausärger

Vom 16. bis 21. Oktober befand sich Hitler wieder einmal auf dem Obersalzberg und empfing unter anderem die italienische Kronprinzessin, eine Schwester des Königs der Belgier, die sich sehr für ihren Bruder bei Hitler einsetzte.

Ein anderer Vorgang dieser Tage machte uns alle sehr betroffen. Anläßlich des Besuches der italienischen Kronprinzessin befand sich Hitlers Hausintendant Kannenberg auf dem Obersalzberg und beschwerte sich bei Hitler über das Verhalten der jungen SS-Ordonnanzoffiziere. Kannenberg war verärgert über eine ganze Reihe meist unwichtiger, nebensächlicher Vorkommnisse. Hitlers Chef-Adjutant, Wilhelm Brückner, hatte von Kannenbergs Sorgen gehört und versucht, ihn zu veranlassen, Hitler mit diesen Lappalien nicht zu behelligen. Seine Bemühungen waren aber vergeblich. Kannenberg fand Gehör bei Hitler, der sogleich entschied, daß der Hauptsturmführer Wünsche umgehend zur Leibstandarte zurückzukehren habe. Brückner nahm Wünsche in Schutz, kritisierte Kannenberg und erhielt daraufhin mit sofortiger Wirkung seine Entlassung aus Hitlers Diensten. Schmundt versuchte noch, sich bei Hitler für Brückner zu verwenden, scheiterte aber in mehreren Gesprächen. Dann sorgte er wenigstens dafür, daß Brückner vom Heer übernommen wurde. Er fand erst als Hauptmann, zuletzt als Oberst Verwendung im besetzten Frankreich.

Brückners Ausscheiden, ohne daß sein Posten wieder besetzt wurde, bedeutete eine wesentliche Veränderung in Hitlers Umgebung. In der persönlichen wie der militärischen Adjutantur war Brückners Autorität allgemein anerkannt. Er hatte eine überragende Position innegehabt. Ohne daß wir viel darüber sprachen, haben wir Adjutanten unseren Dienst in der Annahme fortgesetzt, daß Brückner eines Tages zurückkehren würde. Die Entwicklung des Krieges gab dazu keine Gelegenheit mehr. Dafür merkten wir aber, daß zum Beispiel Bormann und Eva Braun den Fortgang Brückners durchaus begrüßten.

Am 21. Oktober reiste Hitler vom Obersalzberg nach Frankreich, um sich mit Franco, Pétain und Laval zu treffen. Hitler hatte sich zu dieser Reise entschlossen, weil er sich davon eine größere Verständigung mit beiden Ländern während des Krieges versprach. Am Morgen des 22. Oktober bestieg ich, von Berlin kommend, in Aachen den Sonderzug und begleitete Hitler auf der ganzen Reise. Am Nachmittag trafen wir in Montoire, einer kleinen Station im nicht besetzten Teil Frankreichs, ein. Hier empfing Hitler den französischen stellvertretenden Ministerpräsidenten Laval in Gegenwart von Ribbentrop, der in seinem eigenen Zug von Berlin dorthin gekommen war. Es verlautete fast nichts über den genauen Inhalt dieser Unterredung.

Am 23. Oktober fuhren wir vom Bahnhof Hendaye weiter, an die französisch-spanische Grenze, wo Hitler den spanischen Staatschef Franco erwartete. Der Zug hatte eine Stunde Verspätung. Hitler ging mit Ribbentrop bei schönem Wetter auf dem Bahnsteig auf und ab, bis der Zug einlief. Franco hatte den spanischen Außenminister Serrano Suñer mitgebracht. Der Tag wurde lang. An sich war vorgesehen, daß nach einer gemeinsamen Mittagstafel im deutschen Speisewagen die Konferenz beendet sein sollte. Sie zog sich aber noch über zwei Stunden in die Länge, und erst bei einbrechender Dunkelheit verließ Franco wieder den Bahnhof. Hitlers Zug fuhr kurz danach ebenfalls ab, um den sicheren Tunnel bei Montoire zu erreichen.

Beim Abendessen äußerte sich Hitler über das Gespräch. Er war mit dem Ergebnis sehr unzufrieden. Er hatte Franco ein Bündnis angeboten und ihm den Vorschlag zur gemeinsamen Eroberung Gibraltars gemacht. Für den weiteren Kampf in diesem Kriege erwartete Hitler eine enge Waffenbrüderschaft. Franco war bei allen Vorschlägen von Hitler mehr oder weniger abwartend geblieben. Er hatte keine bindende Zusage abgegeben, sondern erklärt, in einigen Tagen seine Stellungnahme mitteilen zu wollen. Hitler rechnete mit einer klaren Absage.

Am nächsten Nachmittag, schon bei einbrechender Dunkelheit, empfing Hitler auf dem Bahnhof von Montoire den französischen Staatschef Marschall Pétain. Hitler ging ihm auf dem Bahnsteig entgegen und führte ihn in seinen Salonwagen. Das Gespräch sollte Frankreich zur Teilnahme an dem Kampf gegen England bewegen. Pétain und Laval verhielten sich zurückhaltend. Pétain blieb wortkarg und abweisend. Er gab keine klare Antwort, aber Hitler entnahm seinem Verhalten die Ablehnung. Er versagte dem wesentlich älteren Staatschef nicht die Ehrerbietung beim Abschied, war aber über das Gespräch enttäuscht und verärgert.

Die Rückreise nach Berlin nahm viel Zeit in Anspruch, da nur am Tage gefahren werden konnte. Hitler führte immer wieder neue Gespräche mit Keitel und

Jodl, in denen er klar ausdrückte, daß im neuen Jahr der Kampf gegen Rußland aufgenommen werden müsse. Er bekräftigte seine Überzeugung, daß Rußland im Jahre 1942 in der Lage sei, gegen Deutschland anzutreten. Dem wolle er von sich aus im Jahre 1941 entgegentreten. Er war der Auffassung, daß der wesentliche Teil in Rußland von Mai bis September geschafft werden könnte. In dieser Zeit sei vom Westen noch nicht viel zu erwarten. Aber im Jahre 1942 müsse er wieder für den Kampf gegen England bereit sein. Mich überraschte diese klare und straffe Entschlußfassung nicht. In den letzten Wochen hatte ich Hitler mehrmals über dieses Thema sprechen hören.

Während der Rückfahrt erhielt Hitler einen Brief von Mussolini, der von dem bevorstehenden italienischen Einmarsch in Griechenland Mitteilung machte. Hitler glaubte, noch Zeit zu haben, ihm diesen Plan auszureden. Nach Überschreiten der deutschen Grenze bestätigte ein Bericht der deutschen Botschaft im Rom dieses italienische Vorhaben. Hitler ließ sofort in Rom anfragen und ein Treffen mit Mussolini in Florenz am 28. Oktober vereinbaren. So fuhren wir von Aachen nach München und von dort aus, nach einigen Stunden Aufenthalt, in der Nacht zum 28. Oktober nach Florenz. Um 11 Uhr trafen wir dort ein. Mussolini begrüßte seinen Gast gleich mit dem Bericht, daß die italienischen Truppen am Morgen dieses Tages die Grenze nach Griechenland überschritten hätten. Mussolini zeigte sich siegessicher und optimistisch und erwartete baldige Erfolgsmeldungen.

Hitler schien ruhig und zuversichtlich zu sein und gab Mussolini nicht zu verstehen, wie ernst er die Lage beurteilte. Das Gespräch mit Mussolini verlief in der üblichen sehr freundschaftlichen Weise und hinterließ keine Verärgerung. Mussolini überreichte seinem Gast ein besonderes Geschenk, das Gemälde von Hans Makart »Die Pest in Florenz«. Hitler wußte, daß dieses Bild im Besitz des italienischen Staates war, und hatte schon einmal in seinem privaten Kreis geäußert, es kaufen zu wollen. So war das Geschenk für Hitler zweifellos eine Freude, nur daß sie in diesem Augenblick nicht die entsprechende Wirkung haben konnte.

Rußland, England, Balkan, Gibraltar

Um 18 Uhr bestieg Hitler wieder seinen Zug zur Rückreise nach Berlin. Dort begann eine lebhafte Zeit. Hitler führte lange Besprechungen mit dem OKW. Am 4. November hatte er ein längeres Gespräch mit Brauchitsch und Halder. Hitler hielt immer noch ein Eingreifen in Spanien, um Gibraltar zu erobern, für dringend notwendig. Hier sah er einen besonderen Schwerpunkt für die Kriegführung. Natürlich komme es zunächst auf Francos Zusage an. Die Lage der Italiener in Libyen betrachtete Hitler mit großer Sorge. Sie hätten ein deutsches Eingreifen in Nordafrika bis auf weiteres abgelehnt, aber Hitler wollte dort ein Festsetzen der

Engländer vermeiden. General Ritter v. Thoma war vom OKH zu einer gründlichen Erkundung nach Libyen und Nordafrika geschickt worden und berichtete Hitler am 3. November nüchtern und sachlich über das Ergebnis: Eine deutsche Aktion im nordafrikanischen Wüstengebiet konnte als zwecklos und ohne Aussicht auf Erfolg angesehen werden. Thoma wies vor allem auf den schwierigen Nachschub über Italien und das Mittelmeer hin.

Anfang November, vor dem Besuch des russischen Außenministers Molotow, zeigte sich Hitler noch abwartend und unsicher hinsichtlich seiner weiteren Absichten. Er war beunruhigt über die Tätigkeit der Engländer von Ägypten aus in Richtung Balkan und in Richtung Nordafrika. Auf dem Balkan machte ihm das Ölgebiet von Ploeşti Sorgen.

Zum Gedenktag des 9. November hielt sich Hitler in München auf und redete am Abend des 8. November im Löwenbräukeller. Seine Worte waren ernst. Er ließ keinen Zweifel, daß er diesen Krieg bis zum Sieg zu führen hätte. Wo und wie er den Kampf fortsetzen wollte, ließ er völlig offen; darüber sprach er nicht. Das Volk sollte aber erkennen, daß die großen Auseinandersetzungen noch bevorstanden. Als Beispiel erwähnte er den derzeitigen Luftkrieg gegen England, den, nach seinen Worten, Churchill im Sommer durch seine lächerlichen Luftangriffe auf Berlin ausgelöst habe.

Hitler reiste am 10. November vormittags wieder nach Berlin zurück. Der Fahrplan war, wie auf der Hinreise nach München, auf die Einflugzeiten der Engländer abgestimmt worden. In Berlin begab sich Hitler sofort in den großen Lagebesprechungsraum. Das Thema des Tages war Rußland. Jodl machte darauf aufmerksam, daß das Heer jetzt irgend etwas erfahren müsse, denn die Zeit bis zum Mai werde immer kürzer. Hitler ordnete daraufhin an, eine Weisung herauszugeben, daß alle vorbereitenden Maßnahmen zu den anstehenden Problemen zusammenzufassen seien. Eine Entscheidung über Rußland falle erst nach dem Besuch Molotows. So gab der Wehrmachtführungsstab am 12. November die Weisung Nr. 18 heraus, in der Spanien und Gibraltar, die italienische Offensive gegen Ägypten, den Balkan mit möglicher Besetzung Griechenlands neben Rußland und »Seelöwe« eine Rolle spielten. Am bedrohlichsten sah die Ziffer 5., Rußland, aus. Es hieß dort, daß »alle schon mündlich befohlenen Vorbereitungen für den Osten fortzuführen« seien. Zum spanischen Raum folgte die Weisung Nr. 19 über das »Unternehmen Felix«, die sehr viele Einzelheiten für die Besetzung Spaniens und Portugals und die Bereitstellung der Truppen enthielt, so daß der Einmarsch am 10. 1. 1941 befohlen werden könnte. Aber einen Monat später, am 11. Dezember, wurde die Weisung 19 aufgehoben. Alle Pläne auf der iberischen Halbinsel entfielen, denn Franco hatte mitteilen lassen, daß er die Absicht habe, neutral zu bleiben. Hitler hatte zur Erläuterung seiner Absichten Admiral Canaris zu Franco entsandt. Während Hitler Canaris vertraute und ihm das Scheitern seiner Mission nicht verübelte, hatte ich unklare Zweifel über die Einstellung Canaris' zu Hitlers Spanienpolitik. Seine Haltung erschien mir fragwürdig.

Molotow in Berlin

Am 12. November mittags traf Molotow in Berlin ein und hatte am Nachmittag sein erstes Gespräch mit Hitler. Molotow brachte klare und exakte Fragen aus Moskau mit, die alle die Probleme berührten, die sich zwischen Rußland und Deutschland in den letzten Monaten entwickelt hatten. Es fing bei Finnland an und führte über Rumänien und Bulgarien bis zur Türkei. Molotow gab zu verstehen, daß diese Staaten zum russischen Einflußgebiet gehörten und Deutschland sozusagen nichts angingen. Es war für Hitler schwer, ausweichende Antworten zu finden. Auch am zweiten Tag seines Besuches kam Molotow auf bestimmte Fragen zurück und erhielt keine abschließenden, erschöpfenden Antworten. Molotow hatte am Abend des 13. November eine eingehende Unterhaltung mit Ribbentrop. Dieser hatte ein lebhaftes Interesse, einen Krieg zwischen Rußland und Deutschland zu verhindern. Er wollte die Verbindung nicht abreißen lassen.

Am 14. November hatte Hitler ein kurzes Gespräch mit Raeder, in dem er sich über die Marine berichten ließ. Es fiel auf, daß Raeder sich sehr stark gegen einen Krieg gegen Rußland einsetzte. Er meinte, Rußland werde in den nächsten Jahren keine Auseinandersetzung mit Deutschland anstreben. Er schlug vor, den Angriff gegen Rußland erst nach dem Sieg über England zu beginnen. Hitler zeigte sich nachdenklich.

In der zweiten Novemberhälfte verbrachte Hitler einige Tage auf dem Obersalzberg. Der Anlaß war ein Besuch des bulgarischen Königs Boris. Hitler, in seiner Sorge um die Politik auf dem Balkan, befürchtete eine russische Garantie für Bulgarien, die ihm große Schwierigkeiten bereiten könnte. Er wollte den Monarchen auch für den Dreimächtepakt gewinnen. König Boris zeigte sich allen Problemen gegenüber abwartend, sogar ablehnend. Er war aber wie immer sehr freundlich und äußerte ohne jede Scheu seine eigenen Ansichten.

Ein Gespräch am 19. November mit dem König der Belgier verlief enttäuschend. Er kam, um die Rückkehr der zwei Millionen Kriegsgefangenen zu erbitten und um Hitlers Vorstellungen über das künftige deutsch-belgische Verhältnis zu ergründen. Hitler zeigte sich zu allen Fragen sehr reserviert und ging auf nichts ein. König Leopold mußte unverrichteter Dinge wieder abreisen.

Am 23. November empfing Hitler in Berlin Marschall Antonescu. Es war dessen erster Besuch bei Hitler. Hitler war sehr angetan und beeindruckt von der Persönlichkeit des rumänischen Staatschefs. Er habe längere Zeit über die rumänischen Probleme gesprochen und auf seine Nachbarn, die Ungarn, geschimpft. Am 23.

November fand die Feier des Beitritts Rumäniens zum Dreierpakt in der neuen Reichskanzlei statt mit einem anschließenden Essen in Hitlers Wohnung. Hitler sagte nach seiner Abreise, er glaube, in Antonescu einen Freund Deutschlands gefunden zu haben.

»Barbarossa«

Eine sehr wichtige und einschneidende Maßnahme veranlaßte Hitler noch in diesem Herbst. Er schickte Dr. Todt mit Schmundt und Engel nach dem Osten, um Standorte für ein Führerhauptquartier auszusuchen. Am geeignetsten erschien Hitler ein Platz in Ostpreußen, der bombensicher ausgebaut werden mußte und genügend Raum für das ganze FHQ bot. Die Abgesandten schlugen nach ihrer Rückkehr ein Gelände in der Nähe von Rastenburg zum Ausbau vor. Hitler war einverstanden und gab den Befehl, mit dem Bau des FHQ sofort zu beginnen und ihn bis zum April 1941 abzuschließen. Mit dieser Entscheidung schien mir der Rußland-Feldzug einen wesentlichen Schritt näher gerückt zu sein.

Der Dezember 1940 brachte noch einige sehr klare Weisungen für das neue Jahr. Am 5. Dezember empfing Hitler Brauchitsch und Halder zu einem sehr eingehenden Gespräch über die derzeitige Lage in Europa. Die Auffassungen zu den einzelnen Fragen waren sehr unterschiedlich. Am längsten kreisten die Gespräche über die Luftlage und über Rußland. Hitler sagte zum Luftkrieg gegen England, daß die Einstellung unserer Tagesangriffe die Engländer vor der Vernichtung ihrer Jagdwaffe gerettet habe. Unsere Angriffe gegen die englische Industrie könnten diese nicht zerstören. Die Wirkung bezeichnete er als minimal. Die eingetretenen Materialverluste könnten nur durch Lieferungen aus den USA ersetzt werden, aber man dürfe sie nicht überschätzen. »Die Engländer werden 1941 keine stärkere Luftwaffe haben als heute. Unsere Luftwaffe wird im Frühjahr wesentlich stärker sein«, sagte Hitler. Zu Rußland meinte er, daß der russische Mensch minderwertig und die Armee führerlos seien. Bei einem Angriff gegen Rußland müsse die Gefahr vermieden werden, die Russen vor sich her zu schieben. Die Angriffe müßten so angesetzt werden, daß die russische Armee in einzelne Abschnitte zerlegt und gefangen genommen werden könnte. Es müßten Ausgangspositionen gesucht werden, die es zuließen, zu großen Umfassungsoperationen zu kommen. Hitler erwartete große Teilerfolge, die dazu führen sollten, daß von einem gewissen Moment ab volle Desorganisation in Rußland eintrete. Für ihn war der Angriff beschlossene Sache.

Am 10. Dezember hielt Hitler eine großangelegte Rede vor den Arbeitern eines Rüstungswerkes in Berlin, die eigentlich an alle Rüstungsarbeiter und -werke in Deutschland gerichtet war. Auch hier ließ er keinen Zweifel daran, daß das Schwerste noch vor uns liege.

In den letzten Tagen des Jahres gab Hitler den Wehrmachtteilen seine Entscheidung zu Rußland bekannt. Am 18. Dezember ließ er den Oberkommandos seine »Weisung Nr. 21, Fall Barbarossa«, zustellen.

Am 22. Dezember überreichte der neue japanische Botschafter Oshima sein Beglaubigungsschreiben. Hitler begrüßte ihn besonders herzlich. Er war nach Japan zurückgekehrt, als Hitler 1939 den Vertrag mit Rußland geschlossen hatte. Jetzt schien der japanischen Regierung die Zeit gekommen, Oshima wieder nach Deutschland zu schicken. Es mußte sich herumgesprochen haben, daß Hitler seine Politik gegenüber Rußland zu revidieren begann.

Das war die letzte »Amtshandlung« Hitlers in Berlin vor den Festtagen. Am 23. Dezember trafen wir mit dem Sonderzug im Raum von Calais ein. Hitler besuchte Fernkampfbatterien des Heeres und der Marine, die bis nach England schießen konnten, Anlagen, deren Einrichtung Hitler seit dem Sommer besonderes Augenmerk geschenkt hatte. Am Nachmittag besuchte er Einheiten der Kriegsmarine in Boulogne, am 24. Dezember zwei Jagdgeschwader. Hier sprach Hitler sehr anerkennende Worte zu deren Einsätzen in den vergangenen Wochen. Am Abend, im Sonderzug, beförderte Hitler Engel und mich zu Majoren, außer der Reihe, für uns eine große Freude und Überraschung.

Am 25. Dezember besuchte Hitler ein Kampfgeschwader und empfing am Nachmittag in seinem Sonderzug den stellvertretenden französischen Regierungschef, Admiral Darlan, seit wenigen Tagen Lavals Nachfolger. Hitler führte die Unterhaltung unzufrieden und gereizt. Er übte Kritik an der Ablösung Lavals und schob diese Entscheidung deutschfeindlichen Mitarbeitern im Stab Pétains zu. Weitere Einzelheiten über die Unterhaltung habe ich nicht erfahren, konnte nur beobachten, wie ärgerlich Hitler war.

Am 26. Dezember besuchte Hitler noch ein Infanterie-Regiment und zum Schluß die Leibstandarte »Adolf Hitler« in Metz. Hier fühlte Hitler sich immer besonders wohl. In seiner Rede gab er diesem Gefühl sichtbaren Ausdruck. Die Leibstandarte müsse immer damit rechnen, an den Brennpunkten des Kampfes eingesetzt zu werden: »Es ist für Euch, die Ihr meinen Namen tragt, eine Ehre, an der Spitze des Kampfes zu stehen.«

Am 27. Dezember hatte Hitler noch eine sehr wichtige und ernste Unterredung mit dem Großadmiral. Eindringlich wandte Raeder sich gegen einen Krieg mit Rußland, der mit der Weisung 21 nun sehr wahrscheinlich wurde, bevor England besiegt worden sei. Hitler hielt dagegen, mit dem Schlag gegen Rußland treffe er auch England. Der Feldzug sei angesichts der zunehmenden russischen Rüstung, die Rußland ab 1942 zu einem Angriff gegen Deutschland befähige, ein zwingendes Erfordernis.

Raeder kam auch auf die Spannungen zwischen Marine und Luftwaffe zu sprechen. Es handelte sich in erster Linie um die Torpedo-Waffe. Raeder forderte, daß der Einsatz der Torpedo-Staffeln nur von der Kriegsmarine aus geleitet werde. Die Luftwaffe habe nicht die Fachleute für diese Waffe. Hitler wollte das Thema zunächst mit dem Reichsmarschall besprechen. Dann trug Raeder ein Kriegsmarine-Anliegen vor: die Vermehrung der U-Boot-Fertigung. Die derzeitigen Zahlen lagen bei höchstens 12 bis 18 Booten im Monat. Damit berührte er ein durch den Entschluß zum Rußland-Feldzug ausgelöstes Dilemma. Hitler hatte Todt den Befehl gegeben, die Rüstung des Heeres für den Krieg im Jahre 1941 mit allen Mitteln voranzutreiben. Die Rüstungen für Marine und Luftwaffe müßten zunächst zurückgestellt werden. Wenn Rußland geschlagen sei, könnte die gesamte Rüstung umgestellt werden.

Ich sprach über dieses Thema auch mit Jeschonnek, der die Entwicklung mit größter Sorge verfolgte. Die Verluste der Luftwaffe waren in den letzten Monaten bei den Kämpfen über England laufend gestiegen. Die derzeitige Fertigung könne die Verluste kaum decken. Neue Kampfverbände jetzt aufzustellen, sei nicht möglich, denn die Fertigung der Ju 88 mache immer noch Schwierigkeiten. Ich unterrichtete Hitler über den Rüstungsstand der Luftwaffe und bat ihn, dieses Thema mit dem Reichsmarschall zu besprechen. Ich sah in dieser Frage ein großes Problem für die zukünftige Entwicklung. Hitler gab zu, daß die Luftrüstung wichtig sei, aber für das Frühjahr 1941 brauche er alle Kapazitäten für das Heer. Im Sommer müsse die Rüstung dann umgestellt werden. Er wolle aber mit dem Reichsmarschall sprechen. Ich war sehr beeindruckt und erschüttert über diese Entscheidung. Ich wußte von der ständigen Verbesserung der britischen Luftstreitkräfte und sah in dem uns bevorstehenden Zweifrontenkrieg eine große Gefahr für das Reich. Jeschonnek, der die Situation ebenso beurteilte, hatte Göring auf die Gefahren hingewiesen, war aber gegen die Anweisungen Hitlers an Dr. Todt nicht vorgedrungen. Göring hatte sich Hitler wider besseres Wissen gefügt.

Kritische Stimmen

Im Laufe dieses Winters 1940/41 hörte ich in Kreisen führender Soldaten und Zivilisten immer mehr Bedenken über die Kriegführung. Diese Äußerungen schwankten von harmloser Kritik an der Führung bis zu Bemerkungen wie »der Krieg ist verloren«. Man warf Hitler vor, daß er sich als ein gefühlsbetonter Politiker immer von den Engländern gedemütigt und verletzt fühle. Jetzt wolle er einen Zweifrontenkrieg anfangen, ohne die vielfältigen Notwendigkeiten dafür, vor allem Rüstungskapazitäten und Rohstoffe, in ausreichenden Mengen zu besitzen.

Solche kritischen Stimmen waren in der Minderzahl; ich konnte sie aber nicht überhören, denn meist vertraten diese Kritiker ihre Ansichten mit Ernst und Nachdruck. Sie überzeugten mich damals nicht. Ich stand trotz einiger Bedenken auf dem Standpunkt, daß Hitler scharf und nüchtern kalkulierte, so daß keine Katastrophe eintreten könne. Nach meiner Ansicht machten diese Opponenten, Kritiker, Zweifler, meist den »gehobenen Kreisen« zuzurechnen, aber einen grundlegenden Fehler. Sie schauten verächtlich auf Hitler herab, verweigerten die positive Mitarbeit, ja, einige bekämpften Hitler sogar, in der Annahme, dadurch Unheil verhüten zu können. Sie erkannten nicht oder wollten nicht sehen, daß das Volk zu Hitler stand und ihn in dieser Auseinandersetzung zum Stärkeren machte.

Ich wurde durch solche Eindrücke in meiner Einstellung zu Hitler bestärkt. Der Weg der negativen Opposition schien mir ganz falsch zu sein, nachdem ich wiederholt erlebt hatte, daß man mit Hitler reden konnte, er durchaus zu überzeugen war, wenn man es richtig anstellte. Ich war oft genug Augen- und Ohrenzeuge, wie Generale, hohe Offiziere nicht den richtigen Ton fanden, wenn sie mit Hitler sprachen. Nachdem er wiederholt, vor dem Polenfeldzug und dem Krieg gegen Frankreich, die Opposition namentlich des Heeres zu spüren bekommen hatte und nach den Feldzügen glänzend gerechtfertigt war, neigte er dazu, die kritische Einstellung vor allem älterer Offiziere als Defätismus abzutun. Er sagte zu mir: »Ich kann das nicht verstehen, wenn ein Mann sich den Beruf Soldat, Offizier aussucht, so muß es doch sein sehnlichster Wunsch sein, diesen Beruf auch einmal ausüben zu können. Von dieser Einstellung waren die preußischen Offiziere seit jeher erfüllt. Ein Soldat, ein General kann es sich doch nicht zur Aufgabe machen, mich vom Kriege abzuhalten dadurch, daß er die Aufstellung und Ausrüstung verzögert. Das ist doch Sabotage. Es muß doch umgekehrt sein, daß die Soldaten so zum Kriege drängen, daß die Politiker sie zurückhalten müßten. Aber es scheint mir, daß die Generale Angst vor den Gegnern haben. Halten sie mich denn für so dumm, daß ich die Stärken und Schwächen der Gegner nicht richtig erkennen oder beurteilen kann?«

Im Laufe des ersten Kriegsjahres war auch immer deutlicher zu verspüren, daß die Kirchen, besonders die protestantische Kirche, Hitlers Pläne ablehnten, aber nicht nur die Pastoren, sondern in starkem Maße auch Landwirte, Adel, Offiziere und höhere Beamte. Hier bildeten sich in diesem Winter vor dem Rußlandfeldzug einzelne Gruppen, die versuchen wollten, Hitlers Pläne zu vereiteln. Sie meinten, Hitler sei ganz antichristlich eingestellt, er sei gegen die Kirchen und wolle sie abschaffen. Hitler hat während des Krieges wiederholt geäußert, daß er nicht daran denke, die Kirchen abzuschaffen. Er hatte den natürlichen Wunsch des Volkes nach einem festen Glauben klar erkannt und ebenso, daß es dafür eine Organisation geben mußte, die dem Volk helfen konnte. Er kritisierte lediglich die antinationalsozialistische Gesinnung der Pastoren. Sie seien nicht volksverbunden und würden nicht erkennen, was das Volk wolle.

Ich habe in dieser Zeit oft Hitlers ruhige Art bewundert und ihn nie als einen »unangenehmen Menschen« empfunden. Im Gegenteil, für mich war er ein Ästhet, ein »Freund des Schönen«. Seine Großzügigkeit, seine Duldsamkeit und seine chevareleske Art waren der Grund dafür, daß alle Menschen, die näher mit ihm in Berührung kamen, ihn menschlich und sympathisch fanden.

Rußland schlagen, um England zu treffen?

Wie kam Hitler zu dem Entschluß, Rußland anzugreifen, bevor England besiegt war? Die entscheidende Frage des Krieges, wie mir schien. Hitler war überzeugt, daß England auf Hilfen für seinen Kampf um Europa warte und nach dem Stand des Krieges in diesen Wintermonaten die sich anbietenden Hilfen in Amerika und Rußland sehe. Seine Beurteilung Amerikas brachte ihn zu der Überzeugung, daß die USA erst im Jahre 1943 in der Lage seien, in Europa zu helfen. Dagegen schätzte er die Lage in Rußland so ein, daß die Russen schon ab Herbst 1942 aktiv eingreifen könnten. Er beurteilte das deutsch-russische Bündnis keineswegs als Sicherung des Friedens auf Jahre hinaus. Stalin wollte warten, bis sich die deutschen Kräfte durch die Kämpfe im Westen geschwächt hätten, und dann eines Tages in die europäischen Kämpfe gefahrlos eingreifen. Einem russischen Angriff wollte Hitler auf alle Fälle zuvorkommen. Er wußte, daß Deutschland zu gleicher Zeit nicht nach allen Seiten kämpfen konnte. Deshalb war es sein Plan, einen Gegner nach dem anderen auszuschalten, sei es durch Verhandlungen, sei es durch Krieg. Er hoffte insgeheim immer noch auf Verständigung mit den Angelsachsen, obwohl ihm schon seit dem Herbst 1937 die überwiegend antideutsche Politik der Engländer bekannt war. Dazu kam seine Sorge wegen seines eigenen »Altwerdens«, aber auch die Erkenntnis, daß nach ihm niemand in der Lage sei, seine Arbeit fortzusetzen. Seine Feinde im Inland nannten das Selbstüberschätzung, Überheblichkeit, Größenwahn usw. Dies alles wußte Hitler. Er war sich darüber im klaren und erwähnte es wiederholt im Kreis der täglichen militärischen Lagebesprechungen.

Das Jahr 1941 sollte ausschließlich das Jahr der Auseinandersetzung mit Rußland werden. Hitler baute die Vorbereitungen so auf, daß er etwa Mitte Mai angreifen konnte. Sein Plan war, die Operationen mit Schwerpunkten im Norden und Süden zu führen und nach Eroberung von Leningrad und Rostow von beiden Flanken aus den großen Umfassungsangriff ostwärts von Moskau zu führen. Damit glaubte er, die Russen so schwächen zu können, daß sie den Kampf aufgeben würden und er dann alle Kräfte zum Schlag gegen England zusammenfassen könnte.

Der Winter 1940/41 war eine Zeit der Überlegungen, Pläne und Entscheidungen. Hitler hielt sich viel auf dem Obersalzberg auf, da er hier Ruhe für seine Arbeiten hatte. In den Neujahrsaufrufen an die Wehrmacht und an das deutsche Volk ging Hitler auf die militärische Entwicklung im Jahre 1940 ein und nahm Stellung zur Weltlage: »Das Jahr 1941 wird das deutsche Heer, die deutsche Marine und Luftwaffe in gewaltiger Verstärkung und in verbesserter Ausrüstung antreten sehen.« Zum Luftkrieg sagte er: »Herr Churchill war ja auch der Mann, der plötzlich den unbeschränkten Luftkrieg als das große Geheimnis des britischen Sieges erfand. Dreieinhalb Monate lang hat dieser Verbrecher deutsche Städte durch Nachtangriffe mit Bomben bewerfen lassen ... Ich habe dieser menschlichen Grausamkeit, die militärisch nur ein Unfug war, dreieinhalb Monate lang zugesehen.« Diese Aufrufe deuteten eine Fortsetzung des Krieges mit härteren Mitteln an und wirkten lähmend auf das Volk. Aber es war erstaunlich, wie geduldig sich die Masse verhielt. Die meisten sagten, der Führer werde schon wissen, was zu tun sei. Das gesamte Volk war in die Arbeit für den Krieg eingespannt und ging mit großem Eifer und Gewissenhaftigkeit seiner Arbeit nach.

Am 8. und 9. Januar ließ Hitler die militärische Führung zum Berghof kommen, zu einer der wichtigsten und entscheidungsreichsten Sitzungen, die Hitler in diesem Kreise im Jahre 1941 abhielt. Er sprach zunächst über die europäische Lage: »Spanien fällt als Helfer aus«, sagte er. »Frankreich ist gegen uns. Wir sind Frankreich gegenüber nicht verpflichtet. Rußland hat neuerdings Forderungen, die früher nicht bestanden: Finnland, Balkan und Mariapol. Rumänien ist auf unserer Seite, Ungarn ohne Hindernisse. In Jugoslawien ist alles offen. Bulgarien ist sehr vorsichtig. Will die Dynastie nicht riskieren.«

Er fuhr fort: »England will den Kontinent beherrschen.« Also müsse es uns auch dort schlagen. Er wolle so stark sein, daß dieses Ziel nie erreicht würde. England hoffe auf Rußland und Amerika: »Wir können England nicht durch Landung endgültig schlagen.« Im Jahre 1941 würden die Verhältnisse auf dem Kontinent so gefestigt sein, daß wir dem weiteren Krieg mit England und gegebenenfalls mit den USA entgegensehen könnten. Von dem neuen britischen Außenminister Eden sagte Hitler, daß er der Mann des Zusammengehens mit Rußland sei.

Hitler bezeichnete Stalin als klug und schlau. »Er wird immer mehr fordern. Ein Sieg Deutschlands ist für russische Ideologie untragbar. Unser Entschluß muß es sein, Rußland so früh wie möglich zu Boden zu zwingen. Die Engländer werden in zwei Jahren 40 Divisionen aufgestellt haben. Das könnte Rußland zum Bündnis reizen. Das Anpacken der russischen Frage gibt Japan im Osten freie Hand gegen England. Japan ist zu einer ernstlichen Mitarbeit bereit.« Über die russische

Rüstung sagte Hitler, daß das Material alt sei. Der russischen Armee fehle geistiges Format.

Zum ersten Mal erwähnte Hitler vor einem größeren Kreis die Kriegführung in Nordafrika. Es dürfe nicht riskiert werden, daß Italien innerlich zusammenbreche. Die derzeitigen italienischen Mißerfolge in Afrika seien durch Mangel an moderner Aufrüstung entstanden. Wir müßten dort mit einem Verband helfen.

Hitler gab unmißverständlich zu verstehen, daß er in diesem Sommer den Krieg gegen Rußland führen wolle. Ursprünglich habe er beabsichtigt, in der zweiten Maihälfte anzutreten. Auf Grund der Entwicklung auf dem Balkan und in Nordafrika werde sich der Angriffsbeginn möglicherweise in den Juni verschieben.

Die Anwesenden nahmen Hitlers Erklärungen stumm und ohne Widerrede entgegen. Ich muß sagen, daß die Gesichter der Offiziere einen verschlossenen Ausdruck hatten und wohl keiner die Notwendigkeit des Krieges gegen Rußland einsehen wollte. Ich habe viel später erfahren, daß ernsthafte Bedenken erst auf der Rückreise geäußert wurden.

Meine Auffassung zur künftigen Kriegführung war Anfang des Jahres nicht optimistisch. So, wie sich die Dinge entwickelten, schien mir ein Sieg nicht mehr möglich. Ich kam zu der Auffassung, daß Hitler das riesige russische Reich soweit in eine Abhängigkeit von Deutschland bringen wollte, daß es uns mit den notwendigen Rohstoffen für unsere Kriegführung gegen England beliefern könnte. Dies schien mir besonders bei einem möglichen Kriegseintritt der USA auf Seiten Englands wichtig. Es zeichnete sich zwar noch nicht deutlich ab, aber nach allen eingehenden Berichten unseres Geschäftsträgers in Washington bahnte sich dort nichts Gutes an. Roosevelt äußerte sich laufend kritischer und ablehnender gegen Deutschland, und im Volk begann eine deutschfeindliche Gesinnung um sich zu greifen. Mir schien es, daß es Churchill ganz gelungen war, Roosevelt in sein Programm einzuschalten. So sah ich die politische Entwicklung im Westen als sehr ernst an. Hitler sagte stets, wir müßten Rußland erledigt haben, bevor die USA in den Krieg eintreten würden. Diese Rechnung ging nun vermutlich nicht mehr auf. So sah ich selbst mit erheblichen Sorgen in das Jahr 1941, ohne aber irgendwo meine Ansichten äußern zu können. Erst ab Ende 1941 hatte ich Gelegenheit, mit Hitler über diese Fragen zu sprechen.

Mittelmeer, Nordafrika

Am 11. Januar unterschrieb Hitler die Weisung Nr. 22, »Mithilfe deutscher Kräfte bei den Kämpfen im Mittelmeerraum«. Hitler befahl dem Oberbefehlshaber des Heeres in der Ziffer 1 dieser Weisung, einen Sperrverband aufzustellen, der »bei der Verteidigung von Tripolitanien« unseren Verbündeten »wertvolle

Dienste« leisten könne. Das X. Flieger-Korps sollte von Sizilien aus englische See-streitkräfte und englische Seeverbindungen bekämpfen. Als drittes war die später nicht verwirklichte Überführung eines Korps nach Albanien vorgesehen. Bei den langen Gesprächen, die Mussolini am 19. und 20. Januar in Salzburg mit Hitler führte, wurde dieser Plan eingehend besprochen. Mussolini drängte sehr auf schnelle Zuführung eines deutschen Verbandes nach Nordafrika, was durch die Kriegführung im Mittelmeer-Raum Vorrang erhielt. Das X. Flieger-Korps mit Einheiten zur Bekämpfung der englischen See-Kräfte im Mittelmeer war im Ja-nuar von Oberitalien nach Sizilien verlegt worden. Für die Landkriegführung hatte das OKH General Frhr. v. Funck nach Italien und Nordafrika geschickt, um Einsatzmöglichkeiten für Panzerverbände zu erkunden. Am 1. Februar war er zurück und erstattete Hitler Bericht, der wenig günstig lautete. Aber Hitler traute ihm nicht. Die Verlegung einer leichten Division nach Nordafrika war beschlos-sene Sache, denn die Engländer standen schon vor El Agheila. Rommel war als deutscher Befehlshaber in Nordafrika bestimmt und begab sich in den ersten Fe-bruartagen nach Tripolis. In seiner Begleitung befand sich Schmundt, der die sich widersprechenden Ansichten über die Möglichkeiten der Kriegführung in Nord-afrika kannte. Er kam nach einigen Tagen zurück und gab Hitler eine klare und nüchterne Beschreibung von Libyen. Er hielt eine Kriegführung in diesem Raum durchaus für möglich und befürwortete die rasche Verlegung eines größeren Ver-bandes nach Nordafrika. Über die militärische Stärke der Italiener hatte Schmundt ein sehr zurückhaltendes Urteil. Seiner Ansicht nach waren sie wenig tauglich. Die deutschen Kräfte in Libyen, die 5. leichte Division, wurden nach dem Ausladen sofort an die Front geworfen, um die hoffnungslose Lage der Italiener zu verbessern. Rommel war für eine solche Aufgabe prädestiniert, sah uneigen-nützig nur die Aufgabe und verstand es, mit den geringen Kräften, wie sie kamen, einen wirkungsvollen Einsatz zu improvisieren. Die Engländer waren vorsichtig geworden, denn sie mußten Kräfte nach Kreta und Griechenland abgeben, für Rommel eine spürbare Erleichterung. Rommel genoß Hitlers besonderes Ver-trauen, das er sich durch seine rasche und wirkungsvolle Kriegführung im Frank-reich-Feldzug erworben hatte.

Hitler lag wenig daran, für die Italiener in Nordafrika die Kartoffeln aus dem Feuer zu holen. Er hatte aber Mussolini seine Zusage gegeben und glaubte, daß ein deutscher Verband dort das Kampfniveau der Italiener heben würde. Hitler war aber gezwungen, dem OKH gegenüber zu erklären, daß der Angriff gegen Rußland sicherlich um einige Wochen verschoben werden müßte. Diese höchst un-erfreuliche Startverschiebung wurde aber von der Heeresführung nicht besonders beachtet. Dies erstaunte mich, denn für den Rußlandfeldzug, das Kernstück der diesjährigen Kriegführung, waren mindestens fünf Monate veranschlagt. Es war also jetzt, Ende Januar 1941, schon zu übersehen, daß der Rußland-Feldzug in diesem Jahre nicht abgeschlossen werden konnte. Ich habe Hitler an einem Abend in der Reichskanzlei hierauf angesprochen. Dabei mußte ich feststellen, daß er diese Zeitverschiebung genauso beurteilte wie ich. Er sagte zu seiner Entschuldigung aber, daß es der deutschen Wehrmacht gelingen würde, im Sommer die Russen soweit auszuschalten, daß im Jahre 1942 nur ein kurzer gezielter Feldzug genüge, um Rußland zu besiegen. Ich war über diese Entscheidung keineswegs glücklich und sagte Hitler auch, daß ich mir das nicht so vorstellen könne. Ich hatte nach diesem Gespräch das Gefühl, daß die Entwicklung im Mittelmeer keineswegs nach Hitlers Plan verlief, daß er aber Italien gegenüber nicht anders handeln konnte.

Am 27. Januar fuhren wir mit dem Zug bis München. Dort lief am Nachmittag das übliche Programm ab. Hitler besuchte Frau Troost und Professor Giesler und hielt sich lange in dessen Atelier bei den neuesten Plänen über den Aus- und Umbau von München auf. Um Mitternacht fuhren wir nach Berlin weiter, wo wir am 28. Januar vormittags eintrafen. Am folgenden Tag wurde Hitler von der Nachricht vom Tod des Reichsjustizministers Dr. Gürtner überrascht. Wenn Hitler an sich von Juristen nicht viel hielt, so hatte er Gürtner immer Achtung und Anerkennung gezollt und sprach in den nächsten Tagen wiederholt über seine Leistungen.

Der Operationsplan gegen Rußland

Am 3. Februar hielt Hitler nachmittags eine lange, über mehrere Stunden andauernde Konferenz mit Brauchitsch, Halder, Heusinger, Keitel und Jodl ab. Später kam noch Jeschonnek dazu. Es ging Hitler darum, die grundsätzlichen Vorstellungen des Heeres über die Barbarossa-Operation zu hören. Generaloberst Halder schätzte die Kräfte der Russen auf 121 Schützen-Divisionen, 25 Kavallerie-Divisionen und 31 motorisierte mechanische Brigaden, insgesamt etwa 180 Verbände. Dagegen sollten von deutscher Seite antreten: 104 Infanterie-Divisionen, 20 Panzer-Divisionen, 13 motorisierte und die Kavallerie-Division, dazu einige rumänische Divisionen. Die Panzerzahl der russischen Divisionen schätzte Halder auf insgesamt etwa 10 000 Fahrzeuge gegenüber etwa 3500 deutscher Panzerkampfwagen. Jedoch bewertete er die Qualität der russischen Panzerwagen als gering, bemerkte aber dazu, daß man auf Überraschungen gefaßt sein müsse. Die Artillerie sei zahlenmäßig stark, verfüge aber nur über vorwiegend veraltetes Material. Der Aufmarsch war mit drei Heeresgruppen und vier Panzergruppen geplant, bei gleichzeitigem Antreten der ganzen Front. Der Nachschub müßte wegen Mangels an Eisenbahnen voll motorisiert eingeplant werden. Hitler war im großen und ganzen mit den Planungen einverstanden, wiederholte aber seine Vorstellung vom Ablauf der Operationen. Nach den ersten Schlachten, in denen die Grenz-Truppenteile geschlagen werden müßten, käme es ihm darauf an, nach Erreichen der Linie Pleskau, Smolensk, Kiew die nördliche und die südliche Heeresgruppe zu verstärken und in erster Linie das Baltikum bis einschließlich Leningrad und im Süden den Raum um Rostow zu erreichen. Die mittlere Heeresgruppe sollte gegebenenfalls ihren Angriff gegen Moskau erst 1942 führen. Vor allem betonte Hitler das Hauptziel des Jahres 1941, nämlich die Eroberung des gesamten baltischen Raumes und der Stadt Leningrad. Dieses Ziel müsse das Heer immer vor Augen haben, damit der Russe die Ostsee aufgebe. Hitler sprach weiter über verschiedene einzelne Probleme, die einmal für den ersten Angriff notwendig seien, zum anderen die Nachschubverhältnisse berührten. Ein wichtiger Punkt war für Hitler die Luftlage. Von deutscher Seite wurde vermutet, daß die Russen über nennenswerte Luftwaffen-Verbände verfügten. Hitler betonte deshalb die Wichtigkeit von Luftschutz und Luftabwehr. Er akzeptierte auch die Operationspläne der Luftwaffe für den Ostfeldzug. In den ersten drei Tagen müßten die deutschen Kampfverbände die russischen Flieger-Einheiten zerschlagen, damit sie dann den Panzerverbänden ein schnelles Vorgehen ermöglichen könnten.

Im Laufe dieser langen und gründlichen Besprechung über die Eroberung eines ungemein großen Raumes erschien es mir fast unmöglich, daß die gesteckten Ziele jemals erreicht werden könnten. Vor dem Frankreich-Feldzug hatten Brauchitsch und Halder verschiedentlich ihre Bedenken vorgetragen und gezeigt, daß sie ganz gegen eine Kriegführung eingestellt waren. Die Anweisungen Hitlers, einen Krieg gegen Rußland zu führen, nahmen sie ohne ein einziges Wort von Bedenken oder Widerstand hin. Mir kam sogar der Gedanke, daß sie die Unmöglichkeit der Operationen voll und ganz erkannt hatten, aber nichts dagegen unternehmen und Hitler in sein Unglück hineinrennen lassen wollten. Gewiß war diese Überlegung damals sehr ausgefallen, aber die Größe des gewaltigen russischen Raumes trug dazu bei. Hinzu kam im Frühjahr 1941 die Kriegführung in Nordafrika in Verbindung mit einem sehr zweifelhaften Verbündeten. Mir schienen die Vorhaben in ein allzu risikoreiches Stadium zu treten.

Vor dem Balkanfeldzug

Am Abend des 6. Februar reiste Hitler wieder nach München, am 7. Februar weiter zum Berghof. Er blieb, mit einigen kurzen Unterbrechungen, bis Mitte März auf dem Obersalzberg. Der Februar war ein sehr angenehmer Monat auf dem Berg. Die dienstliche Belastung war gering. Die Vorbereitungen für Barbarossa und für den Einmarsch in Griechenland liefen planmäßig. Der Luftkrieg im Nordwesten ließ wegen zum Teil sehr schlechter Wetterverhältnisse nach. Im allgemeinen war kaum noch zu merken, daß wir uns in einem Krieg befanden. Hitler empfing die jugoslawischen Staatsmänner Ministerpräsident Zwetkowitsch und Außenminister Cincar-Markowitsch zu einem eingehenden längeren Gespräch. Er wollte sie zum Beitritt in den Dreimächtepakt überreden. Es war ein offenes und freies Gespräch, aber die Frage des Beitritts blieb ungelöst.

Zum 24. Februar fuhr Hitler nach München, um am Nachmittag seine Rede zum Parteigründungstag im Hofbräuhaus-Festsaal zu halten. Seine Freundschaft zu Mussolini betonte er besonders: »Auch das begreifen unsere Gegner noch nicht«, sagte er, »daß, wenn ich einmal einen Mann als meinen Freund ansehe, ich dann zu diesem Mann stehe und mit dieser Haltung keine Handelsgeschäfte mache«. Er sprach weiter über die Leistungen der deutschen Wehrmacht und des deutschen Volkes und ließ keinen Zweifel daran, daß er der Überzeugung sei, »daß, so wie bisher dieser Kampf von der Vorsehung gesegnet wurde, er auch in der Zukunft gesegnet sein wird«.

Am Abend des 28. Februar reisten wir mit dem Zug nach Wien. Hitler wollte am 1. März an der Aufnahme Bulgariens in den Dreimächtepakt teilnehmen. Es war eine feierliche Handlung im Schloß Belvedere mit dem bulgarischen Ministerpräsidenten Filoff, Graf Ciano, Botschafter Oshima und Ribbentrop. Im Anschluß an den Festakt gab Hitler ein Frühstück im Belvedere. Zur gleichen Zeit arbeiteten deutsche Pioniere an der Donau zur Errichtung von drei großen Brücken, der Anfang für den deutschen Aufmarsch gegen Griechenland. Über diese Brücken wurden die deutschen Truppen auf bulgarisches Hoheitsgebiet in Marsch gesetzt. Dies war von Hitler bewußt als eine Maßnahme gegen Rußland gedacht. Molotow hatte bei seinem Besuch im November 1940 in Berlin Rußlands starkes Interesse auf Bulgarien angemeldet. Hitler war ihm damals die Antwort schuldig geblieben. Jetzt erhielt er sie.

Hitler benutzte am Nachmittag in Wien die Gelegenheit für ein ausgiebiges Gespräch mit Ciano. Es kam Hitler darauf an, den Italienern eine klare Einstellung für den bevorstehenden Kampf mit Griechenland zu vermitteln. Den Abend verbrachte Hitler beim Gauleiter Baldur v. Schirach und seiner Frau, die Hitler beide sehr schätzte. Frau v. Schirach kannte er schon als kleines Mädchen im Hause ihres Vaters Heinrich Hoffmann. Am nächsten Morgen machte unser Zug um 6 Uhr 45 für eineinhalb Stunden in Linz Station. Hitler benutzte eine solche Gelegenheit gerne, um sich bestimmte Ausschnitte in einer Stadt anzusehen, bevor der Tagestrubel des Verkehrs ihn daran hinderte. An diesem Morgen besprach er die Planungen für den Ausbau an der Donau und der neuen Nibelungen-Brücke.

Auf dem Obersalzberg dauerten die täglichen Lagebesprechungen mit Keitel und Jodl wieder länger. Hitler empfing auch einige Besucher, die ihm wegen der bevorstehenden Balkan-Operation wichtig erschienen, als ersten am 4. März Prinzregent Paul von Jugoslawien. Hitler kam es in erster Linie darauf an, ihn auch dazu zu bewegen, sich dem Dreimächtepakt anzuschließen. Es war eine sehr höfliche und offizielle Unterhaltung, die aber zunächst keinen Erfolg hatte. Hitler meinte, daß Jugoslawien sich möglicherweise in einigen Wochen entscheiden würde, doch schien er nicht recht daran zu glauben.

Jodl beschäftigte sich mit dem Problem Japan. Aus der Tatsache, daß der den Deutschen wohlbekannte General Oshima wieder den Botschafterposten übernommen hatte, leitete Jodl eine Art Bereitschaft der japanischen Wehrmacht zu einer Zusammenarbeit, wenn nicht sogar enger Bündnisbereitschaft ab. Er schlug Hitler vor, zunächst eine Weisung zu unterschreiben, die die anfallenden Fragen erfassen sollte, die Weisung Nr. 24: »Über Zusammenarbeit mit Japan« vom 5. März 1941. Der erste Satz lautete: »Das Ziel der durch den Drei-Mächte-Pakt begründeten Zusammenarbeit muß es sein, Japan so bald wie möglich zum aktiven Handeln im Fernen Osten zu bringen.« Weiter hieß es: »Als gemeinsames Ziel der Kriegführung ist herauszustellen, England rasch niederzuzwingen und die USA dadurch aus dem Kriege herauszuhalten.« Der letzte Satz der Weisung lautete: »Über das Barbarossa-Unternehmen darf den Japanern gegenüber keinerlei Andeutung gemacht werden.«

Am Abend des 12. März fuhren wir mit dem Zug nach Linz, wo Hitler am nächsten Vormittag die Hermann-Göring-Werke besichtigen wollte. Er besprach dort eine Steigerung der derzeitigen Eisenmengen, die benötigt wurden, um die Produktion von Panzern und Panzer-Abwehr-Kanonen erhöhen zu können.

Am 16. März sprach Hitler wie üblich im Berliner Zeughaus zum Heldengedenktag. Er ging in dieser Ansprache auf die Einflüge englischer Flieger ein und sagte, daß »auch die Heimat in diesem Krieg schwerere Opfer bringen muß als früher. Und hier ist es nicht nur der Mann, der sich in seiner Widerstandskraft bewährt, sondern vor allem auch die Frau.« Damit wies Hitler zum ersten Mal auf die Gefahren des bevorstehenden Luftkriegs hin, dessen Ausmaß wir zu dieser Zeit überhaupt noch nicht ahnen konnten.

Die Tage bis zum 25. März verliefen normal ohne besondere Ereignisse. Hitler empfing den zum Kommandierenden General des Afrika-Korps ernannten Generalleutnant Rommel, überreichte ihm das Eichenlaub zum Ritterkreuz und besprach mit ihm seine Pläne für die Rückgewinnung der Cyrenaika in Nordafrika. Rommel war ein großer Optimist. Er sah keine Schwierigkeiten und hoffte nach schneller Zuführung der 15. Panzer-Division mit seinem ganzen Korps nach Osten antreten zu können. Die Art seines Auftretens, und wie er selbst seine Aufgabe anfaßte, gefiel Hitler. Er sprach voll des Lobes über diesen General und sah die Entwicklung der Lage in Nordafrika sehr positiv an. In diesen Tagen berichteten auch die Zeitungen zum ersten Mal über ein »Afrika-Korps«. Gegen März griff Rommel überraschend bei Agedabia an und setzte die Offensive in schnellem Tempo fort. Am 4. April nahm er Bengasi und schloß bald darauf Tobruk ein.

Hitler war am 20. März über München nach Wien gereist und traf dort am

25. März vormittags ein. Die Jugoslawen hatten sich entschlossen, dem Dreierpakt beizutreten. Dies sollte gebührend gefeiert werden. In Gegenwart Hitlers fand die Unterzeichnung im Schloß Belvedere statt, mit einem anschließenden Frühstück in einem offiziellen und feierlichen Rahmen. Die Jugoslawen waren zur Unterschrift erst bereit, nachdem sie von deutscher Seite eine feste Zusage für die Aufrechterhaltung ihrer Neutralität erhalten hatten. Hitler verbrachte den Abend wieder bei Schirachs und war aufgeschlossen und glücklich, daß sich nun der letzte Balkanstaat dem Dreimächtepakt angeschlossen hatte. Er äußerte allerdings auch, daß er der Zuverlässigkeit der derzeitigen Jugoslawien-Regierung kein großes Vertrauen schenken könne.

»Marita«

Er sollte recht behalten, denn am 27. März brachte Hewel die große Überraschung: In der Nacht waren Prinz Paul und seine Regierung in Belgrad gestürzt worden. In den jugoslawischen Städten und Dörfern herrschten Unruhen, aus Belgrad wurden Zeichen des Aufruhrs gemeldet. Der junge König Peter hatte durch eine Proklamation die königlichen Rechte übernommen. Hitler erkannte aber nach kurzer Zeit, daß dieser Putsch im richtigen Augenblick ausgebrochen war. Während der Barbarossa-Operation hätten ihm Unruhen in Jugoslawien wesentlich mehr Sorgen bereitet. Jetzt hatte er gerade noch etwas Zeit. Er befahl, OKH und OKL zu bestellen, um die erforderlichen Maßnahmen zu besprechen. Um 13 Uhr war im Besprechungssaal ein großer Kreis von Offizieren des Heeres und der Luftwaffe versammelt, dazu der Außenminister. Ich sah Göring, Brauchitsch, Keitel, Jodl, Halder, Hoffmann v. Waldau, Bodenschatz, Heusinger und andere. Hitler schilderte die bisher bekannt gewordenen Tatsachen und fügte hinzu, daß Serben und Slowenen nie deutschfreundlich gewesen seien. Er sei entschlossen, Jugoslawien so schnell wie möglich anzugreifen, keinerlei Loyalitätserklärung abzuwarten, sondern den Staat zu zerschlagen. Als Richtlinien für die Operation wurde ein möglichst frühzeitiger Beginn der Operation »Marita« gegen Griechenland besprochen, ein Stoß aus der Gegend Sofia in Richtung Skoplje und ein Stoß mit stärkeren Kräften auf Niš und Belgrad. Aus dem Raum Graz und Klagenfurt sollte ein Stoß mit dem Ziel der Zerschlagung der jugoslawischen Armee geführt werden. Die Luftwaffe meldete, daß das VIII. Flieger-Korps des Generals v. Richthofen von Bulgarien aus sofort eingesetzt werden könnte, die Kräfte des X. Flieger-Korps erst zwei bis drei Tage später. Hitler befahl, sämtliche Vorbereitungen sofort anzusetzen und bat, ihm die Absichten der beiden Wehrmachtteile im Laufe des Abends bekannt zu geben. Jodl faßte Hitlers Gedanken am gleichen Tage in der Weisung Nr. 25 zusammen. Der Balkan-Feldzug trat in ein neues Stadium. Mit seinem Beginn war nun in wenigen Tagen zu rechnen.

Am Nachmittag des 27. März empfing Hitler den japanischen Außenminister Matsuoka, den er mit Spannung erwartet hatte. Er war schon längere Zeit bemüht, die Japaner zu Maßnahmen gegen England zu bewegen. Er wußte im Grunde überhaupt nicht, wie weit die Japaner vorbereitet waren und welche Absichten und Pläne zur Beteiligung am derzeitigen Krieg bei ihnen bestanden. Er sprach mehrmals mit Matsuoka und sagte ihm indirekt, daß sich das derzeitige Verhältnis des Deutschen Reiches zu Rußland auch einmal sehr plötzlich ändern könnte. Den Krieg gegen England bezeichnete er auf Grund der Haltung der Engländer als unvermeidlich. Ein Eingreifen der USA sah Hitler noch nicht kommen. Matsuoka blieb sehr zurückhaltend in seinen Antworten. Man hatte den Eindruck, daß er sich nur informieren wollte. Seine Reise führte ihn von Berlin nach Rom und wieder zurück. Seine Heimreise nach Japan unterbrach er in Moskau. Dort schloß er mit der Sowjetunion einen Nichtangriffspakt ab und drückte sich damit sehr viel deutlicher aus als während seines Deutschlandbesuches.

Bei seiner Abreise aus Moskau kam es übrigens zu der beeindruckenden Szene auf dem Bahnhof, bei der Stalin dem Gehilfen unseres Militärattachés, Krebs, und dem Botschafter Graf von der Schulenburg gegenüber zu erkennen gab, wie viel ihm an der deutsch-russischen Freundschaft liege.

Hitlers Einstellung zum russischen Gegner

Zum 30. März hatte Hitler wieder einmal die Führer der Wehrmacht zu sich gebeten. Im Kabinettsitzungssaal hielt Hitler eine grundlegende, zweieinhalbstündige Rede, in der er Gedanken zum Rußlandfeldzug darlegte. Es ging Hitler bei diesem Vortrag nicht um taktische und strategische Einzelheiten zum Rußlandfeldzug, sondern um Bekanntgabe seiner grundsätzlichen Auffassungen zu den Problemen, die der Kampf mit den Russen aufwerfen könnte. Er führte aus: »England setzt zur Zeit seine ganze Hoffnung auf Amerika und Rußland.« Die Höchstleistung der USA auf dem Rüstungssektor sei erst in drei bis vier Jahren zu erwarten: »Rußland ist der letzte feindliche Faktor in Europa. Dieser muß in diesem und dem nächsten Jahr geschlagen werden. Dann werden wir in der Lage sein, in den weiteren zwei Jahren materiell und personell unsere Aufgaben in der Luft und auf dem Wasser zu meistern. Unsere Aufgabe in Rußland muß darin liegen, die Rote Armee zu zerschlagen und den Staat aufzulösen. Es ist ein Kampf von zwei Weltanschauungen. Der Bolschewismus ist einem asozialen Verbrechertum gleichzusetzen und eine ungeheure Gefahr für die Zukunft. Wir müssen von dem Begriff des soldatischen Kameradentums abrücken. Ein Kommunist kann nie ein Kamerad sein. Es handelt sich um einen Vernichtungskampf. Wenn wir es nicht so auffassen, dann werden wir zwar den Feind schlagen, aber in mehreren Jahren wird uns wieder der kommunistische Feind gegenübertreten. Im Kampf gegen Rußland kommt es darauf an, die Vernichtung der bolschewistischen Kommissare und der kommunistischen Intelligenz durchzuführen. Der Kampf muß gegen das Gift der Zersetzung geführt werden. Die Truppe muß sich mit den Mitteln verteidigen, mit denen sie angegriffen wird. Kommissare und GPU-Leute sind Verbrecher und müssen als solche behandelt werden. Im Osten ist Härte Milde für die Zukunft.«

Im einzelnen erwähnte Hitler die große Zahl der russischen Panzer und der russischen Flugzeuge. Aber nur eine geringe Anzahl genüge modernen Forderungen. Der große russische Raum und die unendlichen Weiten machten die Konzentration auf entscheidende Punkte notwendig. Wichtig sei es, den Masseneinsatz von Panzern und Luftwaffe an entscheidenden Stellen durchzuführen. Der Einsatz der Luftwaffe müsse nach den ersten Kämpfen um die Luftherrschaft in engster Beziehung zu der Landoperation erfolgen. Der Russe werde versagen gegen den Masseneinsatz von Tanks und Luftwaffe.

Nach einem gemeinsamen Frühstück führte Hitler am Nachmittag noch einige Gespräche über die Entwicklung auf dem Balkan. Er betonte vor allem die Eile, auf die es ihm ankomme, und fügte hinzu, daß der Beginn des Rußlandfeldzuges um etwa einen Monat verschoben werden müsse. Der Balkanfeldzug müsse spätestens in einer Woche beginnen.

In diesen Tagen registrierte ich noch ein Ereignis von besonderer Bedeutung. Am 1. März hatte die Luftwaffe den Oberst-Ingenieur Dietrich Schwenke vom RLM zu einem Besuch nach Rußland geschickt. Er sollte entsprechend deutsch-russischer Vereinbarungen Rüstungswerke der Luftwaffe besuchen. Er war jetzt zurückgekehrt. Bei verschiedenen Dienststellen des Luftfahrtministeriums hörte ich von seiner Reise. Leider gelang es mir nicht, ihn noch persönlich zu sprechen. Aber der Chef der Abteilung »Fremde Luftwaffen« im Generalstab gab mir einige wichtige Punkte aus seinem Bericht zur Kenntnis. Danach konnte kein Zweifel darüber bestehen, daß Rußland in großem Umfange aufrüstete. Neu errichtete Flugzeugwerke von einer Größe, wie sie dem Besucher noch nie begegnet seien, ständen kurz vor der Vollendung. Eine große Anzahl neuer Flugplätze werde angelegt. Es herrsche eine ungeheure Emsigkeit. Als ich dies Hitler gegenüber erwähnte, stellte ich fest, daß Göring ihn schon unterrichtet hatte. Er meinte, daß man diese Aufrüstung der Russen sehr ernst nehmen müsse. Er sei fest davon überzeugt, daß der Plan des Rußlandfeldzuges im letztmöglichen Augenblick verwirklicht würde.

Am 5. April wurde Hitler der Abschluß eines Freundschafts- und Nichtangriffspaktes zwischen Rußland und Jugoslawien gemeldet. Er nahm diese Nachricht mit einer gewissen Befriedigung auf, denn damit beweise Rußland, daß es seine eigenen Wege gehen wolle. Allerdings wurden die Gesandten von Jugoslawien, Norwegen, Belgien und Griechenland wenige Tage später von Stalin aus der Sowjetunion ausgewiesen, da er diese Länder nicht mehr als souveräne Staaten betrachtete.

Der Balkanfeldzug

Am Sonntag, dem 6. April, begann der Angriff gegen Jugoslawien und Griechenland. Hitler hatte einen heftigen Luftangriff auf Jugoslawiens Hauptstadt Belgrad befohlen, der die Bevölkerung außerordentlich überraschte und ihr erhebliche Verluste beibrachte. Zur gleichen Stunde wurde dem deutschen Volk der Angriff auf Jugoslawien und Griechenland durch eine Proklamation Hitlers bekannt gegeben. Er schilderte seine Bemühungen, dem deutschen Volk »diese Auseinandersetzung zu ersparen«. Er schob die Entwicklung der Kriegslage auf dem Balkan den Engländern zu, die seit längerer Zeit bereits ihren Fuß auf Griechenland gesetzt hätten. »Mögen die unglücklich verblendeten Völker erkennen, daß sie dies nur dem schlimmsten ›Freunde‹ zu verdanken haben, den der Kontinent seit 300 Jahren besaß und besitzt: England.« In einem Tagesbefehl an die »Soldaten der Südostfront« machte er den Engländern den Vorwurf, »andere für sich kämpfen zu lassen«.

Bevor Hitler sein Hauptquartier in den Südosten des Reiches verlegte, überraschte ihn in Berlin noch ein heftiger englischer Bombenangriff. In der Nacht vom 9. zum 10. April wurden die Staatsoper, die Universität, die Staatsbibliothek und das Kronprinzenpalais von Bomben getroffen. Die Schäden waren erheblich. Die Oper brannte völlig aus. Hitler war über diesen Angriff sehr erbost. Es gab eine ernste Auseinandersetzung zwischen ihm und Göring. Ich hörte Hitlers Vorwürfe wegen der untauglichen Ju 88, mit der die Kampfverbände keineswegs zufrieden seien. Sie wollten lieber die He 111 wieder haben. Göring bestritt die Fehler der derzeitigen Ju 88 nicht, gab Hitler aber zu verstehen, daß der zuständige Mann in der Firma Junkers, Koppenberg, ihm berichtet habe, daß die neu aus der Fertigung kommenden Maschinen diese Fehler nicht mehr hätten und daß die Flugzeuge des Jahres 1942 mit einem stärkeren Motor geliefert würden. Göring verstand es immer wieder, Hitler zu beruhigen. Hitler erteilte sogleich Professor Speer den Auftrag, die Oper wieder aufzubauen.

Am Abend des 10. April reiste Hitler von Berlin ab und traf nach kurzem Zwischenaufenthalt in München am Abend des 11. April im Führerhauptquartier Südost in Mönichkirchen ein. Dieser kleine Ort lag an der Eisenbahnstrecke von Wien nach Süden in Richtung Graz, am Ausgang eines Tunnels. Dort waren behelfsmäßige Bahnsteige errichtet und vor allem ausreichende Nachrichtenverbindungen geschaltet worden. Hier blieb der Zug über die nächsten 14 Tage stehen. Der Südostfeldzug verlief ohne besondere Probleme. Die Führung lag in den Händen des OKH. Die einzige Schwierigkeit dieses Feldzuges lag bei den ganz unzulänglichen Straßenverhältnissen.

Meinem Onkel teilte ich brieflich mit: »Wir haben unser Hauptquartier diesmal im Zuge, den wir ganz in der Südostecke des Reiches abgestellt haben, und der Führer leitet und verfolgt von hier aus die Operation. Seit heute mittag ruht der Kampf in Jugoslawien. Es ist schön, daß es so schnell gegangen ist, denn wir haben hier unten nichts zu gewinnen. Hoffentlich wird es in Griechenland auch bald zu Ende kommen. Die Engländer verladen schon wieder. So ist anzunehmen, daß es auf der anderen Seite bedenklich aussieht. . . . Der Kampf in Jugoslawien war einfacher und mit weniger Verlusten verbunden, als wir angenommen hatten. Nur das Gelände hat Schwierigkeiten gemacht und unseren Panzerdivisionen ein schnelles Vorgehen erschwert. Gegen Griechenland waren die Kämpfe an den Pässen von Bulgarien aus (Rupal-Paß) etwas heftig, und die einzelnen Bunker leisteten tapfer Widerstand. In den letzten Tagen jetzt hatten unsere Truppen beiderseits des Olymp hart zu kämpfen. Nach den letzten Meldungen scheinen die Engländer und Griechen jedoch dort geschlagen zu sein. Sie gehen überall zurück. — Es ist gut, daß die Balkanfrage jetzt von uns angepackt und erledigt worden ist. Es wäre für uns immer ein unsicherer Faktor gewesen. Ich fürchte jedoch, daß das Auftreten Italiens in Dalmatien nicht zur Beruhigung beitragen wird. Die Kroaten sagen jetzt schon, daß sie die Italiener vom Balkan hinunterwerfen wollen. Wenn sie Waffen haben, wird es ihnen auch gelingen. Der Türke scheint ehrlich neutral bleiben zu wollen. Jedoch versucht der Engländer mit allen Mitteln, an Einfluß zu gewinnen. Der Engländer bezahlt ja auch besser als wir. Wir haben jetzt nur ein Ziel, unsere Divisionen wieder zu sammeln, um sie für neue Aufgaben bereit zu haben. Die eine große Frage muß dieses Jahr noch bereinigt werden, dann kann man beruhigt den Kampf gegen die angelsächsischen Demokraten zum Ende führen.«

Besonders tapfer und zäh kämpften die Griechen und hielten unsere Truppen im Grenzgebiet auf. Aber der Kampf der fronterfahrenen deutschen Truppen gegen die kriegsunerfahrenen Griechen und Jugoslawen war ungleich. Der Einsatz des VIII. Flieger-Korps trug zur erheblichen Beschleunigung der Operationen bei. Die jugoslawische Armee kapitulierte am 17. April, die griechische Armee am 21. April. Diese Kapitulation gegenüber der 12. Armee löste erhebliche Unruhe aus. Hitler hatte die Oberbefehlshaber angewiesen, keine Rücksicht auf die Italiener in Kapitulationsfragen zu nehmen, sondern jedes Angebot ohne Zögern zu akzeptieren. Die Italiener standen nach wie vor in Albanien und kamen nur langsam voran. Der griechische Oberbefehlshaber der Epirus-Armee erklärte, daß er sich nur dem deutschen Oberkommando ergeben würde, nicht aber dem italienischen. Nach der bereits unterzeichneten Kapitulation entwickelte sich eine erhebliche deutsch-italienische Verstimmung, was dazu führte, daß die Italiener diese Kapitulation nur anerkennen wollten, wenn sie an einer erneuten Unterzeichnung beteiligt würden. Feldmarschall List verweigerte seine abermalige Unterschrift, die an seiner Stelle Jodl leisten mußte.

Nach der Einnahme von Belgrad flog ich mit einem Storch dorthin. Es war am 14. April, und der Zustand der Stadt war noch nicht geordnet. Der Luftangriff am 12. April hatte der Stadt merkliche Schäden zugefügt. Die Brücken waren zerstört. Es gelang mir, einen Pkw auf dem Flugplatz zu erhalten, mit dem ich die Stadt besuchen konnte. Am auffallendsten war der Zustand auf dem sogenannten Regierungshügel, wo sich auch die Villen des Prinzen Paul und des jungen Königs Peter befanden. Ich fand beide Häuser völlig unbeschädigt. Die Türen standen zwar offen, aber im Inneren war nichts demoliert. In der Villa des Königs lagen noch alle persönlichen Dinge frei herum. Es sah so aus, als ob er jeden Augenblick zurückkehren müßte. Dieser Eindruck beschäftigte mich sehr, denn er vermittelte mir ein klares Bild, wie dicht Krieg und Frieden nebeneinander lagen.

Hitlers Leben in den Tagen des Südost-Feldzuges verlief gleichmäßig und ruhig. Ich schloß aus den Gesprächen mit ihm, daß seine Gedanken mehr bei dem bevorstehenden »Barbarossa«-Feldzug waren als auf dem Balkan. Immer wieder stellte er neue Fragen nach Ausrüstung und Bewaffnung der Verbände. Am meisten war er an der Ausstattung und der Munitionsausrüstung der Flak-Korps interessiert. Hitler erwartete heftige Luftangriffe gegen die einmarschierenden Verbände und sagte, daß die Truppe sich nicht auf eine ruhige Luftlage wie bei den bisherigen Feldzügen verlassen dürfe. Große Sorge bereiteten ihm die zunehmenden Einflüge der Engländer. Er sagte zwar, daß Göring ihm zugesagt habe, im kommenden Winter würde die Schwäche der deutschen Luftwaffe überwunden sein, er könne diesen Worten aber noch keinen vollen Glauben schenken. Ich mußte ihm sagen, daß ich noch keinen Ansatz in der Luftwaffen-Rüstung sähe, der Görings Zusage bekräftigen würde. Die Panne in der Junkers-Produktion scheine mir grundsätzlicher Art zu sein, und das Werk könne sie keineswegs so schnell überwinden wie behauptet. Die Truppe sage ganz frei heraus, daß die Ju 88 eine absolute Fehlkonstruktion sei.

Dieses Gespräch mit Hitler war mir unangenehm, ich konnte aber auch nichts anderes sagen, als mir bekannt war. Ich orientierte anschließend Bodenschatz über das, was ich Hitler gesagt hatte, und bat ihn, den Reichsmarschall zu unterrichten. Bodenschatz kannte die Schwierigkeiten in der Junkers-Rüstung sehr genau und sagte, daß er das Weitere erledigen werde. Ich habe später festgestellt, daß er Göring wohl unterrichtet hatte, doch schien es mir, daß er dem Reichsmarschall über die Schwierigkeiten in der Luftrüstung keinen reinen Wein eingeschenkt hatte.

Hitler empfing während des Aufenthalts in Mönichkirchen verschiedene Besuche. Am 20. April, seinem Geburtstag, fanden sich die Oberbefehlshaber der Wehrmachtteile zur Gratulation ein. Zusätzlich erschien der Botschafter von Papen an diesem Tage im FHQ. Es lag ihm daran, angesichts der Verschiebung der Gewichte auf dem Balkan, das gute deutsch-türkische Verhältnis zu erhalten. Hitler sagte sehr deutlich, daß es keineswegs in seiner Absicht liege, die Türkei zu stören. Am 19. April hatte Hitler König Boris und am 24. April Horthy empfangen. Beide meldeten ihr Interesse an Teilen Jugoslawiens an. Hitler verhielt sich in den Gesprächen höflich-zurückhaltend und sagte, daß er nach endgültiger Besetzung der Gebiete auf ihre Wünsche zurückkommen werde. In diesen Tagen meldete sich der Luftwaffen-Oberleutnant Franz v. Werra. Werra war im Luftkampf über England abgeschossen und von den Engländern nach Kanada überführt worden. Dort war ihm die Flucht quer durch die USA über Mexiko nach Deutschland gelungen, zweifellos eine einmalige Leistung. Hitler freute sich, ihn zu sehen, und fragte ihn nach Erfahrungen und Informationen, die für die Kriegführung wichtig waren. Unter anderem berichtete er von einem neuen britischen Suchgerät gegen U-Boote, das mit Erfolg arbeite.

Jodl legte Hitler die beiden Weisungen 27 und 28 vor. Erstere, vom 13. April, befaßte sich mit den abschließenden Operationen auf dem Balkan und bestimmte, daß »die Masse der eingesetzten Verbände des Heeres zu neuer Verwendung herausgezogen werde«. Die zweite Weisung vom 25. April galt dem »Unternehmen Merkur«, der Eroberung der Insel Kreta. Diese Aktion hatte besonders Jeschonnek für notwendig gehalten, sowohl im Hinblick auf Griechenland als auch für die Sicherung von Rommels Operationen in Nordafrika.

Am Vormittag des 28. April trafen wir wieder in der Reichshauptstadt ein. Abermals kam Hitler aus einem siegreichen Feldzug zurück. In der Reichskanzlei scharten sich auch diesmal viele Neugierige um ihn, beglückwünschten ihn und versuchten, mehr Einzelheiten von Hitler selbst über den Feldzug zu erfahren. Doch Hitler nahm sich – außer bei den Mahlzeiten – wenig Zeit, über die Geschehnisse zu erzählen. Sein Lob galt dem griechischen Heer, das sich nach seinen Worten sehr tapfer geschlagen habe. Dementsprechend habe er den Offizieren bei der Kapitulation auch die Waffen belassen. Über die Kampfkraft der Italiener sagte Hitler nichts. Er setzte sich nur für Mussolini ein, den er wegen seiner treuen Brüderschaft im Kampf gegen England hervorhob und lobte, kritisierte aber im gleichen Atemzug die Heeresführung und das Königshaus, die nach wie vor pro England eingestellt seien.

Hitler war jetzt ganz von den letzten Vorbereitungen gegen Rußland in Anspruch genommen. In einem abendlichen Gespräch mit ihm hatte ich Gelegenheit, ihn auf den Beginn des Feldzuges anzusprechen, und erzählte ihm, daß ich 1929 am 5. Mai in Rußland eingetroffen sei. Von diesem Zeitpunkt an hätte ich nur trockenes und gutes Wetter erlebt, wie ich mich erinnerte. Ich könnte mir nicht vorstellen, daß die Wehrmacht wegen der wenigen Divisionen, die jetzt aus Griechenland zurückgeführt werden müßten, fast zwei Monate warten sollte, um für eine neue Operation bereit zu sein. Hitler hörte schweigend zu und sagte schließlich, daß der General Halder mit seinen eigenen »altmodischen« Vorstellungen von der Führung eines modernen Krieges sehr wenig erfaßt habe. Er würde sich noch einmal mit ihm unterhalten. Halder wies allerdings, wie ich erfuhr, auf Transportschwierigkeiten und die Notwendigkeit der Auffrischung der Verbände hin, Gründe, die mich nicht überzeugten. Hitler griff nicht in Halders Maßnahmen ein. Er versuchte zwar, ihn von der Richtigkeit und Logik seiner Vorstellungen zu überzeugen, kam aber bei Halder keinen Schritt weiter. So blieb es bei dessen Richtlinien für das Heranführen der Balkan-Divisionen.

Am 29. April hielt Hitler eine neue Ansprache vor 9000 vor der Beförderung zum Leutnant stehenden Oberfähnrichen aller Wehrmachtteile. Hitler schilderte die Erfolge dieses Krieges, erwähnte die Tapferkeit der deutschen Soldaten und verlangte von seinen Zuhörern »niemals zu kapitulieren . . .«. »Ein Wort kenne ich nie und werde es nie kennen als Führer des deutschen Volkes und als euer Oberster Befehlshaber, es heißt Kapitulation, Ergebung in den Willen eines anderen – niemals, niemals! Und genau so haben Sie zu denken«.

Am 30. April besprach Hitler mit Jodl Einzelheiten des Angriffsbeginns »Barbarossa«, die Jodl in einem Schreiben vom 1. Mai den Wehrmachtteilen übermittelte. Darin war der Angriffsbeginn auf den 22. Juni festgesetzt, das bedeutete, die Höchstleistungsfahrpläne ab 23. Mai laufen lassen zu müssen. Zum Stärkeverhältnis schrieb Jodl, daß sich die russischen Kräfte im Südabschnitt der Front wesentlich verstärkt hätten. In der Mitte würde der Russe in der letzten Zeit vermehrt Truppenverlegungen an die Front vornehmen, trotzdem bleibe eine starke deutsche Überlegenheit. Auf Grund der Beurteilung des Oberbefehlshabers des Heeres rechnete Jodl mit heftigen Grenzschlachten, die bis zu vier Wochen in Anspruch nehmen könnten. Der russische Soldat werde sich dort, wo er hingestellt wird, bis zum Letzten schlagen. Hitler selbst hatte am Text dieses Schreibens mitgewirkt. Er hatte sich damit abgefunden, daß am Angriffstermin nichts mehr zu ändern war.

Am Sonntag, dem 4. Mai, um 18 Uhr folgte die übliche Ansprache nach einem erfolgreichen Feldzug vor dem Reichstag. Hitler hob dabei besonders Stärke und Leistung der deutschen Wehrmacht hervor und sagte: »Das Jahr 1941 soll in die Geschichte eingehen als das größte Jahr unserer Erhebung.« Mit diesen Worten dachte er nicht an den Balkanfeldzug, sondern an das bevorstehende Unternehmen »Barbarossa«. Im ganzen Reich sprach man jetzt von dem bevorstehenden

Rußland-Feldzug. Die Soldaten, die im polnischen Raum kampfbereit zusammengezogen waren, die Masse der Nachschubformationen und die Konzentration der Nachrichtenverbindungen ließen unschwer erkennen, welche Ziele Hitler hatte. Es war zu viel mobilisiert worden für diesen Feldzug, als daß es kaum geheim bleiben konnte.

Nach der Reichstagssitzung fuhr Hitler nach Danzig und Gotenhafen. Die Schlachtschiffe »Bismarck« und »Prinz Eugen« lagen zum Auslaufen bereit. Er wollte an Bord der »Bismarck« den Flottenchef, Admiral Lütjens, vor seinem Auslaufen in den Atlantik sprechen, das Schlachtschiff kennenlernen und sich einen Eindruck von der Besatzung verschaffen. Ich hörte Hitler nach seiner Rückkehr voll des Lobes von Schlachtschiff und Besatzung sprechen. Er hatte volles Vertrauen zu dem Schiff und sagte, daß der Kommandant und seine Männer unbesorgt ihre Reise antreten würden. Die einzige Gefahr, die ihnen unter Umständen drohen könne, seien Flugzeugangriffe von einem Flugzeugträger, auch Hitlers größte Sorge. Gegenüber Jodl äußerte er sich, daß seiner Ansicht nach die großen Einheiten der Marine im Kriege überflüssig würden. Durch Flugzeuge und deren Torpedos seien sie immer in großer Gefahr, und es gebe nichts, was sie dagegen schützen könnte. Hitler war einerseits stolz auf die Kampfkraft, die Deutschland mit diesem Schiff hinausschickte, verfolgte die Reise aber voller Bedenken.

Hitler blieb noch zwei Tage in Berlin, reiste dann nach München und traf am Abend des 9. Mai auf dem Obersalzberg ein. Bei seiner Abreise machte er eine kurze Bemerkung, daß er noch einige Tage der Ruhe genießen wolle, um dann im Juni möglichst frisch und erholt wieder in Berlin zu sein. Er wünschte auch Keitel und Jodl »erholsame Tage« vor dem Angriff gegen Rußland.

Heß' Englandflug

Am 11. Mai vormittags meldete sich der Adjutant von Rudolf Heß, Pintsch, bei Hitler auf dem Berghof und übergab ihm einen Brief von Heß. Hitler, der noch im Bett lag, stand schnell auf, begab sich in die Halle und las den Brief. Dann fragte er Pintsch, ob er den Inhalt des Briefes kenne, und erhielt eine zusagende Antwort. Hitler ließ Pintsch zusammen mit dem anderen Adjutanten, Leitgen, sofort festnehmen und in ein KZ bringen. Sie hatten gegen Hitlers Befehl, Heß zu überwachen, verstoßen. Hitler beorderte sogleich Göring, Ribbentrop und Bormann zu sich. Göring kam in Begleitung von Udet. In einer langen Beratung äußerte Hitler mehrmals seine Hoffnung, daß Heß abgestürzt sein könnte. Besonders verärgert war er über die Tatsache, daß Heß trotz des von ihm verhängten Flugverbots alle Vorbereitungen für seine Aktion minutiös hatte treffen können. Hitler sah in dem Verhalten von Heß das Ergebnis von »Wahnvorstellungen«, die ihn beherrschten, und entschloß sich, am 12. Mai den Flug von Rudolf Heß mit dieser Begründung bekannt zu machen: »Ein zurückgelassener Brief zeigt in seiner Verworrenheit leider die Spuren einer geistigen Zerrüttung, die befürchten läßt, daß Parteigenosse Heß das Opfer von Wahnvorstellungen wurde.« Auf diese Nachricht bestätigten die Engländer die Landung von Heß mit dem Zusatz, daß er sich in gutem Gesundheitszustand befinde. Hitler ließ daraufhin über die »Nationalsozialistische Parteikorrespondenz« eine Ergänzung zu seiner Mitteilung veröffentlichen. Hierin hieß es, daß Heß »körperlich schwer litt« und seine Zuflucht zu Magnetismus und Astrologen genommen habe. Die Veröffentlichung endete: »An der dem deutschen Volk aufgezwungenen Fortführung des Krieges gegen England ändert sich dadurch nichts.« Danach war in Deutschland über den Flug, und was dazu geführt hatte, offiziell nichts mehr zu vernehmen.

Am 13. Mai versammelte Hitler alle Reichs- und Gauleiter auf dem Obersalzberg und gab ihnen von dem Vorfall Kenntnis. Reichsleiter Bormann mußte Heß' Brief vorlesen. Hitler sprach kurz über den Fall und sah in dem Verhalten von Heß eine völlig unnormale Auslegung der derzeitigen politischen Verhältnisse. Hitler bestimmte den Reichsleiter Bormann zum ihm persönlich unterstellten »Chef der Parteikanzlei«.

Ich kannte Rudolf Heß seit vier Jahren von seinen Besuchen bei Hitler, seinen Gesprächen mit ihm und vielen anderen Gelegenheiten. War Heß in der letzten Zeit tatsächlich gewissen Wahnvorstellungen verfallen, zu deutsch gesagt, nicht mehr als ganz normal zu bezeichnen? Ich gelangte zu der Überzeugung, daß einen solchen Nachtflug in einer zweimotorigen Me 110, allein, ohne Begleiter, nur ein ganz gesunder und normaler Mensch durchführen konnte. Für mich war Heß ganz gesund und Herr seiner sämtlichen Sinne. Sein Wunsch, mit den Engländern zu einem Gespräch über die Einstellung des Krieges zu kommen, schien mir sehr normal und richtig. Heß kannte Hitler und seine Gedanken über die Kriegführung, besonders seine Absicht, gegen Rußland anzutreten, sehr genau. Ich betrachtete seinen Englandflug als Ausdruck seiner Zweifel am günstigen Ausgang des Krieges und des Gefühls, dagegen unbedingt etwas tun zu müssen. Seine Zweifel teilte ich durchaus und stellte in den nächsten Monaten fest, daß ich damit keineswegs allein stand.

Kreta

Der Monat Mai blieb unruhig. Am 20. Mai begannen die Fallschirmjäger und Luftlandetruppen unter der Führung des Generals der Flieger Student mit der Eroberung der Insel Kreta. Das risikoreiche Unternehmen dehnte sich bis zum 2. Juni aus. Erst dann war die ganze Insel in deutscher Hand. Die Luftlandetruppen hatten schwere Verluste und mußten um jeden Quadratmeter kämpfen. Als die Operation nach den ersten schwierigen Tagen zu scheitern drohte, flog Jeschonnek zum Peleponnes und griff in die Führung ein. Er befahl, sofort mit der Überführung der gesamten 22. Inf.-Division zu beginnen. Diese Operation kostete der Luftwaffe viele Transportmaschinen, aber die deutschen Kräfte auf Kreta konnten in wenigen Tagen recht erheblich verstärkt werden. Die Engländer räumten die Insel, und die Fallschirmtruppe hatte einen großen Erfolg errungen, der für die Kampfführung im Ostteil des Mittelmeeres von außerordentlicher Bedeutung war. Ich schrieb dazu am 23. Mai meinem Onkel: »Seit dem 20. Mai tobt nun der Kampf auf dem letzten Stück griechischen Bodens, nämlich Kreta. Überraschend gelang es, Fallschirmjäger und Luftlandetruppen dort abzusetzen und sich einiger Flugplätze zu bemächtigen. Es sind jetzt fast zwei Divisionen durch die Luft dorthin gebracht, die nun im weiteren Kampf die Insel erobern sollen. Die englische Flotte versuchte einzugreifen, mußte aber unter unseren Bomben immer wieder den Rückzug antreten. Churchill machte auch schon die ersten Andeutungen, die die Aufgabe der Insel einleiten sollen. Der Kampf hat wiederum gezeigt, daß eine Flotte nur dann eingesetzt werden kann, wenn man auch die Luft beherrscht . . . Rommel hat es bei Tobruk nicht einfach. Es besteht aber keine Sorge. Durch die Eroberung von Kreta wird es für ihn auch einfacher. Der Führer hat den General Rommel seinerzeit persönlich für diese Aufgabe ausgesucht. Das Heer hatte einen anderen General vorgeschlagen.«

Verlust der »Bismarck«

Am 18. Mai liefen »Bismarck« und »Prinz Eugen« aus Gotenhafen aus, durchquerten die Ostsee, die Nordsee und liefen nördlich von England herum mit Kurs in den Atlantik. Um die Operation nicht zu gefährden, meldete die Marine nichts über die Schiffe, sondern wartete auf Meldungen von der Feindseite. Die Geduld wurde belohnt. Am 24. Mai versenkte die »Bismarck« das stärkste britische Schiff, die »Hood«. Raeder rief persönlich auf dem Berghof an und meldete Hitler diesen Erfolg. Hitler beglückwünschte ihn, wurde aber sehr unruhig. Niemand konnte mehr in den Ablauf der Ereignisse eingreifen. Die weitere Fahrt der »Bismarck« verlief so, wie Hitler befürchtet hatte. Die englische Flotte hielt Fühlung zu dem Schlachtschiff, verstärkte ihre Einheiten laufend und setzte Flugzeuge ihrer Trägerschiffe »Victorious« und »Ark Royal« ein. Die Angriffe der Flugzeuge bewirkten, daß die »Bismarck« ihre Geschwindigkeit herabsetzte, aber weiter auf ihrem Kurs nach St. Nazaire blieb. Sie konnte sogar ihre Verfolger abschütteln. Am 26. Mai vormittags wurde sie von einem Aufklärungsflugzeug neu erfaßt und verfolgt. In den frühen Abendstunden griffen einige Flugzeuge der »Ark Royal« die

»Bismarck« an und erzielten einen Treffer in der Ruderanlage. Das Schiff verlor die Manövrierfähigkeit und drehte sich im Kreise. Die britische Flotte näherte sich. Drei bis vier feindliche Schlachtschiffe und zwei Flugzeugträger nahmen den Kampf auf. Kurz vor Mitternacht funkte Admiral Lütjens: »Schiff manövrierunfähig. Wir kämpfen bis zur letzten Granate. Es lebe der Führer.« Hitler und ich saßen allein im kleinen Wohnzimmer des Berghofs und warteten auf neue Meldungen. Um 0.36 Uhr traf ein neuer an Hitler persönlich gerichteter Funkspruch ein: »Wir kämpfen bis zum Letzten im Glauben an Sie, mein Führer, und im felsenfesten Vertrauen auf Deutschlands Sieg.« Hitler diktierte mir seine Antwort: »Ganz Deutschland ist bei Euch. Was noch geschehen kann, wird getan. Eure Pflichterfüllung wird unser Volk im Kampf um sein Dasein stärken. Adolf Hitler.« Ich telephonierte den Spruch sofort zur Seekriegsleitung durch. Dann wurde es sehr still bei uns, bis Hitler nach einiger Zeit wieder Worte fand. Er fragte nach der Stärke der Besatzung, die untergehen würde. Es waren 2300 Mann. In der Nacht wurde Hitler immer ärgerlicher und zorniger. Er sagte, daß er kein Schlachtschiff und keinen Kreuzer mehr in den Atlantik hinauslassen werde. Es kamen aus Berlin und von der »Bismarck« keine Nachrichten mehr. Hitler verabschiedete sich zwischen 2 und 3 Uhr. Ich traf recht angeschlagen bei meiner Frau ein und sprach mit ihr noch lange über diesen ersten großen Verlust in diesem Kriege, den das Reich und die Wehrmacht mit dem Untergang der »Bismarck« hinnehmen mußten. Am nächsten Vormittag meldete die Kriegsmarine offiziell, daß die »Bismarck« gesunken war.

Am 2. Juni führte Hitler am Brenner ein längeres Gespräch mit Mussolini über den Fall Heß, den Untergang der »Bismarck« und über allgemeine Fragen der weiteren Kriegführung, ohne dabei aber ein Wort über Rußland zu sagen. Am 4. Juni traf die Nachricht ein, daß der letzte deutsche Kaiser verstorben war. Hitler ließ Beileidstelegramme an die Witwe und an den Kronprinzen schicken und bestimmte die Teilnehmer von Partei und Wehrmacht bei der Beisetzung in Doorn, den Reichskommissar für die besetzten Niederlande, Reichsminister Dr. Seyß-Inquart und General der Flieger Christiansen, den dortigen Wehrmachtbefehlshaber. Hitler empfing in München am 12. Juni den rumänischen Staatsführer Antonescu, der in Hitlers Pläne gegen Rußland eingeweiht war. Er zeigte sich sehr interessiert, Bessarabien wiederzugewinnen, und versprach, mit eigenen Kräften in Rußland mitzukämpfen. Hitler verhielt sich bei solchen Zusagen vom Balkan sehr abwartend und äußerte sich nicht dazu.

Zum 14. Juni hatte Hitler die Heeresgruppen- und Armee-Oberbefehlshaber für den Ostfeldzug in die Reichskanzlei bestellt. Eine besondere Organisation war notwendig, damit die große Anzahl der hochrangigen Besucher nicht auffiel. Am Vormittag waren die Generale der Heeresgruppe Nord und Mitte, zur Mittagszeit mit Vortrag am Nachmittag die Generale der Heeresgruppe Süd bestellt. Die Einfahrt in die Reichskanzlei war besonders geregelt. Einige Wagen fuhren in der Wilhelmsstraße vor, der Wagen Brauchitschs von der Hermann-Göring-Straße in den Garten der Reichskanzlei. Auch die Zugänge von der Voßstraße in die Reichskanzlei und die Staatskanzlei wurden benutzt. Die Einteilung klappte aber gut. Nach wenigen Begrüßungsworten ließ sich Hitler von jedem Armeeführer dessen Absichten für die ersten Kampftage und die Fortsetzung der Operation in seinem jeweiligen Abschnitt vortragen. Anschließend gaben die Chefs der Luftflotten ein Bild von ihren Absichten. Hitler erhielt an diesem langen Tag ein zutreffendes Bild von den Stärken der Verbände, der Anzahl der Panzer und weiteren Einzelheiten. Nur selten unterbrach er, sondern hörte aufmerksam und still zu. Aus den Vorträgen ergab sich ein quantitatives Übergewicht der Roten Armee, deren Qualität indes gering beurteilt wurde, mit entsprechend optimistischen Rückschlüssen auf die Intensität der bevorstehenden Kämpfe. Wenn dennoch die meisten Generale gegen diesen Feldzug eingestellt waren, dann aus dem Grunde, daß jetzt der Zweifrontenkrieg begann, den Deutschland nach allgemeiner Überzeugung auf Dauer nicht gewinnen und nicht durchhalten konnte.

Das Mittagessen gab Hitler in der Führerwohnung. Er benutzte die Versammlung, um etwa eine Stunde lang zu den Feldmarschällen und Generalen zu sprechen. Er sagte, daß dieser Krieg ein Krieg gegen den Bolschewismus sei. Er rechne damit, daß der Russe hart kämpfen und zähen Widerstand leisten werde: »Wir müssen mit erheblichen Luftangriffen rechnen und uns durch geschickten Luftschutz dagegen wehren. Unsere Luftwaffe wird sicherlich schnelle Erfolge gewinnen und dadurch den Verbänden des Heeres den Vormarsch erleichtern. Die schlimmsten Kämpfe werden nach etwa sechs Wochen überwunden sein. Es muß aber jeder Soldat wissen, um was es geht. Nicht das Land ist es, was wir haben wollen, sondern der Bolschewismus soll zerstört werden.« Verbittert äußerte sich Hitler über die Engländer, die eine Verständigung mit Rußland der Verständigung mit Deutschland vorzögen. Das sei eine Politik des 19., aber nicht des 20. Jahrhunderts. Hitler wies bei diesen Worten auf sein Bündnis mit Stalin hin, das ein rein politischer Schritt wegen Danzig und des Korridors gewesen sei, um diese Gebiete ohne einen Krieg zurückzuerhalten. Er fuhr fort: »Wenn wir diesen Krieg verlieren, dann wird ganz Europa bolschewistisch. Wenn die Engländer das nicht einsehen und erkennen, werden sie ihre Führungsrolle verlieren und damit ihr

Weltreich. Wie weit sie sich außerdem in die Hände der Amerikaner durch diesen Krieg begeben, ist noch gar nicht abzusehen. Es wird aber sicher so sein, daß die Amerikaner in diesem Krieg das ganz große Geschäft für sich sehen.«

Am Nachmittag führte Hitler noch Gespräche mit den Befehlshabern der Heeresgruppe Süd. Vor dieser Heeresgruppe lag ein besonders weiter, sich im Vorgehen ständig ausdehnender Raum. Hitler sagte, daß die Masse der russischen Truppen im Mittelabschnitt erwartet werde. Wenn diese geschlagen seien, erhalte die Heeresgruppe Süd von dort aus Verstärkungen. Brauchitsch und Halder sprachen an diesem Tag kein Wort.

Am 21. Juni diktierte Hitler eine Proklamation an das deutsche Volk. Darin ging Hitler auf seine gesamte Politik seit Beginn des Krieges ein. Er schrieb: »Die neue Erhebung unseres Volkes aus Not, Elend und schmählicher Mißachtung stand im Zeichen einer rein inneren Wiedergeburt. Besonders England wurde dadurch nicht berührt oder gar bedroht. Trotzdem setzte die neue haßerfüllte Einkreisungspolitik gegen Deutschland augenblicklich wieder ein. Innen und außen kam es zu jenem uns bekannten Komplott zwischen Juden und Demokraten, Bolschewisten und Reaktionären mit den einzigen Zielen, die Errichtung des neuen deutschen Volksstaates zu verhindern, das Reich erneut in Ohnmacht und Elend zu stürzen.«

Moskau habe sich trotz aller freundschaftlichen Gespräche systematisch auf den Beginn eines Krieges vorbereitet. Der Aufmarsch an der Ostfront sei nun abgeschlossen. »Die Aufgabe dieser Front ist ... nicht mehr der Schutz einzelner Länder, sondern die Sicherung Europas und damit die Rettung aller ... Möge uns der Herrgott gerade in diesem Kampfe helfen.«

Im Jahre 1941 wurde ich wiederholt gefragt, ob denn der Russe nichts von unseren Absichten wisse oder ahne, ihn anzugreifen. Ich konnte damals nur sagen, ich wüßte es nicht, vermutete aber, daß seine Fernaufklärungs-Flugzeuge den Aufmarsch unserer Divisionen an unserer Ostgrenze erkannt hätten. Was sie nicht wüßten, sei, wann und wie wir mit diesen Einheiten operieren wollten. Erst lange Jahre nach dem Krieg habe ich von einem Anhänger Goerdelers erfahren, daß er zusammen mit Goerdeler 1940 mit Molotow im Hotel »Kaiserhof« gesprochen habe. Es sei eine offene und freie Unterhaltung gewesen, in der beide Molotow von Hitlers Plan, im Jahre 1941 Rußland anzugreifen, unterrichteten. Molotow habe das nicht glauben wollen und diese Art Äußerungen nicht ernst genommen. Nach Molotows Besuch in Berlin jedenfalls begannen in Rußland im großen Umfange die Vorbereitungen für einen Krieg. Beim Einmarsch 1941 stießen die deutschen Truppen auf neue Befestigungsanlagen, neu ausgebaute Flugplätze usw. Die Russen hatten unseren Einmarsch erwartet, aber noch nicht im Jahre 1941. Sie waren darauf eingestellt, daß Hitler später angreifen werde.

Hitler verbrachte die letzten Tage vor Beginn des Rußland-Feldzuges zunehmend nervös und beunruhigt. Er sprach sehr viel, ging auf und ab und schien dringend auf etwas zu warten. Erst in der Nacht vom 21. zum 22. Juni nach Mitternacht hörte ich die erste Bemerkung über den beginnenden Feldzug. Er sagte: »Es wird der schwerste Kampf, den unsere Soldaten in diesem Krieg zu bestehen haben.«

Während der letzten Tage vor dem Angriff gegen Rußland versuchte ich, mir ein Bild von der allgemeinen Kriegslage zu machen und davon, was im Laufe der nächsten Monate zu erreichen sei. Der Krieg mit England nahm seinen Fortgang. Hitler plante, England im Sommer 1942 anzugreifen. Dieser Plan erschien mir nicht durchführbar. Einen direkten Angriff gegen England hielt ich frühestens im Herbst 1942 für möglich, wenn es uns bis dahin gelungen wäre, die Russen zu schlagen. Ich bezweifelte Hitlers optimistische Beurteilung der Lage über Rußland. Über den Ablauf der Operationen gegen Rußland war die Prognose schwierig. Viel bedrohlicher erschien mir die Entwicklung in den USA. Ich fürchtete, daß der Eintritt Amerikas in den Krieg nicht mehr allzu lange auf sich warten lassen würde. Dann hätten wir einen völligen Zweifrontenkrieg. Sollte es uns nicht gelingen, die Verhältnisse in Rußland vor Eintritt der Amerikaner in den Krieg durch einen klaren Sieg zu bestimmen, hätten wir im günstigsten Falle mit einem langen und schweren Abnützungskampf zu rechnen, dessen Ausgang nicht zweifelhaft sein konnte. Ich konnte die allgemeine Lage bei Beginn dieses Kampfes mit den Russen keineswegs zu unseren Gunsten beurteilen. Aber der ungeheure Aufbau der deutschen Front gegen Rußland schien mir ein Beweis dafür zu sein, daß die Gegner zunächst erst einmal eine ebensolche Macht auf die Beine stellen müßten, um gegen uns anzutreten. Das könnte Jahre dauern, und in dieser Zeit, glaubte ich, würde es uns möglich sein, den einen oder anderen Gegner zu schlagen und damit frei gegen den anderen zu sein.

Hitlers Vorstellung von dem Krieg im Osten war eine ganz andere als die des Heeres. Die Führung des Heeres erwartete einen herkömmlichen Krieg, Hitler dagegen einen Kampf gegen einen harten und rücksichtslosen Feind. Bezeichnend dafür war Hitlers »Kommissar-Befehl«, mit dem er die Truppe aufforderte, jeden in ihre Hände fallenden Kommissar ohne weiteres zu erschießen. Dieser Befehl hatte viel Unruhe ausgelöst, und ich wußte, daß er nicht allen Truppen bekanntgegeben wurde. Dies war die erste verbreitete Opposition gegen einen Führerbefehl, von der ich erfuhr. Gleichzeitig damit aber kam mir die Erkenntnis, daß dann ja auch andere Befehle Hitlers systematisch sabotiert werden könnten. Anlaß dafür war die verschiedentlich von mir beobachtete oppositionelle Haltung Halders gegen Hitlers Anweisungen und Beurteilungen der Lage, ohne jeweils dazu seine eigene gegenteilige Auffassung offen zu sagen. Ich hatte den Eindruck, daß Halder unendlich viel in sich hineinfraß und verschluckte.

So begannen wir einen sehr großen Feldzug mit einer uneinheitlichen Führung und mit verantwortlichen Führern, die nicht alle am gleichen Strang zogen. Ich sah darum eine große Gefahr für eine erfolgversprechende Operation.

KAPITEL IV
Juni 1941 - September 1943

Am 22. Juni 1941 begann Hitler den Feldzug gegen Rußland. Sein Plan war es, in etwa drei Monaten Rußland zu Boden zu zwingen, um sich danach wieder dem Westen zuzuwenden. So glaubte er, einem Zweifrontenkrieg aus dem Wege gehen zu können. Dies war Hitlers Krieg. Er stand in höchster Gunst beim Volk und hatte die Macht der Partei mit ihren Gliederungen im Rücken. Seit zwei Jahren hatte er keinen Feldzug verloren und fühlte sich sicher, auch diesen zu gewinnen. Er sprach sogar davon, daß die USA es sich nochmals überlegen würden, im europäischen Krieg einzugreifen.

Hitler hatte sich lange auf diesen Kampf vorbereitet, das Gelände für den Vormarsch auf den Karten, die Gliederung der russischen Armee und die vermutlichen Rüstungsreserven studiert. Ihm waren die Stärken der russischen Verbände bekannt, und er war sich klar darüber, daß der Kampf sehr hart werden würde. Diese Härte erwartete er beim Gegner und wollte sie auch den eigenen Truppen aufzwingen. Der Kommissarbefehl war ihm Mittel zum Zweck. So grausam und rücksichtslos, wie Lenin und Stalin ihre Macht in Rußland durchgesetzt hatten, sollte nach seiner Auffassung diese Macht zerschlagen werden.

»Wolfschanze«

Diese und ähnliche Gedanken erfüllten Hitler, als er am Montag, dem 23. Juni, mittags den Zug bestieg, um in sein Hauptquartier nach Ostpreußen zu fahren. Dort traf er spät abends ein. Der Anlage gab er den Namen »Wolfschanze«. Sie lag in einem kleinen Waldstück ostwärts von Rastenburg, war im Laufe des Winters gebaut worden und sicher gegen Fliegersicht getarnt. Kern der Anlage waren zehn Beton-Bunker, deren rückwärtiger Teil unter 2 m Beton lag und die Schlafabteile enthielt. Der vordere Teil bot nur Schutz gegen Splitter und enthielt die Arbeitsräume. Im Bunker Keitels befand sich ein etwas größerer Raum für die täglichen Lagebesprechungen. In Hitlers in gleicher Weise gebautem Bunker gab es einen für Besprechungen im kleineren Rahmen bestimmten Tagesraum. In der Mitte des Lagers lag die Speisebaracke mit einer Tafel für 20 und einem kleinen Nebentisch für sechs Personen. In diesen Behausungen richteten wir uns für unbestimmte Zeit ein und erwarteten in den ersten Tagen dieses gewaltigen Kampfes gespannt die eingehenden Meldungen.

Der Wehrmachtführungsstab unter Oberst Warlimont lag im gleichen Waldstück etwas abseits von diesem Lager. Dort standen normale Baracken mit einigen Bunkern. Hier war auch der Kommandant des FHQ mit seinem Stab untergebracht. Das OKH hatte seine Unterkunft einige Kilometer nordostwärts an der Bahnlinie von Rastenburg nach Angermund aufgebaut, während Göring und das OKL in ihren Zügen blieben, die bei Goldap und in der Johannesburger Heide ihren Standort hatten.

Unter den ersten Meldungen, die die Presse über den Beginn des Feldzuges brachte, war eine Äußerung Churchills. Er war sein Leben lang ein Gegner des Bolschewismus gewesen, bekannte sich jetzt aber ganz zu Rußland und gegen Deutschland. »Wir werden nie mit Hitler und seiner Brut verhandeln«, sagte er. Hitler hatte von ihm nichts anderes erwartet.

Der Tageslauf im Sperrkreis I des FHQ – so hieß der Teil der Wolfschanze, in dem Hitler untergebracht war, – verlief in einem regelmäßigen Rhythmus. Jeden Tag um 12 Uhr begann die große Lagebesprechung, zu der Hitler sich in den Bunker von Keitel und Jodl begab und dort im allgemeinen eineinhalb bis zwei Stunden blieb. Zu dieser Besprechung kamen ein- bis zweimal in der Woche Brauchitsch, Halder und Oberst i.G. Heusinger. Nachmittags führte Hitler Gespräche und Verhandlungen mit Nichtmilitärs. Die Themen berührten aber immer Fragen der Kriegführung. Um 18 Uhr folgte die Nachmittagslage, die Jodl vortrug. Hitler aß fast immer pünktlich um 14 und 19.30 Uhr. Die Mahlzeiten dehnten sich, wenn keine wichtigen Besucher erwartet wurden, bis zu zwei Stunden aus. Bei diesen Tischgesprächen im Jahre 1941 und 1942 haben die Begleiter von Reichsleiter Bormann, Ministerialrat Heinrich Heim und Dr. Henry Picker, Hitlers Tischgespräche mitstenographiert. Hitler war in diesen beiden Jahren während seiner Mahlzeiten sehr frei und aufgeschlossen. Es kam vor, daß er hier und da einmal ein Thema aufgriff, um einem Anwesenden »eins auszuwischen«, sei es, daß es sich um die Jagdleidenschaft oder die Reiterei oder irgendein aktuelles Thema handelte.

Die Mahlzeiten richteten sich nach den Verpflegungssätzen der Wehrmacht und bestanden aus Suppe, Fleischgang und Nachtisch. Hitler hatte seinen eigenen fleischlosen Speisezettel, den er morgens beim Frühstück bestimmte. Die oft sehr langen Essenszeiten zwangen uns jüngere Teilnehmer, nach Einnahme der Mahlzeiten manchmal den Tisch früher zu verlassen, um dringende Arbeiten zu erledigen. Hitler nahm daran keinen Anstoß. Die Tischordnung blieb stets die gleiche. In der Mitte mit Rücken zu den Fenstern hatte Hitler seinen Platz. Rechts von ihm saß der Reichspressechef Dr. Dietrich, links von ihm Jodl, gegenüber Keitel, rechts von diesem Bormann, links von ihm Bodenschatz. Gäste hatten ihren Platz zwischen Hitler und Dr. Dietrich und zwischen Keitel und Bodenschatz. Die Mahlzeiten fanden stets in freier und ungezwungener Atmosphäre statt. Die Unterhaltungen wurden offen geführt und unterlagen keinerlei Zwang. Ergaben sich allgemein interessante Themen, zu denen auch Hitler Stellung nahm, so verhielt man sich still. Es konnte natürlich vorkommen, daß Hitler zu einem Thema gelegentlich eine halbe Stunde oder auch eine ganze Stunde sprach. Das waren aber Ausnahmen.

Erste Erfolge

In den ersten Tagen unseres Aufenthaltes in der Wolfschanze ließ Hitler noch keine Wehrmachtberichte bekanntgeben. Die Operationen an der Ostfront liefen programmgemäß. Hier und da gab es heftigen Widerstand, der dann mit Panzern und Artillerie gebrochen werden mußte. Es zeigte sich sehr bald, daß dieser nachhaltige Widerstand auf besonders tüchtige russische Führer oder Unterführer und Kommissare zurückging, die ihre Männer in der Hand hatten und ihnen notfalls gewaltsam klar machten, daß sie kämpfen mußten. Kämen sie in Gefangenschaft, würden sie sofort von den Deutschen niedergemacht. Aber das Bild der Kämpfe der ersten Tage war erwartungsgemäß unterschiedlich. Unter diesem Eindruck schrieb ich am 28. Juni einen ausführlichen Brief an meinen Onkel:

»Die Meldungen über den Verlauf des Vormarsches und der Operationen sind bisher zurückgehalten worden, um dem Russen selbst nicht ein Bild seiner Lage zu geben. Voraussichtlich soll morgen mit den ersten Bekanntmachungen begonnen werden.

Der Kampf der ersten Tage hat das Bild ergeben, daß Rußland noch mehr als wir ahnten, sich auf diesen Krieg vorbereitet hatte. Nur hatte sich der Russe den Termin wohl erst für 1943 gedacht, um dann mit dem Aufbau und der Rüstung seiner Wehrmacht fertig zu sein.

Das russische Heer hatte seine Angriffsgruppen, bestehend aus Panzer und mottorisierten Einheiten, einmal um Lemberg, dann bei Bialystok und endlich bei Kovno stehen. Die Verteidigungsanlagen waren erst im Bau. Nur nordwestlich vom Lemberg im Raum von Rawa-Ruska und nordwestlich von Grodno wurden Bunkeranlagen vorgefunden, die nach dem Vorbild unseres Westwalles angelegt waren und deren vorderste Linie fertig war. Die zweite und dritte Linie waren erst im Ausbau. Der große Erfolg des ersten Tages war die Überraschung. Sie ist auf der ganzen Front gelungen, sowohl beim Heer wie bei der Luftwaffe. Die feindlichen Flugzeuge standen auf ihren Flugplätzen in Reihe und Glied und konnten mit Leichtigkeit vernichtet werden.

Die Schwerpunkte unseres Angriffes lagen bei vier großen Panzergruppen. Generaloberst v. Kleist aus dem Raum Lublin auf Rowno-Shitomir, Generaloberst Guderian an Brest vorbei auf Minsk, General Hoth von Gumbinnen, Wilna auf Minsk und General Hoepner nördlich Gumbinnen über Kowno auf Dünaburg. Ein Teil der Gruppe Guderian ist auf die Beresina bei Bobruysk im Vormarsch. Ihr Eintreffen dort, wie die Vereinigung der anderen Teile Guderians mit der Gruppe Hoth wird heute erwartet.

Der Russe schlägt sich überall gut. Teilweise so zäh und verbissen, daß unsere Truppe heftige Kämpfe hatte. Der Hauptgrund hierfür liegt zweifellos in der Haltung der bolschewistischen Kommissare, die mit der Pistole in der Hand die Soldaten zum Kampf zwingen, bis sie totgeschossen sind. Auch hat die russisch-bolschewistische Propaganda es erreicht, den Soldaten beizubringen, daß sie einen Kampf gegen Wilde führen und daß jeder, der in Gefangenschaft gerät, massakriert und getötet wird. So ist es auch zu erklären, daß viele Soldaten, aber besonders Offiziere und Kommissare, vor der Gefangennahme Selbstmord verüben, zum Teil durch Auflegen der abgezogenen Handgranate auf die Brust.

Der Vormarsch unserer Truppen verlief überraschend schnell. Am Nordflügel in Litauen und in der Mitte um Bialystok ist der Gegner in Auflösung begriffen. Die Führung hat völlig aufgehört. Es kämpfen nur noch einzelne Kampfgruppen, die aus dem Kessel herauszukommen versuchen. Von Dünaburg soll jetzt schnell zum Peipus-See vorgestoßen werden, damit dort oben niemand mehr entwischen kann. Am meisten Widerstand leistet der Russe im Süden. Hier wird er auch gut geführt. Rundstedt, der dort befehligt, sagt, daß er in diesem ganzen Krieg noch keinen so guten Gegner gegenüber gehabt hat. Seit gestern abend scheint er aber auch hier weich zu werden. Deshalb ist Eile geboten, einen Sack zu bilden. Aus Nordrumänien soll eine deutsche Armee mit den Rumänen vorstoßen und die Verbindung mit Kleist herstellen.

Das sind im Großen die ersten Operationen. Die nächsten großen Ziele werden dann Donez-Becken, Moskau und Leningrad sein. Die Truppe sagt, daß der Russe einen widerlichen Eindruck macht. Es sei ein wüstes Völkergemisch mit asiatischem Aussehen und Auftreten. . . .

Die Panzer der Russen wie auch ihre Flugzeuge sind schlecht und unseren Waffen unterlegen. Sie setzen Panzer und Flugzeuge auch nur immer in kleinem Rahmen zu verhältnismäßig geringen Zahlen ein. Dadurch erzielen unsere Truppen hohe Abschuß- und Vernichtungszahlen. Der Vorrat an Panzern und Flugzeugen scheint sehr hoch zu sein. Unsere Truppe ist aber in allem so überlegen, so daß wir zuversichtlich das Weitere abwarten können.«

So war tatsächlich der erste Eindruck der Truppe vom Gegner. Ich flog in diesen Tagen mit dem Storch an die Front und versuchte, mir selbst einen Eindruck zu verschaffen. Im litauischen Raum ging beispielsweise ein Verband über ein großes Kornfeld vor. Es knallte überall. Allmählich stellte sich heraus, daß in dem Kornfeld Massen von Russen saßen, die nicht wußten, was sie machen sollten. Man sah es ihren Gesichtern an, daß sie entsetzliche Angst hatten und damit rechneten, umgebracht zu werden. Die Truppe hat tatsächlich Schwierigkeiten, die Soldaten gefangenzunehmen, wie sich herausstellte alles junge Asiaten, die erst vor wenigen Wochen hier an die Front geworfen worden waren.

Am 29. Juni regelte Hitler wieder einmal urkundlich seine Nachfolge: »Auf Grund des Gesetzes über den Nachfolger des Führers und Reichskanzlers vom 13. Dezember 1934 bestimme ich unter Aufhebung aller bisherigen Verfügungen zu meinem Nachfolger den Reichsmarschall des Großdeutschen Reiches, Hermann Göring.«

Der Monat Juli stand im FHQ im Zeichen einer sehr optimistischen Stimmung. Hitler sah sich in seinen Erwartungen bestätigt. Brauchitsch und Halder, auch Keitel und Jodl, sagten nichts Gegenteiliges. Ob alle Hitlers Auffassungen teilten, war mir nicht klar. Halder hielt sogar, wie wir aus der Publikation seiner täglichen Aufzeichnungen wissen, am 3. Juli den Feldzug gegen Rußland innerhalb von 14 Tagen für gewonnen, wenn auch noch nicht für beendet. Ich selbst war damals keineswegs dieser Auffassung. Die hohen Zahlen der Gefangenen überraschten mich auch – bei Heeresgruppe Mitte wurden am 9. Juli 289 800 russische Gefangene gemeldet –, aber ich sah die Zahl der russischen Soldaten nicht versiegen, sondern ständig zunehmen. Am 16. Juli schuf Hitler das neue »Ostministerium« mit dem Zuständigkeitsbereich Rußland und Baltikum und übertrug die Leitung dem Reichsleiter Rosenberg. Diese Entscheidung erregte viel Aufsehen, und man sah manche Schwierigkeiten voraus, wie sie sich im Laufe der Zeit tatsächlich ergaben.

Mölders und Galland

Im Laufe des Juli verlieh Hitler dem Oberstleutnant Mölders als erstem Offizier der Wehrmacht die Schwerter und Brillanten zum Eichenlaub des Ritterkreuzes des Eisernen Kreuzes; im Januar 1942 erhielt Galland diese Auszeichnung. Die beiden »jagten« immer hinter einander her! Hitler empfing sie und nahm sich die Zeit, eingehend mit ihnen Probleme des Luftkampfes im Westen zu besprechen. Bei beiden stand ich unter dem Eindruck, daß sie ihre Sorgen und Bedenken los sein wollten. Sie sprachen offen und ohne Scheu. Hitler hörte aufmerksam zu. Galland beschwerte sich auch über falsche Darstellungen und Kommentare in Rundfunk und Presse, die in herablassendem und überheblichem Ton von der Royal Air Force sprachen. Am Schluß der Unterhaltung gab ihm – in der Winterkrise! – Hitler zu verstehen, daß er die Macht der russischen Armee bereits gebrochen hätte. Ich höre noch heute Gallands Frage an mich nach der Unterredung: »Stimmt denn das alles?« Ich antwortete nicht.

In diesen Juli-Tagen hatte ich den Eindruck, daß Hitler den operativen Erfolg des Feldzuges überschätzte. Die Gefangenenzahlen bei der Heeresgruppe Mitte waren zwar sehr hoch, aber der russische Raum hatte unermeßlich hohe Bevölkerungsreserven. Auch war zu erkennen, daß in dem weiten russischen Raum die schwerpunktartige Zusammenfassung unserer Divisionen immer schwieriger wurde und vor allen Dingen viel Zeit brauchte. Hitlers Gedanken seit Beginn der Operationspläne gegen Rußland bestanden darin, alle Ostseehäfen, einschließlich Leningrad, dem Russen zu nehmen und ihm im Süden die ganze Schwarzmeerküste bis Rostow zu entreißen. Um diese Frage nochmals mit dem örtlichen Oberbefehlshaber zu besprechen, flogen wir am 21. Juli zur Heeresgruppe Nord nach Malnava. Generalfeldmarschall Ritter v. Leeb, der im Grunde genommen von Anfang an gegen diesen Feldzug eingestellt war, zeigte sich durchaus optimistisch und glaubte, keine besonderen Schwierigkeiten für seinen Vormarsch zu sehen, als ihm die Verstärkung seiner Kräfte durch die Panzergruppe 3 in Aussicht gestellt wurde. Hitler betonte nochmals, wie viel ihm an der Eroberung der Ostseehäfen und der Verbindung über Leningrad zu den Finnen liege.

Die Führung des Heeres und, wie sich zeigte, auch der Heeresgruppe Mitte, vertrat hinsichtlich der Fortführung der Operationen Vorstellungen, die Hitler nicht teilte. Die Auseinandersetzungen darüber waren noch keineswegs auf dem Höhepunkt, als Hitler Ende Juli für einige Tage wegen einer Erkrankung ganz ausfiel. Nach außen hin wurde vertuscht, daß er nicht an den gemeinsamen Mahlzeiten teilnahm und auch zu den laufenden Lagebesprechungen nicht erschien. Man sah es ihm deutlich an, daß er sich elend fühlte. Dr. Morell deutete an, es handele sich wohl um einen leichten Schlaganfall. Herz und Kreislauf seien nicht in Ordnung, es werde ihm aber gelingen, dem Führer in Kürze seine alte Leistungskraft zurückzugeben. Nach einigen Tagen konnten wir tatsächlich eine Besserung beobachten. Uns wurde über Hitlers Erkrankung strengstes Stillschweigen auferlegt. Da mich diese gesundheitliche Krise, die immerhin folgenschwer sein konnte, stark beschäftigte, habe ich allerdings meinem Bruder am 30. Juli davon erzählt.

Am 3. August flogen wir zu Feldmarschall v. Bock nach Borissow, wo sich das Oberkommando der Heeresgruppe Mitte befand, und trafen dort mit Brauchitsch und Halder zusammen. Hitler führte eingehende Gespräche mit diesen Generalen. Die Übersicht über die russischen Verhältnisse, die gegnerischen Truppenstärken und die Weite des Raumes standen im Vordergrund dieser Gespräche. Brauchitsch, Bock und Halder vertraten mit Nachdruck die Auffassung, daß die Heeresgruppe Mitte nur das eine Ziel habe, Moskau zu erobern. Sie waren auch optimistisch dazu eingestellt, dies nach einigen Aufrüstungstagen und Umgruppierungen vor Beginn der schlechten Jahreszeit erreichen zu können. Hitlers Ansicht lautete anders. Er wies auf seine, vor Beginn des Ostfeldzuges wiederholt geäußerte Ansicht hin, in der Mitte der großen Angriffsfront hinter Smolensk stehenzubleiben und mit der Heeresgruppe Nord Leningrad, mit der Heeresgruppe Süd Rostow zu nehmen. Es war seine Absicht, von diesen beiden Punkten aus den Angriff gegen Moskau zu führen, und zwar so, daß sich die Angriffskeile ostwärts von Moskau treffen würden. In der langen Diskussion fiel noch keine Entscheidung.

Borissow ist mir noch aus einem anderen Grunde in Erinnerung. Zwei Prinzen aus dem preußischen und dem Welfenhaus, die ich aus meiner Dienstzeit kannte, sprachen mich auf den Befehl Hitlers an, daß alle Nachkommen ehemals regierender Häuser in Deutschland aus der kämpfenden Truppe herausgezogen werden müßten und nur noch bei rückwärtigen Dienststellen verwendet werden dürften. Ich kannte diesen Befehl und Hitlers scharfe und harte Begleitkommentare dazu. Grundsätzlich achtete er die Prinzen und erkannte auch ihre soldatischen Leistungen an. Er beharrte aber darauf, daß sich die Staatsform gewandelt habe. Deshalb könne er den Prinzen keinerlei Vorteile mehr zubilligen. Gerade auf dieser Art Vorteile hatten die Prinzen aber ja nie bestanden, wurde mir entgegnet, sondern es gehe ihnen nur darum, ihren Dienst zu tun wie jeder andere Frontoffizier. Es gab für mich keine Möglichkeit, den Prinzen in irgendeiner Form zu helfen. Sie hatten zwar Verständnis dafür, betrachteten sich jetzt aber als Menschen zweiter Klasse.

Am 14. August erreichte uns die Nachricht, daß Roosevelt und Churchill von Bord des britischen Schlachtschiffes »Prince of Wales« die »Atlantic Charter« bekannt gegeben hatten. In der Ziffer 1 hieß es, daß die USA und Großbritannien auf jede territoriale oder sonstige Vergrößerung verzichteten. Die weiteren sieben Ziffern enthielten allgemeine, aber sehr vernünftig lautende Punkte über das »Recht der Völker«, über den »Welthandel«, über den »Frieden der Völker« und die Aufhebung von »Gewalt«. Hitler ereiferte sich gleichwohl darüber und kritisierte besonders die Ziffer 6, in der von »der endgültigen Vernichtung der nationalsozialistischen Tyrannen« gesprochen wurde. Hitler sagte, daß ihnen das nie gelingen werde.

Hitler beschäftigte sich fast ausschließlich mit der Fortsetzung der Operationen in seinem Sinne. Hiergegen kämpfte das OKH mit allen Mitteln. Am 18. August trat Brauchitsch in der Denkschrift »Fortführung der Operationen der Heeresgruppe Mitte« für die sofortige Fortsetzung des Angriffs gegen Moskau ein. Die beiden Panzergruppen Guderian und Hoth benötigten eine gründliche Auffrischung ihrer Verbände. Insgesamt wurde für diesen Angriff eine Zeit von zwei Monaten veranschlagt. Hitlers Antwort vom 21. August drückte klar die entgegengesetzte Meinung aus: »Der Vorschlag des Heeres für die Fortführung der Operationen im Osten vom 18. 8. stimmt mit meinen Absichten nicht überein. Ich befehle folgendes: Das wichtgiste, noch vor Einbruch des Winters zu erreichende Ziel ist nicht die Einnahme von Moskau, sondern die Wegnahme der Krim, des Industrie- und Kohlegebietes am Donez und die Abschnürung der russischen Ölzufuhr aus dem Kaukasusraum, im Norden die Abschließung Leningrads und die Vereinigung mit den Finnen.« Es folgten weitere vier Punkte, in denen Hitler auf die Aufgaben der drei Heeresgruppen einging. Halder übernahm diese Führerweisung wörtlich in sein Tagebuch mit der Vorbemerkung: »Sie ist entscheidend für das Ergebnis dieses Feldzuges.«

Die lange andauernden Auseinandersetzungen zwischen Hitler und dem OKH zehrten an den Nerven. Ich erinnere mich sehr genau an Hitlers Weisungen vor Beginn des Feldzuges. Immer wieder betonte er seine Auffassung von der Fortführung der Operationen gegen Leningrad und Rostow. Er sagte mehrmals, daß Moskau erst mit der zweiten Operation – eventuell erst 1942 – fallen werde. Die jetzt entstandene Kontroverse betraf also Gedanken, die dem OKH aus der Zeit vor dem Feldzug her längst bekannt waren. Auch Generaloberst Guderian wurde in diesen Streit hineingezogen. Feldmarschall v. Bock fand es richtig, Guderian, Befehlshaber der Panzergruppe 2, zu Hitler zu schicken, damit er ihm die Notwendigkeit des Vormarsches gegen Moskau darstellte. Er war am 23. August im FHQ, trug seine Gedanken vor, ließ sich aber ganz von Hitlers Gegengründen beeindrucken. Halder war wütend. Im Ergebnis der Auseinandersetzung mußten beide Kontrahenten Abstriche von ihren Vorstellungen machen. Weder gelang die Einnahme von Moskau, noch konnte Hitlers Plan verwirklicht werden. Wertvolle Zeit war vertan.

Mussolini und Horthy an der Front

Ende August, Anfang September mußte Hitler zwei seiner Bundesgenossen empfangen und ihnen etwas bieten. Zuerst kam Mussolini zu einem Besuch der bei der Heeresgruppe Süd eingesetzten italienischen Verbände. Am 25. August empfing ihn Hitler in der Wolfschanze, reiste am 26. mit ihm nach Brest und weiter zum FHQ Süd. Am 28. August flogen beide Staatsmänner zur Heeresgruppe Süd und besuchten gemeinsam eine italienische Division, die sich auf dem Marsch zur Front befand. Dieser Besuch war recht unerfreulich. Mussolini hatte keinerlei Vorstellung von der Ostfront und davon, mit welchen Problemen sich Hitler zur Zeit beschäftigte. Hitler hat sich nach Abreise des Gastes im Kreise der Offiziere sehr enttäuscht geäußert. Er wußte, daß die Italiener an der Ostfront nichts leisten konnten, und rechnete mit keinerlei Kampfkraft. Er sprach den deutschen Offizieren sozusagen gut zu und versuchte auf diese Weise, sie hinsichtlich des Bundesgenossen »bei Stimmung« zu halten. Auch über seine internen, langen Unterhaltungen mit Mussolini sprach Hitler offen. Er betonte, daß es noch not-

sprechung mit Jodl während s Balkanfeldzuges.

i 1941. Lagebesprechung für Unternehmen »Barbarossa«.

ers Speiseraum im 2 Wolfschanze.

August 1941. Besuch Mussolinis an der Ostfront. Hier auf dem Flugplatz Brestlitowsk.

Sommer 1941. Besuch von Generalleutnant Rommel im FHQ.

wendig sei, die Italiener zu »poussieren«, denn die Kämpfe im Mittelmeerraum seien noch nicht zu Ende.

Vom 6. bis 8. September hielt sich der ungarische Reichsverweser, Admiral v. Horthy auf Einladung Hitlers im FHQ auf. Hitler ließ ihm ein Bild von der Lage an der Front geben und führte mehrere Gespräche mit ihm über verschiedene Probleme, die der Krieg in dem weiten Raum mit sich brachte. Einzelheiten verschwieg er. Horthy besuchte noch Göring und Brauchitsch und reiste zusammen mit Hitler zur Marienburg. Dort überreichte Hitler ihm in einer kleinen Feierstunde das Ritterkreuz. Wir fuhren mit Hitler zur Wolfschanze zurück. Es war immer interessant, Hitlers Äußerungen, Lob oder Kritik, über die jeweiligen Staatsgäste zu hören. Hier erwähnte er die rein politische Geste dem Gast gegenüber. Für die Kriegführung erwartete Hitler nichts von den Ungarn. Aber für die Ruhe im Balkangebiet kam es ihm auf wohlwollende Nachbarn an. Es lag ihm speziell an der Verbindung in das Ölgebiet von Ploeşti, auf das Deutschland immer noch angewiesen war. So war er mit dem Ergebnis des Besuches zufrieden.

Im Laufe des August flog ich mit Schmundt in das Gebiet der Heeresgruppe Nord. Hitler hatte angeordnet, daß die Panzergruppe Hoth ein Korps zur Heeresgruppe Nord für die Eroberung Leningrads abgeben sollte. Die Heeresgruppe Mitte hatte sich dagegen gesträubt und gemeldet, die Panzerkorps müßten aufgefrischt werden und seien noch nicht einsatzbereit. Hitler bestand aber auf seinem Befehl und beauftragte Schmundt, das XXXIX. Panzer-Korps auf dem Marsch von Mitte nach Nord zu besuchen, den Kommandierenden General, General der Panzertruppe Rudolf Schmidt, zu sprechen und sich ein genaues Bild vom Zustand des Korps geben zu lassen. Wir flogen im Storch und hatten den Korpsgefechtsstand schnell ausgemacht. Der General empfing uns in sehr aufgeschlossener und freier Art und war entsetzt, was wir über den schlechten Zustand seines Korps gehört hatten. Das einzige, was er zu beanstanden hatte, war, daß ihm bei Abrücken aus seiner bisherigen Stellung alle seine Korpstruppen abgenommen worden waren. Darüber war er ausgesprochen böse und beantragte bei Schmundt deren Rückgabe. Seine Divisionen seien aber in einem tadellosen Zustand und einsatzbereit. Wir flogen zur Wolfschanze zurück und berichteten Hitler.

Über die Kämpfe, die im August bei der Heeresgruppe Süd ausgetragen wurden, trafen kaum glaubliche Berichte und Meldungen ein. Selbst Hitler war mißtrauisch und schickte mich deswegen zur 16. Panzer-Division General Hubes in die Nähe von Nikolajew. Dort traf ich auch mit einem sehr guten Freund, Udo v. Alvensleben, zusammen. Dieser schilderte mir seine Erlebnisse. Es sei zu grausamen Exzessen gekommen. Am Bahnhof Grigowo hätten sie mehr als 100 ermordete Soldaten der 6./Schützen-Rgt. 79 gefunden. An anderer Stelle sei festgestellt worden, daß die Russen aus den Leibern lebender deutscher Soldaten die Herzen herausgerissen hätten. Die Reaktion unserer Truppe sei entsprechend.

In der Wolfschanze berichtete ich Hitler über meine Gespräche mit Hube und Alvensleben. Hitler war still und nachdenklich und sagte am Schluß, daß solche Berichte einmal die höhere Generalität hören sollte, dann würde sie sich anders gegenüber der russischen Macht verhalten.

Privater Ärger

Zu den Besuchern, die sich zu dieser Zeit in der Wolfschanze einfanden, gehörte auch Admiral Canaris. Er hatte bei Keitel und Jodl Vortrag gehalten und mit Schmundt ein Gespräch geführt. Am Nachmittag erzählte mir Schmundt, worum es gegangen war. Canaris hatte berichtet, einige Wochen vor Beginn des Rußland-Feldzuges habe meine Frau in einem Telefongespräch von Berlin aus einer ihrer Schwestern auf dem väterlichen Gut bei Halberstadt gesagt, daß Hitler am 22. Juni Rußland angreifen würde. Schmundt hatte diese Mitteilung Canaris' Hitler vorgetragen, der die ganze Angelegenheit mit einer Handbewegung beiseite geschoben hätte. Schmundt war von dieser Reaktion Hitlers sehr beeindruckt. Ich konnte ihm nur sagen, wenn er mir vorher davon erzählt hätte, hätte ich ihm erklären können, daß zu dem genannten Zeitpunkt das Datum für den Angriff noch nicht fixiert war, daß also die Meldung von Canaris nicht den Tatsachen entsprechen konnte. Ich habe über diese Angelegenheit weder von Hitler noch von anderer Stelle je wieder etwas gehört.

Die »Endlösung«

Im August erschien zum ersten Mal Goebbels – auf Wunsch Hitlers – im FHQ. In den zwei Tagen seines Aufenthalts traf er mehrmals mit Hitler zu Gesprächen unter vier Augen zusammen. Erst nach und nach sickerte durch, daß sie das Juden-Problem erörtert hatten. Goebbels und Heydrich drängten auf eine Lösung dieser Frage. Goebbels betrieb die Ausweisung der noch in Berlin lebenden 70 000 Juden und wollte sich des Einverständnisses Hitlers zu seinen Maßnahmen versichern. Hitler war dazu noch nicht bereit, sondern willigte nur ein, daß die Juden besonders gekennzeichnet würden, wie wir hörten. Eine im Reichsgesetzblatt veröffentlichte Polizei-Verordnung vom 1. September 1941 bestimmte, daß alle Juden künftig sichtbar an ihrer Kleidung einen gelben Judenstern zu tragen hätten. Grundsätzlich sollte dieses Problem erst nach Abschluß des Rußlandfeldzuges gelöst werden, in »großzügiger Weise«, hieß es.

Den unglaublichen Zynismus dieser Bemerkung habe ich erst nach dem Kriege begriffen, als in den Sommermonaten 1945 und dann im Nürnberger Prozeß gegen die Hauptkriegsverbrecher das ganze Ausmaß der Judenvernichtung bekannt wurde. Daß gleichzeitig mit der Verordnung über die Kennzeichnung der Juden bereits die Vorbereitungen zur »Endlösung« in die Wege geleitet worden sind, an der Göring in seinen zivilen Funktionen bedeutenden Anteil hatte, daß die Einsatzgruppen und Einsatzkommandos der SS und Polizei hinter der Front in großer Zahl Juden erschossen, ab Dezember 1941 in immer größerem Umfang Juden aus allen besetzten europäischen Ländern in den Vernichtungslagern im Osten vergast worden sind, ahnte ich nicht, wie ich auch nichts von der »Wannsee-Konferenz« vom 20. Januar 1942 erfuhr.

Natürlich habe ich nach dem Kriege, auch bei manchen Gesprächen in der Gefangenschaft, Indizien aus den Kriegsjahren zusammengetragen, die mir eigentlich schon damals hätten zu denken geben müssen, etwa Hitlers sich zu Kriegsende immer noch steigernde antisemitische Ausbrüche oder beiläufige Bemerkungen hoher SS-Führer. Wie viele andere glaubte ich aber damals daran, was als Grund für die nicht unbekannt bleibenden Juden-Deportationen in den Osten angegeben worden ist, daß man sie dort zum Arbeitseinsatz für kriegswichtige Aufgaben heranziehe. Dies erschien mir angesichts der zunehmenden Nutzung des in- und ausländischen Arbeitskräftepotentials als durchaus plausibel, und ich weiß nun erst, daß ich einer schrecklichen Täuschung unterlag. Es ist mir unbegreiflich, wie es gelingen konnte, diesen Massenmord mit dem undurchdringlichen Schleier des Geheimnisses zu umgeben. Da meine Familie, auch die Familie meiner Frau, keine jüdischen Freunde oder Bekannte hatte und wir während des Krieges in einer gewissen Isolation lebten, drang auf unmittelbaren Wegen davon nichts an unser Ohr, auch nicht über andere Verwandte, Freunde und Kameraden. Der »Führerbefehl Nr. 1« von 1940 tat hier seine Wirkung. In einem System wie der nationalsozialistischen Herrschaft mit einer vorzüglich funktionierenden Geheimpolizei, die auch vor dem Militär nicht halt machte, waren bestimmte Themen tabu, auch in unserem Kreise.

Allerdings bin ich fest überzeugt davon, auch ohne schriftliche Beweise, daß die Vernichtung der Juden auf eine ausdrückliche Anweisung Hitlers zurückgeht, da es undenkbar ist, daß Himmler und Göring so etwas ohne sein Wissen unternommen hätten. Sicher hat Himmler Hitler nicht über jede Einzelheit unterrichtet, aber in dieser Angelegenheit mit seiner Billigung und in gänzlicher Übereinstimmung mit ihm gehandelt.

Trotz der Auseinandersetzungen mit dem OKH beurteilte Hitler die Kriegslage im Sommer 1941 sehr positiv. Er war der Ansicht, daß Stalin gezwungen sei, im Laufe des September seine letzten Reserven an die Front zu werfen. Wenn diese Verbände sich verblutet hätten, würde der harte Widerstand aufhören, und unsere Verbände brauchten dann nur noch zu marschieren. Dieser Optimismus war an manchen Tagen durchaus begründet, dann kamen aber wieder Meldungen, die von hartem Widerstand und von schweren Kämpfen sprachen. Insgesamt befand sich die Rote Armee in teils geregeltem, teils ungeregeltem Rückzug.

Noch immer war die Frage offen, ob nun in diesem Jahr der Angriff gegen Moskau geführt werden sollte oder nicht. Hitler war dagegen, gab aber dem Drängen des Heeres nach. Am 6. September gab Jodl die Weisung Nr. 35 heraus. Es hieß hier, daß »in der Heeresmitte [...] die Operation gegen die Heeresgruppe Timoschenko derart vorzubereiten [ist], daß möglichst frühzeitig (Ende September) zum Angriff angetreten werden kann...« Erst nach dem erwarteten Sieg über die Masse der Heeresgruppe Timoschenko »wird die Heeresmitte zur Verfolgung Richtung Moskau [...] anzutreten haben«. Jodl war überzeugt, daß nach dieser Schlacht der Feind keine wesentlichen Kräfte mehr zur Verteidigung seiner Hauptstadt haben würde. Dies kam auch bei den Vorträgen in der Lagebesprechung zum Ausdruck.

Hitler reiste am 2. Oktober zur Eröffnung des Winterhilfswerks nach Berlin und richtete in seiner Rede wie üblich scharfe Angriffe gegen England. Über den Rußlandfeldzug bemerkte er, daß wir diesmal »haarscharf« nicht nur an der Vernichtung Deutschlands, sondern »ganz Europas... vorbeigekommen sind«. Er spreche das »hier heute aus, weil ich es heute sagen darf, daß dieser Gegner bereits gebrochen (ist) und sich nie mehr erheben wird. Hier hatte sich auch gegen Europa eine Macht zusammengeballt, von der leider die meisten keine Ahnung hatten und viele heute noch keine Ahnung besitzen. Es wäre dies ein zweiter Mongolensturm eines neuen Dschingis Khan geworden.«

Hitler fuhr sofort im Anschluß an diese Rede nach Ostpreußen zurück. Die Ereignisse an der Ostfront beherrschten ihn ganz. Die Doppelschlacht von Brjansk und Wjasma (2./12. Oktober) sollte günstige Ausgangspositionen für weitere Bewegungen schaffen. Das Ergebnis dieser Schlacht war auch gewaltig. Über 660 000 Gefangene wurden eingebracht, viele Panzer und Geschütze erbeutet, und es schien, daß nun der Weg in die russische Hauptstadt frei wäre. Da setzte etwas früher als üblich die Schlammperiode ein. Die deutschen Truppen benötigten Zeit zur Auffrischung. Dazu kam es aber nicht. Viele Verbände blieben mehr oder weniger im Morast hängen. Der Russe nutzte die Zeit, mit schnell zusammengewürfelten Einheiten die Lücken zu stopfen und neuen Widerstand aufzubauen.

Damit war das Ende des deutschen Vormarsches gekommen. Von nun an machte sich Pessimismus breit, auch auf Grund von falschem Gerede und dummem Geschwätz, das auf mancherlei Wegen das FHQ – und Hitler – erreichte.

Ein viel besprochener Wechsel war Ende September im Amt des Reichsprotektors von Böhmen und Mähren eingetreten. Der SS-Obergruppenführer Reinhard Heydrich löste faktisch den Frhrn. v. Neurath ab. Heydrich eilte der Ruf eines zu allem fähigen und entschlossenen SS-Funktionärs voraus, und seine ersten Maßnahmen zur Zerschlagung der tschechischen Widerstandsbewegung unterstrichen das Bild, das man sich von ihm machte. Natürlich war er ein radikaler und kompromißloser Nationalsozialist, aber seiner Aufgabe in Prag entledigte er sich dann mit großem Geschick, keineswegs allein mit polizeilicher Härte. Er erreichte, daß dieses Gebiet ruhig blieb, die Rüstungsproduktion störungsfrei lief und sich eine positive Entwicklung zwischen Deutschen und Tschechen anbahnte.

Während der Serie der erfolgreichen Schlachten in Rußland hatte Rommel in Nordafrika erhebliche Rückschläge hinnehmen müssen. Die englischen Kräfte waren verstärkt worden; mit der deutsch-italienischen Waffenbrüderschaft stand es nicht zum besten. Es gab auch erhebliche Versorgungsschwierigkeiten. So war im Sommer 1941 nicht viel für Rommel geschehen, und er konnte dem Druck der Engländer nicht standhalten. Hitler nahm die Nachrichten aus Nordafrika nicht besonders ernst. Er glaubte, Rommel soweit zu kennen, daß er eines Tages wieder zum Angriff antreten würde, auch ohne wesentliche Verstärkungen.

Fragen der Luftwaffenrüstung

Ich war seit Beginn des Rußlandfeldzuges eigentlich ohne besondere Aufgaben. Die Luftwaffe war mit aufgefrischten Verbänden an die Ostfront verlegt worden, hatte in den ersten Tagen des Feldzuges die russischen Flugplätze angegriffen und die Verbände zerschlagen. Die weitere Tätigkeit der Luftwaffe beschränkte sich dann im wesentlichen auf die Unterstützung des Heeres. Hierbei zeichnete sich besonders das VIII. Fliegerkorps unter General Frhr. v. Richthofen aus. Dies lag in erster Linie an der Persönlichkeit dieses Generals. Er flog selbst den ganzen Tag, meist im Storch, von einem Brennpunkt zum anderen und war dadurch über die Erdlage oft besser unterrichtet als mancher Kommandierende General oder Armee-Oberbefehlshaber des Heeres. Das gab manchmal Anlaß zu Streit. Im allgemeinen setzte sich Richthofen durch. Ich selbst bin in den Sommerwochen viel bei Verbänden der Luftwaffe gewesen und gewann den Eindruck, daß das Heer manche gute Situation verpaßt hatte. Dies lag, wie ich mich selbst überzeugen konnte, aber meist an den großen Entfernungen und an der Fülle der Aufgaben, die auf die Führer des Heeres einstürmten. Aber die Luftwaffe zeigte dafür oft wenig Verständnis.

Häufig hielt ich mich auch bei Jeschonnek auf. Da ich bei ihm immer Zutritt hatte, konnte ich mich umfassend unterrichten. Jeschonnek war verzweifelt, daß das Neubauprogramm der Luftwaffe immer wieder hinausgeschoben worden war. Er sagte jetzt, daß keine Zeit mehr verlorengehen dürfte, denn in den letzten Wochen wären die Bestände der Front-Verbände durch die Verluste deutlich abgesunken. Jeschonneks Programm sah erhebliche Produktionssteigerungen vor, da er nach wie vor den Schwerpunkt der Luftwaffe am Kanal gegen England sah. Er sagte, wenn Hitler dieses Programm nicht erfüllen würde, würde er allein deswegen den Krieg nie gewinnen.

Ich sprach Hitler darauf an. Er erkannte zwar das Problem, sagte aber, er müsse jetzt zunächst die für das Heer notwendigen Waffen heranschaffen. Diese Aktion könne schon im Frühjahr 1942 abgeschlossen sein. Dann stünden alle Rüstungskapazitäten der Luftwaffe zur Verfügung. Ich berichtete Hitler auch, daß derzeit die englischen Einflüge verhältnismäßig gering wären, wir aber mit neuen, wesentlich stärkeren Einflügen rechnen müßten. Er sah das ein, glaubte aber, daß die deutsche Luftwaffe diese Spanne noch überbrücken könnte. Ich konnte mich dieser Ansicht nicht anschließen und widersprach ihm. Er erkannte das an und sagte, er werde diese Fragen mit Göring besprechen.

Meine Aufgaben als Luftwaffen-Adjutant erhielten jetzt eine andere Dimension. Ich hatte nie Anweisungen für meine Arbeit erhalten und mir meine Aufgaben selbst gesucht. Hitler interessierte sich bisher fast nur für die Zahl der einsatzbereiten Flugzeuge. Jetzt traten Fragen auf, bis wann weitere Verbände aufgerüstet, wann die Flugzeug-Bestände aufgefüllt waren und ähnliches. Ich mußte mich also ständig über den Rüstungsstand der Luftwaffe unterrichten, meine eigenen Unterlagen korrigieren und mich auf dem laufenden halten. Die Rüstung der Flakartillerie zu beobachten, war eine Arbeit, die mir wenig Freude machte, aber ich mußte sie tun, denn Hitler legte aus einem speziellen Grund sehr großen Wert darauf. An der Ostfront waren in beachtlicher Zahl stärkere Panzer als die bisherigen aufgetreten, die nur mit der 8,8 cm Flak erfolgreich bekämpft werden konnten. Hitler sagte mir mit besonderem Nachdruck, daß die an der Ostfront kämpfenden Flak-Korps deswegen immer vollständig mit 8,8 cm Kanonen ausgestattet sein müßten, um in die Panzerbekämpfung und in den Erdkampf eingreifen zu können.

Am 1. November fuhren wir mit Hitler zum OKH hinüber, wo eine Ausstellung von Winterbekleidung aufgebaut war. Der Generalquartiermeister des Heeres, General Wagner, versicherte, daß die Beschaffung von Winterkleidung im Anlaufen sei und daß den Verbänden genügend Material zur Verfügung gestellt würde. Hitler nahm die Berichte zur Kenntnis und zeigte sich befriedigt. Am 7. November fuhr Hitler nach München, um wie üblich zu den »alten Kämpfern« von 1923 zu sprechen. Er sprach noch am 9. November zu den Reichs- und Gauleitern und fuhr danach sofort wieder zur Wolfschanze zurück.

Kur in Konstanz

Mein Weg trennte sich in München von Hitler. Ich mußte zu einer längeren Kur nach Konstanz fahren. Die vier Wochen bis zum 8. Dezember verliefen langweilig und ohne besondere Ereignisse. Es war trotzdem eine schöne Zeit, weil meine Frau mich begleiten konnte. Der Arzt wollte durch besondere Ernährung meine angespannten Magennerven beruhigen. Ich habe es vier Wochen über mich ergehen lassen. Der Verlauf der Kämpfe beschäftigte mich sehr. An der Ostfront schienen mir die Bewegungen eingestellt zu sein. Es kamen nur wenig neue Meldungen in die Presse. Am meisten erschütterten mich die Nachrichten von Udets und Mölders' Tod. Am 17. November starb Udet, am 22. November Mölders.

Bei dem Bericht über Udets Tod in der Presse machte mich sogleich die angegebene Todesursache stutzig. Ich hielt einen Flugunfall für ausgeschlossen und erfuhr durch einen Anruf in Berlin, daß Udet sich das Leben genommen hatte. Sein Tod ging mir sehr nahe. Ich kannte Udet gut aus der Zeit, als er noch nicht wieder aktiver Soldat war. Er war ein selten liebenswerter Kamerad, aber von Göring mit einer falschen Aufgabe betraut worden. Es war merkwürdig, daß er dann, als auch er selbst merkte, daß er als Generalluftzeugmeister nicht den angespannten Forderungen des Krieges entsprach, auf seinem Posten bleiben wollte und nicht bereit war zurückzutreten. Udet war Junggeselle und lebte gern, immer von einem Kreis guter Freunde umgeben. Diese standen ihm auch in der letzten Zeit vor seinem Tod mit Rat und Tat zur Seite; er sah die Dinge aber anders und war nicht mehr zu beeinflussen. Sein Tod traf die ganze Luftwaffe. Mölders verunglückte tödlich am 22. November in Breslau auf dem Flug zu Udets Beisetzung bei der Zwischenlandung einer mehrmotorigen Maschine, die er nicht selbst flog. Sein Tod war ein schwerer Verlust, besonders für die Jagdflieger.

Kriegserklärung an die USA

Meine Frau und ich trafen am 9. Dezember früh auf dem Anhalter Bahnhof ein. Gleich nach unserer Ankunft hörte ich eine Lautsprecherdurchsage, die Reisenden möchten sich beeilen, der Bahnsteig werde dringend gebraucht. Ich wußte, daß es der Bahnsteig war, auf dem üblicherweise Hitlers Zug eintraf, und vermutete daher seine Ankunft in Berlin. Wir fuhren zunächst in unsere Wohnung, und telephonisch erkundigte ich mich in der Reichskanzlei. Ich hatte recht, zog Uniform an und ließ mich zur Reichskanzlei fahren. Ich ahnte nicht, wie sich die politische Lage verändert hatte und was uns in den nächsten Wochen bevorstand.

Ich meldete mich bei Hitler zurück. Er war sehr freundlich und fragte nach meinem Ergehen. Meine kurze Antwort ging schon in dem Getriebe der Führerwohnung unter. Ich versuchte, mir rasch einen Überblick über die neuesten Ereignisse zu verschaffen. Das Wichtigste war der Angriff der Japaner gegen den amerikanischen Flottenstützpunkt im Pazifik, Pearl Harbour. Ohne Kriegserklärung hatten sich am Morgen des 7. Dezember mehrere Wellen japanischer Flugzeuge gegen die Flotteneinheiten der Amerikaner in dem großen Hafen geworfen und mehrere Schlachtschiffe, Flugzeugträger und weitere Einheiten versenkt. Hitler betrachtete diesen Schritt der Japaner als Signal, Amerika den Krieg zu erklären. Ich erschrak über Hitlers hier zutage tretende Ahnungslosigkeit hinsichtlich des amerikanischen Potentials, das letztlich doch schon den Ersten Weltkrieg entschieden hatte. Hier drückte sich sein außenpolitischer Dilettantismus aus, seine mangelhafte Kenntnis des Auslandes. Er vertraute darauf, daß Amerika in absehbarer Zeit, auch gezwungen durch die Auseinandersetzung mit Japan, nicht auf dem europäischen Kriegsschauplatz eingreifen könnte, und war vom Gelingen seines »Weltblitzkrieges« – wie der Historiker Andreas Hillgruber diese Vorstellung nennt – überzeugt, also davon, alle Gegner rasch nacheinander besiegen zu können. Vermutlich meinte er auch, den Japanern beispringen zu müssen, da er in dieser Zeit verschiedentlich von der Notwendigkeit eines engeren deutsch-japanischen militärischen Zusammenwirkens sprach – auch dies in meinen Augen eine ganz irreale Annahme. Wie Hitler seine außenpolitischen Vorstellungen formte, eher nach seinen Wünschen als nach der Wirklichkeit, ist mir verborgen geblieben. Ich nehme an, daß er sich wenigstens zeitweise stark von Ribbentrop beeinflussen ließ, dessen Weltbild aber wohl auch nicht wesentlich über Europa hinausreichte. Als es später mit Ribbentrop wegen dessen Versuch, eine eigenständige Rußlandpolitik zu betreiben, zum zeitweiligen Bruch kam, war Hewel sein bevorzugter außenpolitischer Gesprächspartner.

Winterkrise

Der Tag meiner Rückkehr verlief in großer Unruhe. Es versammelten sich viele Besucher in der Reichskanzlei, in der Hoffnung, nun unmittelbar von Hitler das Neueste über die Kriegslage zu erfahren. Aber Hitler war diesmal verschlossen. Nach dem Mittagessen hatte er Besprechungen mit Ribbentrop? Himmler, Todt und Goebbels. Die Räume leerten sich. Schmundt übergab mir die laufenden Geschäfte. Dann stand ich allein. Hitler unterhielt sich an diesem Tage viel mit mir und ging am Abend lange mit mir im Wintergarten auf und ab. Am meisten beschäftigte ihn die Frage des Oberbefehls über das Heer. Schon lange war die Zusammenarbeit mit Brauchitsch von mangelndem Vertrauen gekennzeichnet. Hitler suchte einen Nachfolger. Schmundt hatte ihm empfohlen, zunächst für einige Zeit die Führung des Heeres selbst zu übernehmen. Hitler sträubte sich dagegen, sah jetzt aber nach der Kriegserklärung gegen die USA eine neue Lage auf sich zukommen und neigte bereits mehr dazu, Schmundts Vorschlag zu folgen. Hitler sagte, daß viele Generale eine Ausspannungszeit brauchten. Rundstedt habe er am 1. Dezember beurlauben müssen, Guderian mache ihm Sorgen, er sei völlig »durchgedreht«. Die Heeresgruppe Süd habe Reichenau erhalten; diesem General vertraue er ohne Einschränkung.

Voll Sorge betrachtete Hitler in diesen Tagen die Lage bei der Heeresgruppe Mitte. Er vermutete, daß die Russen einen großen Gegenangriff beabsichtigten. Kluge sprach dauernd vom Zurückgehen. »Wo will er denn hin«, fragte Hitler. »Wir haben keine vorbereiteten rückwärtigen Stellungen. Die Truppe muß halten, wo sie steht.« Dann folgte Hitlers Vorwurf gegen die Nachschuborganisation des Heeres. Sie habe keine Winterbekleidung, keinen Schutz gegen die Kälte und keine Mittel für eine ausreichende Versorgung. Hitler wurde sehr erregt. Er meinte, dafür hätte das Heer sorgen können. Die Luftwaffe hätte doch auch für ihre Verbände das Erforderliche für den Winter herangeschafft. Weitere Klage führte Hitler über die Panzer. Die Russen griffen jetzt überall in großer Zahl mit dem T 34 an, gegen den das Heer keine Abwehrwaffen hätte. Auch der Panzer IV mit der kurzen Kanone hätte große Schwierigkeiten im Kampf mit diesem Panzer. »Wenn wir Eure 8,8 nicht hätten, würden die russischen Panzer herumfahren, wo sie wollten.« Mit diesem Panzer hätten die Russen eine beachtliche Waffe entwickelt. Hitler wußte nur noch nicht, in welchen Mengen er geliefert wurde. Bald im Jahre 1942 stellte es sich aber heraus, daß er in ständig wachsender Zahl auftrat. Die eigene Panzerfertigung sei zufriedenstellend. Wir müßten die Fertigung noch mehr beschleunigen. Auch erwähnte Hitler die Lieferungen der Amerikaner an die Russen. Es hätte sich jetzt bestätigt, daß die Amerikaner schon seit längerer Zeit Lastkraftwagen und Verpflegung an die Russen lieferten. Die Lkw aus Amerika hätten unsere Verbände bereits festgestellt. Hitler lebte ganz in den neuesten Ereignissen der Front und grübelte laufend, wie er unseren Verbänden helfen könne. Nur sagte er immer wieder: »Sie müssen stehenbleiben, wo sie sind, und keinen Schritt zurücknehmen.« Durch dieses Gespräch mit Hitler wurde ich Hals über Kopf wieder in das unheimliche Geschehen des russischen Feldzuges hineinversetzt.

Für den 11. Dezember, 15 Uhr, hatte Hitler den Reichstag einberufen lassen. Er hielt eine sehr lange und ausführliche Rede über die gesamte politische Lage, aber ohne besonders auffallende Höhepunkte.

Am 16. Dezember waren wir am Vormittag wieder in der Wolfschanze und fanden eine besorgniserregende, unübersichtliche Lage an der Front vor. Hitler entschloß sich endgültig in der Nacht vom 16. zum 17. Dezember, den Oberbefehl über das Heer zu übernehmen. Er hatte sich nach tagelangen Überlegungen dazu entschlossen. Schmundt begrüßte diesen Schritt, weil damit nun der tägliche Kampf mit Brauchitsch sein Ende hatte. Es war noch einmal der Gedanke aufgetaucht, Manstein oder Kesselring das Oberkommando anzuvertrauen. Hitler winkte aber ab, denn Manstein lag ihm in seinem Wesen nicht, und Kesselring war gerade für den Oberbefehl über die Luftwaffenverbände im Mittelmeerraum vorgesehen. Wegen des Verhältnisses zu Italien wollte er hier keine überraschende Änderung vornehmen. Am 18. Dezember wechselte Hitler den Oberbefehlshaber der Heeresgruppe Mitte, Feldmarschall v. Bock, gegen Feldmarschall v. Kluge aus. Der Tag hatte mit lebhaften Telephongesprächen begonnen, die alle die Zurücknahme der Front der Heeresgruppe Mitte vor dem starken Druck der Russen forderten. Hitler gab keinen Schritt preis und verlangte das Halten. Zwischen Weihnachten und Neujahr wurde Guderian auf Wunsch von Kluge beurlaubt. Diese beiden Generale waren seit eh und je solche Gegensätze, daß sie nicht gemeinsam einzusetzen waren. Tagtäglich fanden stundenlange Besprechungen zwischen Hitler und Halder statt. Es handelte sich immer wieder nur um das gleiche Thema: Halten oder Zurückgehen. In der Zwischenzeit waren Aushilfsmaßnahmen für das Heranführen neuer Formationen an die besonders bedrohten Frontabschnitte getroffen, die Front selbst suchte die letzten Reserven zusammen. In der Nacht vom 30. zum 31. Dezember führte Hitler von 23.30 Uhr bis 1.30 Uhr über zwei Stunden ein Telephongespräch mit Kluge. Dieser wollte die Front der Heeresgruppe 35 km zurücknehmen. Hitler lehnte dies ab und befahl nochmals, keinen Schritt zurückzugehen. Damit hat Hitler zweifellos die Situation gerettet, obwohl noch schwere Krisen bevorstanden in den nächsten Tagen und Wochen.

Nach der Kriegserklärung an die Vereinigten Staaten wußten wir, daß die gesamte Welt im Krieg gegen uns stand, eine Erkenntnis, die mir nur noch schwer den Glauben an einen Sieg ließ. In Deutschland begann eine Umschichtung der Meinungen. Das größte Lager bildeten noch immer die Menschen, die die bisherigen Erfolge Hitlers sahen und es nicht glauben konnten und wollten, daß dieser Mann, der Deutschland wieder ein Ansehen in der Welt gegeben hatte, einen falschen Weg gehen würde. Darunter waren auch viele, die nicht mehr den klaren Sieg erwarteten, aber sagten, Hitlers Überlegenheit sei so groß, daß er einen Weg zum Wohl des Reiches finden werde. Zu diesen Menschen gehörten auch die, und es waren nicht wenige, die überhaupt keine eigene Meinung hatten und die Dinge laufen ließen, wobei es ihnen gleichgültig war, welchen Weg die Geschicke nahmen. Klein, sogar sehr klein war der Kreis derjenigen, die das große Unglück für Deutschland klar erkannten, darüber auch sprachen und gewillt waren, etwas für einen Umsturz zu riskieren, vereinzelte Personen aus den Kreisen der Kirchen, des Landadels, der Diplomatie, der Beamten und Offiziere. Die Geheime Staatspolizei war über diese Kreise und ihr Wirken durchaus im Bilde. Die meisten Namen standen in ihren Karteien. Sie unternahm nichts, da einmal die Zahl zu gering war, und zum anderen keine Anzeichen für irgendeine Aktion vorlagen. Hitler selbst war von Himmler darüber unterrichtet worden, und ihm waren die Namen der aktiven Gegner im großen und ganzen auch bekannt. Wir hatten es im abgelaufenen Jahr immer wieder erlebt, mit welcher Kraft Hitler sich diesen kritischen Strömungen durch seine Reden und Handlungen entgegenstellte. Es konnte nicht überraschen, daß in der Winterkrise 1941/42 Zweifel und Kritik ständig zunahmen.

Sonderfrieden mit Rußland?

Ich war damals davon überzeugt, daß es der Sowjetunion, die seit Juni schwere Schläge hatte hinnehmen müssen, unmöglich sein würde, sich rasch zu erholen. Es bestand in meinen Augen noch eine Chance, Rußland zu schlagen, bevor Amerika mit seinem bedeutenden Potential in die Auseinandersetzung eingriff. Soweit ich es beurteilen konnte, ist dies nach Hitlers Ansicht zu dieser Zeit gewesen. Er glaubte sicher, Rußland 1942 zu schlagen.

Ribbentrop riet Hitler in dieser schwierigen Situation, mit Rußland zu einem Friedensschluß zu kommen. Er glaubte, Stalin und seine Genossen 1939 soweit kennengelernt zu haben, daß dafür noch nicht alle Möglichkeiten verschüttet waren. Er sprach mit Hitler sehr eingehend über dieses Thema. Hitler hielt einen Friedensschluß mit Stalin für ein Ding der Unmöglichkeit.

Überbeanspruchung der Kräfte

Hitler wies in seinem Neujahrsaufruf an das Deutsche Volk und einem Tagesbefehl an die Soldaten der Wehrmacht auf die schwere Lage hin, in der sich Deutschland in diesen Wintermonaten befände, ließ aber keinen Zweifel darüber, daß er die Initiative wieder ergreifen würde und dem Deutschen Volk den Raum freikämpfen werde, den es zur Erhaltung seines Lebens brauche. »Wer für das Leben seines Volkes, für dessen tägliches Brot und für seine Zukunft kämpft, wird siegen! Wer aber in diesem Kriege mit seinem jüdischen Haß die Völker zu vernichten sucht, wird stürzen«, sagte er in seinem Aufruf an das Volk. Sein Tagesbefehl schloß mit den Worten: »Das Blut, das in diesem Krieg vergossen wird, soll – das ist unsere Hoffnung – in Europa für Generationen das letzte sein! Möge uns der Herrgott im kommenden Jahr dabei helfen.«

Seit der Machtergreifung im Jahre 1933 hatte Hitler in den Herbst- und Winterwochen 1941 zum ersten Mal erlebt, wie sich ein Rückschlag, ein starker feindlicher Widerstand auswirkte. Hitlers persönliches brutales Eingreifen in die Führung der Armeen erfolgte im letzten Moment. Es gelang, den operativen Rückschlag nicht zur Katastrophe werden zu lassen. Der deutsche Soldat gewann noch einmal aus seinen übermenschlichen Leistungen neues Vertrauen zur eigenen Kraft. Mit dem Durchhalten in taktisch jeder überkommenen Anschauung hohnsprechenden Lage und mit der erfolgreichen Abwehr einer Übermacht, die vielfach das Zwanzigfache der eigenen Stärke betrug, hatte die Truppe ihr Selbstbewußtsein gestärkt.

Frontrücknahmen als operative Aushilfe der Führung, um die Freiheit des Handelns wieder zu gewinnen oder Kräfte zu sparen, lehnte Hitler ab. Sein Mißtrauen gegen die Generale, das im Laufe der vergangenen Wochen außerordentlich zugenommen hatte und nie wieder ganz beseitigt wurde, ergab eine verkrampfte Gängelung von Seiten Hitlers. Er behielt sich jede, auch die kleinste taktische Entscheidung vor. Für ihn war der Gedanke, daß es mit dieser Entwicklung einmal ein Ende haben könnte, daß ein fremder Wille sich stärker als der eigene erweisen würde, einfach unfaßbar und untragbar. Es konnte und durfte nicht sein, daß die Kurve abwärts ging. Es wurde davon gesprochen, daß die krankhaft egozentrische Einstellung Hitlers von nun an der Grund für seine militärische Führung war. Dieser Ansicht konnte ich mich noch nicht anschließen.

Die rücksichtslose Überspannung im Einsatz von Menschen und Material wurde zum Dauerzustand. Der Grund hierfür war der Mangel an frischen, ausgeruhten Divisionen. Hitler hatte 1941 alle verfügbaren Divisionen an die Front geworfen. Es gab keine nennenswerten Reserven mehr. Der russische Raum war für die deutsche Wehrmacht zu groß. Von Leningrad bis zum Elbrus im Kaukasus waren es fast 3000 km. Hitler hatte den Feldzug begonnen in der Annahme, die Kräfte des Gegners zu brechen, wie es ihm in den bisherigen Feldzügen gelungen war. In Rußland war es anders. Der Gegner hatte unerschöpfliche Reserven. In diesen Wochen und Monaten wurde zum ersten Mal das Untermaß der Kräfte bei den von Hitler gestellten Aufgaben offenbar.

Wir wissen heute, daß Stalin die fernöstliche Grenze entblößen konnte, weil er durch den Spion Richard Sorge in Tokio ins Bild gesetzt war, daß die Japaner nicht an einen Krieg gegen Rußland dachten. Dies und die amerikanische Hilfe gaben ihm die nötige Kraft, dem deutschen Angriff standzuhalten, ja, unsere Armeen in die Defensive und im Winter 1941/42 an den Rand des Abgrunds zu drängen.

Das war die große Wende in diesem Krieg. Hitlers Optimismus in diesem Machtkampf gegen die gesamte Welt war noch keinesfalls beeinträchtigt, denn er glaubte nach wie vor, daß die Engländer, um ihr Weltreich erhalten zu können, den Kampf gegen Deutschland aufgeben würden. Eine sehr geringe Hoffnung, aber Hitler sah das Ausmaß der Kriegsanstrengungen zunehmend auf Amerika verlagert. Daraus schloß er auf das Übergewicht der USA in der Zukunft über alle westlichen Demokratien einschließlich der englischen. Im Frühjahr 1942 sah Hitler immer noch Möglichkeiten, seine Machtstellung zu halten und zu festigen.

Die Russen griffen im Frühjahr 1942 immer wieder von Norden bis zum Süden die deutsche Front an. Sie erzielten auch Teilerfolge, durchbrachen an einigen Stellen die deutsche Front, aber durchschlagende Erfolge konnten sie nicht erreichen. Der Kessel von Demjansk und das eingeschlossene Cholm sind in Erinnerung geblieben als Zeichen tapferen Aushaltens der Besatzungen bei funktionierender Versorgung aus der Luft. In diesem Winterkampf gab es hervorragende Soldaten und Offiziere, die den Kampf für Deutschland als eine selbstverständliche Verpflichtung ansahen, denn Hitler hatte bisher alles geschafft. Warum sollte es nicht so weiter gehen, wenn sich jeder einzelne an seinem Platz bis zum Letzten einsetzte und das Letzte herausholte? Hitler erkannte diesen persönlichen Einsatz voll und ganz an.

Hitler und die Heeresgenerale

Sehr viel schlechter stand es mit dem Verhältnis Hitlers zur Führung des Heeres. Hier war trotz unermüdlicher Versuche Schmundts kaum noch auf eine Besserung zu hoffen, von einigen Ausnahmen abgesehen. Wenn er mit seinen alten Kampfgenossen wie Bormann, Himmler und Goebbels über die Generale des Heeres sprach, drückte er sich oft drastisch und scharf ablehnend aus. Es kam aber auch dazu, daß die meisten Generale, die mit Hitler in Berührung kamen, Hitler gar nicht oder zu wenig kannten. Sie verhielten sich daher korrekt, aber zurückhaltend und fanden nicht die richtigen Worte, um ihn auf Probleme oder Schwierigkeiten hinzuweisen. Wir Adjutanten pflegten solchen Besuchern vor ihrer Meldung entsprechende Ratschläge zu geben, wie sie, möglichst unbefangen auftretend, Hitlers Interesse wecken könnten. Einige verstanden es, in Hitlers Gegenwart das Wort zu ergreifen, die meisten blieben schweigsam. In dieser Zeit kamen oftmals viele höhere Offiziere, denen Hitler das Ritterkreuz oder höhere Auszeichnungen verliehen hatte und denen er nun die Orden aushändigte. Am sorglosesten, freiesten und natürlichsten verhielten sich junge Offiziere Hitler gegenüber. Ich erlebte ja nur die Luftwaffenoffiziere, aber unter diesen gab es kaum einen, dem die Gegenwart Hitlers die Sprache verschlug. Unbequeme Wahrheiten konnte man ihm sagen. Er legte direkt Wert darauf, schlechte Nachrichten so früh wie möglich zu erfahren. Es kam natürlich auf die Form der Meldung an.

In der Luftwaffe war nach dem Tode Udets eine wesentliche Änderung eingetreten. Hitler und Göring übertrugen Milch die Verantwortung für die gesamte
Luftwaffenrüstung. Göring tat dies nicht gern. Er wußte aber, daß Hitler darauf
Wert legte, und sah selbst wohl auch keine andere Lösung. Milch war robust,
rücksichtslos fordernd und durchgreifend, hart gegen sich selbst. Er war entsetzt,
was er im Amt des Generalluftzeugmeisters vorfand und was alles in Ordnung
gebracht werden mußte. Vor allem kam es ihm darauf an, die monatlichen Fabri-
kationszahlen für Flugzeuge zu steigern. Im Jahre 1942 erreichte er bald doppelte
Zahlen der Dezemberproduktion 1941, also von monatlich 250 auf nahezu 500
Maschinen. Aber die Rüstung auf viermotorige Flugzeuge umzustellen, daran
wagte er sich nicht. Es wäre eine Maßnahme geworden, die sich in diesem Krieg
kaum noch ausgewirkt hätte. Seine Hauptaufgabe sah er in der Steigerung der
Herstellung von Jagdflugzeugen. Er kannte die Planung der englischen Rüstung
und die gewaltige Vermehrung der Bomber. Hiergegen konnte Milch in erster
Linie nur mit Jagdflugzeugen und Flak wirken. Mit diesen Vorstellungen startete
Milch in das neue Jahr und fand sich Ende Januar im Führerhauptquartier ein.
Er trug seine Absichten Hitler vor und stellte seine Forderungen. Leider mußte ich
sehen, daß Hitler wieder Einschränkungen machte, denn die Heeresrüstung ging
ihm gerade in diesem Winter vor. Das war verständlich, aber trotzdem nahm ich
noch einmal Gelegenheit, Hitler auf die Schwierigkeiten unserer Luftrüstung aufmerksam zu machen. Ich sah wie Milch die gewaltigen Bomberangriffe von England aus auf uns zukommen, ohne daß ausreichende Abwehr vorhanden war. Hitler verwies mich auf Ende 1942, wenn die Kraft Rußlands gebrochen wäre. Ich
konnte das nicht glauben, sagte aber nichts. Denn noch hatte Hitler immer recht
behalten.

In den ersten Januartagen des neuen Jahres war Hitler noch in großer
Sorge um das Halten der Ostfront. Er gab Kluge aber zögernd die Genehmigung,
die Front seinem Wunsche entsprechend nach und nach bis zu einer von ihm festgelegten Linie zurückzunehmen. Damit wurden einige Einbruchbogen ausgeglichen. Die größten Schwierigkeiten wurden allerdings durch schnell herbeigeführte
Ersatztruppenteile behoben. Nur langsam besserte sich die katastrophale Eisen-
bahnlage. Die deutschen Lokomotiven waren nicht für die tiefen russischen Temperaturen geeignet. Sie standen überall mit eingefrorenen Teilen herum. Der Ver-
kehrsminister Dorpmüller nahm seinen Staatssekretär Ganzenmüller zu den Besprechungen bei Hitler mit und bewies, daß er bereits die Schwierigkeiten erkannt
und entsprechende energische Maßnahmen angeordnet hatte. Hitler hat später
diese bemerkenswerte Leistung der »blauen« Eisenbahner lobend hervorgehoben.

In den letzten Tagen des Jahres 1941 hatte Hitler den Befehl gegeben, starke Teile der Luftflotte 2 (Feldmarschall Kesselring) nach Sizilien und Nordafrika zu verlegen, vor allem wegen der Frage Malta. Kesselrings Feststellungen ergaben, daß die Inbesitznahme der Insel möglich war. Seine Gespräche mit den Italienern über dieses Thema ergaben aber eine Verschiebung dieser Operation bis zum Frühjahr. Inzwischen führten seit dem Januar deutsche und italienische Flugzeuge fast pausenlose Luftangriffe gegen die Insel. Als er Ende März die Insel für sturmreif hielt, lehnten die Italiener zunächst ab. Kesselrings andere Aufgaben, die Unterstützung der Operationen des Afrika-Korps und die Sicherung des Nachschub-Verkehrs über das Mittelmeer, stellten aber wieder größere Anforderungen an seine Luftflotte, so daß das Interesse für die so wichtige Bastion Malta im Mittelmeer nachließ.

Kesselring war für den Mittelmeerraum der richtige Befehlshaber. Seine stets liebenswürdige und aufgeschlossene Art im Umgang mit Menschen öffnete ihm alle Häuser und Büros und erleichterte ihm den Umgang mit den schwierigen Italienern. Sein Verhältnis zu Rommel blieb in den Grenzen der militärischen Rangordnung. Kesselring kannte die Erfordernisse des Afrika-Korps, und er versuchte viel, um Rommel für seinen geplanten Vorstoß in Richtung auf Ägypten zu unterstützen. Doch Rommel stellte oft unerfüllbare Forderungen und machte Kesselring das Leben sehr schwer. Hitler hatte aber großes Vertrauen in Kesselrings menschliche Art gesetzt und erwartete von ihm, daß er seine Aufgaben meisterte. Er hatte sich nicht getäuscht. Ihm gefiel Kesselrings großer Ernst und sein hohes Verantwortungsbewußtsein, aber auch seine strahlende Heiterkeit, die aus einem warmen Herzen kam. Kesselring war ein Optimist.

Kanaldurchbruch der Schlachtschiffe

Anfang Januar machte Hitler sich große Sorge um den Einsatz der Schlachtschiffe »Scharnhorst«, »Gneisenau« und des Kreuzers »Prinz Eugen«. Sie lagen immer noch in Brest, ohne besondere Aufgaben, aber stark gefährdet durch britische Luftangriffe. Hitler wollte sie nach Norwegen haben. Dort fürchtete er immer wieder eine Unternehmung der Engländer und versuchte deshalb, die Marine zu stärken. Anfang Januar hörte Hitler die Vorstellungen der Marine über den beabsichtigten Kanaldurchbruch und war überrascht, daß die Marine am hellen Tag durch den Kanal fahren wollte. Er gab aber seine Einwilligung. Von Seiten der Luftwaffe war Oberst Galland mit den in Nordfrankreich liegenden Jagdverbänden bei dem Unternehmen beteiligt. Am 12. Februar 1942 verließen die Schiffe bei Nacht den Hafen Brest und durchbrachen mitten am 13. Februar die Kanalenge von Dover und Calais. Die Engländer waren völlig überrascht, sie hatten diese Marschrichtung des Verbandes nicht erwartet. Ostwärts der Linie Dover – Calais setzte nun lebhafte Fliegertätigkeit ein. Die Engländer versuchten mit Bomben, Minen und Torpedos die Schiffe zu stoppen. Es ist ihnen aber nicht gelungen. Die beiden Schlachtschiffe erlitten Minenschäden, wurden aber in ihrer Marschgeschwindigkeit nur wenig gemindert. Die englische Luftwaffe hatte etwa 60 Flugzeuge verloren. Die deutschen Schiffe erreichten ohne weitere Behinderung ihre Bestimmungshäfen. Der Kanaldurchbruch war ein voller Erfolg. Hitler freute sich über die Durchführung und erwähnte diese kühne Unternehmung später noch öfter als einen Beweis für ganz geheim vorbereitete, durchgeführte und geglückte Aktionen.

Im Laufe des Januar beruhigte sich die Lage an der Ostfront etwas. Russische Angriffe konnten abgeschlagen werden, die deutsche Front begann sich zu festigen. Hitler konzentrierte sich bereits wieder auf neue Operationspläne für den Sommer des Jahres. Er sprach mit Jodl über eine Offensive im Südraum. Sein Ziel war es, die Russen von der Zufuhr ihrer Ölquellen im Kaukasus abzuschneiden und im Norden die Verbindung zu Finnland über Leningrad herzustellen. Alle Vorbereitungen sollten bis zum 1. Mai abgeschlossen sein.

Hoepners Ablösung

Unruhe löste die Ablösung des Generalobersten Hoepner aus. Er hatte am 8. Januar, auf dem Höhepunkt der Krise der Heeresgruppe Mitte, das XX. AK (General der Inf. Materna) seiner 4. Pz.-Armee zurückgenommen, ohne Einwilligung der von Kluge befehligten Heeresgruppe, geschweige denn Hitlers. Hitler war über diesen Entschluß sehr erbost und kannte bei der Beurteilung dieses Falles keinerlei Mitleid. Feldmarschall v. Kluge mußte Hoepner am 9. Januar folgenden Führerbefehl eröffnen: »Der Generaloberst Hoepner hat meine Autorität als Oberbefehlshaber der Wehrmacht und als Staatsoberhaupt des Großdeutschen Reiches gefährdet. Der Generaloberst Hoepner wird aus der Wehrmacht ausgestoßen mit allen sich daraus ergebenden Konsequenzen.« Dazu kam es nicht, weil Schmundt sich einschaltete und das Schlimmste verhinderte. Es ist nicht, wie oft behauptet, zu einem kriegsgerichtlichen Verfahren gekommen, sondern Hoepner schied Ende Juni aus dem Heer aus und lebte fortan als verabschiedeter Generaloberst mit ungeschmälerter Pension in seiner einstigen Dienstwohnung. Schmundt legte die mündliche Weisung Hitlers, daß für die Familie Hoepners gesorgt werden sollte, im weitesten Sinne zugunsten des Generalobersten aus.

erst Lützow erhält im FHQ aus der Hand Hitlers eine
...szeichnung.

...eihnachten 1941. Im FHQ mit Schmundt, v. Puttkamer,
...briel und anderen

...elow (rechts) mit seinem
...der in der Wolfschanze.

Hitler überreicht in der Wolfschanze Fliegeroffizieren das Eichenlaub zum Ritterkreuz.

Sommer 1942. Besuche in Romintern. Links GFM Milch, rechts General Bodenschatz.

Als sich der 30. Januar 1942 näherte, überlegte Hitler, ob er nach Berlin fahren sollte, um wie in jedem Jahr eine Rede zu halten. Goebbels hatte ihn mit allen Mitteln gedrängt, daß er an diesem Brauch festhalten sollte, im Sportpalast zum Volk zu sprechen. Die militärische Lage an der Ostfront hielt ihn lange davon ab zuzusagen. Erst im letzten Augenblick, am Mittag des 29. Januar, fuhr er mit dem Zug nach Berlin und war am 31. vormittags wieder in der Wolfsschanze. Am 30. Januar um 17 Uhr sprach er im Sportpalast. Goebbels hatte die Kundgebung organisiert. Es war eine geschickt zusammengestellte, außerordentlich lebendige Zuhörerschaft versammelt, Arbeiter aus den Berliner Rüstungswerken, Krankenschwestern aus den Lazaretten und verwundete Soldaten. Hitler berührte viele alte Themen, die das Kriegsgeschehen der letzten Monate wieder deutlich gemacht hatte. Engländer und Juden, seine Hauptfeinde, wurden als erste angegriffen. Dann erwähnte er die »drei großen Habenichtse«, Deutschland, Italien und Japan, die diesen Kampf gewinnen wollten. Er fand viel Beifall und Begeisterung und gab damit sich selbst wieder inneren Auftrieb, den er für den Kampf im Sommer brauchte.

Speer als Nachfolger Todts

Der Februar brachte ein besonders tragisches Ereignis. Am 7. Februar war Dr. Todt bei Hitler zu längeren Gesprächen über sein Rüstungsprogramm und wollte am Tage darauf ganz früh wieder abfliegen. Todt hatte sich Ende 1941 eine zweimotorige He 111 als Reisemaschine beschafft und war mit dieser Maschine in Rastenburg. Hitler hatte allen prominenten Funktionären grundsätzlich das Fliegen in zweimotorigen Flugzeugen verboten. Nachdem ich von dem neuen Flugzeug Dr. Todts gehört hatte, sah ich mich gezwungen, ihn auf dieses Verbot aufmerksam zu machen und ihm den Start mit der He 111 zu verbieten. Er war außer sich und sagte, dieses Verbot Hitlers gelte für ihn nicht. Abends aß Dr. Todt mit Hitler allein in seinem Bunker, und es dauerte nicht lange, bis ich gerufen wurde. Hitler fragte mich, wie sich mein Zusammenstoß mit Todt ereignet hätte, und ich erklärte, daß ich nur seine strikte Anweisung befolgt hätte. Er ließ sich aber doch von Todt überreden und gab mir die Anweisung, am nächsten Morgen für entsprechende Abfertigung der Maschine zu sorgen. Ich veranlaßte, daß das Flugzeug vor dem Start mit Dr. Todt einen Probeflug machen mußte. Am nächsten Morgen kurz nach dem Hellwerden klingelte mich der Staffelkapitän der Führer-Kurierstaffel aus dem Bett und sagte mir, daß Dr. Todt soeben, kurz nach dem Start, abgestürzt sei. Ich zog mich an und fuhr sofort zum Flugplatz. Dort fand ich nur noch rauchende Trümmer. Alle Insassen der Maschine waren tot. Als Hitler aufgestanden war, meldete ich ihm den Absturz. Er war sehr betroffen und blieb lange still. Dann fragte er mich nach der Ursache, für die ich keine Erklärung hatte. Das Wetter war nicht gut. Himmel und verschneite Erde waren im gleichen grauen Farbton, ohne einen sichtbaren Horizont ineinander übergegangen. Ich vermutete einen Bedienungsfehler des Piloten, der die Maschine für solche schwierigen Wetterlagen noch nicht ausreichend genug gekannt hatte. Die gründliche Prüfung dieses Unfalls wurde vom RLM und der SS vorgenommen, blieb aber ohne Ergebnis.

Hitler entschied sich nach meiner Meldung sofort, Professor Speer mit der Nachfolge Todts zu beauftragen. Speer hielt sich gerade im FHQ auf und wurde am gleichen Tage von Hitler in seine neuen Aufgaben eingewiesen. Es war uns allen sehr klar geworden, daß dieser Wechsel einen grundsätzlichen Wandel auf dem Gebiet des Rüstungswesens zur Folge haben würde. Schon nach wenigen Wochen war dies zu beobachten, aber in einem erstaunlich positiven Sinn.

Hitler ehrte Dr. Todt noch besonders, indem er selbst beim Staatsakt in der Berliner Reichskanzlei die Trauerrede hielt. Er bezeichnete Todt als »Nationalsozialist aus seinem ganzen Herzen heraus« und erwähnte seine Leistungen, vor allem den Bau der Reichsautobahnen. Er sagte aber auch, daß Dr. Todt nie einen Feind besessen hätte. Ich glaube, das Dritte Reich hatte keinen besseren Diener als Todt.

Im Anschluß an die Trauerfeier sind mir noch zwei Veranstaltungen in Erinnerung geblieben, die bezeichnend für die allgemeine Atmosphäre zu dieser Zeit waren. Am 13. Februar hatte Speer die führenden Leute der Rüstungsbetriebe und alle dazugehörigen Verantwortlichen der Berliner Stellen bei sich versammelt. Er wußte, daß in diesem Kreise einige waren, die versuchten, aus den umfangreichen Aufgaben Todts Teilgebiete herauszulösen und sie anderen zu übertragen. Speer hatte mit Hitler vereinbart, daß er, wenn sich diese Tatsache bestätigte, alle »Interessenten« zu einem Vortrag Hitlers sofort in die Reichskanzlei einladen dürfte. So kam es. Hitler sprach über die Bedeutung der Rüstung und über die Wichtigkeit, alles in einer Hand zusammenzufassen. Damit waren alle Sonderwünsche vom Tisch, und Speer war in allen Rüstungsaufgaben der Nachfolger von Dr. Todt.

Am 15. Februar sprach Hitler wieder zu einem großen Kreis von Oberfähnrichen im Sportpalast. In den Mittelpunkt dieser Rede stellte er die bedeutenden Erfolge des Jahres 1941. Von der schwierigen Lage an der Ostfront wußten die jungen Zuhörer so gut wie gar nichts und warteten nur auf die Gelegenheit, sich auch an der Front auszeichnen zu können. Hitler sprach auch sehr betont über sich selbst: »Ich bin grenzenlos stolz darauf, daß es mir von der Vorsehung vergönnt wurde, diesen ja doch nun unausbleiblichen Kampf führen zu dürfen.« Göring benutzte die Gelegenheit, die jungen Zuhörer auf Hitlers Leistungen im Verlauf der ersten Kriegsjahre hinzuweisen. Als Hitler den Sportpalast verließ, brandete Beifall und Jubel auf, wie wir ihn selten erlebt hatten. Unmittelbar nach dieser

Rede kehrte Hitler nach Ostpreußen zurück. Auf der Rückfahrt erhielt er die Meldung, daß die Japaner Singapore erobert hatten. Hitler hatte Worte des Lobes für die japanische Armee. Er sagte aber, daß es von der russischen Seite aus gesehen unverantwortlich sei, daß wir die Erfolge der Japaner bejubelten.

Stabilisierung im Frühjahr

Die Monate März und April verliefen im großen und ganzen verhältnismäßig ruhig. Auch die Russen schienen entweder soweit angeschlagen, daß sie keine Kraft für neue Angriffe mehr hatten, oder sie bereiteten Angriffsunternehmen vor, die längere Vorbereitungszeiten benötigten. Hitler war ruhig und ausgeglichen und legte den Schwerpunkt seiner Arbeiten auf Rüstungsfragen, gemeinsam mit Speer, und auf die Vorbereitungen für die geplante Sommeroffensive. Mit Nachdruck betonte er, daß das Wichtigste dieses Sommers das Abschneiden des Russen von seinem Ölgebiet im Kaukasus sei. Wenn dieses Ziel erreicht sei, erwarte er Ruhe an den anderen Fronten. Der Angriff im Frühjahr müsse mit den Begradigungen der Fronten bei Charkow beginnen und dann die Inbesitznahme der ganzen Krim-Halbinsel folgen mit dem Zugang nach Kertsch und der Festung Sewastopol. Danach müsse allerdings so schnell wie möglich der Angriff in Richtung Stalingrad und Kaukasus folgen. Hitler beauftragte Schmundt, den Ausbau eines neuen FHQ in der Ukraine in dem Raum von Winniza zu veranlassen, denn er wollte im Sommer den Spitzen des Angriffs näher sein.

Zum 15. März, dem Heldengedenktag, fuhren wir mit Hitler wieder ganz kurz nach Berlin, denn es kam ihm immer wieder darauf an, mit seinen Reden auf die Öffentlichkeit einzuwirken. Er stellte besonders die Unbilden des Winters heraus und die enormen Schwierigkeiten, mit denen unsere Soldaten fertig werden mußten. Aber er lobte auch die Festigkeit der Front, die trotz der russischen Angriffe und der schweren Winterstürme gehalten hätte. Hitler sang das Loblied des deutschen Soldaten, mit dem er die weiteren Aufgaben dieses Krieges bestehen wollte. Voll Ehrfurcht – und dies schien mir kein leeres Pathos zu sein – gedachte er der Toten, die ihr Leben nicht vergeblich für Deutschland geopfert hätten.

Am 21. März 1942 beauftragte Hitler den thüringischen Gauleiter Sauckel – entgegen Speers Idee, Hanke zu ernennen – mit der Organisation des Arbeitskräfteeinsatzes in der Rüstung. Als »Generalbevollmächtigter für den Arbeitseinsatz« unter dem Generalbevollmächtigten für den Vierjahresplan erhielt er weitgehende Vollmachten für das Aussuchen, Zusammenziehen und Verteilen der Arbeitskräfte auf die jeweiligen Rüstungsbetriebe. Sauckel stützte sich vor allem auf ausländische Zwangsarbeiter, vornehmlich auf »Ostarbeiter«. Was als Zusammenarbeit mit Speer gedacht war, zu dessen Unterstützung, entwickelte sich zunehmend zur Rivalität, bei der Sauckel, einer der ältesten Gauleiter, sich stets Hitlers Unterstützung sicher sein konnte.

Am 25. März flog der Chef-Pilot der Messerschmitt-Werke, Fritz Wendel, zum erstenmal mit der Me 262, dem ersten düsengetriebenen Jagdflugzeug. Der zweite Flug erfolgte am 18. Juli des Jahres. Trotz mancher noch zu ändernder Dinge wiesen die Mitarbeiter Messerschmitts auf die Bedeutung dieses Flugzeuges hin, aber erst im Jahre 1943, nachdem Galland und Steinhoff dieses Flugzeug geflogen und dessen ungeheure Überlegenheit erkannt hatten, konnten sie sich für den beschleunigten Bau einsetzen. Die Serien-Produktion dieser Entwicklung kam dann viel zu spät.

Verschärfung des Luftkrieges

Der März 1942 brachte den Beginn der englischen Luftoffensiven. Am 3./ 4. März griffen die Engländer eine Fabrik in Paris an. Nach diesem Angriff meldeten die Franzosen 800 Tote. Der nächste Angriff galt in der Nacht vom 28. zum 29. März Lübeck. 234 Bombenflugzeuge warfen rd. 300 t Brand- und Sprengbomben in das Zentrum dieser alten Stadt ab. Die Zerstörungen waren von verheerendem Ausmaß und die Zustände nach dem Angriff chaotisch. 320 Menschen wurden getötet. Lübeck war die erste Stadt Deutschlands, die ein Opfer der Flächenbombardements wurde. Hitler sagte, daß jetzt Terror mit Terror beantwortet würde. Seiner Forderung, Flugzeuge von der Ostfront nach dem Westen zu verlegen, gab Jeschonnek nicht nach. Er begründete es damit, daß die Engländer eben dies mit ihren Bombardements erreichen wollten, und dem wollte und könnte er nicht nachgeben. Er ließ mit den Kräften, die in Nordfrankreich lagen, konzentrierte Angriffe z.B. gegen Exeter, fliegen, hatte aber natürlich nicht solche Erfolge, wie sie die Engländer in Lübeck erzielt hatten.

Pläne für den Sommerfeldzug

Am 5. April gab General Jodl die Weisung Nr. 41 heraus. Hitler hatte sich ganz auf die Durchführung der Operationen dieses Sommers konzentriert und mit Halder und dem OKW die Einzelheiten durchgesprochen. Er wartete ungeduldig auf das Abtrocknen der immer noch durchsumpften Straßen in Südrußland und nutzte die Zeit, die Divisionen durch Zuführen von Waffen und Gerät aufzufrischen und voll kampfkräftig machen zu lassen. Die Weisung besagte, daß die Heeresgruppe Mitte stehen bleiben sollte, während die Heeresgruppe Nord die Stadt Leningrad nehmen und die Landverbindung zu den Finnen herstellen sollte. Alle »greifbaren Kräfte« waren aber im Südabschnitt zusammenzufassen mit dem Ziel, die Ölgebiete im kaukasischen Raum und den Übergang über den Kaukasus zu gewinnen. Den Angriff gegen Woronesch bezeichnete Jodl als Hauptoperation an der Ostfront. Auf jeden Fall müsse im weiteren Verlauf der Operation »versucht werden, Stalingrad selbst zu erreichen oder es zumindest so unter die Wirkung unserer schweren Waffen zu bringen, daß es als weiteres Rüstungs- und Verkehrszentrum ausfällt«.

Reichstagssitzung am 26. April

Am 24. April fuhren wir nach Berlin, weil Hitler am 26. April vor dem Reichstag sprechen wollte. Unmittelbarer Anlaß war der noch nicht erledigte »Fall Hoepner«. Es drohte eine Kraftprobe zwischen Hitler und der Wehrmachtjustiz, die weder gegen Hoepner noch gegen einige andere in der Winterkrise unbotmäßige Generale in der von Hitler geforderten Härte vorgehen wollte. Im Anschluß an eine lange Rede, seine letzte vor diesem Forum, in der Hitler die Kämpfe des vergangenen Jahres schilderte und seine Pläne für 1942 andeutete, hielt Göring eine Ansprache und bewirkte die Akklamation zu folgendem, im Reichsgesetzblatt am 27. April veröffentlichten »Überermächtigungsgesetz«: »Es kann keinem Zweifel unterliegen, daß der Führer in der gegenwärtigen Zeit des Krieges, in der das deutsche Volk in einem Kampf um Sein oder Nichtsein steht, das von ihm in Anspruch genommene Recht besitzen muß, alles zu tun, was zur Erringung des Sieges dient oder dazu beiträgt. Der Führer muß daher – ohne an bestehende Rechtsvorschriften gebunden zu sein – in seiner Eigenschaft als Führer der Nation, als Oberster Befehlshaber der Wehrmacht, als Regierungschef und oberster Inhaber der vollziehenden Gewalt, als oberster Gerichtsherr und als Führer der Partei jederzeit in der Lage sein, nötigenfalls jeden Deutschen – sei er einfacher Soldat oder Offizier, niedriger oder hoher Beamter oder Richter, leitender oder dienender Funktionär der Partei, Arbeiter oder Angestellter – mit allen ihm geeignet erscheinenden Mitteln zur Erfüllung seiner Pflichten anzuhalten und bei Verletzung dieser Pflichten nach gewissenhafter Prüfung ohne Rücksicht auf sogenannte wohlerworbene Rechte mit der ihm gebührenden Sühne zu belegen, ihn im besonderen ohne Einleitung vorgeschriebener Verfahren aus seinem Amte, aus seinem Rang und seiner Stellung zu entfernen.«

Von nun an hatte Hitler auch formal legitimierte unumschränkte Vollmachten und war an Recht und Gesetz nicht mehr gebunden, wenn es dieses Beschlusses auch nur bedurft hatte, um das nach außen zu verdeutlichen. Diese Proklamation ließ viele Menschen aufhorchen.

Die Masse des Volkes nahm diese einschneidende Maßnahme mit ihren Konsequenzen aber kaum zur Kenntnis, sondern sah unter den derzeitigen Bedingungen solche Vollmachten für den Führer als gerechtfertigt an. Doch diejenigen Menschen, die schon über die Rechtswidrigkeiten der Machthaber des Dritten Reiches diskutierten, beurteilten dieses Gesetz als eine maßlose Machtbeanspruchung, die außerhalb jeglicher Rechtsordnung stand. Damit und durch die zunehmenden englischen Bombenangriffe auf deutsche Städte zeichnete sich eine deutliche Verschärfung der Gesamtlage ab. Das ganze Volk wurde in den Krieg mit einbezogen. Ich selbst war immer wieder überrascht, mit welcher Ruhe die Menschen die furchtbaren Bombenangriffe ertrugen. Die Engländer hatten sich zweifellos eine ganz andere Wirkung vorgestellt und glaubten, das deutsche Volk mit Bomben moralisch zerschlagen zu können. Der Kampf gegen die Bevölkerung und deren Wohnbezirke brachte nicht den erwarteten Erfolg.

Von Berlin fuhr Hitler über München zum Obersalzberg und empfing am 29. und 30. April den Duce im Schloß Klesheim und gab ihm ein sehr optimistisches Bild von der Lage. Am 1. Mai abends kehrte Hitler zur Wolfschanze zurück und beschäftigte sich sogleich wieder mit seinen Überlegungen für die Sommeroffensiven.

Eroberung der Krim

Ab Mai 1942 besserte sich das Wetter, und die Wege in Südrußland konnten wieder befahren werden. Als erste trat am 8. Mai die von Manstein befehligte 11. Armee auf der Krim gegen die russische Sperre zur Halbinsel Kertsch an. Ein tiefgegliedertes russisches Stellungssystem mußte durchbrochen werden. Mit Hilfe von schwerer Artillerie, Sturzkampffliegern und Sturmbooten gelang es, die ganze Halbinsel bis zum 16. Juni zu erobern. Die zweite Operation im Raum der Heeresgruppe Süd sollte am 17. Mai beginnen, um den russischen Sack südlich von Charkow zu bereinigen. Jedoch stießen die Russen ab 12. Mai aus dieser Front südlich von Charkow nach Norden vor. Feldmarschall v. Bock sah eine große Krise kommen und bestürmte Hitler und Halder zum Nachgeben. Doch Hitler blieb hart und ließ die Armeegruppe Kleist von Süden her vorstoßen. Dadurch wurde am 22. Mai der Kessel bei Isjum um die eingebrochenen russischen Truppen geschlossen. Zahlreiche Gefangene und große Beute wurden eingebracht.

Zur gleichen Zeit führte Manstein die Operation zur Einnahme der Festung Sewastopol. Am 3. Juni begann die Feuervorbereitung, am 7. Juni erfolgte der erste Angriff. Erst Anfang Juli fiel die Festung nach schweren Kämpfen in unsere Hände. Hitler würdigte diesen Erfolg mit der Beförderung Mansteins zum Generalfeldmarschall. Er betrachtete die Eroberung der ganzen Krim als großen Erfolg für die deutschen Kräfte und sah diesen Sieg als Grundlage weiterer erfolgreicher Kämpfe dieses Jahres an.

Flug zu Kesselring und Rommel

In der letzten Maiwoche flog ich nach Sizilien und Nordafrika zu Kesselring und Rommel. Der Hinflug führte mich über Catania nach Derna. Hier hatte Kesselring eine Außenstelle seines Hauptquartiers. Er nahm mich sehr nett auf, und ich blieb für zwei Tage sein Gast. Der Anlaß meiner Reise war Rommels Plan, Tobruk zu nehmen und weiter nach Ägypten vorzustoßen. Ich fand keine guten Verhältnisse vor. Im Stab des Panzerarmee-Oberkommandos »Afrika« hielt sich bereits der als Nachfolger von Rommel vorgesehene General Crüwell auf. Kesselring erwartete sehnlichst den Tag des Kommandowechsels. Ich hatte am ersten Abend ein längeres Gespräch mit Kesselring über die Entwicklung der Lage. Ich wußte, daß er im allgemeinen die Dinge recht optimistisch beurteilte und auch diese Operation Rommels positiv ansah. Er sagte mir aber ganz klar, daß die Kräfte nicht für einen längeren Vorstoß nach Ägypten reichen würden. Die Einnehme von Tobruk könnte Rommel nur durch einen Überraschungsschlag schaffen. Kesselring wies darauf hin, daß ja der Nachschub von den Italienern abhänge und leider mit vielen Verlusten verbunden sei.

Am Morgen des 1. Juni traf die alarmierende Meldung ein, daß General Crüwell in englische Hände gefallen sei. Damit brach Kesselrings Hoffnung auf einen baldigen Kommandowechsel zusammen. Ich war aber erstaunt, mit welcher Ruhe er die Nachricht aufnahm. Wir flogen mit zwei Störchen in die Wüste zu Rommel und trafen ihn etwa 30 km südwestlich Tobruk in einem ziemlichen Durcheinander mitten in der Wüste an. Kesselring besprach mit ihm die erforderliche Luftwaffen-Unterstützung für die nächsten Tage. Rommel sagte, daß es auf erfolgreiche Operationen in den nächsten Tagen ankäme, um den Schlag gegen Tobruk führen zu können. Am Nachmittag waren wir wieder in Derna.

Görings Stern sinkt

Bei meiner Rückkehr zur Wolfschanze fand ich eine sehr unerfreuliche Lage vor. Am 27. Mai war das Attentat auf den Obergruppenführer Heydrich in Prag ausgeführt worden. Er lebte noch, erlag aber nach einer Woche seinen Verletzungen. Außerdem hatten die Engländer in der Nacht vom 30. zum 31. Mai einen sehr schweren Luftangriff mit 1000 Bombern gegen Köln geflogen. Als ich mich bei Hitler zurückgemeldet und ihm die Lage von Nordafrika klar und ohne Umschweife vorgetragen hatte, beklagte er sich in sehr scharfer Form über den Angriff auf Köln. Er beanstandete den geringen Flakschutz und warf der Luftwaffe vor, daß sie dieser Abwehrwaffe im Reichsgebiet seit eh und je zu wenig Beachtung geschenkt habe. Zum ersten Mal hörte ich bei dieser Gelegenheit Hitlers

Kritik an den Maßnahmen Görings. Er vertraute ihm von nun an nicht mehr in vollem Umfange und erhob Vorwürfe, daß er, Hitler, sich nun auch noch um die Luftabwehrorganisation im Reichsgebiet kümmern müsse. Mir gegenüber hat er von jetzt ab immer wieder betont, daß die Luftwaffenführung – er meinte Milch und Jeschonnek – noch mehr Aufmerksamkeit auf die Verteidigung des Reichsgebietes legen müßte. Es schien mir bei diesen Gesprächen, daß Hitler noch mehr Luftangriffe erwartete und daß er darin eine große Gefahr kommen sah. Ich besprach dies eingehend mit Jeschonnek.

Wie ernst Hitler den von der tschechischen Exilregierung in London angeordneten Mord an Heydrich nahm, zeigte seine Teilnahme an dem Staatsakt für Heydrich am 9. Juni in Berlin. Die Trauerrede hielt Heinrich Himmler, während Hitler nur wenige Worte der Anerkennung und Trauer anschloß. Er begrüßte den tschechischen Staatspräsidenten Hacha und warnte ihn eindringlich vor weiteren feindlichen Terror-Aktionen gegen die deutsche Herrschaft im Protektorat. Er würde dann mit ganz scharfen Gegenmitteln reagieren.

Während eines Aufenthalts auf dem Berghof nach der Trauerfeier für Heydrich besuchte Hitler am 20. Juni die Reichswerke in Linz. Er drängte auf beschleunigte Fertigung der schweren Panzer. An sich nahm Hitler einen positiven Eindruck von der Arbeit in den Linzer Werken mit, aber wie immer stellte er noch höhere Forderungen. Und im allgemeinen habe ich beobachtet, daß Hitler den richtigen Blick für die Möglichkeiten hatte und seine Forderungen auch erfüllt werden konnten. Von Linz aus fuhr Hitler nach München und nahm dort an der Trauerfeier für den verstorbenen NSKK-Führer Adolf Hühnlein teil. Wieder war einer von den Männern vom 9. November 1923 abgerufen worden, die Hitler als besonders tüchtig und bewährt bezeichnete. Am Abend des 21. Juni fuhren wir nach Berlin. Auf dieser Reise erreichte Hitler die Meldung Rommels, daß Tobruk erobert worden war. Hitler freute sich sehr über diesen Erfolg und beförderte Rommel sofort zum Generalfeldmarschall. Er befürwortete Rommels weiteren Plan, die Operation bis zum Nil fortzuführen – im Gegensatz zu dem italienischen Wunsch, nun doch Malta zu nehmen.

Sommeroffensive

Am 28. Juni 1942 begann der Angriff »Blau« auf der ganzen Front zwischen Taganrog am Schwarzen Meer und Kursk. Zwei Heeresgruppen mit fünf Armeen führten ihn. Nach dem ersten Durchbruch durch die russische Front lief der Vormarsch in Richtung auf Woronesch planmäßig. Die Stadt wurde am 6. Juli von den Russen aufgegeben. Danach nahmen die Verbände der 6. Armee den Vormarsch am Don entlang nach Südosten auf. Hier kam es zu einer scharfen Kontroverse Hitlers mit Halder und Bock. Hitler hatte zu Beginn des Angriffs deutlich herausgestellt, daß namentlich der Vormarsch der Panzerdivisionen ohne Pause fortgesetzt werden müßte, um die russischen Verbände zu zerschlagen und die Wolga so schnell wie möglich zu erreichen. Die 48 Stunden Aufenthalt bei Woronesch hatte Hitler sehr heftig getadelt. Er war so erregt, das er den Oberbefehlshaber der Heeresgruppe, Feldmarschall v. Bock, ablöste und durch Generaloberst Frhr. v. Weichs ersetzte. Hitler fügte dieser Weisung hinzu, daß er sich nicht wie im Herbst 1941 seine Pläne von den Feldmarschällen verderben lasse.

Die Truppen gingen an der ganzen Front zügig vor, stießen aber mehr oder weniger ins Leere. Die Gefangenenzahlen waren verhältnismäßig gering und ließen darauf schließen, daß der Russe entweder bewußt zurückging oder daß er keine Kräfte zum nachhaltigen Widerstand mehr besaß. Die Debatten über dieses Thema nahmen im FHQ kein Ende. Hitler vertrat mit Nachdruck die Ansicht, daß der Russe am Ende sei, und drängte die Verbände zur Eile. Nach anfänglichen Erfolgen trat leider bald eine Verzögerung durch fehlenden Treibstoff ein. Die motorisierten Einheiten mußten mehrere Tage auf den Nachschub warten.

Am 16. Juli erfolgte die Verlegung zum vorgeschobenen Führerhauptquartier »Werwolf« bei Winniza. Hitler hat sich hier nicht wohl gefühlt. Ihn störten die Wärme und eine große Fliegen- und Mückenplage. Ich selbst habe diese Wochen genützt, um möglichst viel zu fliegen und Verbindung mit dem Hauptquartier Görings und Jeschonneks zu halten. Bei den Mahlzeiten mittags und abends war Hitler sehr frei und aufgeschlossen und diskutierte in diesen Wochen sehr lebhaft und ausdauernd mit dem Vertreter des Oberbefehlshabers der Kriegsmarine, Admiral Theodor Krancke. Diese Unterhaltungen drehten sich keineswegs nur um Marine-Themen, sondern berührten nahezu alle Gegenstände, an denen Hitler zeitweilig oder länger Interesse zeigte. Eine Ausnahme bildete lediglich die Landung der Engländer am 19. August in Dieppe. Der Zweck dieses Unternehmens ist mir nie ganz klar geworden. Die gelandeten Einheiten stießen auf starke Abwehr und verließen unter schweren Verlusten nach knapp zwölf Stunden wieder das Festland. Hitler besprach diese Aktion auch lebhaft mit Admiral Krancke, und ich gelangte zu der Ansicht, daß beide keine Erklärung für dieses aussichtslose Unternehmen fanden.

Größere Verärgerung und Entrüstung über mehrere Tage löste bei Hitler die Besteigung des über 5600 m hohen Elbrus aus, des höchsten Kaukasus-Berges, auf dem Gebirgsjäger am 21. August die Reichskriegsflagge hißten. Diese sicher beachtliche bergsteigerische Leistung ohne jeden militärischen Sinn war Hitler weder vorher noch nachher gemeldet worden. Obendrein hatte er vor dem Kaukasus-Angriff solche »Extra-Touren« ausdrücklich untersagt. Nun wurde er völlig überrascht bei Betrachtung des Rohschnitts der Wochenschau. Es war schwer, einen Verantwortlichen und damit Schuldigen zu finden.

Hitler mußte sich bald dringenderen Problemen zuwenden. Am 23. August meldete die 6. Armee unter dem Oberbefehl des Generals Paulus, daß ihre ersten Teile die Wolga erreicht hatten. Diese gute Nachricht wurde von der schlechten eines – allerdings erwarteten – einigen Raum gewinnenden russischen Angriffs bei der Heeresgruppe Nord überschattet. Dort war gerade die 11. Armee aus Südrußland antransportiert worden, um im Unternehmen »Nordlicht« Leningrad einzunehmen. Nun mußte Manstein eingesetzt werden, um den russischen Angriff abzuwehren, was in der kräftezehrenden Schlacht am Ladoga-See auch gelang. Die letzte Möglichkeit, Leningrad einzunehmen, wurde somit zunichte.

Als Generalfeldmarschall List, der Oberbefehlshaber der Heeresgruppe A (Kaukasus), am 31. August bei Hitler Vortrag hielt, war klar zu entnehmen, daß er am Ende seiner Kräfte war und seine Truppen in der Weite des Raumes überall auf starken Widerstand stießen. Hitler ließ sich von dem ruhigen Vortrag Lists beeindrucken, zeigte Verständnis für die Lage der Heeresgruppe, beharrte aber auf den der Heeresgruppe gesetzten Zielen. Ihm schwebte immer noch ein Vorstoß nach Astrachan und bis zum Kaspischen Meer vor.

In diesen Tagen flog ich zu einem längeren Besuch der Stalingrad-Front. Mein erstes Ziel war die 71. Infanterie-Division, die südlich von Stalingrad im Vormarsch zur Wolga war. Mein Bruder war Erster Generalstabsoffizier dieser Division, nahm mich sehr nett auf und gab mir einen umfassenden Eindruck von der Lage der Front. Insgesamt beurteilte er die Entwicklung positiv. Er sagte, daß der Russe zwar in den letzten Tagen zäher geworden sei, aber er mache sich keine Sorgen. Wichtig sei allein die Nachschubfrage. Munition und Betriebsstoff würden am dringendsten gebraucht.

Mein nächstes Ziel war der Generalstab der 6. Armee. Dort hatte ich mich beim Chef, Generalleutnant Schmidt, angesagt. Auch hier erlebte ich eine sehr nette und aufgeschlossene Atmosphäre. Ich kannte mehrere Offiziere des Armeestabes. Schmidt schilderte mir die Lage der Armee positiv, verschwieg aber auch nicht die Mängel und seine Sorgen. Eine seiner Hauptsorgen war der lange Nachschubweg hinter den Armeen der Verbündeten am Don entlang. Dort standen zur Deckung des rückwärtigen Raumes der Armee eine rumänische, eine italienische und eine ungarische Armee, die aus seiner Sicht keinen ausreichenden Schutz garantierten. Schmidt erzählte mir von der täglich zunehmenden Versammlung russischer Divisionen nördlich des Don in einem sehr schwer einzusehenden Kessel-Gebiet. Diese Nachricht fand ich recht beunruhigend. Ich konnte sehr offen mit Schmidt sprechen, und er nutzte die Gelegenheit, mir seine Ansichten gleichermaßen ungeschminkt zu sagen. Nach kurzer Meldung bei General Paulus flog ich weiter und besuchte noch General Hube, der gerade als Nachfolger des von Hitler abgelösten Generals v. Wietersheim die Führung des XIV. Pz.-Korps übernommen hatte.

Bei meiner Rückkehr nach Winniza erwartete mich eine völlig neue Lage. Die ganze Umgebung Hitlers machte einen gleichmäßig bedrückten Eindruck. Hitler lebte plötzlich ganz zurückgezogen. Die Lagebesprechungen fanden nicht mehr im Haus des Wehrmachtführungsstabes statt, sondern in Hitlers Gebäude, in seinem großen Arbeitsraum, bei dessen Betreten Hitler niemandem mehr die Hand gab, sondern nur die Meldung der Anwesenden mit ausgestrecktem Arm entgegen nahm. Er kam auch nicht mehr zu den gemeinsamen Mahlzeiten in das Kasino, sondern aß von jetzt ab allein in seinem Bunker. Neu eingeführt war, daß zwei Reichstags-Stenographen alle Besprechungen Hitlers, einschließlich der Lagebesprechungen, mitstenographierten. Wir militärischen Adjutanten hatten dann die Aufgabe, die in Schreibmaschinenschrift übertragenen Berichte auf ihre Richtigkeit durchzusehen, für uns eine erhebliche Belastung.

Was war geschehen? General Jodl war in den Tagen nach Lists Besuch zur Heeresgruppe A geflogen, um sich ein Bild von der Lage der Heeresgruppe zu machen und das weitere Vorgehen zu besprechen. Nach Rückkehr unterrichtete er Hitler, und bei diesem Gespräch kam es zu einer heftigen Auseinandersetzung. Hitler soll Jodl vorgeworfen haben, er habe ihn nicht in den Kaukasus geschickt, um anschließend Bedenken der Truppe vorgetragen zu bekommen. In entsprechender Lautstärke habe Jodl erwidert, er sei sich als Überbringer von unmöglichen Befehlen zu schade. Hierauf habe Hitler den Lageraum verlassen und seitdem nicht wieder betreten.

Entlassung Halders

Hitler redete fortan nur noch mit Schmundt und besprach mit ihm das beabsichtigte große Revirement. Er trennte sich von Feldmarschall List und kündigte die Ablösung von Generaloberst Halder an. Schmundt riet ihm sehr zu, den General Zeitzler als Nachfolger einzusetzen. Hitler überlegte die Veränderungen noch einige Tage.

Als die Wogen sich etwas glätteten, hatte ich Gelegenheit, Hitler meine Reiseeindrücke vorzutragen. Er war schon etwas beruhigter und trat mir wie immer entgegen. Zu meiner eigenen Überraschung hatte er ähnliche Bedenken hinsichtlich der Donfront wie General Schmidt. Hitler sagte, daß er die 22. Panzer-Division schon als Reserve hinter die Front habe verlegen lassen, aber den Eindruck habe, daß Halder dort keine Gefahr sehe. Das decke sich nicht mit seiner Auffassung. Er werde nochmals mit ihm darüber sprechen. Dann brach es aber aus ihm heraus. Er beklagte sich über das geringe Verständnis, das Halder den Schwierigkeiten an der Front entgegenbrächte. Er sehe sich die Lageentwicklung auf der Karte an, habe aber keine Ideen für Lösungen, die zur Aufrechterhaltung der Fronten notwendig seien. Er sei kühl und trocken, und er habe den Eindruck, daß Halder über den Ablauf des Geschehens ganz falsche Vorstellungen habe. Er sei entschlossen, einen Wechsel vorzunehmen. Er sprach außerdem davon, daß die Masse der alten Generale verbraucht sei und durch junge Offiziere ersetzt werden müsse. Schmundt würde das Heeres-Personalamt übernehmen, und dann würde er mit ihm diese Fragen in Ordnung bringen. Das waren alles ungeheure Veränderungen, die eine erhebliche Wandlung im Heer zur Folge haben mußten, dachte ich, sagte aber nichts dazu. Im Grunde genommen war ich froh, daß Generaloberst Halder endlich verschwand, denn nach meiner Meinung war dieser Wechsel schon lange fällig. Wenn Halder als guter Generalstabsoffizier gelten konnte, so war er nie ein geeigneter Partner für Hitler in der Führung des Heeres. Ich stand immer unter dem Eindruck, daß die Offiziere des Generalstabes des Heeres, an der Spitze Halder, nie zu Hitler, seinen Plänen und Anordnungen standen, sondern ganz andere Auffassungen verfolgten.

Mein 35. Geburtstag

In der allgemeinen Unruhe des FHQ in diesen Tagen erlebte ich eine sehr nette Geburtstagsfeier. Am 20. September wurde ich 35 Jahre alt. Hitler schenkte mir eine Kilo-Dose Kaviar, die er kürzlich von Marschall Antonescu erhalten hatte. Er hatte gehört, daß ich dieses »Zeug« sehr gern aß. Ich nahm das großzügige Geschenk zum Anlaß, am Nachmittag dieses Tages die beiden Adjutanturen zum Tee einzuladen. Dieser Kreis aller Adjutanten fand sich bei dieser Gelegenheit zum ersten und zum letzten Mal zusammen. Wir verbrachten einen harmonischen Tag. Es waren gekommen: Fräulein Wolf und Fräulein Schröder sowie Schaub, Albert Bormann, Puttkamer, Engel, Schulze-Kossens, Brandt und Hewel. Schmundt war an dem Tag leider nicht im Hauptquartier. Nach der Abendlage verspeisten wir den Kaviar, was ein besonderer Genuß war. In den vielen Stunden, die wir gemeinsam verbrachten, haben wir uns auch sehr offen über unsere Sorgen zur Lage ausgesprochen. Mir wurde dabei klar, wie vertrauensvoll man im engsten Kreis miteinander umgehen und auch Kritik üben konnte, ohne unangenehme Konsequenzen befürchten zu müssen. Es war auch bemerkenswert, welch unabhängiges Urteil sich diese verschiedenartigen Personen bewahrt hatten.

Am 24. September trennte sich Hitler von Generaloberst Halder und ernannte Generalmajor Zeitzler zum Chef des Generalstabes, unter sofortiger Beförderung zum General der Infanterie. Zeitzler ging mit viel Schwung und Passion an seine neue, schwere Aufgabe. Er hatte einen schwierigen Oberbefehlshaber bekommen.

Hitler faßte großes Vertrauen zu ihm, blieb aber vielfach auch weiterhin bei seinen eigenen Ansichten zu den Kämpfen an der russischen Front. Das sollte in wenigen Wochen der Kampf um Stalingrad zeigen.

Zu gleicher Zeit übertrug Hitler seinem Chef-Adjutanten das Heeres-Personalamt. Sein Vorgänger, der Bruder von Feldmarschall Keitel, war schon länger seiner Aufgabe nicht mehr gewachsen. Schmundt hatte sich nicht in diese Aufgabe gedrängt, denn seine Tage waren ausgefüllt. Nach längeren Gesprächen hatte Hitler ihn aber von der Notwendigkeit, das Amt zu führen, überzeugt. Ich selbst fand die Entscheidung richtig. Schmundt kannte am besten Hitlers Gedanken und Vorstellungen über die Führung des Heeres und war auch in der Lage, Hitler die Gedanken und Vorstellungen der Heeres-Offiziere zu vermitteln. Schmundt hat in den eineinhalb Jahren, in denen er dieses Amt geführt hat, Hitler oft widersprochen und seine Ansichten durchgesetzt. Er war ein guter Anwalt für das Offizierkorps des Heeres.

Städtebombardements und Industrie-Zerstörungen

Der September offenbarte, daß die Engländer mit ihren Bombenangriffen sozusagen eine zweite Front aufbauen wollten. Sie bombardierten München, Bremen, Düsseldorf und Duisburg. Mit den Einflügen waren stets für größere Gebiete Luftalarme verbunden, so daß die Menschen dadurch oft mehrere Stunden in Luftschutzbunkern verbringen mußten. Das bedeutete vor allem für die Rüstungsindustrie sehr viel Betriebsausfall. Diese Alarme waren, abgesehen von den durch die Bomben angerichteten Schäden und Verluste, eine starke Belastung für die Menschen. Hitler machte sich immer mehr Gedanken, wo und wie er etwas Wirkungsvolles gegen die Angriffe unternehmen könne. Es war von eh und je sein Prinzip, Gleiches mit Gleichem oder gar mehr zu vergelten. Das war nun nicht möglich. Die Ju 88 kam noch nicht in großen Mengen aus der Fertigung, und die He 177 war eine absolute Fehlkonstruktion, der Hitler von Anfang an größte Bedenken entgegengebracht hatte, wie sich herausstellte, ganz zu Recht. Die Hoffnungen richteten sich auf die Ju 88. Milch, der jetzt in Berlin die Verantwortung für die Fertigung trug, sah sich gezwungen, in erster Linie die Produktion der Jagdflugzeuge zu steigern, um die Abwehr zu verbessern. Ich war erstaunt, daß Hitler sich mit diesen Entscheidungen zufrieden gab und nicht versuchte, seine Vorstellungen durchzusetzen. Er sagte mir, als ich ihn darauf ansprach, daß er Göring vertraue, der ihm eine baldige Besserung der Verhältnisse in der Luftwaffe zugesagt habe.

Ende September flogen wir nach Berlin. Hitler wollte drei Reden halten und hatte einige wichtige Termine. Am 28. September sprach er wieder zu einem neuen Offizier-Jahrgang, der jetzt die Kriegsschulen verließ und zur Truppe kam. 12 000 Oberfähnriche waren versammelt und hörten Hitlers Worte. Er machte den jungen Männern nachdrücklich die ihnen zufallenden hohen Pflichten klar und ließ durchblicken, daß der Kampf gegen die Russen noch an Härte zugenommen habe, daß er aber gewiß sei, mit dem deutschen Soldaten diesen Kampf zu gewinnen.

Am 29. September führte Hitler eine lange und ausführliche Aussprache mit dem seit kurzem neu ernannten Oberbefehlshaber West, Feldmarschall v. Rundstedt. Hitler befürchtete eine neue Landung der Engländer und besprach mit Rundstedt die Abwehrmittel. Rundstedt war noch nicht so pessimistisch. Seine Bedenken galten dem besonderen Problem, das der unbesetzte Teil Frankreichs in Bezug auf seinen Befehlsbereich aufwarf. Er betrachtete dieses Gebiet als ständig wachsendes Spionage-Reservoir, in das niemand hineinschauen könne. Hitler sagte, daß er diese Schwierigkeiten bald beseitigen werde.

Am nächsten Tag, dem 30. September, hielt Hitler seine Rede zur Eröffnung des Kriegswinterhilfswerkes im Sportpalast. Ich war überrascht, mit welcher Offenheit Hitler über die Lage sprach. Unter der Voraussetzung, daß Kapitulation undenkbar sei, erwähnte er, daß die Engländer offen ausgesprochen hätten, daß die »zweite Front« käme und sie den Bombenkrieg weitaus verschärft führen würden. Hitler stellte zwar beides als größenwahnsinnige Utopie hin. Der kritische Zuhörer jedoch konnte sich sein Teil über die künftige Entwicklung denken.

Am 1. Oktober empfing Hitler den Feldmarschall Rommel und überreichte ihm den Marschallstab. Das Wiedersehen war sichtbar herzlich. Im Laufe eines längeren Gespräches über die Lage kam Rommel auf seine Bedenken, Sorgen und Wünsche zu sprechen. Ihm bereitete der unzureichende Nachschub von Waffen und Gerät besonderes Kopfzerbrechen. Er befürchtete, daß der Engländer eines Tages mit einer großen Übermacht antreten würde, und daß er dann »Schwierigkeiten« bekommen könnte. Rommel hatte in Afrika die El-Alamein-Stellung erreicht und stark ausgebaut. Noch war er sehr zuversichtlich. Hitler wies auf die zunehmende britische Luftüberlegenheit hin, über die man ihn unterrichtet habe. Rommel beurteilte diese Lage jedoch nicht kritisch. Beide sahen sich im Garten der Reichskanzlei neue Waffen an, Sturmgeschütze und den Tiger-Panzer, imponierende Konstruktionen. Rommel drängte, sie möglichst schnell der Front zur Verfügung zu stellen. Hitler sagte dies zu. Ich hatte den Eindruck, daß Hitler anfing, sich selbst etwas vorzumachen. Auch schien es mir, daß er die Kampfkraft der Russen unterschätzte und sich auch hinsichtlich der Engländer falschen Vorstellungen hingab.

Am gleichen Tag sprach Hitler zu den Reichs- und Gauleitern. Ich habe diese Rede nicht gehört, fürchtete aber, daß auch sie zu optimistisch gestimmt war. In den nächsten Tagen führte Hitler noch verschiedene Gespräche, vor allem über Rüstungsfragen. Am 4. Oktober flogen wir nach Winniza zurück. Ein Gespräch im Laufe der folgenden Wochen mit Generaloberst Frhr. v. Richthofen machte mich sehr nachdenklich. Er verstand es immer, in Gesprächen mit Hitler den richtigen Ton zu treffen, und sprach ebenso offen wie kritisch, allerdings ohne Schuldige oder Sündenböcke zu benennen. Richthofen machte sich große Sorgen um den Bestand der Ostfront und legte dar, welche Möglichkeiten sich dem Russen eröffneten. Seine Bedenken waren Hitlers Bedenken; sie vermuteten, daß die Rote Armee am Don aus dem bedeckten Waldgelände am Nordufer des Flusses herausbrechen würde. Hitler sprach deswegen auch mit Zeitzler, den Richthofen als »dick und fröhlich« bezeichnete. Er mochte ihn nicht. Hitler kam im Laufe dieser Wochen mehrmals auf die möglichen Absichten der Russen zurück und versuchte, vom Heer zusätzliche Abwehrhilfen in diesem Gebiet bereitstellen zu lassen. Es war der Abschnitt, in dem die verbündeten Armeen eingesetzt waren. Hitler hatte nur sehr wenig Erfolg mit seinen Mahnungen. Übrigens sah zunächst die Abteilung »Fremde Heere Ost« im OKH den möglichen Schwerpunkt eines zu erwartenden russischen Großangriffs nicht bei der 6. Armee am Don, sondern bei der Heeresgruppe Mitte. Doch Hitler glaubte das nicht. Er verfolgte auch mit zunehmender Sorge das vermehrte Auftreten von »Kommandotrupps« im rückwärtigen russischen Raum wie auch im besetzten Frankreich. Er sah darin eine neue Form der Kriegführung, um die deutschen rückwärtigen Versorgungseinheiten und Nachschuborganisationen zu stören. Am 18. Oktober gab er deshalb den »Kommandobefehl« heraus, mit dem er die Truppe anwies, rücksichtslos gegen diese Kommandos vorzugehen und sie sofort zu töten. Jodl begleitete diesen Befehl mit der Bemerkung, daß er von der Truppe genauso aufgenommen würde wie seinerzeit der »Kommissarbefehl«. Aber Hitlers Sorge war berechtigt, denn im Norden der Front war im rückwärtigen Raum ein riesiges Partisanen-Gebiet entstanden, in dem ein Namensvetter von mir befehligte, ein russischer General Below. Hitler hat mich mehrmals ermahnt, ich solle meinen »Vetter« endlich zur Raison bringen!

Exekutionen bei Winniza

Während des Aufenthaltes im Lager von Winniza erreichte mich eines Tages eine erschreckende Meldung. Ein junger Leutnant aus dem FHQ-Nachrichtenzug erzählte mir, daß er in der Nähe von Winniza Zeuge einer Massenexekution geworden sei. Beim Verlegen von Nachrichtenverbindungen sei er in einer größeren Bodenfalte auf einen Trupp SS-Leute gestoßen, der damit beschäftigt war, eine Anzahl Männer und Frauen zu erschießen. Er habe einen grauenhaften Eindruck von dieser Aktion erhalten und müsse darüber Meldung machen. Ich sprach mit dem Verbindungsmann zur SS-Führung Gruppenführer Wolff über diesen Vorgang, bat ihn, den Vorfall zu überprüfen und mir zu berichten. Nach einigen Tagen gab er mir eine sehr zweideutige Antwort auf meine Frage und verwies auf Sabotagehandlungen im rückwärtigen Gebiet. Aber er bat mich, keine weiteren Schritte zu unternehmen. Ich gab mich mit seinen Erklärungen zufrieden und spürte dem Vorgang nicht weiter nach. Ich habe im Laufe der nächsten Monate und Jahre nie wieder von ähnlichen Aktionen gehört.

Britische Offensive in Nordafrika

Am 23. Oktober begann der von Rommel erwartete englische Angriff in Nordafrika. Der Oberbefehl war in die Hände des Generals Montgomery gelegt worden. Er führte ihn in nahezu doppelter Stärke der Rommel-Armee, vor allem mit einer großen Zahl von Sherman-Panzern aus. Hitler beurteilte die Lage nicht kritisch. Er glaubte, daß Rommel seine Stellungen so ausgebaut habe, daß sie auch einem überlegenen Gegner standhalten würden. Rommel kam eiligst aus seinem Urlaub zurück, den er nach der Begegnung mit Hitler angetreten hatte, und war erschrocken, was er vorfand. Die italienischen Truppen hatten sich nahezu aufgelöst und waren verschwunden. Aber den deutschen Verbänden war es gelungen, die Angriffe der Engländer abzuschlagen, sie konnten aber einige kleine Einbrüche nicht bereinigen. Am 2. November setzte Montomery seinen Angriff fort. Er stieß wieder mit gewaltigen Panzermengen vor, und es gelang ihm, die deutsche Front zu durchbrechen. Rommel hatte große Sorge, da ihm der Nachschub fehlte, den er für einen solchen Kampf benötigte. Er hatte weder Betriebsstoff noch ausreichend Munition. Am 3. November ging sein Hilferuf bei Hitler ein. Er schilderte, daß seine Armee schwere Verluste habe und der Feind in erfolgreichem Vormarsch Raum gewinne. Hitler schrieb in seinem Antworttelegramm, daß es keinen anderen Gedanken geben könne als dort auszuharren, wo er stehe, und keinen Schritt zu weichen. Er werde für schnellste Zuführung neuer Verbände sorgen. Rommel hatte aber schon beschlossen, ohne Genehmigung vom OKW seine Armee zurückzunehmen. Als Hitler am 3. November den Vorgang untersuchte, stellte er fest, daß Rommel, ohne auf Antwort zu warten, den Rückzug eingeleitet hatte. Hitler war sehr erbost und meinte, der Vorgang sei auf eine Nachlässigkeit im FHQ/Wehrmachtführungsstab zurückzuführen. Doch Schmundt konnte ihn beruhigen, so daß es nicht zur ernsteren Maßregelung von Unschuldigen kam; Warlimont fiel kurze Zeit in Ungnade, ein Major d.R., der Offizier vom Dienst, wurde vorübergehend degradiert. Doch Rommel hatte, nicht zuletzt wegen unkorrekter Meldungen, einen erheblichen Teil seines Ruhmes eingebüßt. Es begann eine bewegliche Kampfführung, die im Laufe der Monate zur Aufgabe ganz Nordafrikas führte. Die Ereignisse auf den europäischen Kriegsschauplätzen verschärften sich so, daß Hitler dem Krieg in Nordafrika nur noch wenig Beachtung schenkte.

Stalingrad

Die Kämpfe an der Stalingrad-Front waren in den letzten Monaten sehr schwer geworden. Manchmal kamen Meldungen, die nur über Kämpfe um einen Häuserblock berichteten. Hitler vertrat immer wieder den Standpunkt, in Stalingrad müsse um jedes Haus gekämpft werden. Nur so werde der Russe aus der Stadt gedrängt. Ich glaubte, daß wir an einer großen Wende angekommen waren. Hitler selbst schien mir manchmal mit seinen Gedanken ganz weit fort zu sein, als ob er selbst nicht mehr das rechte Vertrauen zu einer erfolgreichen Kriegführung hätte. Die Ausdehnungen der Fronten waren enorm gewachsen. Der Nachschub von Waffen und Munition wurde schwieriger. Aber Hitler stellte vermehrte Forderungen. Glaubte er, daß er den Krieg noch mit einem Sieg für Deutschland abschließen könnte? Diese Frage tauchte erstmalig in diesen Tagen auf, ohne daß wir sie beantworten konnten.

Am 1. November kehrten wir in die Wolfschanze zurück. Hier überraschte uns eine große Annehmlichkeit. Alle Betonbunker hatten räumlich weite und helle Holzbaracken-Anbauten erhalten, die die Arbeit sehr erleichterten. An Hitlers Baracke war ein großer Arbeitsraum angebaut, in dem künftig die Lagebesprechungen stattfinden konnten. Wir blieben nur wenige Tage im FHQ und fuhren am 6. November über Berlin weiter nach München. Diese Reise wurde von sehr beunruhigenden Nachrichten aus dem Mittelmeer begleitet. Seit Tagen lagen Meldungen vor, daß die Alliierten große Schiffsansammlungen in Gibraltar vereinigt hatten, die dann ausliefen und mit Kurs Ost im Mittelmeer standen. Auf unserer Fahrt von Berlin nach München wurde der Zug auf einer Station im Thüringer Wald angehalten. Das Auswärtige Amt meldete, daß ein amerikanisches Expeditionskorps sich in Algier und Oran ausschiffen wollte. In Bamberg erwartete Ribbentrop unseren Zug. Er hatte Ciano nach München beordert, wollte aber vorher mit Hitler ein Gespräch führen. Ribbentrop setzte sich dafür ein, über die russische Botschaft in Stockholm mit Stalin in Verbindung zu treten und im Osten weitgehende Konzessionen anzubieten. Hitler akzeptierte nichts. Er sagte, daß der Moment einer Schwäche kein geeigneter Augenblick für Verhandlungen mit einem Feind sei. Er gab sogleich Befehle zur Abwehr der amerikanischen Landung in Nordafrika. Jodl wurde angewiesen, die Kräfte von Heer, Marine und Luftwaffe für die Verteidigung von Tunis zu organisieren. Oran lag gerade außerhalb der Reichweite unserer Flugzeuge, so daß keine Bombenangriffe durchgeführt werden konnten.

Am 8. November sprach Hitler zu den »alten Kämpfern«. Ich hatte den Eindruck, daß die amerikanische Landung in Algerien Hitler den Mut genommen hatte. Er war mit seinen Gedanken sehr bei der Abwehr dieser Landeunternehmung, trat dann aber doch wieder voller Zuversicht vor dieses Auditorium, das seine Sorgen nicht durchschauen konnte. Sie jubelten ihm zu und folgten seinen Ausführungen mit Spannung. Hitler brachte nichts Neues. Er wies auf die Härten des Kampfes hin, denen unsere Soldaten ausgesetzt seien, und sagte, es gehe um »Sein oder Nichtsein unseres Volkes«.

Am 10. November abends führte Hitler noch Gespräche mit Ciano und Laval. Diese hatten aber keine Auswirkungen mehr auf seinen Entschluß, sofort Rest-Frankreich zu besetzen. Am 11. November erfolgte der Einmarsch. Die Besetzung verlief schnell und ohne besondere Vorkommnisse. Nur die Besetzung von Toulon verzögerte sich um einige Tage, was den Franzosen Gelegenheit gab, die dort liegenden Reste ihrer Flotte zu zerstören.

Am 12. November fuhr Hitler für einige Ruhetage zum Obersalzberg. Ich hatte nach den unruhigen Tagen in München jetzt wieder Zeit und Gelegenheit, mit Hitler zu sprechen. Ihn bedrückten große Sorgen. Die Westmächte, Amerika und England, hatten aktiv begonnen, in den Krieg einzugreifen. Hitler beurteilte dies ernst. Hinzu kamen die Schwierigkeiten des Nachschubs über das Mittelmeer durch den verstärkten Einsatz britischer U-Boote. Hitler sprach auch offen aus, daß er kein Vertrauen zu den Italienern habe. Sie seien anglophil, und es bestehe für ihn kein Zweifel, daß die deutschen Transporte von den Italienern an die Engländer verraten würden. Ein weiteres Thema, das Hitler mehr und mehr beschäftigte, waren Luftwaffenfragen. Göring war auch in München gewesen, und es war mir dabei aufgefallen, daß Hitler den Reichsmarschall nicht mehr so intensiv in Gespräche zog wie früher. Hitler sagte mir auch, daß Göring zu ungenau über die Lage und alle Verhältnisse unterrichtet sei. Er unterhielte sich über die anfallenden Probleme lieber mit Jeschonnek. Mit Nachdruck sprach Hitler immer wieder mit mir über die Reichsverteidigung. Die Abwehr müsse mit noch mehr Flakartillerie ausgebaut werden, denn die Flugzeuge reichten nur selten aus, seien im falschen Raum oder durch schlechtes Wetter behindert. Auch müßten mehr Flaktürme gebaut werden, zum Beispiel in München und Nürnberg. In Berlin und Hamburg hätte sich der Vorteil dieser Bauten bestätigt. Zur Ostfront sagte er, daß er hoffe, dort keine neuen Überraschungen zu erleben, obwohl er den Russen mit Beginn der Winterzeit wieder neue Operationen zutraue. Er schloß aus den gemeinsamen Unternehmungen der Engländer und Amerikaner in Nordafrika auf eine Zusage der Russen für eine baldige Großoffensive.

Am 19. November 1942 rief Zeitzler Hitler an und berichtete, daß der Russe seine große Winteroffensive am Don begonnen habe. Nach starker Artillerievorbereitung, zeitweisem Trommelfeuer, hätten sich am Nachmittag die Russen mit Panzern und aufgesessener russischer Infanterie in großer Anzahl nach Süden bewegt und einen tiefen Einbruch bei der rumänischen Armee erzielt. Der Russe marschierte fast kampflos durch die sich auflösenden rumänischen Linien. Hitler befahl, daß sofort das in Reserve stehende XXXXVIII. Panzer-Korps des Generals Heim eingesetzt würde. Über die Qualität dieses Korps war Hitler falsch unterrichtet. Die deutsche Division des Korps befand sich noch in der Aufstellung. Die zweite Division, eine rumänische Panzer-Division, war der Übermacht der Russen nicht gewachsen und wurde nach wenigen Tagen aufgerieben. Hitler war über das Verhalten des Kommandierenden Generals Heim erregt und zornig, der allerdings durch einander widersprechende Befehle und die gegnerische Stärke in eine ausweglose Situation geraten war. Er veranlaßte, daß Heim sofort von seinem Posten enthoben und zum Tode verurteilt wurde. Schmundt gelang es, die Vollstreckung des Urteils abzuwenden.

Hitler befahl am 20. November, das inzwischen von der Heeresgruppe Nord zur Heeresgruppe Mitte bei Witebsk verlegte Armee-Oberkommando 11 (Feldmarschall v. Manstein) als »Heeresgruppe Don« als neuen führenden Stab in die bedrohte Front der Heeresgruppe Süd einzuschieben. Hitler war sich über die krisenhafte Situation ganz im klaren, glaubte aber nicht, daß der russische Einbruch weitere ernstliche Folgen haben würde. Er nahm an, daß die 6. Armee einige Tage vielleicht eingeschlossen wäre, daß aber dann ein Gegenschlag mit einigen Reserven die Lage im großen und ganzen wieder in Ordnung bringen könnte. Wie die Entwicklung rasch zeigte, unterschätzte er damit die russischen Kräfte beträchtlich. Eine besondere Katastrophe der ersten zwei Tage war die miserable Wetterlage mit Frost, Nebel, Schnee und schlechter Sicht, so daß kein Flugzeug starten konnte. Der russische Vormarsch setzte am 20. November auch südlich von Stalingrad ein, und es war zu erkennen, daß die Russen die Stadt einschließen wollten. Dies gelang ihnen bereits am 23. November.

Die Meldungen Zeitzlers wurden immer alarmierender, so daß Hitler sich entschloß, am späten Abend des 22. November mit dem Zug nach Ostpreußen zu fahren. Die Reise nahm mehr als zwanzig Stunden in Anspruch, denn fast alle drei bis vier Stunden wurde ein längerer Aufenthalt wegen der Telefongespräche mit Zeitzler notwendig. Zeitzler forderte immer dringender, der 6. Armee die Erlaubnis zum Absetzen und zum Zurückkämpfen zu erteilen. Hier gab Hitler keinen Schritt nach. Wenn er in den ersten Tagen zweifellos noch an eine Bereinigung des russischen Einbruchs glaubte, vertrat er dann die Auffassung, daß der Gegenstoß nur mit einer neu zusammengestellten Armee gegen Stalingrad geführt werden könne. Dies bedürfte längerer Vorbereitung. Auf alle Fälle mußte Generaloberst Paulus seine Stellungen halten. Hitlers erste Sorge nach Eintreffen im FHQ war die Durchführung der Luftversorgung. Er führte lange Gespräche mit Göring und Jeschonnek über dieses Thema. Göring versicherte ihm, daß die Luftwaffe in der Lage sei, die 6. Armee für eine gewisse Zeit zu versorgen. Auch Jeschonnek widersprach dem jedenfalls nicht. Daraus schloß Hitler, daß die Armee aus der Luft versorgt werden könne, und er dadurch in der Lage sei, den Entsatzangriff aufzubauen. Gegen Görings Zusage erhoben sich sofort Stimmen. Einmal glaubte Zeitzler ihm nicht und sagte dies Hitler mit aller Deutlichkeit. In der Luftwaffe selbst erhob Generaloberst v. Richthofen schwerste Bedenken. Er hielt eine erfolgreiche Luftversorgung für ausgeschlossen und begründete diese Ansicht mit der bestehenden und während der Wintermonate fortdauernden ungünstigen Wetterlage. Außerdem könne die Luftwaffe nicht genügend Flugzeuge zur Verfügung stellen. Hitler erfuhr Richthofens Stellungnahme, anerkannte sie aber nicht. Die Entfernung zwischen der Front und Stalingrad zur eigenen Front wurde von Tag zu Tag größer. Der Russe hatte auch die italienische und die ungarische Front zerschlagen, so daß am Don eine Unterbrechung der Front von über 300 km entstanden war.

Hitler hatte bald nach dem ersten russischen Durchbruch veranlaßt, daß Generaloberst Hoth mit seiner 4. Panzer-Armee von Kotelnikowo im Südosten von Stalingrad den Gegenangriff ansetzte. Diese Entsatzoffensive sollte am 3. beginnen, mußte aber dann auf den 8., schließlich auf den 12. Dezember verschoben werden. Hoth hatte zu Anfang gute Erfolge, kam aber nur bis auf 60 km an den Ring von Stalingrad heran. Dann hatten die Russen ihre Abwehr so massiert, daß Hoth aufgeben mußte. Vom 23. bis 28. Dezember ging der Flugplatz Tazinskaja verloren, der – außerhalb des Kessels – für die Versorgung von Stalingrad besondere Bedeutung hatte. Dieser Verlust wirkte sich besonders nachteilig aus. Die An- und Abflüge von den Flugplätzen in Stalingrad vergrößerten sich um 100 km und erschwerten den ohnehin ungenügenden Nachschub dramatisch. In dieser Lage – es war am 27. Dezember – forderte Zeitzler von Hitler die Zurücknahme der Kaukasusfront. Hitler gab sein Einverständnis und widerrief es kurz danach wieder. Aber Zeitzler hatte Hitlers erste Entscheidung bereits telephonisch durchgegeben, so daß die Bewegung nicht mehr aufgehalten werden konnte.

Ich persönlich verfolgte während der Wochen vom 19. November bis zum Ende

Dezember die Entwicklung der Lage um Stalingrad mit großer Betroffenheit. Mein erster Eindruck, noch auf dem Obersalzberg, war ein katastrophaler. Ich war Anfang November noch einmal kurz an der Don-Front gewesen und hatte von dort Berichte über den Zustand der Truppe erhalten, der wenig Aussicht auf nachhaltige Erfolge zuließ. Der grundsätzlich positiven Einstellung der Offiziere folgten deprimierende Ergänzungen, wenn ich mich nach Stärke der Einheiten, Kompanien usw. erkundigte. Die Einheiten hatten im Durchschnitt nicht mehr als 50% der Sollstärke. Die Truppenführer hatten sich bereits mit diesen Stärken abgefunden. Als sich nun im Laufe des Dezember die russischen Kräfte immer mehr verstärkten, konnte ich nicht glauben, daß die eigene Truppe angesichts ihrer Schwäche irgendwo eine kräftige Widerstandslinie aufbauen könnte. Das deutsche Heer hatte in sechs Monaten seit dem Juni 1942 ohne jeglichen Ersatz gekämpft und war jetzt am Ende. So sah ich im Dezember 1942 keinerlei Aussichten für einen erfolgreichen Abwehrkampf. Die Stellung der 6. Armee in Stalingrad konnte nicht aufgegeben werden, denn sie hatte keine Aussicht, sich noch mit Erfolg bis zur eigenen Front durchschlagen zu können. Ich sah ab Ende Dezember 1942 die Aufgabe der Armee darin, so lange wie möglich russische Kräfte zu binden, damit sie unsere Front nicht zusätzlich gefährdeten. Aber zu retten war aus Stalingrad nichts mehr. Ich bin der festen Überzeugung, daß Manstein ebenso dachte, trotz aller vergeblichen Versuche, der 6. Armee zu helfen. Er sah seine Aufgabe darin, den großen Einbruchraum durch eine neue Front wieder zu schließen.

Ich erhielt ab 1. Dezember laufend Post aus dem Kessel vom Chef des Generalstabes, Generalleutnant Schmidt, und von seinem ersten Ordonnanzoffizier, Hauptmann Behr. Am 1. Dezember schrieb mir Schmidt: »Jetzt haben wir unseren Igel leidlich zusammen, haben Waffen genug, aber wenig Munition, wenig Brot und Sprit, kein Bau- und Brennholz, um in den Boden zu gehen und zu heizen, und die Männer, die erstaunlich siegeszuversichtlich sind, nehmen leider täglich an Kräften ab.« Am 8. Dezember schrieb mir der O 1: »Zustand der Truppe ist leider doch auf deutsch gesagt besch..., läßt sich ja auch bei 200 gr. Brotration und Unterkunft in freier Natur zum größten Teil erklären. Verluste nicht von Pappe, dabei Haltung vorbildlich.« Und am 26. Dezember schrieb er mir: »Hier am Rande des sonstigen Geschehens kommen wir uns augenblicklich so etwas verraten und verkauft vor. [...] Ich möchte Dir nur ganz nüchtern sagen, daß hier einfach nichts mehr zu essen da ist. [...] Es sind nun auch wirklich keinerlei schwarze Bestände da. [...] Es muß nach meiner Kenntnis des deutschen Soldaten ganz nüchtern damit gerechnet werden, daß die physische Widerstandskraft derart gering wird, daß bei der großen Kälte der Moment kommt, wo der einzelne Mann sagt: Jetzt ist mir alles sch...egal und einfach langsam erfriert oder vom Russen überrannt wird.« In seinem Brief vom 11. Januar schrieb er: »Es ist soweit, daß deutsche Soldaten beginnen überzulaufen.« Er hatte das überraschende Glück, am 13. Januar mit dem Kriegstagebuch der Armee ausgeflogen zu werden. Mein Bruder, der I a der 71. Division war, dann I a der Armee wurde und in den ersten Januartagen nach Krankheit wieder in den Kessel flog, schrieb mir am 13. Januar: »Schön ist das hier nicht. Es ist gar kein Zweifel, daß die Dinge dem Ende zugehen.«

Ich zeigte Hitler diese bei mir eingegangenen Briefe und las ihm die entscheidenden Texte vor. Er nahm sie zur Kenntnis, äußerte sich aber nicht dazu. Nur einmal sagte er, daß das Schicksal der 6. Armee für uns alle eine tiefe Verpflichtung im Kampf um die Freiheit unseres Volkes sei. Ich hatte im Januar 1943 den Eindruck, daß Hitler sich klar wurde, daß der Kampf gegen die Russen und die Amerikaner, also in einem Zweifrontenkrieg, nicht mehr zu bewältigen sei.

Zusammen mit Ribbentrop erwog er den Gedanken, einen Keil zwischen die Feinde zu treiben. Hierbei spielte immer noch Ribbentrops Plan eine große Rolle, mit Rußland zu einem Friedensschluß zu kommen. Doch Hitler gelangte zu der Überzeugung, daß dieser Ausweg noch nicht gesucht werden müßte. Er blieb bei seiner Vorstellung, das ganze Volk zu mobilisieren und alle Menschen in Deutschland in den Kriegsprozeß einzuschalten. Mit Minister Speer besprach er weitere Rüstungsprojekte, Gauleiter Sauckel sollte alle erreichbaren Arbeitskräfte zusammenfassen, Milch sollte noch mehr tun, um den Einflügen trotzen zu können, und er selbst widmete sich Tag und Nacht der Aufgabe, wo und wie er die Abwehr an den Fronten steigern konnte. Das Frühjahr 1943 brachte einen erstaunlichen Aufschwung im gesamten Rüstungsbereich.

Im Laufe des Januar gab es für die Stalingrad-Front keine ernsthafte Aussicht auf Entlastung. Paulus schickte noch zwei Emissäre aus dem Kessel zur Berichterstattung über die Lage zu Manstein und zu Hitler selbst, außer dem O 1 der Armee, Hauptmann Behr, General Hube. Behr erstattete während einer Lagebesprechung ein einfaches und klares Bild vom Zustand der 6. Armee. Nach seinen Worten gab es keinerlei Hoffnung mehr. An zusammenhängendes Handeln im Kessel sei nicht zu denken. Jeder kämpfe und schlage sich dort, wo er stehe. Eine Versorgung der Einheiten sei nicht mehr möglich, da es im Kessel keine Transportmittel mehr gebe. Es war das absolut eindeutige Bild einer verlorenen Schlacht. Ich kannte Behr, meinen zukünftigen Schwager, sehr gut und konnte daher beurteilen, was an seinem Bericht »dran« war. Er hatte sich deutlich ausgedrückt, und Hitler war von seinem Bericht sehr beeindruckt. Er äußerte später, daß er nur sehr selten ein so klares und nüchternes Bild von der Lage an der Front zu hören bekäme. Der zweite Emissär, General Hube, berichtete etwas großzügiger. Aber auch seinen Worten war deutlich zu entnehmen, daß die Ereignisse im Stalingrad-Kessel ihrem Ende entgegengingen und dort nichts mehr gemacht werden könnte.

Trotzdem hatte Hitler am 15. Januar mit dem Feldmarschall Milch noch einen letzten Versuch unternommen, der Armee in Stalingrad bedeutende Mengen an Versorgungsgut auf dem Luftwege zuzuführen. Milch setzte sich mit ungeheurer Energie ein, obwohl ihn ein Unfall seines Pkw mit einer Lokomotive schwer behinderte. Er hatte auch einige energische Offiziere mitgebracht. Aber es war zu spät. Das sehr kalte Winterwetter erschwerte die Arbeiten auf den Start-Flugplätzen und auf dem Flugplatz im Kessel. Milch mußte zunächst erst einmal die Arbeitsmöglichkeiten verbessern, damit die Flugzeuge überhaupt startklar wurden. Als er dies einigermaßen erreicht hatte, ging der Flugplatz im Kessel verloren, und die Flugzeuge konnten das Versorgungsgut künftig nur noch abwerfen. Dabei ging viel verloren. Es bestand kein Zweifel, daß Milch viel zu spät beauftragt worden war. Dies sagte ihm auch Hitler, als Milch sich in den ersten Februar-Tagen im FHQ meldete.

Bereits während die Schlacht um Stalingrad noch tobte, hatte ich den Eindruck, daß Hitler begann, einen anderen Weg zur Lösung der katastrophalen Lage an der russischen Front zu finden. Er war davon überzeugt, daß Anglo-Amerikaner und Russen nun ihre militärischen Maßnahmen aufeinander abstimmten. Hitler gab uns gegenüber niemals Zeichen der Schwäche zu erkennen oder daß er die Lage als aussichtslos ansah. Er wußte, daß es auch im OKW Offiziere gab, die keine Hoffnung mehr auf einen positiven Abschluß des Krieges hatten. Er hielt es daher für seine Pflicht, Siegeszuversicht zu verbreiten. So stimmte er von jetzt ab seine Haltung, seine Stimmung und sein Auftreten dahingehend ab, daß keiner seiner Besucher oder seiner vertrauten Mitarbeiter aus seinem Verhalten einen Schluß ziehen konnte, wie Hitler die Kriegslage tatsächlich beurteilte. Was auch geschah, er zeigte sich hinsichtlich der Entwicklung auf den einzelnen Kriegsschauplätzen stets davon überzeugt, daß sich das Kriegsglück eines Tages wieder zu unseren Gunsten wenden würde. Ich war immer wieder überrascht, wie Hitler es verstand, eingetretene Niederlagen zu unseren Gunsten umzuwerten. Und es gelang ihm sogar, seine Gedanken und Hoffnungen auf die Menschen, die mit ihm eng zusammenarbeiten mußten, überzeugend zu übertragen.

Das Geschehen der Schlacht von Stalingrad ist für mich mit zwei familiären Ereignissen verbunden, die mir immer Licht und Schatten dieser Zeit verdeutlichen. Am 28. November 1942 wurde unsere Tochter Gunda geboren. Silvester feierten wir noch gemeinsam mit meinem Bruder, der dann darauf bestand, wieder in den Kessel zu fliegen. Ich hoffte, daß es bei der Heeresgruppe einen verständigen Vorgesetzten gebe, der ihn daran hinderte. Das war aber nicht so. Mir war es leider unmöglich, in den Gang der Dinge einzugreifen. So geriet mein Bruder am 31. Januar 1943 in Gefangenschaft, die für ihn mit zum Teil grauenhaften Eindrücken verbunden war. Er kehrte aber 1955 gesund nach Deutschland zurück, kurz vor Gundas 13. Geburtstag.

Hitlers Siegeszuversicht in seinem Neujahrs-Aufruf 1943 konnte ich nicht mehr teilen. Aber ich konnte auch nicht glauben, daß Deutschland den Krieg verlieren würde. Mir schwebte eine vernünftige europäische Friedenslösung vor, die mir trotz allem bei einigem guten Willen noch erreichbar schien. Es konnte doch nicht alles umsonst gewesen sein. Aus den Stimmungen im FHQ war klar zu entnehmen, daß diese Ansicht dort verbreitet war wie auch allgemein in der Wehrmacht.

Raeders Entlassung

Am 6. Januar war Großadmiral Raeder bei Hitler. Dieses Gespräch fand zum Teil unter vier Augen statt. Raeder trug Hitler die Bitte um seine Entlassung zum 30. Januar vor. Hitler wollte darauf zunächst nicht eingehen. Raeder verstand es aber, Hitler die Gründe für einen Wechsel an der Spitze der Kriegsmarine plausibel zu machen. Er sagte, daß er den hohen Anforderungen nicht mehr genügen könne und die Gefahr bestehe, daß er eines Tages im Dienst als unzulänglich empfunden würde. Er schlug vor, ihm eventuell den Titel eines »Admiralinspekteurs« zu geben, damit in der Presse und vor allem im Ausland an diesen Wechsel an der Spitze eines Wehrmachtteils keine weitgehenden Spekulationen geknüpft würden.

Hitler entsprach der Bitte Raeders, nicht zuletzt, weil ihm das Kapitel »Überwasserflotte« abgeschlossen schien, deren Anwalt der Großadmiral stets gewesen war. Zum Nachfolger ernannte Hitler den Befehlshaber der U-Boote, Admiral Dönitz, und beförderte ihn zum Großadmiral. Über die Hintergründe dieses personellen Wechsels ist mir damals nichts bekannt geworden. Daß das mißglückte Unternehmen »Regenbogen« – der erfolglose Verstoß der Kreuzer »Hipper« und »Lützow« und sechs Zerstörer im Nordmeer gegen den alliierten Geleitzug JW 51 B zu Jahresende 1942 – der Anlaß war, erschien klar. Das ursprünglich gute Verhältnis des Obersten Befehlshabers zum Großadmiral war aber schon seit längerer Zeit getrübt. Zu gleicher Zeit fand ein Wechsel auf der Stelle des »Ständigen Vertreters des ObdM im FHQ« statt. Für Admiral Krancke kam Konteradmiral Voß.

Casablanca

Im Januar konferierten in Casablanca Roosevelt und Churchill, die zeitweise die Generale de Gaulle und Giraud hinzuzogen. Hier fiel der gemeinsame Beschluß, den Krieg bis zur »bedingungslosen Kapitulation« Deutschlands zu führen.

Das Ergebnis der Konferenz wurde mit großem Aufwand bekannt gemacht und blieb auch auf Hitler nicht ohne Wirkung. Er sprach wiederholt von dieser alliierten Abmachung und betonte dabei, daß ein Nachgeben oder Einlenken im Kampf von jetzt ab erst recht sinnlos sei.

Nordafrika

Aus Nordafrika trafen noch weitere schlechte Nachrichten ein. Der Druck Montgomerys auf Rommels Kräfte hatte weiter zugenommen. Am 23. Januar fiel Tripolis und damit fast ganz Libyen in englische Hände. Von Westen waren die Amerikaner bis an die Grenze von Tunis vormarschiert und lagen dort den deutschen Stellungen gegenüber. Es war zu erkennen, daß Nordafrika nicht mehr lange gehalten werden konnte. Erschütternd war der rapide schwindende italienische Einsatz.

Manstein und Hitler

Am 6. Februar kam Feldmarschall v. Manstein zu Hitler in die Wolfschanze. Manstein hatte sich für das Gespräch mit Hitler viel vorgenommen. Ihn beschäftigte das Problem der Spitzengliederung, seit Hitler Oberbefehlshaber des Heeres geworden war und im Herbst 1942 sich auch noch die Heeresgruppe A persönlich unterstellt hatte. Er wollte ihn bitten, einen Heeres-General zum Oberbefehlshaber des Heeres oder zumindest der Ostfront zu ernennen. Wenn Hitler sich dazu nicht in der Lage sähe, sollte er doch wenigstens daran denken, die Zweigleisigkeit von Generalstab des Heeres und Wehrmachtführungsstab durch die Berufung eines gemeinsamen Generalstabschefs zu beenden. Hitler führte das Gespräch in sehr ruhiger und sachlicher Form und ging auf alle Punkte ein, die Manstein anführte. Aber nachgeben konnte Hitler nicht. Er wußte keinen General, zu dem er das Vertrauen hatte, um ihn mit der von Manstein geforderten Machtfülle auszustatten. So blieb die Spitzengliederung, wie sie war. Manstein besprach auch die Lage an seiner Front und seine künftigen Pläne und Absichten, für die er im wesentlichen Handlungsfreiheit erhielt.

Am 7. Februar fanden sich alle Reichs- und Gauleiter im FHQ ein, und Hitler hielt eine ausführliche Rede über das Geschehen der Wintermonate. Er hatte seine Rede so aufgebaut, daß keiner der Zuhörer auch nur den geringsten Hinweis auf die katastrophale Lage mit nach Hause nahm. Kein Ton der Unsicherheit oder des Mißmutes war zu hören, Hitler erwähnte klar und ohne Umschweife die Erfolge der Russen und legte seine Absichten dar, wie das alles wieder bereinigt werden sollte. Ich war immer wieder überrascht, mit welcher Zielsicherheit Hitler die Reichs- und Gauleiter überzeugte und etwaige Zweifel über die Kriegslage restlos beseitigte. Er erwähnte auch die Konferenz von Casablanca und die gemeinsame Erklärung der Gegner über die »bedingungslose Kapitulation«. Er gab den Reichs- und Gauleitern dazu bekannt, daß dieser Konferenzbeschluß ihn selbst völlig frei mache von allen Versuchen, an irgendeiner Stelle der Welt Gespräche über einen Sonderfrieden führen zu wollen. Die Reichs- und Gauleiter reisten sichtbar erleichtert und voll neuem Tatendrang in ihre Gaue zurück.

Der Monat Februar brachte eine private Abwechslung, die eigentlich so gar nicht in die angespannte Lage paßte. Am 13. Februar heiratete Winrich Behr die Schwester meiner Frau auf dem elterlichen Gut in der Provinz Sachsen. Die Hochzeit wurde ein äußerst vergnügtes Fest, das seine besondere Note durch die Rettung des Bräutigams aus Stalingrad erhielt.

Mansteins Frühjahrsoffensive

Die weiteren Tage im Februar wurden unruhig. Hitler führte viele Gespräche über die Fortsetzung des Krieges mit Göring und Jeschonnek, Ribbentrop und Goebbels, Himmler und Speer sowie mit den militärischen Beratern von OKW und OKH. Am 16. Februar beförderte Hitler Generaloberst Frhr. v. Richthofen zum Feldmarschall und beauftragte mich, Richthofen diese Beförderung telephonisch in sein Hauptquartier zu übermitteln. Für den 19. Februar hatte Manstein den Angriff seiner Divisionen in Richtung Donez und Charkow angesetzt und Hitler nahe gelegt, die Tage in seinem Ukraine-Quartier in Winniza zu verbringen. Hitler ging nicht sofort darauf ein, aber unterstützt von Zeitzler folgte er Mansteins Vorschlag. Er flog am 17. Februar mit kleiner Begleitung nach Saporoshje in das Hauptquartier der Heeresgruppe Manstein. Dort blieb er zwei Nächte und verlegte seinen Wohnsitz ab 19. Februar nach Winniza. Die Tage in Saporoshje verliefen sehr gleichmäßig, aber spannungsvoll, wie von Manstein in seinen Erinnerungen eingehend beschrieben. Hitler kümmerte sich fast ausschließlich um die Operationen der Heeresgruppe Süd, wie die Heeresgruppe Don seit Anfang Februar hieß. Der Russe hatte seine Vorwärtsbewegungen in Richtung Südwesten noch nicht eingestellt. Er hatte keinen Deutschen mehr vor sich, sondern operierte langsam in einem großen freien Raum. Hitlers Abreise am 19. Februar war durch diese Bewegungen beeinflußt worden, denn sowohl Manstein wie auch Richthofen baten Hitler, Saporoshje zu verlassen. Sie befürchteten einen möglichen unvorhergesehenen Vorstoß einer Kampfgruppe der Russen auf den Flugplatz, der Hitlers Abflug unmöglich gemacht hätte. Als wir nachmittags starteten, hörten wir Maschinengewehre und Artillerie-Schüsse nicht weit vom Flugplatz entfernt. Mir ist Saporoshje deswegen besonders in Erinnerung geblieben, weil Hitler Engel und mich hier zu Oberstleutnanten beförderte. Uns fiel im übrigen die Zurückhaltung und das Mißtrauen der Offiziere dieses Oberkommandos auf. Es war ihnen anzumerken, daß sie nicht viel Glauben für Hitlers Operationen aufbringen konnten.

Ab 19. Februar lebten wir wieder in dem angenehmen Hauptquartier bei Winniza und blieben hier fast volle vier Wochen bis zum 13. März. In dieser Zeit führte Manstein seine Operationen mit viel Schwung und Erfolg. Hitler verfolgte die Bewegungen der angreifenden Divisionen mit großer Aufmerksamkeit, bis sie Mitte März den Donez erreicht hatten, das Ziel dieser Operation. Am 10. März war Hitler nochmals zu Manstein geflogen, hatte ihm Lob und Anerkennung zu der erfolgreichen Operation ausgesprochen und ihm das Eichenlaub zum Ritterkreuz verliehen. Es war auffallend, wie sehr sich innerhalb des Offizierkorps der Heeresgruppe die Stimmung seit dem letzten Besuch geändert hatte. Sie sahen wieder positiv in die Zukunft.

Im Hauptquartier bei Winniza war die Stimmung oft anders. Am 28. Februar hatte ein Kommandotrupp in Norwegen die Fabrik in Vemork zur Herstellung von Schwerem Wasser restlos zerstört, so daß dieses Werk für die Zukunft ausfiel.

Vorwürfe gegen die Luftwaffe

Am 1. März unternahmen die Engländer einen schweren Luftangriff auf Berlin. Es wurde gemeldet, daß 250 englische viermotorige Flugzeuge 600 Tonnen Bomben auf die Reichshauptstadt geworfen hatten. Sie zerstörten 20 000 Häuser, machten 35 000 Menschen obdachlos und töteten 700. Dieser schwere Angriff veranlaßte Hitler erneut zu scharfen Vorwürfen gegen die Luftwaffe. Als Goebbels eine Woche danach, am 7. und 8. März, Hitler aufsuchte, führte er lange, ausführliche Gespräche mit ihm über den zunehmenden Luftkrieg der Engländer. Hitler sparte nicht mit Vorwürfen. In diese Angriffe zog er auch die Generalität des Heeres mit hinein. Wenn Hitler die Hauptschuld für die Stalingrad-Niederlage mehr den drei verbündeten Armeen der Italiener, Rumänen und Ungarn gab, so schonte er doch nicht die deutschen Generale. Er warf ihnen vor, daß sie nicht unerschütterlich an die Richtigkeit dieses Kampfes glaubten, daß sie keine Ahnung von Waffen und Geräten hätten und daß sie voller Mißtrauen die Entwicklung der Fronten beobachteten. Hitler war manchmal so erregt, daß ihn niemand unterbrechen konnte. Der Luftwaffe befahl er, einen jungen, erfahrenen Offizier zum »Angriffsführer England« zu ernennen, ihm eine Reihe guter Kampffliegertruppen zu unterstellen und ihm den Befehl zu geben, laufend konzentrierte Angriffe gegen Englands Städte zu fliegen. Oberst, später General Peltz, wurde mit dieser Aufgabe betraut. Aus Mangel an ausreichenden Kampfverbänden konnte er seine Einsätze nie zu einer vollen Wirkung führen.

Am 13. März flog Hitler nach Rastenburg zurück. Er nahm seinen Weg über das Hauptquartier der Heeresgruppe Mitte bei Smolensk und hatte ein längeres Gespräch mit Feldmarschall v. Kluge. Die Stimmung war gut und zuversichtlich. Hitler brachte zum Ausdruck, daß man nicht wissen könne, ob der Russe nicht vielleicht doch am Ende seiner Kräfte sei.

Planungen »Zitadelle«

Hitler plante bereits die erste Offensive im Osten. Ein besonders auffälliger russischer »Balkon« im Raum um Kursk sollte unter dem Tarnnamen »Zitadelle« als erstes zurückerobert werden. Der Weiterflug von Smolensk nach Rastenburg verlief ohne besondere Vorfälle. Erst nach dem Kriege hörte ich davon, daß Hitler auf diesem Flug einem Attentat entgangen sein soll. Der Erste Generalstabsoffizier der Heeresgruppe, Oberst v. Tresckow, war ein Gegner Hitlers und entschlossen, ihn zu beseitigen. Ohne daß ich etwas von dem angeblich in Hitlers Maschine befindlichen Sprengstoffpäckchen ahnte, kam mir beim Flug über die weiten Wälder – ich flog eine He 111 – plötzlich der Gedanke, was heute in Deutschland geschähe, wenn Hitlers »Condor« in einem der Waldstücke verschwinden würde. Wir kamen aber alle wohlbehalten in Rastenburg an und begaben uns wieder in die Wolfschanze. Die Tage verliefen verhältnismäßig ruhig bis auf Hitlers wiederholtes Schimpfen auf die Luftwaffe, weil die Engländer ihre Bombenangriffe gegen deutsche Städte pausenlos fortsetzten. Nürnberg und München hatten schwere Angriffe zu ertragen. Als Hitler am 20. März in Berlin eintraf, hatte er sofort ein Gespräch mit Göring über die feindlichen Luftangriffe und die Untauglichkeit der Luftwaffen-Generale. Er äußerte sich in diesen Tagen auch sehr kraß über Görings Unfähigkeit. Dies hatte allerdings noch keine Rückwirkung auf das persönliche Verhältnis zu ihm.

Am 21. März hielt Hitler wie gewohnt die Rede zum Heldengedenktag im Zeughaus in Berlin. Er sprach von den bis jetzt gefallenen 542 000 Männern mit Ehrfurcht und Anerkennung und sagte, daß sie »als unvergängliche Helden und Pioniere eines besseren Zeitalters in unseren Reihen für ewig weiterleben« würden. Dieser Heldengedenktag hat erst später eine gewisse Bedeutung erlangt. Oberst i.G. Rudolf-Christoph Frhr. v. Gersdorff, I c bei der Heeresgruppe Mitte, hat nach dem Krieg behauptet, daß er bei oder nach dieser Feier im Zeughaus ein Attentat auf Hitler verüben wollte. Er habe in jeder Manteltasche eine Sprengladung mitgeführt. Hitlers Eile beim Rundgang durch eine im Zeughaus vorbereitete Ausstellung hätte verhindert, daß der bereits eingestellte Zeitzünder einer Mine noch wirken konnte. Ich erinnere mich genau der Begegnung mit Gersdorff, denn er fiel durch die Eleganz seiner Uniform besonders auf. Rank und schlank begleitete er uns und sprach länger mit Keitels Adjutant Major John v. Freyend. Ich halte es für unwahrscheinlich, daß er Sprengladungen in seinen Manteltaschen mitgeführt hat.

An der Ostfront herrschte die »Schlammperiode«. Beide Seiten der Front waren nicht in der Lage, Operationen in größerem Rahmen durchzuführen. Man konnte eine gespannte Ruhe beobachten, aus der heraus noch nicht zu sagen war, wo und in welche Richtung die ersten Bewegungen geführt werden würden. Hitler entschloß sich, von Berlin aus nach München und dem Obersalzberg zu fahren. Am 22. März trafen wir abends auf dem Berghof ein und blieben mehrere Wochen oben. Diese Zeit wurde anstrengend, zum Teil auch deprimierend. Zum Glück hatte Hitler meine Frau mit zum Berghof eingeladen. Das war mir natürlich eine große Hilfe und Freude.

Tunis

In den letzten März-Tagen mußte ich nach Sizilien und Tunis fliegen. Die Nachrichten von Kesselring waren schwer zu durchschauen. Er berichtete recht optimistisch über die Kämpfe in Tunis, während von anderen Stellen Gegenteiliges gemeldet wurde. Mein erstes Ziel war Catania. Von dort ging es weiter zu Kesselring in Taormina. Die Gespräche mit ihm gaben mir das ganz klare Bild, daß Tunesien nicht mehr lange zu halten war. Am nächsten Morgen flog ich mit Kesselring für zwei Tage dorthin. Zunächst besuchten wir die Südfront und trafen dort mit dem Oberbefehlshaber der Armee, Generaloberst v. Arnim, zusammen. Er war gleicher Ansicht wie der Feldmarschall. Den Abend und die Nacht verbrachte ich bei der Division »Hermann Göring«, wo ich den Divisions-Kommandeur, Generalleutnant »Beppo« Schmid, und einige Offiziere gut kannte. Schmid fuhr am Abend mit mir an die Front und zeigte mir die enorm dünne Besetzung, seine große Sorge für den Fall eines Angriffes der Amerikaner. Am Abend diskutierten wir lange über die Sorgen der Truppe, wobei ich ihm aber sagen mußte, daß seine Division im Vergleich zu den mir bekannten Heeres-Divisionen in einem phantastisch guten Zustand sei. Er stritt es nicht ab, betonte aber, daß er allein den Amerikaner nicht aufhalten könne. Am nächsten Vormittag traf ich mit Kesselring in Biserta zusammen und gemeinsam flogen wir nach Taormina zurück. Ich hatte an diesem Tage noch Gelegenheit, mich mit mehreren Herren seines Stabes über die Lage zu unterhalten, und fragte dabei auch, ob und wie einem eventuellen Übersetzen der Amerikaner von Tunis nach Sizilien begegnet werden könne. Die Ansichten darüber waren geteilt, aber abschließend sah Kesselrings Stab keine Chance, einem amerikanischen Angriff erfolgreich Widerstand zu leisten.

Ich schilderte Hitler eingehend meine Eindrücke. Er nahm die schlechten Nachrichten ruhig entgegen und sagte sehr wenig dazu. Es schien mir, als habe er Nordafrika bereits abgeschrieben. Zum Fall Sizilien meinte er, daß die italienischen Truppen jetzt, wenn ihr eigenes Vaterland in Gefahr sei, etwas aktiver werden würden. Ich sagte darauf meine negative Ansicht über die italienischen Truppen. Ich könnte mir nicht vorstellen, daß es auch nur eine italienische Division gäbe, die noch mit Erfolg und Ausdauer nachhaltig Widerstand leisten würde. Vor allem das italienische Offizierkorps würde nicht den einfachsten Ansprüchen genügen. Er war über die Untauglichkeit der Italiener sehr erbost und äußerte sogar, daß die italienische Wehrmacht im Grunde nichts vom Krieg wissen wollte und lieber heute als morgen die Gewehre wegschmeißen oder ganz zum Gegner übertreten würde.

Besuche der Verbündeten

Die Reihe der Besuche ausländischer Regierungschefs begann am 3. April mit König Boris von Bulgarien. Er kam meines Erachtens immer nur, um Hitlers Ansichten zu der nach seiner Meinung katastrophalen Kriegs-Entwicklung in Rußland zu hören. Er sprach sehr offen mit Hitler und nahm kein Blatt vor den Mund. Doch Hitler beurteilte die Kräfte und Möglichkeiten immer noch mit großer Skepsis und konnte oder wollte es nicht glauben, daß der Russe über stärkere Kräfte als bisher verfüge. Das Gespräch zwischen Hitler und König Boris fand in einem sehr taktvollen und gemäßigten Ton statt, aber Hitler erzählte uns nach dem Besuch, daß er diesmal dem König sehr offen seine Meinung über die Russen gesagt habe und daß er die verbreitete Ansicht über die Kräfte der Russen nicht teilen könne.

Am folgenden Tag fuhren wir abends im Zug nach Linz. Hitler besuchte die Reichswerke Hermann Göring und das Nibelungenwerk in St. Florian. Speer und Pleiger hatten sich in Linz eingefunden und begleiteten Hitler durch beide Werke. In den Reichswerken hatte Pleiger eine beträchtliche Produktionssteigerung erreicht, im Nibelungenwerk begannen jetzt die neuen Panzer III und IV aus der Fertigung zu laufen. Hierauf hatte Hitler lange gewartet und zeigte sich sehr begeistert, daß es nun endlich so weit war. Er entschied gleich, daß die Operation »Zitadelle« verschoben werden sollte, damit noch genügend Panzer zugeführt werden konnten. Diesen Aufschub nahmen die Chefs der Generalstäbe sehr ungern hin. Auch Richthofen drängte zum Angriff. Aber Generaloberst Guderian, seit Ende Februar »Generalinspekteur der Panzertruppen«, setzte sich durch, und so wurde der Beginn des Angriffes bis in den Juni verschoben. Ich verstand Hitlers Entscheidung nicht, denn dieser Zeitaufschub von fast sechs Wochen nutzte eigentlich nur den Russen. Sollten sie sich nicht entschließen anzugreifen, dann würden sie aber ihre Stellungen so verstärken, daß ein Angriff von deutscher Seite sehr schwer würde. Aber Hitler war von seinem Plan nicht abzubringen.

Der Monat April brachte weitere Besuche verbündeter Staatsmänner. Es kamen Mussolini, Antonescu, Horthy, Quisling, Tiso, Pavelitsch, Laval und Oshima. Mussolini blieb drei Tage in Klesheim und hatte mehrere Gespräche mit Hitler. Er versuchte Hitler zu beeinflussen, den Krieg mit den Russen so schnell wie möglich zu beenden. Das war ein Thema, das Hitler bereits kannte und verwarf. Mussolini blieb im Verlauf der weiteren Gespräche uninteressiert und sehr schweigsam. Es war ihm klar anzumerken, daß er den Krieg für verloren ansah und es aus seiner Sicht für Italien keine Chance mehr gab, das Blatt zu wenden. Ich sprach Hitler in diesen Tagen darauf an und sagte meinen Eindruck. Hitler antwortete, daß Mussolini selbst überhaupt keinen Einfluß auf die Entwicklung der Operationen mehr nehmen könne. Er befürchtete, daß sich in Italien bald etwas zu unserem Nachteil in der Führung ändern würde.

Admiral v. Horthy wollte auch wissen, wie Hitler sich die Fortsetzung des Krieges dachte. Hitler ließ ihm einen Vortrag über die Lage halten, der ein ausgesprochen günstiges Bild vermittelte. Mir schien es, daß er sich in seiner bekannt liebenswürdigen Art alles recht genau anhörte, aber nichts von dem glaubte, was vorgetragen wurde. Ribbentrop attackierte den Admiral wegen seiner Judenpolitik. Er meinte, die 800 000 Juden in Ungarn müßten nun aber nach dem Osten abgeschoben werden. Aber auch hierauf ging Horthy nicht ein und ließ das Problem an sich abgleiten. Im ganzen konnte man zu allen Besuchen dieses Monats sagen, daß alle Gäste mißtrauisch kamen und mißtrauisch wieder abreisten, denn alle hatten ihre eigenen Querverbindungen in andere Länder. Von dort hörten sie vom immer mehr zunehmenden Aufmarsch der Amerikaner und der Russen, der keinen Zweifel darüber ließ, daß noch im Jahre 1943 die großen Angriffe beginnen würden. Doch Hitler hoffte immer noch auf die Schwäche der Russen und auf seinen Erfolg bei »Zitadelle«.

Hitler fordert verstärkten Flakschutz

Recht sorgenvoll waren in diesem Monat April meine vielen Gespräche mit Hitler über die Luftlage. Die Engländer flogen mit ständiger Beharrlichkeit ihre Angriffe gegen die deutschen Städte, und Hitler wußte nicht, wie er diesen Angriffen begegnen konnte. Fast jeden Abend nach dem Abendessen rief er mich in die große Halle, und dort gingen wir in langen Gesprächen ein bis zwei Stunden auf und ab. Hitler erkannte ganz klar die Überlegenheit der Engländer und trat noch mehr als bisher für die Verstärkung des Flakschutzes ein. Ich mußte ihm meine ungeschminkte Ansicht sagen, daß ich von dem riesigen Flakschutz keine

Wirkung erwartete. Die Flak würde allenfalls erreichen, daß die Bomber von einem klaren Anflug und dem gezielten Bombenwurf abgelenkt würden. Aber insgesamt gebe es in Deutschland gegen nächtliche Bombenangriffe keine wirkungsvolle Abwehrwaffe. Hitler widersprach mir nicht, so daß ich der Auffassung war, er stimme mir zu. Bedrückend war es, Hitlers Ansicht über Göring hören zu müssen. Er kannte meine kritische Einstellung zu Göring schon seit 1940 und hatte dies nie vergessen. Die Entwicklung der Luftlage im Laufe des Krieges gab ihm immer wieder Anlaß, die Tätigkeit Görings als Oberbefehlshaber der Luftwaffe zu kritisieren. In diesen Apriltagen auf dem Berghof hatte ich aber den Eindruck, daß Hitler von Göring nichts mehr wissen wollte. Seine Worte über Göring waren hart und abweisend. Ich versuchte sein Urteil etwas dadurch zu mildern, daß ich auf die Entwicklung des Krieges im Osten und die damit verbundene schwierige Rüstungslage der Luftwaffe hinwies. Dies erkannte Hitler an, aber seine Kritik über die Entwicklung neuer Flugzeuge, vor allem der Bomber, mußte ich als berechtigt akzeptieren. Er zog Vergleiche zur U-Boot-Waffe. Dort sei es im Jahre 1942 durch die Entwicklung der englischen Ortungsgeräte zu schweren Verlusten gekommen, und Dönitz habe entschieden, die U-Boote erst wieder auslaufen zu lassen, wenn die Abwehr gegen das englische Radar wirksam sei. Die Entwicklung sei so weit fortgeschritten, daß dieser Zeitpunkt bald erreicht sein würde. Diese Handlungsfähigkeit der Kriegsmarine sei anerkennenswert und bedeute für ihn eine große Hilfe, da er sich um die Entwicklungen in der Kriegsmarine nicht mehr zu kümmern brauche. Früher habe er auch keinen Grund gehabt, den Aufbau der Luftwaffe zu verfolgen, und habe auch nicht viel davon verstanden. Jetzt aber müsse er sich um alle Einzelheiten der Luftwaffe kümmern und mehr Einfluß auf die Entwicklungen nehmen. Im täglichen Umgang mit Göring ließ Hitler von seiner Verärgerung über ihn und die Luftwaffe auch weiter nichts merken.

In den letzten Apriltagen gingen von der Heeresgruppe Mitte bei Smolensk ausführliche Berichte von den Leichenfunden im Walde von Katyn ein. Das Auswärtige Amt hatte eine internationale Ärztekommission zusammengestellt und nach Katyn geschickt. Ihr gehörten bedeutende Gerichtsmediziner der Universitäten Gent, Sofia, Kopenhagen, Helsinki, Neapel, Agram, Prag, Preßburg und Budapest an. Bis zum 30. April 1943 waren 982 Leichen polnischer Offiziere ausgegraben worden, die im März/April 1940 durch Genickschuß ermordet worden waren. Als Hitler den Bericht der Ärztekommission zu lesen bekam, ließ er seine ganze Verachtung über das russische Regime und seine Massenmörder laut werden. Er sagte, er habe die Russen nie anders eingeschätzt, und dieser Fund sei ihm nur eine Bestätigung.

Der Mai 1943 brachte keine großen Ereignisse. Hitlers Bemühungen, die Rüstung voranzutreiben und den Luftkrieg einzuschränken, standen im Vordergrund. Für die Rüstung hatte er in der Person des Reichsministers Speer einen der

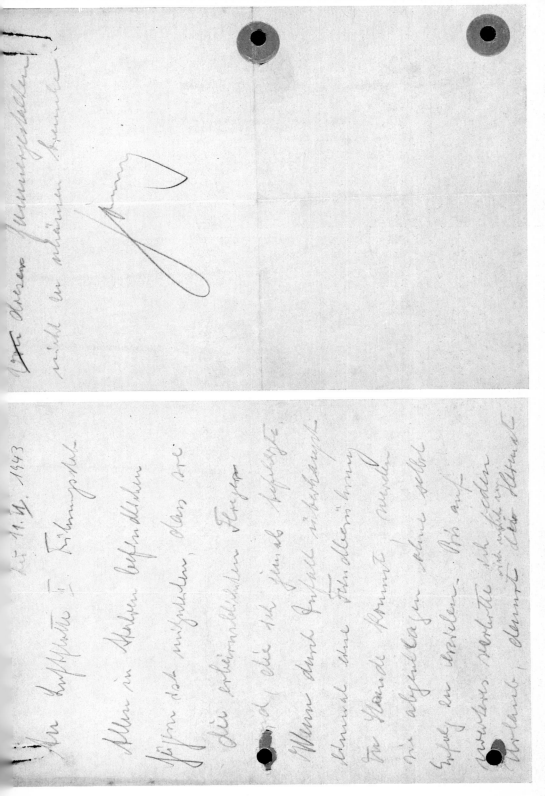

handschriftliche Mitteilung Görings an den Führungsstab der Luftflotte II (s. S. 339).

Sommer 1942. Eine Ruhepa
im FHQ Winniza.

April 1943. Hitlers Geburts
im Kreise seiner Mitarbe
auf dem Obersalzberg.

September 1943. Drei Ad
tanten im FHQ Wolfscha
Von links v. Szymonski, v.
low und John von Freyend.

aktivsten Mitarbeiter, der es verstand, die gesamte Industrie zu mobilisieren und ihre Leistungen von Monat zu Monat zu steigern, zum Teil in einem ungewöhnlich hohen Maße. Alle 14 Tage etwa war er bei Hitler zur Besprechung über die großen und kleinen Themen, die in seinem Bereich anfielen. In der letzten Zeit brachte er immer einige Herren aus der Industrie mit, die dann selbst Hitler Rede und Antwort standen. Ich habe Sitzungen miterlebt, in denen Hitler fast nur mit den Wirtschaftlern sprach. Hitler hatte die Hauptzahlen der Rüstung im Kopf und war über die jeweiligen monatlichen Fertigungen im Bilde. Es war für manche Industrielle nicht immer einfach, Hitler auf alle Fragen zu antworten. Ganz besonders erstaunlich war es, daß die vielen Luftangriffe der letzten Wochen und Monate keinen wesentlichen Einfluß auf die Industrie-Werkstätten hatten. Die Engländer warfen ihre Bomben vor allem in die Wohngebiete der Städte und glaubten, dadurch die Kriegsbereitschaft der Bevölkerung brechen zu können. Im Jahre 1943 war es bemerkenswert, wie wenig Erfolg sie damit hatten. Gewiß wurden unendlich viele Familien aus ihren Wohnungen ausgebombt, viele Zivilisten wurden ein Opfer der Bombenangriffe, aber es blieb der Eindruck, daß diese Bombenangriffe das deutsche Volk nicht demoralisierten.

Am 2. Mai fuhr Hitler am Vormittag nach München. Der Aufenthalt galt vor allem einer Konferenz über die Operation »Zitadelle« am 4. Mai, zu der die Feldmarschälle v. Kluge, v. Manstein, die Generalobersten Guderian, Jeschonnek und andere bestellt waren. Auf dem Berghof hatte Hitler zuvor mit dem Generaloberst Model darüber gesprochen. Dieser hatte ihm geraten, die Offensive in den Juli zu verschieben, um noch mehr von den neuen Panzern für die Operation einsetzen zu können. Hitler neigte selbst sehr zu dieser Auffassung und setzte sich jetzt in München gegen die Ansicht der Generale durch.

Von München fuhren wir nach Berlin. Hitler wollte am 7. Juni dem Staatsbegräbnis Lutze beiwohnen. Der Stabschef der SA war auf der Autobahn bei Berlin tödlich verunglückt. Die Hauptrede hielt Goebbels, aber Hitler fügte noch einige Sätze hinzu, aus denen zu ersehen war, wie ihn dieser Todesfall berührte. Nach der Trauerfeier hatte er die hohen Partei-, SA- und SS-Führer bei sich zum Mittagessen und hielt ihnen eine geharnischte Rede über die Raserei auf Autobahnen. Er befahl, die Wagen der Parteiführer auf eine Geschwindigkeit von 80 km/h zu drosseln.

Am 12. Mai flogen wir nach Ostpreußen in unser Hauptquartier. Dort erhielt Hitler am 13. Mai die Nachricht von der Kapitulation Generaloberst v. Arnims aus Tunis. Hitler hatte den Verlust der Position in Tunesien schon kommen sehen, war aber nicht mehr in der Lage, auf irgendeine Art zu helfen. Er machte den Italienern Vorwürfe, daß sie die Nachschub-Organisation nach Nordafrika in den letzten Monaten überhaupt nicht mehr beherrscht hätten.

In den Tagen vom 13. bis 15. Mai hatte Hitler eingehende Besprechungen mit

337

Speer und mehreren Fachleuten aus der Rüstungsindustrie. Es wurden neue Modelle der Panzer und der Panzer-Abwehr vorgeführt und Hitlers Entscheidungen dazu eingeholt; Hitler zeichnete Speer mit dem »Ring der Technik« aus.

Urlaub in Prag und Wien

Ende Mai trat ich einen längeren Urlaub an. Ich plante mit meiner Frau eine Reise nach Prag und Wien. Wir kannten beide Städte noch nicht, und ich hatte meiner Frau gesagt, wir sollten uns diese Städte noch ansehen, bevor auch sie in Schutt und Asche lägen. Von Berlin fuhren wir mit der Eisenbahn zunächst bis Prag. Dort blieben wir eine gute Woche, wohnten in einem Hotel am Wenzelsplatz und fanden schnell Abstand zu den Ereignissen des Krieges. Allerdings lasen wir in den ersten Tagen die Berichte von den Luftangriffen der Engländer auf unsere Talsperren in der Zeitung. Die Nachrichten erschreckten uns sehr. In Prag hatten wir Gelegenheit, Oper und Theater zu besuchen, waren aber besonders an den schönen alten Bauten interessiert, die der Stadt den besonderen Reiz gaben und zum Glück erhalten geblieben sind.

Von Prag nach Wien benutzten wir wieder die Eisenbahn und saßen in einem ähnlich vollen Zug wie schon eine Woche zuvor. Die Fahrgäste waren aber sehr aufgeschlossen, und es ergab sich bis Wien eine lebhafte Unterhaltung. Dabei bemerkte ich, daß die Menschen die Kriegsereignisse zwar sehr kritisch beobachteten, aber alle der festen Überzeugung waren, daß Hitler die Entwicklung übersähe und den Krieg zu unseren Gunsten beenden würde. In Wien überraschte uns auf dem Bahnsteig ein Adjutant des Reichsleiters Baldur v. Schirach, um uns ins Hotel zu geleiten. Ich hatte uns bei Schirach angemeldet und ihn gebeten, uns bei der Besichtigung von Wien ein wenig behilflich zu sein. Am nächsten Vormittag machten wir Schirach unseren Antrittsbesuch und besprachen mit ihm unser Programm für die Woche. Wir wurden äußerst zuvorkommend und freundschaftlich aufgenommen und hatten viele Gelegenheiten, alle Herrlichkeiten der Stadt kennenzulernen. An einem Abend waren wir mit Schirachs im Burgtheater und sahen eine sehr gute Aufführung von Shakespeares »Kaufmann von Venedig«. Anschließend lud Schirach uns zum Essen in ein Lokal und nutzte die Gelegenheit, sich mit mir, abseits von der anderen Gesellschaft, sehr offen und frei über die politische und militärische Lage zu unterhalten. Wir haben mindestens eine Stunde alle Probleme behandelt, und ich habe ihm von mir aus ein klares Bild über die Entwicklung der Luftlage gegeben. Ich sagte ihm, daß ich es für ausgeschlossen hielte, den Krieg mit unseren Kräften zu gewinnen. Schirach teilte meine Ansichten. Er erregte sich nur sehr darüber, daß Ribbentrop, Keitel und andere hohe Offiziere dem Führer keinen reinen Wein einschenkten. Da mußte ich widersprechen, denn ich wußte, daß Ribbentrop und gerade viele Generale dem Führer die Schwierigkeiten des Krieges deutlich vor Augen gestellt und ihn nicht im Unklaren über ihre Zweifel gelassen hatten. Ich mußte es Schirach sehr klar sagen, daß allein Hitler der Träger des Krieges sei. Er beriefe sich nun stets auf die Konferenz von Casablanca, in der Roosevelt und Churchill die bedingungslose Kapitulation von uns gefordert hatten. Schirach sah diese Erklärung nicht als so ausschlaggebend an und meinte, daß für einen Vergleichsfrieden immer noch Zeit genug sei.

Wir blieben noch einige Tage in Wien, meine Frau machte Einkäufe, denn in Wien konnte man noch einiges kaufen, z.B. einen Bollerwagen für unsere Kinder. Dann fuhren wir nach Berlin zurück. Ich reiste am 14. Juni wieder zum Obersalzberg. Meine Frau kümmerte sich um unsere Kinder, kam aber nach einigen Tagen zum Berghof nachgefahren.

Hitlers Kritik an der Luftwaffe

Auf dem Berghof meldete ich mich bei Hitler von der Reise zurück. Nach einigen persönlichen Worten ging er sofort zum Hauptthema über, die ständigen Bombenangriffe der Engländer. Das ganze Ruhrgebiet hätten sie »kaputt geschmissen«, und es sei nicht abzusehen, ob und wann sie aufhören würden. Unsere Luftwaffe hätte so gut wie nichts, um sich dagegen zur Wehr zu setzen. Er ging dann auf Sizilien ein. Hitler machte sich große Sorgen, weil er den Italienern nichts zutraute und von deutscher Seite nicht genügend Truppen hinunterbringen konnte. Er sagte, daß zunächst die Luftwaffe helfen müsse. Vor wenigen Tagen, am 11. Juni, war Richthofen auf dem Berghof gewesen. Hitler hatte ihn mit der Führung der Luftflotte 2 in Italien beauftragt, um Kesselring, der die Luftflotte als OB Süd geführt hatte, für seine künftige, noch umfassendere Aufgabe zu entlasten, auch wenn er zunächst noch gewissermaßen ein Feldherr ohne Truppen war. Die angespannte Luftlage zu dieser Zeit in Italien kennzeichnet ein Telegramm, das Göring am 11. Juni an den Führungsstab der Luftflotte 2 geschickt hatte und mir heute noch im Original vorliegt. Es lautete: »Allen in Italien befindlichen Jägern ist mitzuteilen, daß sie die erbärmlichsten Flieger sind, die ich jemals befehligte. Wenn durch Zufall überhaupt eine Feindberührung zustande kommt, werden sie abgeschlagen, ohne selbst Erfolge zu erzielen. Bis auf weiteres verbiete ich jeden Urlaub, damit ich mich in der Heimat dieser Jammergestalten nicht zu schämen brauche. Göring.« Am Abend dieses ersten Tages auf dem Obersalzberg ging Hitler mit mir in der Halle wieder lange Zeit auf und ab. Er sprach vornehmlich über seine Sorgen auf dem italienischen Kriegsschauplatz. Hitler beurteilte das Vorgehen der Amerikaner als sehr schwerwiegend und sagte, daß unsere Kräfte dort nicht ausreichten. Wenn es der Luftwaffe nicht gelinge, bei einer

Landung der Amerikaner auf Sizilien entscheidend gegen sie einzugreifen, dann habe er keine Hoffnung für die ganze italienische Halbinsel. Hitler setzte großes Vertrauen in Richthofen und hoffte, daß ihm eine erfolgreiche Abwehr gelingen würde. Ich nahm mir die Freiheit, Hitler wieder einmal deutlich meine Ansicht über die Kräfte unserer Luftwaffe zu sagen, und vertrat die Auffassung, daß die Luftwaffe in der Rüstung niemals mehr die Engländer, Amerikaner und Russen einholen könnte. Hitler berief sich auf Göring, der ebenso wie er selbst das Unmögliche möglich machen könnte. Ich entgegnete ihm, daß eben das gerade nicht mehr der Fall sein könnte. Es fehlten die Entwicklungen der Jahre 1941 und 1942. Die Luftwaffe lebe nur von den alten Konstruktionen, mit denen sie schon 1939 in den Krieg gezogen sei. Hitler erwiderte darauf nicht, aber ich merkte ihm an, daß er wieder festes Vertrauen zu Göring hatte.

Zerwürfnis Hitler–Schirach

Am 24. Juni, Fronleichnam, kam Baldur v. Schirach mit seiner Frau auf den Berghof. Er hatte eine lange und ausführliche Unterhaltung mit Hitler, deren Inhalt ich erst an einem der nächsten Abende von Hitler erfuhr. Schirach hatte Hitler sehr unzweideutig seine Ansicht gesagt, der Krieg müsse auf irgendeine Weise beendet werden. Hitler sagte dazu: »Wie denkt er sich das. Er weiß doch genau wie ich, daß es keinen Weg mehr gibt, es sei denn, ich schieße mir eine Kugel durch den Kopf.« Hitler war über sein Gespräch mit Schirach sehr erregt und ließ klar erkennen, daß er mit ihm nichts mehr zu tun haben wollte. Das war auch ihre letzte Begegnung.

»Zitadelle«

Am 29. Juni flog Hitler zur Wolfschanze. Für den 5. Juli war der Angriff »Zitadelle« geplant. Dazu hatte Hitler am 1. Juli alle beteiligten Oberbefehlshaber zu einer Besprechung befohlen. Hitler hielt einen langen Vortrag über die Lage und seine Absichten. Er drückte sich sehr zuversichtlich aus und erwartete Erfolge. Er glaubte nicht, daß der Russe in der Lage sei, größere erfolgreiche Schläge gegen die deutsche Front führen zu können. Er fürchtete nur um die Front auf Sizilien, wegen der zweifelhaften italienischen Haltung. Am 5. Juli traten die Fronten der Heeresgruppe v. Kluge von Norden und der Heeresgruppe v. Manstein von Süden mit dem Ziel Kursk an. Bevor unsere Truppen den Angriff begannen, setzte der Russe mit einem gewaltigen Feuerüberfall auf unsere Front ein. Er hatte also den Angriffsbeginn erfahren. Der Kampf an den Fronten war sehr schwer. Manstein kam besser voran als Kluge.

Am Tage des Angriffsbeginnes hatte Hitler mir den Auftrag gegeben, zum Feldmarschall Sperrle nach Frankreich zu fliegen und ihm seine Glückwünsche zum 40jährigen Dienstjubiläum zu überbringen, verbunden mit einem Scheck über RM 50 000–. Ich flog zunächst nach Paris und meldete mich bei Sperrles Chef, dem General Koller. Mit ihm hatte ich ein längeres Gespräch über den Luftkrieg gegen England. Koller vertrat die Ansicht, daß die Luftwaffe nicht als die Artillerie des Heeres eingesetzt werden dürfe. Der operative Luftkrieg gegen England sei dringend notwendig, und dem Oberst Peltz müßten die dafür geeigneten Verbände gegeben werden. Sperrle war nicht in Paris, sondern befand sich in seinem Sommer-Quartier in St. Jean de Luz, südlich von Biarritz am Atlantik. Am Nachmittag traf ich dort ein und überbrachte Sperrle Hitlers Glückwunsch. Ein Gespräch über die Lage schloß sich an. Der Feldmarschall zeigte sich beeindruckt von Hitlers Ansichten, über die ich ihn ins Bild setzte. Sperrle lebte hier ganz abgeschieden, nur begleitet von einem Arzt, seinem Adjutanten und einem Ordonnanzoffizier, abgesetzt vom militärischen Alltag. In diesem kleinen Kreis verbrachte ich 24 Stunden und genoß diese Ruhe, die den Eindruck vermittelte, als ob es keinen Krieg mehr in Europa gebe. Ich flog von Südfrankreich direkt zum Hauptquartier zurück und kam in einen Hexenkessel voller Unruhe und Probleme. Ab 12. Juli trat eine ganz neue Lage durch den russischen Angriff gegen unsere vorspringende Front bei Orel ein. Hitler ließ am 13. Juli Kluge und Manstein zu sich kommen und beriet mit ihnen über die Fortsetzung von »Zitadelle«. Manstein sprach sich unbedingt dafür aus, während Kluge die Angriffsoperationen einstellen wollte. Der russische Angriff hatte sich ganz auf seine Front ausgewirkt, und er zweifelte, ob er ihm standhalten könnte. Nach langen Gesprächen entschied Hitler, den Angriff einzustellen. Damit war die letzte deutsche Angriffsoperation dieses Krieges an der Ostfront gescheitert.

Abfall Italiens

Aus Italien kamen Nachrichten, die auf einen politischen Umsturz hindeuteten. Anstoß dafür war die amerikanische Landung am 9./10. Juli auf Sizilien. Unser »starker Mann« dort war General Hube. Aber er hatte zu wenig Truppen, um die ganze Küste verteidigen zu können. Vor allem machte sich die starke Luftüberlegenheit der Gegner bemerkbar. Dazu kamen Meldungen, daß die Italiener ihre Waffen fortwarfen und das Weite suchten. Einer amerikanischen und einer englischen Armee gelang es, auf Sizilien Fuß zu fassen und die Insel in den nächsten vier Wochen zu erobern. Hitler hielt es in diesen an der Ostfront und in Italien sehr turbulenten Tagen für unerläßlich, mit Mussolini zu sprechen. Am 19. Juli fand das Treffen mit Mussolini in Feltre bei Belluno in Oberitalien statt. Mussolini brachte verschiedene Begleiter mit, die aber seinem Gespräch mit Hitler wegen Sprachschwierigkeiten nicht folgen konnten. Hitler sprach sehr lange und vorwurfsvoll auf Mussolini ein, hatte aber selbst den Eindruck, daß Mussolini resigniert und am Ende seiner Kraft war. Hitler flog sehr ungnädig aus Italien gleich nach Rastenburg. Er verfolgte die weiteren Ereignisse in Italien voller Spannung, aber sehr mißtrauisch und war wütend über diese Verbündeten.

Am 24. Juli war um 18 Uhr der Große Faschistische Rat im Palazzo Venezia einberufen worden, zum ersten Mal seit Beginn des Krieges im Dezember 1939. Nur sehr spärlich trafen weitere Nachrichten ein, und es war schwer, sich ein klares Bild zu machen. Hitler verfolgte am 25. Juli den Ablauf der Ereignisse mit größter Ungeduld. Im Hauptquartier hatten sich Ribbentrop, Göring, Goebbels und Himmler zu aufgeregten Gesprächen eingefunden. Am späten Abend des 26. Juli erfuhren wir, daß der Große Faschistische Rat mit großer Mehrheit den König gebeten hatte, selbst wieder den Oberbefehl über die Streitkräfte zu übernehmen. Eine der treibenden Figuren dieses Rates war der frühere italienische Botschafter in London, Grandi. Am Nachmittag des 25. Juli war Mussolini zum König bestellt worden. Er wurde von ihm davon unterrichtet, daß er Marschall Badoglio zu seinem Nachfolger bestellt hätte. Beim Verlassen des Palastes wurde Mussolini sofort in Gewahrsam genommen. Die Polizei führte ihn in einem Krankenwagen in eine Carabinieri-Kaserne, und wochenlang wußten wir nichts über seinen Verbleib. Hitler war entsetzt, wie sang- und klanglos die faschistische Herrschaft endete. Keine Hand rührte sich für Mussolini. Die Badoglio-Regierung gab zwar vor, das Bündnis mit Deutschland fortsetzen zu wollen. Doch Hitler beobachtete die Entwicklung sehr skeptisch. Er hatte zu Badoglio kein Vertrauen. Sein Hauptinteresse in Italien galt nur noch der Feststellung, wo Mussolini gefangengehalten wurde. Er beauftragte Himmler, alles in Bewegung zu setzen, um das herauszufinden.

Zerstörung Hamburgs

Zur gleichen Zeit, als Hitler am Abend des 26. Juli die Nachricht von dem Umsturz in Italien hörte, meldete der Gauleiter Kaufmann aus Hamburg den ersten der drei furchtbaren Luftangriffe auf Hamburg. Die Engländer hatten wieder etwa 1000 Bombenflugzeuge eingesetzt und den Einflug mit Hilfe von unendlich vielen Stanniolstreifen vor der deutschen Ortung und Abwehr fast vollständig verbergen können. Kaufmann berichtete von riesigen Flächenbränden und vielen Toten. Hitler wurde am nächsten Vormittag bei der Lagebesprechung äußerst heftig gegen die Luftwaffe, machte ihr schwere Vorwürfe und forderte sofortige Verstärkung der Flak-Abwehr. Er vermutete weitere Angriffe auf Hamburg und hatte sich nicht getäuscht. In wenigen Tagen folgten zwei weitere sehr schwere Angriffe, und Hamburg war in wenigen Tagen fast völlig zerstört.

Der russische Angriff gegen Orel und Bjelgorod hatte Erfolg. Beide Städte wurden uns genommen. Die Russen blieben von jetzt ab im Angriff, den sie vom 12. Juli bis in den Oktober hinein ständig fortsetzten, so daß sie unsere Front in einzelnen Abschnitten um etwa 200 km zurückdrängten. Die neue, Anfang Oktober (also zu Beginn der Schlammperiode) erreichte Linie lief vom Asowschen Meer über Saporoshje, den Dnjepr entlang über Dnjepropetrowsk, Kiew, Gomel bis Witebsk.

Hitler war mit seinen Gedanken und seinen Sorgen mehr in Italien als an der Ostfront. Dazu kam, daß er der deutschen Front in Italien mehrere Divisionen zuführen ließ und die Ostfront über keine Reserven mehr verfügte. Der Russe hatte von jetzt ab an der ganzen Ostfront die Initiative gewonnen und gab sie nicht mehr aus der Hand. Ich sah den Hauptgrund in unserer nun beängstigenden Lage in der Vielzahl unserer Fronten: Italien forderte immer mehr Divisionen, in Frankreich wurde eine Abwehrfront gegen eine Invasion aufgebaut, auf dem Peloponnes und in Norwegen waren deutsche Truppen gebunden.

Selbstmord Jeschonneks

Im August 1943 mußte ich Hitlers Aufmerksamkeit auf Differenzen in der Führung der Luftwaffe lenken. Seit Anfang des Jahres nahmen die Meinungsverschiedenheiten zwischen Göring und Jeschonnek zu und waren nun nicht mehr zu überbrücken. Göring hatte verschiedene junge Generalstabsoffiziere in seinen Stab geholt und führte mit ihnen praktisch die Luftwaffe, ohne Rücksicht auf deren Generalstab. Das war natürlich ein unmöglicher Zustand. In den ersten Augusttagen rief mich morgens Jeschonneks Adjutant an und bat mich, zum Frühstück zu ihm zu kommen. Ich fand Jeschonnek verzweifelt und verärgert vor. Göring gab Jeschonnek die Schuld an den ständig zunehmenden britischen Bombardements und war bei seinen Vorwürfen unerträglich, maßlos, unsachlich und ungerecht. Ich sprach in aller Ruhe mit Jeschonnek und bat ihn, heute zur Lagebesprechung in das FHQ zu kommen und sich auf ein Gespräch mit Hitler einzurichten. Hitler war nach meinem Bericht sofort bereit, Jeschonnek zu empfangen, sagte mir aber, daß er ihm unter keinen Umständen erlauben könnte, seinen Posten zu verlassen. Er wisse niemanden, der die Luftwaffe führen könnte, bei Görings Unzulänglichkeit. Jeschonnek blieb fast zwei Stunden bei Hitler. Beim Fortgehen dankte er mir, daß ich ihm dies informelle Gespräch beim Mittagessen vermittelt hätte, fügte aber hinzu, er müsse weiter mit Göring zusammenarbeiten. Ich sah die Differenzen keineswegs als beigelegt an, konnte aber nichts mehr tun. Am Morgen des 19. August rief mich Jeschonneks Adjutant an und teilte mir mit, daß Jeschonnek sich erschossen habe. Ich war völlig konsterniert, denn das hatte ich nicht erwartet. Noch vor der Mittagslage traf Göring, aus Berchtesgaden kommend, in Rastenburg ein. Ich holte ihn vom Flugplatz ab. Er gab mir zwei Briefe, die Jeschonnek für mich hinterlassen hatte, und fragte mich, ob er mir irgend etwas über seine Absicht gesagt oder angedeutet hätte. Dies konnte ich guten Gewissens verneinen. Er wollte auch den Inhalt der Briefe wissen. Das lehnte ich aber ab, steckte sie in meine Tasche und las sie später in Ruhe. Jeschonnek wiederholte seine Klagen über Görings Verhalten ihm gegenüber, seine fortgesetzten vorwurfsvollen Telefonanrufe wegen der schweren Bombenangriffe und anderer Dinge, für die Göring Jeschonnek zu Unrecht verantwortlich machte. Er beschrieb seine eigenen – gescheiterten – Bemühungen, eine wirkungsvolle Luftwaffe aufzubauen. Diese Briefe bewegten mich sehr, und ich teilte Hitler am Abend ihren Inhalt mit. Hitler warf Jeschonnek vor, mit seinem Selbstmord hätte er nichts gebessert, sondern nur persönliche Konsequenzen gezogen. Ich hatte den Eindruck, daß Göring Jeschonnek noch über den Tod hinaus schlecht gemacht hatte; er verkehrte Jeschonneks Absicht, durch seinen Tod Görings Schwächen bloßzulegen, ins Gegenteil. Jeschonnek wurde einige Tage später in der Nähe des Hauptquartiers der Luftwaffe beigesetzt, und Göring ernannte General Korten zum Chef des Generalstabes der Luftwaffe.

Mir erschien Jeschonneks Tod bezeichnend für die Situation der Luftwaffe und die ständige Überforderung dieses Wehrmachtteils. Operativ spielte sie nach der Luftschlacht um England keine Rolle mehr, sie war für große Aufgaben nicht mehr befähigt. Die Einsatzbereitschaft der Flugzeugführer stand in einem Mißverhältnis zu der verfehlten Konstruktion der Luftwaffe. In der Unterstützung des Heeres leistete sie noch viel, geriet aber im Westen – wie sich im Sommer 1944 klar zeigte – und in der Reichsverteidigung in aussichtslose Unterlegenheit. Gegenüber der zunehmenden Quantität der russischen Frontluftstreitkräfte bewährte sich noch geraume Zeit die höhere Qualität unserer Piloten. Auf Dauer unterlagen sie aber auch hier der fortgesetzten Abnutzung. Der Treibstoffmangel führte auf deutscher Seite zu der grotesken Erscheinung, daß zwar ausreichend Flugzeuge produziert wurden, die Flugzeugführer aber mit unzulänglicher Flugerfahrung in die Einsätze geschickt und eine leichte Beute der englischen und amerikanischen Jäger wurden. Schon Jeschonnek hatte kaum noch ein Kapital zu verwalten gehabt; Korten, Kreipe und Koller, seine Nachfolger, zehrten die Konkursmasse auf, mit unterschiedlichem Temperament. Korten amtierte großzügig und belastete sich nicht mit zu vielen Details. Auch Kreipe nahm seine Aufgabe nicht allzu schwer, während Koller, der kaum noch über kampffähige Verbände verfügte, seinen Auftrag sehr ernst nahm und unter der Vergeblichkeit seiner Anstrengungen ersichtlich litt. Koller verstand sich zudem überhaupt nicht mit Göring, was besonders schwer wog, nachdem Kreipe als »Mittelsmann« ausgefallen war. Es war für mich im Laufe der nächsten Monate bedrückend zu sehen, wie dieser Wehrmachtteil, in den so große Erwartungen gesetzt worden waren, sich auf Grund mannigfacher Fehler und Versäumnisse verzehrte.

Im August 1943 flogen die Engländer viele grauenhafte Bombenangriffe. Besonders schwerwiegend waren die Angriffe auf Peenemünde, wo die deutschen Raketen gebaut wurden. 700 Menschen ließen dabei ihr Leben. Die Amerikaner fingen jetzt an, aus Italien kommend, deutsche und österreichische Fabriken zu bombardieren, in Wiener Neustadt das Flugzeugwerk, dann die Kugellagerwerke in Schweinfurt und das Messerschmitt-Werk in Regensburg.

Es war die Zeit der Konferenz in Quebec. Roosevelt und Churchill waren dort vom 17. bis zum 24. August zusammen, um sich über die Kriegsziele zu verständigen. Hitler erkannte aus den ihm von Ribbentrop zugeleiteten Berichten sofort, daß Roosevelt dort das Wort führte. Roosevelt vertrat die Auffassung, daß Rußland nach der Niederlage der Achse Europa beherrschen werde. Deshalb sei es wichtig, jetzt schon freundschaftliche Beziehungen zu Rußland zu entwickeln und aufrechtzuerhalten. Churchill entsprach diesen Wünschen Amerikas und gab damit die traditionelle Politik der »balance of power« auf dem europäischen Kontinent zugunsten Stalins auf. Hitler nahm das Ergebnis dieser Konferenz sehr ernst und erwartete eine weitere Verschärfung dieser Situation, ohne etwas ändern zu können. Aus der immer noch unübersichtlichen Entwicklung in Italien folgerte er, daß er nur bei scharfer und straffer innerpolitischer Führung die Entwicklung fest in der Hand behalten könne. Er bestimmte Reichsinnenminister Dr. Frick zum Reichsprotektor in Prag und übertrug Heinrich Himmler das Reichsinnenministerium.

Ende August war Hitler durch die Nachricht vom Tod des bulgarischen Königs sehr betroffen. Sein Instinkt sagte ihm, daß das italienische Königshaus hinter diesem Mord stände. Boris' Frau war eine Tochter des italienischen Königs. Ihre Schwester Mafalda, die Frau des Prinzen von Hessen, war längere Zeit in Sofia gewesen. Hitler hatte keine Beweise, aber die den König behandelnden deutschen Ärzte gaben zu, daß der König möglicherweise vergiftet worden sei.

Gegen Ende August nahm der russische Druck erheblich zu. Kluge und Manstein kämpften verzweifelt um den Bestand ihrer Fronten. Hitler zog aus dieser Lage den Schluß, daß Stalin sich auf die Situation in Italien verließ und vermutete, daß Hitler wesentliche Kräfte von der Ostfront dorthin verlagern würde. Der Rückzug wirkte sich auf den Besitz des Donezbeckens aus, das Hitler unbedingt halten wollte. Am 8. September flogen wir noch einmal nach Winniza, um mit Feldmarschall v. Manstein zu sprechen. Der Russe hatte an der Naht zwischen den Heeresgruppen Kluge und Manstein einen tiefen Einbruch erzielt. Die Front war nur durch Zurücknahme zu halten. Hitler sah sich gezwungen, den Feldmarschällen diesen Weg frei zu geben.

»Fall Achse«

Als wir in die Wolfschanze zurückkehrten, herrschte dort eine sehr angespannte Lage. Aus Italien trafen merkwürdige Nachrichten des Inhalts ein, daß die italienische Wehrmacht kapituliert habe. Am Abend des 8. September bestätigten sich die Gerüchte. Das war das Signal, unter dem Stichwort »Achse« die gesamten deutschen Kräfte in Italien gegen die Italiener zu mobilisieren. Dies gelang. Die Entwaffnung der italienischen Truppen begann. Für Rom übertrug Hitler dem energischen Luftwaffengeneral Stahel das Kommando. Die italienische Flotte lief aus. Das Schlachtschiff »Roma« wurde von deutschen Kampfflugzeugen versenkt, das Schwesterschiff »Italia« beschädigt. Hier und da leisteten italienische Soldaten Widerstand. Unsere Truppen setzten sich zum Teil rücksichtslos gegen den ehemaligen Verbündeten durch. Jedenfalls gelang es am 10. September Rom, innerhalb weniger Tage ganz Italien zu besetzen. Himmler setzte den SS-Obergruppenführer Karl Wolff als »Sonderberater für polizeiliche Angelegenheiten« in Italien ein. Seine Stelle im FHQ nahm der Gruppenführer Fegelein ein.

Inzwischen wußte Hitler, daß Mussolini auf dem Gran Sasso im Apennin in einem Sport-Hotel gefangengehalten wurde. Er setzte daraufhin sofort eine Großaktion zu seiner Befreiung in Gang. Von seiten der Luftwaffe wurde General Student beauftragt, eine Luftlandung auf dem Gran Sasso in die Wege zu leiten. An der Aktion wirkte der SS-Hauptsturmführer Skorzeny mit, der sich im weiteren Verlauf der Aktion, für die Hitler großes Interesse zeigte, erheblich in Szene setzte. Am 12. September startete und glückte die Befreiungsaktion. Lastensegler landeten auf dem Gran Sasso neben dem Hotel, Fallschirmjäger befreiten Mussolini und Skorzeny wurde mit dem Duce im Storch zum nächsten Flugplatz geflogen, von wo sofort eine größere Maschine nach Wien startete. Aus Wien rief

Skorzeny im FHQ an und meldete den Erfolg. Hitler beglückwünschte ihn und verlieh ihm das Ritterkreuz. Zwei Tage später traf Mussolini in Rastenburg ein, ein gebrochener Mann. Ich hatte den Eindruck, daß er sich überhaupt nicht danach sehnte, wieder in die Politik einzugreifen. Hitler schickte ihn nach München, damit er von dort aus seine neue Rolle übernahm. Er reiste ohne Schwung und Elan ab. Seine Zeit war abgelaufen. Doch Hitler hielt noch weiterhin zu ihm.

Separatfriedensgedanken

In diesen Wochen der permanenten Krisen und der ungemein großen Aktivität unserer Gegner wurde mit Hitler auch über Pläne zu einer Verständigung mit einem unserer Gegner gesprochen. Es war klar zu erkennen, daß Ribbentrop und Goebbels für solche Gedanken sehr aufgeschlossen waren. Sie versuchten Hitler für ihre Überlegungen zu gewinnen, die darauf abzielten, eine Verständigung mit Stalin zu finden. Grundsätzlich neigte auch Hitler einer solchen Möglichkeit zu, sagte aber, daß dies nur aus einer starken Position heraus möglich sei. Er hoffte mehr, daß das Bündnis der Feinde zerbrechen würde. Eine Verständigung mit den Weststaaten hielt er für ganz ausgeschlossen. Churchill sei der Feind aus innerster Überzeugung und werde nicht ruhen, bevor Deutschland zerschlagen sei, selbst wenn er dabei das ganze Weltreich verlieren würde. Zu einer Verständigung mit Rußland könne er sich nicht entschließen, denn die Bolschewisten blieben die Feinde des Reiches. Hitlers Haltung zu Separatfriedensgedanken im Herbst 1943 erschien mir zwiespältig; ich glaube aber, daß er solche Überlegungen nicht ganz von sich wies, sich dann aber auf den Standpunkt zurückzog, daß nur der Kampf den Sieg bringe. Allerdings stand er mit dieser Ansicht bald ganz allein. An allen Fronten gingen die deutschen Truppen zurück. Die Siegeszuversicht schwand, nur der Glaube, daß Hitler einen Ausweg finden würde, war ungebrochen. Diese Gewißheit steigerte Hitlers Sendungsbewußtsein. Er konnte es nicht glauben, daß die deutschen Mühen und Sorgen, die riesigen Verluste im Bombenkrieg und die Opfer an den Fronten vergebens gewesen seien. Ich habe in diesen Wochen des Herbstes 1943 beobachtet, daß Hitler von einer tiefen Gläubigkeit an seine Mission erfüllt war, ja, auf Wunder zu hoffen schien.

Andererseits war erschreckend festzustellen, wie zügellos nun sein Antisemitismus wuchs, je länger die Kämpfe in Rußland anhielten. Er hatte keinerlei Mitleid mit den Juden. In seinen Gesprächen mit Himmler und Goebbels ließ er keinen Zweifel darüber, daß es ihm völlig gleich sei, was mit den Juden geschehe. Goebbels erschien mir übrigens als der radikalste unter den nationalsozialistischen Führern, während Himmler bei allem, was er tat, mehr und mehr an die Zukunft dachte.

Ab Herbst 1943 wurde ich von vielen Menschen immer wieder gefragt, wie wir denn diesen Krieg noch gewinnen wollten. Es war für mich sehr schwierig, eine richtige Antwort zu geben. Ich gab aber niemandem gegenüber zu verstehen, daß ich noch an einen vollständigen Sieg glauben würde. Besonders die katastrophale Entwicklung der Luftwaffe zeigte bei zunehmender Übermacht der Gegner, daß eine Niederlage unausweichlich war, wenn nicht ein Wunder geschah. Ich ließ bei solchen Gesprächen keinen Zweifel darüber, daß ich einen Wandel durch die erfolgreiche Wirkung der neuen technischen Waffen für möglich hielt. Ich dachte dabei an die neuen Düsenjäger und die Entwicklung der V 1 und V 2 in Peenemünde, glaubte aber selbst nicht daran. Ich war mir darüber im klaren, daß diese Waffen für den Ausgang des Krieges keine Bedeutung mehr haben könnten. Ich nahm an, daß der Krieg 1944 zu Ende gehen würde. In diesen Gesprächen wurde ich auch gefragt, ob es denn kein Mittel gebe, Hitler das Handwerk zu legen, mit anderen Worten, ihn zu ermorden. Diese Frage mußte ich für mich völlig verneinen. Ich hatte jetzt sechs Jahre als Hitlers Adjutant Dienst getan und gemerkt, daß sein Vertrauen zu mir ständig gewachsen war. Es war für mich unmöglich, mich gegen Hitler zu wenden. Ich war entschlossen, meine Aufgabe zu erfüllen, ganz gleich, was geschah. Eine Wende herbeiführen – das mußten andere tun, wenn sie es für unausweichlich hielten.

Engels Ablösung

Ende September 1943 trennte sich Hitler von meinem Kameraden Engel. Hitler hatte mir gegenüber bereits vor einem Jahr eine entsprechende Bemerkung gemacht. Inzwischen glaubte ich schon nicht mehr daran, daß Hitler seine damalige Andeutung noch verwirklichen würde. Ich war deshalb sehr überrascht, als Engel eines Tages zu mir kam und mir erzählte, daß Hitler ihm soeben den Weg zu einer Truppenverwendung freigegeben habe. Aus Engels eigenem Verhalten mußte ich entnehmen, daß ihn Hitlers Entscheidung völlig überraschte. Sein Ausscheiden aus unserer Adjutantur fiel ihm schwer. Ich hatte den Eindruck, daß General Zeitzler an dieser Entwicklung nicht unbeteiligt war. Engels Nachfolger war bereits ausgesucht. Entgegen der früheren Richtlinie wurde jetzt ein Generalstabsoffizier, Major Borgmann, bestimmt, der in den ersten Oktober-Tagen seine neue Aufgabe übernahm. Ich gewann bald den Eindruck, daß Borgmann sich in dieser Stellung nicht wohl fühlte und nach einer anderen Verwendung Ausschau hielt. Am 20. Juli 1944 wurde er sehr schwer verletzt und fiel für längere Zeit aus.

KAPITEL V
September 1943 - Mai 1948

Im Herbst 1943 trat der Krieg in ein besonders grausames Stadium ein. Bewundernswert in dieser Zeit war die Haltung der deutschen Frontsoldaten. Von den Millionen, die die Uniform des Heeres trugen, war nur eine verhältnismäßig geringe Zahl im unmittelbaren Kampf an den Fronten. Nachschub und Versorgung banden erhebliche Teile des Heeres. Hitler gab immer wieder neue Anweisungen, die rückwärtigen Dienste und das Ersatzheer durchzukämmen und die jungen Jahrgänge an die Front zu stecken. Ich weiß selbst nicht, woran es lag, aber alle Bemühungen, größere Zahlen als Ersatz für die überbeanspruchte kämpfende Truppe zuzuführen, hatten nur mäßigen Erfolg. Alle Front-Verbände des Heeres hatten unterdurchschnittliche Stärken. Bataillonskommandeure waren froh, wenn sie zwei- bis dreihundert Mann befehligten. Kam es zum Gefecht, so fielen die Zahlen schnell ab. Aber der Geist der Soldaten, die Einsatzbereitschaft und der Wille zum Kampf waren stabil, Hitlers Führerrolle unumstritten. Viele Soldaten waren fest davon überzeugt, daß Hitler Waffen und Kampfeinheiten in der Reserve vorbereiten ließ, die Grundlage zu neuen durchschlagenden Erfolgen zum Sieg. Von dieser Zuversicht hob sich das Wissen derjenigen ab, die die Lage insgesamt überschauten und sich ein Bild davon machen konnten, daß die Niederlage nur noch eine Frage der Zeit war.

Angloamerikanische Landung in Süditalien

Im September 1943 waren die Amerikaner und Engländer in Süditalien gelandet. Es gelang ihnen verhältnismäßig schnell, Boden zu gewinnen und die Städte Neapel und Foggia in Besitz zu nehmen. Wir hatten den Eindruck, daß es den Alliierten vor allem auf den Raum um Foggia ankam. Dort gab es Flugplätze und genügend günstiges Gelände, um weitere Flugplätze anzulegen. Dies geschah auch binnen weniger Wochen. Den ersten Großangriff flogen die Amerikaner im Oktober von Foggia aus auf Wiener Neustadt. Dort hatte Messerschmitt ein großes Werk für die Fertigung der Me 109. Hitler schickte mich sofort nach Wiener Neustadt, um bei der Flakartillerie und der Heimatluftverteidigung die einander widersprechenden Meldungen über Stärke und Erfolge des Angriffes zu klären.

Wie schon bei anderen Gelegenheiten war es schwer, in die Geheimnisse der Luftverteidigung einzudringen. Ich gewann den Eindruck, daß die verantwortlichen Kommandeure keinen Überblick über das gesamte Geschehen hatten. Es gab keinen luftgeschützten Beobachtungspunkt, von dem ein Luftangriff von Anfang bis Ende verfolgt werden konnte.

Das weitere Vorgehen der Amerikaner und Engländer vom Süden Italiens ging verhältnismäßig langsam voran, so daß es dem ab 21. November zum Oberbefehlshaber Süd-West/Heeresgruppe C ernannten Feldmarschall Kesselring gelang, seine wenigen Kräfte zur Verteidigung einzurichten. Bis Anfang Oktober konnten nahezu 300 000 italienische Soldaten als Gefangene nach Deutschland abtransportiert und zur Arbeit eingesetzt werden. Kesselrings Position festigte sich zunehmend. Seine wirkungsvolle Verteidigung und seine Abwehrerfolge führten dazu, daß Hitlers erste große Sorge um die Front in Italien allmählich wich, er den Kriegsschauplatz ganz dem Feldmarschall überließ und kaum dort eingriff.

Weitere Verschärfung des Luftkrieges

Deutschland wurde mehr und mehr zum hilflosen Ziel britischer Luftangriffe. Hitler ließ am 7. September Professor Messerschmitt kommen und fragte ihn nach dem Stand der Dinge bei der Entwicklung des Düsenflugzeugs. Zur Überraschung aller fragte er, ob dieses Flugzeug auch als Bombenflugzeug geeignet sei, was Messerschmitt bejahte. Er fügte hinzu, daß ihm vom Feldmarschall Milch nur Schwierigkeiten bereitet und nicht genügend Arbeitskräfte zur Verfügung gestellt würden. Dies war die Folge des seit Jahren schwelenden Kampfes zwischen Milch und Messerschmitt. Ich konnte Hitler darüber aufklären und ihm sagen, daß Messerschmitt stets zu viel fordere, ohne faktisch schon den allgemeinen Standard erreicht zu haben, der diese Forderungen gerechtfertigt hätte. Einzelleistungen präsentierte er gern so, daß sie als serienreif angesehen wurden. Ich bat Hitler, diese Frage nochmals mit Milch zu besprechen.

Hitlers hauptsächliches Interesse galt in dieser Zeit der Luftverteidigung. Er überlegte Tag und Nacht neue Mittel und Wege, um die Wirkung der feindlichen Bombenangriffe abzuschwächen und zu reduzieren. Früher hatte er Göring gewähren lassen, der sich jetzt über diese Entwicklung denkbar unzufrieden zeigte. Nun kam es dahin, daß sich Hitler über Luftwaffenfragen nur mit dem Chef des Luftwaffen-Generalstabes unterhielt und Göring links liegen ließ, der darauf immer seltener an den täglichen Lagebesprechungen teilnahm. Die Luftangriffe mehrten sich. Am 2. Oktober war der Angriff auf Emden mit schweren Schäden in dem Werk für Jagdflugzeuge. Am 4. Oktober folgte ein Angriff auf das Industrie-Viertel der Stadt Frankfurt. Am 10. Oktober fielen die Bomben auf Münster und auf Anklam in Pommern. Am 14. Oktober fand der schwere Angriff auf Schweinfurt statt, bei welchem die Amerikaner zwar sehr hohe Verluste hatten, gleichwohl aber die Kugellagerfertigung lähmten. Nach der erfolgreichen Luftabwehr bei Schweinfurt, der energische Forderungen Hitlers vorangegangen waren, hörten die gezielten Tagesangriffe auf. Jedoch die Nachtangriffe der Engländer auf die Städte wurden fortgesetzt, zum Beispiel auf Hannover, Leipzig und Kassel.

Am 5. Oktober hatte Hitler ein Gespräch mit Göring und Korten, wie den Tagesangriffen ein Ende bereitet werden könnte. Er sagte, der Schwerpunkt der Kampfkraft der Luftwaffe müsse jetzt bei der Abwehr der Bombenangriffe liegen. Das sei wichtig, damit uns nicht alle Produktionsstätten zerschlagen würden. Hitler erhielt nach jedem Luftangriff Berichte der jeweiligen Gauleiter. Er war also sehr genau informiert, auch über die ganz unzulängliche und erfolglose Abwehr. Manchmal war sie, vor allem bei den Tagesangriffen, gleich Null. Die Jäger konnten wegen schlechten Wetters nicht starten oder sie waren anderweitig eingesetzt. Dies erregte Hitler ganz besonders. Es kam auch noch dazu, daß die Bombereinflüge am Tage von feindlichen Jagdflugzeugen geschützt wurden, gegen die unsere Jäger – auch wegen mangelhafter Führung – den Kampf nicht aufnahmen.

Es gab bei diesen Lagebesprechungen, bei denen Hitler auf einzelne Angriffe und dabei wieder auf Details zu sprechen kam, jetzt immer sehr leicht Vorwürfe und Streitereien, die auch auf falschen Vorstellungen Hitlers beruhten und denen vielfach die gegensätzlichen militärischen und zivilen Meldungen zugrunde lagen. Hitler wurde in diesem Zusammenhang auch mit dem Phänomen der »Kamikaze-Flieger« bekannt gemacht. Verschiedentlich ist in der Luftwaffe dieser Einsatz gefordert worden, mit der Begründung, dieses Opfer wäre für einen Sieg des Vaterlandes berechtigt. Hitler folgte diesen Ansichten nicht. Er ließ begeisterten, uneigennützigen Einsatz für das Vaterland gelten, aber er fand diesen Einsatz zu hoch. Die Namen von Freiwilligen wurden aber gesammelt, falls es in späterer Zeit doch einmal die Notwendigkeit für solche Einsätze geben sollte.

Am 7. Oktober hatte Hitler die Reichs- und Gauleiter bei sich in der Wolfschanze und stimmte sie auf die ungünstige Lage und die künftig zu bewältigenden Schwierigkeiten ein. Er betonte, daß der Wille des Menschen und die »unentwegte Beharrlichkeit in der Verfolgung des Zieles stets die gleichen sein müßten« und fuhr fort: »Ihr kämpferischer Geist, ihre Tatkraft, ihre harte Entschlossenheit und äußerste Hilfsbereitschaft geben auch heute wieder dem Volk, vor allem in der Schwere des Luftkrieges Rückgrat und Halt.« Er schloß mit Wendungen, in denen seine unerschütterliche Siegeszuversicht zum Ausdruck kam, und wieder gelang es ihm, seine Überzeugung auf diese ihm unbedingt ergebenen Zuhörer zu übertragen.

Die Reichs- und Gauleiter fuhren in dem festen Glauben in ihre Heimat zurück, daß Hitler weitere Machtmittel in Vorbereitung habe, die diesen Krieg doch noch zu einem deutschen Erfolg führen würden. Sein »Erlaß über die Vorbereitung des Wiederaufbaues bombengeschädigter Städte« bekräftigte ihre Hoffnungen.

Hitlers Unnachgiebigkeit

Hitler sah die künftigen bedrohlichen Entwicklungen an der Ostfront eher und deutlicher auf sich zukommen als seine Berater. Aber er war so starrsinnig, den Forderungen der Armee- und Heeresgruppen-Oberbefehlshaber nach Zurücknahme der Fronten nicht nachzugeben oder nur ausnahmsweise dann im letzten Augenblick. Hitler bestand vor allem darauf, unbedingt die Krim zu halten und lehnte deshalb die betreffenden Wünsche des Feldmarschalls v. Manstein unerbittlich ab. Im Oktober mußten Saporoshje und Dnjepropetrowsk aufgegeben werden. Am 6. November fiel Kiew, im Dnjepr-Bogen wurde hart gekämpft. Aber Hitler sagte den beiden Generalstabschefs, Zeitzler und Jodl, daß wir unser Hauptaugenmerk auf die Front in Italien und den Luftkrieg legen müßten. Er sah die russischen Erfolge an der Ostfront mit einem gewissen Gleichmut an und setzte Hoffnungen auf neue Offensiven im neuen Jahr und auf neue Waffen, die dann zur Verfügung stehen würden. Zeitzler glaubte kein Wort mehr, das Hitler sprach, während Jodl immer noch einen gewissen Glauben an den Erfolg der deutschen Waffen hatte.

Vorbereitungen auf die Invasion

Am 3. November 1943 gab Hitler seine von Jodl ausgearbeitete Weisung Nr. 51 für die Kampfführung im Westen heraus, in der es hieß: »Die Gefahr im Osten ist geblieben, aber eine größere im Westen zeichnet sich ab: die angelsächsische Landung! Im Osten läßt die Größe des Raumes äußersten Falles einen Bodenverlust auch größeren Ausmaßes zu, ohne den deutschen Lebensnerv tödlich zu treffen. Anders der Westen! Gelingt dem Feind hier ein Einbruch in unsere Verteidigung in breiter Front, so sind die Folgen in kurzer Zeit unabsehbar. Alle Anzeichen sprechen dafür, daß der Feind spätestens im Frühjahr, vielleicht aber schon früher, zum Angriff gegen die Westfront Europas antreten wird. Ich kann es daher nicht mehr verantworten, daß der Westen zu Gunsten anderer Kriegsschauplätze weiter geschwächt wird. Ich habe mich daher entschlossen, seine Abwehrkraft zu verstärken, insbesondere dort, von wo aus wir den Fernkampf gegen England beginnen werden. Denn dort muß und wird der Feind angreifen, dort wird – wenn nicht alles täuscht – die entscheidende Landungsschlacht geschlagen werden.« Dies

i 1943. Treffen Hitler/Mussolini in Feltre bei Belluno.

Besuch von Marschall Antonescu in der Wolfschanze.

Besprechung im FHQ Wolfschanze. Von links: Student, Hewel, Wagner, Göring und Dönitz

Hitler übergibt im FHQ Wolfschanze an 15 ausgezeichnete Eichenlaubträger der Luftwaffe
die Urkunden.

war ganz Hitlers Stil. Er irrte sich übrigens dann nur hinsichtlich des Zeitpunkts. Hitler rechnete mit Landungen aus England bereits Anfang 1944.

Am 5. November ernannte Hitler Feldmarschall Rommel zum Oberbefehlshaber z.b.V. und übertrug ihm die Inspektion und Befestigung der Invasionsfront. Ihm wurden damit nahezu alle Vollmachten zur Sicherung der französischen Küste eingeräumt. Rommel war zu dieser Zeit noch ein unbedingter Anhänger Hitlers und folgte ohne Einwände allen seinen Anordnungen. Dementsprechend stürzte er sich mit aller Energie in seine neue Aufgabe.

Am 7. November empfing Hitler nochmals Feldmarschall v. Manstein, der in Sorge um den Raum von Kiew und die Krim war. Hitler ließ wegen der Krim und Nikopol – hier wegen der Manganerzvorkommen – nicht mit sich reden, gab aber drei in der Zuführung begriffene Divisionen nicht für den Kampf um Kiew frei, sondern verlangte deren Einsatz im Süden an der Front zur Krim. Er war damit bereit, an der Ostfront ein hohes Risiko einzugehen. Nach wie vor stand im Vordergrund seines Interesses die Reichsluftverteidigung. Er sagte, »die Fliegerei« sei entscheidend für 1944 und sah als wichtigstes Mittel den Schnellbomber an. Immer wieder fragte er danach und wurde ungeduldig wegen der langen Lieferzeiten für die Flugzeuge.

Am 8. November nachmittags sprach Hitler trotz der angespannten Lage an der Front dennoch in München zu den »alten Kämpfern«. In diesem Kreis sprach er wie immer sehr offen und frei. Er erwähnte die außerordentliche Schwere der Kämpfe in Rußland und die beeindruckenden Leistungen unserer Soldaten dort. Aber er ging auch auf die »bestialischen Bombenangriffe« auf die heimatlichen Städte und die Leiden der Frauen und Kinder ein, folgerte aber wieder: »Es mag dieser Krieg dauern, so lange er will, niemals wird Deutschland kapitulieren«. Die Hilfe der Vorsehung sei uns gewiß und werde uns den Sieg schenken.

Im Anschluß an seine Rede fuhr Hitler für wenige Tage zum Obersalzberg. Es wurde, trotz der laufend eingehenden Meldungen über das Geschehen an der Ostfront und über die Bombenangriffe, eine sehr erholsame Woche. Der Horizont war plötzlich ein anderer, und man merkte es auch Hitler an, daß er die vertraute private Atmosphäre genoß. Am 16. November waren wir wieder in der Wolfschanze. Dort erwartete Botschafter v. Papen Hitler. Er wußte, daß vor wenigen Tagen die Außenminister unserer Feindstaaten in Moskau getagt hatten, und wußte auch, daß die drei Staatschefs Roosevelt, Stalin und Churchill in Kürze zusammentreffen wollten. Papen kämpfte laufend, lange erfolgreich, gegen die Bemühungen unserer Feinde, die Türkei in das gegnerische Lager hinüberzuziehen. Darüber hinaus brachte Papen eine sehr geheime Nachricht. Es war in Ankara gelungen, den Diener des britischen Botschafters als Spion zu gewinnen, der in der Lage war, geheimste Papiere zu beschaffen. Er war allerdings an sehr guter Bezahlung interessiert. Papen brachte die ersten Informationen über die Operation

»Overlord« mit, jedoch noch keine Einzelheiten. Er sah die Lage freilich als so bedenklich an, daß er dringend forderte, die Krim müsse in deutscher Hand bleiben, um die türkische Neutralität weiterhin zu bewahren, die bei jedem russischen Erfolg gefährdet war. Das traf sich mit Hitlers Ansichten.

Festigkeit der Abwehr

Ich war in diesem Spätherbst 1943 immer wieder über die Festigkeit unserer Abwehr gegen die massiven russischen Angriffe überrascht. Schließlich glückte ihnen doch ein tiefer Einbruch bei unserer 2. Armee und der 4. Panzer-Armee zwischen Kiew und Gomel, der nahezu 150 km in das Hintergelände durchstieß. Es gelang zwar, einige Orte, z.B. Shitomir, wieder zurückzuerobern, aber insgesamt war der russische Erfolg beachtlich. Noch konnten die Vorstöße auch bei den Heeresgruppen Mitte und Nord aufgehalten werden. Unerfreulich war dagegen der russische Erfolg im Süden bei der Heeresgruppe A. Hier überschritten die Russen den Dnjepr und verlegten ihre Front bis in die Linie Cherson, Nikopol, Kriwoi Rog und Kirowograd vor. Dieser Durchbruch von Melitopol bis zum Dnjepr war besonders unangenehm. Es war erstaunlich, mit welcher Geschicklichkeit sich der Russe meist die Grenzen zwischen unseren Heeresgruppen für Angriffe aussuchte.

Am 20. November flog Hitler für einen Tag nach Breslau. Dort waren in der Jahrhunderthalle die Oberfähnriche der Wehrmachtteile versammelt. Es war nicht mehr möglich, diese Versammlung in Berlin abzuhalten. Der Sportpalast war zerstört. Hitler sprach sehr ernst zum Offizier-Nachwuchs dieses Jahres. Das Volk, das verliere, beende sein Dasein. Deshalb müsse jeder deutsche Soldat wissen, »daß dieser grausame Kampf, den unsere Feinde gewollt, verschuldet und uns aufgezwungen haben, gar nicht anders enden kann als mit dem deutschen Sieg«. Um diesen Sieg zu erringen, müßten alle »von einem einzigen und unerschütterlichen Glauben an unser ewiges Deutschland erfüllt sein«. Feldmarschall Keitel schloß den Appell mit einem Bekenntnis zu Hitler. Begleitet von stürmischen Ovationen und Sieg-Heil-Rufen der jungen Offiziere verließ Hitler die Halle und blieb nicht unbeeindruckt von diesem Echo.

Vorführung der Me 262

Schwere Zerstörungen und Verwüstungen besonders im Zentrum Berlins richteten zwei Angriffe am 22. und 23. November an. Der Gauleiter von Berlin, Dr. Goebbels, berichtete persönlich Hitler über diese Angriffe, aber auch von der außergewöhnlichen Haltung, mit der die Menschen in der Stadt diese zwei Nächte durchgestanden hätten. Hitler war wieder von Wut und Zorn gegen die Luftwaffe erfüllt, die immer noch nicht in der Lage sei, solche Angriffe zu zerschlagen. Lebhaft und verbittert wiederholte er diese Vorwürfe einige Tage später, am 26. November 1943, anläßlich einer von ihm gespannt erwarteten Flugzeug-Vorführung auf dem Flugplatz Insterburg. Dort waren alle für die Flugzeugfertigung Verantwortlichen versammelt, Göring, Milch, Speer, Saur, Messerschmitt, Galland, Vorwald usw. Die Luftwaffe hatte meiner Meinung nach wieder den Fehler begangen, fast nur Waffen und Geräte zu präsentieren, die noch nicht einsatzreif waren. Hitler ging in großer Ruhe die lange Reihe der aufgestellten Flugzeuge ab; dort standen unter anderem die neueste Me 109 und Me 410, die Ar 234, die Do 335 und die Me 262. Milch begleitete ihn und konnte ihm über alle Geräte Rede und Antwort stehen. Hier sah Hitler zum erstenmal die Me 262 und war von deren Aussehen sehr beeindruckt. Er rief Messerschmitt zu sich und stellte ihm ganz unvermittelt die Frage, ob dieses Flugzeug auch als Bombenflugzeug gebaut werden könnte. Messerschmitt bejahte diese Frage und sagte, die Maschine könnte zwei Bomben zu je 250 kg tragen. Hitler antwortete daraufhin nur: »Das ist der Schnellbomber« und verlangte, die Me 262 nur so auszulegen. Milch versuchte, Hitlers Entscheidung dadurch zu korrigieren, daß er nur einen Teil der fertig werdenden Maschinen für die Bomber-Herstellung freigab, scheiterte aber an Hitlers unerbittlicher Forderung. Auch Göring, der nach einigen Tagen nochmals auf dieses Thema zurückkam, wurde hart abgewiesen. Die Luftwaffe konnte aber dieses Flugzeug nur als Jabo, d.h. Jagdbomber, anbieten, denn als Schnellbomber waren zusätzliche Ausstattungen für das Einhängen der Bomben und Zielgeräte erforderlich. Hitler akzeptierte dies notgedrungen. Auf der Rückfahrt zur Wolfschanze hatte ich noch einmal Gelegenheit, mit ihm über dieses Problem zu sprechen, und versuchte, die Me 262 als Jagdflugzeug zu retten. Er gab mir zwar grundsätzlich Recht, wollte sogar selbst mehr Jagdflugzeuge im Reich haben, begründete aber seine Forderung mit den politisch anstehenden Problemen. Die höchste Gefahr der nächsten Zeit sah er in der Landung der Alliierten in Frankreich. Es müßte von uns alles getan werden, um diese Landung zu verhindern.

Konferenz in Teheran

Am 28. November begann in Teheran die Konferenz der Staatsmänner der Gegenseite. Roosevelt, Stalin und Churchill hatten sich dort für eine Woche mit einem großen Stab von Offizieren und führenden Politikern eingefunden. Die Ergebnisse dieser Konferenz erfuhren wir erst nach und nach, meist aus Ankara durch Papens »Vertrauensmann« in der britischen Botschaft. Es muß in Teheran erhebliche Widersprüche und Schwierigkeiten gegeben haben. In erster Linie handelte es sich um die schwierige Einigung über die Landung in Europa. Roosevelt setzte sich mit seiner Forderung gegen Churchill durch, die Landung von England aus in Nordfrankreich durchzuführen. Churchill wollte in Nordgriechenland landen. Hitler schloß daraus, daß er damit einen Keil zwischen die Deutschen und die Russen treiben wollte, was den Russen keineswegs zusagen würde, da sie dann nicht den erwünschten Einfluß auf dem Balkan erhielten. Hitler entnahm den Meldungen Papens, daß die Landung noch nicht unmittelbar bevorstehe, und drängte, die Verteidigungskräfte an der Kanalküste zu verstärken.

Der Monat Dezember verlief an der Rußland-Front ruhiger als befürchtet. Auch im Reich ließen die pausenlosen Luftangriffe etwas nach. Die Engländer versuchten, die 96 Katapult-Feldstellungen für das Abschießen der V 1 gegen England zu zerstören. Es gelang ihnen bei etwa einem Viertel der Anlagen. Aber diese Schäden konnten behoben werden. Die Engländer verfolgten den Bau dieser Katapult-Anlagen offensichtlich mit Sorge, für Hitler ein Grund, die Fertigstellung dieser Flugbomben zu beschleunigen. Er bedauerte es sehr, daß diese Kampfmittel nicht jetzt schon zur Verfügung standen.

NS-Führungsstab im OKW

Im Dezember gab Hitler den Befehl, einen nationalsozialistischen Führungsstab beim OKW einzurichten. Zum Chef dieses Stabes wurde der General der Infanterie Reinecke ernannt. Diese Absicht bestand bereits seit längerer Zeit, es wurde namentlich im Heer viel darüber diskutiert, aber erst jetzt fiel die Entscheidung. Hitler wurde zu dieser Maßnahme bestimmt durch Gespräche mit Himmler, Bormann und vielen SS-Offizieren. Man bestätigte ihm dabei immer wieder, daß die Gegner Propaganda-Mittel gegen die kämpfende Front einsetzten, um sie in ihrer nationalsozialistischen Einstellung zu beeinflussen. Als besondere Gefahr sahen Hitler und seine Gesprächspartner die Aufrufe der »Seydlitz-Offiziere« an, die diese über die Front schickten und in denen Offiziere und Soldaten aufgefordert wurden, den Kampf aufzugeben. Gegen diese Art Propaganda wollte Hitler sich wehren. General Reinecke erhielt die Anweisung, ein »NS-Führungsoffizierkorps« aufzustellen, zu schulen und an die Front zu schicken. Dies geschah auch im Laufe des Jahres 1944. Diese Organisation fand teilweise sogar Anerkennung, da diese NSFO sich auf dem Gebiet der Betreuung und der Fürsorge betätigten. Von vielen Offizieren wurden aber die NSFO und ihr Wirken abgelehnt. Die Entwicklung des Krieges und seine Schwere ließen die Institution nicht mehr zu ihrem vollen Einsatz kommen.

Die Weihnachtszeit 1943 verbrachte ich – zum erstenmal in diesem Kriege – zu

Hause bei meiner Familie. Am 18. Dezember heiratete eine Schwägerin. Nach zwei frohen Tagen, die mich wieder an ein friedliches Leben erinnerten, verbrachte ich noch den Weihnachtsabend mit meiner Familie. Es waren einige unvergeßlich schöne Tage.

Schwierige Lage zum Jahreswechsel

Die Wirklichkeit des Krieges traf mich gleich nach Rückkehr zur Wolfschanze. Am 26. Dezember hatte der Großadmiral Dönitz den Untergang der »Scharnhorst« gemeldet. Das Schlachtschiff war zur Bekämpfung eines Geleitzuges im Nordmeer eingesetzt und dort auf Widerstand gestoßen. Ich mußte feststellen, daß Hitler nur geringen Anteil an diesem Verlust nahm. Er hatte den Einsatz von großen Schiffen im weiteren Verlauf dieses Krieges schon längst als sinnlos bezeichnet. An der Ostfront hatte der Russe seine Offensiven am 24. Dezember wieder begonnen. Der erste Eindruck in den letzten Dezember-Tagen ließ vermuten, daß er diesmal größere Ziele vor Augen hatte.

Hitler verbrachte den Silvester-Abend allein mit dem Reichsleiter Bormann in seinen privaten Räumen. Was dort gesprochen wurde, hat niemand erfahren. Im Jahre 1943 hatten uns die Russen vom Don bis zum Dnjepr zurückgeworfen, im Mittelabschnitt von Moskau bis hinter Smolensk. Es war schwer, Hitlers wirkliche Gedanken zur Lage zu erfassen. Ich versuchte, mir ein Bild mit allem Für und Wider zu verschaffen und hatte verschiedene Gespräche mit Hitler. Er widersprach sich oft. Die russischen Erfolge in diesem Jahr hatten ihn nicht allzu sehr getroffen. Die deutschen Fronten standen noch weit von unseren Grenzen entfernt. Es gab immer noch genügend Raum zum Operieren. Die große Gefahr neben dem zunehmenden russischen Druck schien unsere absinkende Kampfkraft zu sein. Ich war mir nicht sicher, ob Hitler hier klar sah. Im Vergleich mit 1942/43 standen wir nach meinem Eindruck ungleich schlechter da.

Die Oberbefehlshaber der Heeresgruppen waren immer häufiger bei Hitler gewesen. Sie forderten jedesmal, die Front zurückzunehmen, um Kräfte zu sparen und dringend benötigte Reserven bilden zu können. Doch Hitler gab solchen Forderungen nicht nach. Das Ergebnis war ein starker Aderlaß von schließlich ganzen Verbänden. Die Oberbefehlshaber verzweifelten und konnten sich Hitlers Führung weniger denn je erklären. Hitler wiederum verzweifelte, daß die Oberbefehlshaber ihm nicht mehr vertrauten. Und doch war er gewillt, den Kampf fortzusetzen. Es gab für ihn keinen anderen Weg. Kurzfristig wirkende Abwehrerfolge bestärkten ihn nur noch in seinen Ansichten und Auffassungen. Mir schien, daß er den katastrophalen Verlusten kaum Beachtung schenkte. Die Aussichten auf baldigen Ersatz und Auffrischung waren so gering, daß niemand mehr daran glaubte. Wenn trotzdem die Masse des Heeres zuversichtlich in das neue Jahr schaute, so bewirkte dies allein ihr Glaube an Hitler. So sehr die führenden Generale das bedingungslose Vertrauen zu Hitler verloren hatten, so sehr vertraute der einfache Soldat seiner Führung. Ich zweifelte nicht, daß nur dieser Tatsache der Halt der Fronten zu verdanken war.

Im Laufe des Jahres 1943 hatte die Bedeutung der Waffen-SS immer mehr zugenommen. Himmler hatte mit Beginn des Krieges, vor allem seit Beginn des Rußland-Feldzuges, diese Verbände systematisch aufbauen lassen. Hitler entsprach hierbei allen seinen Forderungen. Es wurde Division nach Division aufgestellt, bevorzugt in personeller und erst recht in materieller Hinsicht. Langsam entstand ein völlig neuer Wehrmachtteil, der schon im Jahre 1943, aber noch mehr im Jahre 1944 an den besonders gefährdeten Stellen der Front zum Einsatz kam. Hitler war außerordentlich stolz auf diese SS-Verbände und vertraute ihnen und ihren Führern ganz.

Ich machte mir bei diesem Jahreswechsel meine ganz persönlichen Gedanken, vor allem natürlich zum Ablauf des Luftkrieges. Es war ganz klar zu erkennen, daß wir Deutschen das Übergewicht der englischen und amerikanischen Luftwaffe nicht mehr aufholen konnten. Hitler glaubte, daß die neuen Flugzeuge im Laufe des kommenden Frühjahrs oder Sommers zur Truppe kommen würden. Ich sagte ihm, daß ich das für ausgeschlossen hielte. Ich hoffte lediglich, daß Milchs Bemühungen, die Produktionszahlen der alt bekannten Typen, wie Me 109 und Ju 190, weiter zu steigern, Erfolg haben und unsere Verbände wenigstens dadurch ausreichend Materialersatz bekommen würden. Mehr war für 1944 nicht zu erwarten. Ich glaubte längst nicht mehr an einen Sieg, aber auch noch nicht an eine Niederlage. An der Jahreswende 1943/44 war ich überzeugt, daß es Hitler doch noch gelingen könnte, eine politische und militärische Lösung zu finden. Mit dieser paradoxen Einstellung stand ich nicht allein.

Das Jahr 1944 begann mit so vielen Sorgen, wie das alte Jahr geendet hatte. Hinzu gekommen war die nun mit Sicherheit zu erwartende amerikanisch-britische Invasion. Bei genauer Betrachtung der einzelnen Fronten mußte ich feststellen, daß die Kräfte eigentlich nirgends ausreichten, um feindlichen Angriffen standzuhalten. Hitler nahm diesbezügliche Meldungen und Berichte mit stoischer Ruhe und Gelassenheit auf, wurde aber sehr ärgerlich, wenn er feststellte, daß man seine Warnungen in den Wind geschlagen hatte. Er machte sich nicht klar, daß die Möglichkeiten, Widerstand zu leisten, ganz gering geworden waren.

Seine Hauptaufgabe in dieser Zeit sah Hitler auf dem Gebiet der Rüstung. Die feindlichen Luftangriffe der vergangenen Wochen hatten der Produktion schwere Schäden zugefügt, und es dauerte stets einige Zeit, durch Verlagerung oder Umlagerung den notwendigen Ausgleich zu schaffen. Dieser Zeitfaktor wog besonders schwer. Der Rüstungsminister Speer fiel ausgerechnet in diesen Wintermonaten durch eine Knie-Verletzung und eine Lungen-Erkrankung für mehrere Monate aus. Er lag zunächst im Lazarett in Hohenlychen. Sein Vertreter auf dem Gebiet der Heeresrüstung war Saur, ein ungemein rühriger und aktiver Konkurrent Speers, von einer Rücksichtslosigkeit, die manchmal das erträgliche Maß überschritt. Für die Luftwaffenrüstung war Feldmarschall Milch der alleinige Bevollmächtigte. Er unterstand nur Göring. Saur nahm keinerlei Rücksicht auf Forderungen und Wünsche der Luftwaffe und »regierte« stets mit den Entscheidungen, die Hitler in sich überschneidenden Rüstungsfragen fällte.

Am 4. Januar, noch vor Speers Erkrankung, hielt Hitler eine Rüstungskonferenz im Hauptquartier in Ostpreußen ab, zu der die Feldmarschälle Milch und Keitel und Speer, Backe, Himmler und Sauckel erschienen waren. Gegensätze gab es schon beim Arbeitskräfteprogramm. Sauckel machte sich anheischig, vier Millionen Arbeitskräfte zu beschaffen und fand dafür Hitlers volle Unterstützung. Außerdem forderte Hitler die beschleunigte Herstellung der neuen U-Boote und der Strahlflugzeuge. Hitler machte sich seit der Besichtigung der Flugzeuge in Insterburg falsche Vorstellungen von der Fertigung der Strahlflugzeuge. Er war der Auffassung, daß die ersten Maschinen mit der Eignung zum Bombenabwurf schon im Februar an die Front kommen könnten. Das war nicht zu schaffen. Es mußte ein neues Triebwerk produziert werden, mit dessen Fertigstellung erst im Mai zu rechnen war. Doch davon wußte Hitler noch nichts. Er war falsch unterrichtet worden, und niemand sah Veranlassung, das richtig zu stellen.

Mit großer Genugtuung nahm Hitler zur Kenntnis, daß ein Sondergericht in Verona am 10. Januar alle Mitglieder des Großen Faschistischen Rates, die am 24. Juli 1943 Mussolini entmachtet hatten, zum Tode verurteilte. Fünf Ratsmitglieder waren festgenommen worden und wurden am Morgen des 11. Januar erschossen. Unter diesen befand sich auch Mussolinis Schwiegersohn Ciano. Seiner Frau Edda war es gelungen, in die Schweiz zu flüchten.

Am 27. Januar wandte sich Hitler in einer längeren Rede an die Feldmarschälle und Generale der Wehrmacht. Sie hatten zuvor zwei Tage in Posen verschiedene Unterweisungen erhalten und dabei eine Rede Himmlers anhören müssen. Den Schluß dieses »Lehrganges« bildete die Rede Hitlers in der Wolfschanze. Er sprach über die Entwicklung der nationalsozialistischen Idee im Volke, wie wir sie erlebt hatten. Die Veranstaltung erhielt erst gegen Ende eine dramatische Note. Hitler sagte: »In der letzten Konsequenz müßte ich, wenn ich als oberster Führer jemals verlassen sein würde, als Letztes um mich das gesamte Offizierkorps haben, das müßte dann mit gezogenem Degen um mich geschart stehen, genau wie jeder Feldmarschall, jeder Generaloberst, jeder Kommandierende General, jeder Divisionär und jeder Regimentskommandeur erwarten muß, daß die ihm Untergebenen in der kritischen Stunde bei ihm stehen.« Hier machte der Feldmarschall von Manstein den Zwischenruf: »So wird es auch sein, mein Führer«. Hitler fuhr fort: »Das ist schön. Wenn das so sein wird, dann werden wir diesen Krieg nie verlieren können ... Ich nehme das sehr gern zur Kenntnis, Feldmarschall von Manstein.« Doch Hitler hatte diesen Zwischenruf anders verstanden. Er glaubte darin einen Vorwurf zu erkennen, daß er, Hitler, dem Offizierkorps mißtraute. Ich weiß nicht, ob Manstein das so sagen wollte. Damals hatte ich nicht den Eindruck, sondern war von Mansteins ehrlicher Meinung überzeugt. Hitler setzte seine Rede noch über eine halbe Stunde fort und schloß dann mit den Worten: »Ich habe keinen anderen Wunsch als diesem Naturgesetz zu entsprechen, das da besagt, daß nur der das Leben bekommt, der für dieses Leben kämpft und bereit ist, wenn notwendig, auch sein eigenes Leben dafür einzusetzen.«

Verlust der Krim

Der Krieg an den russischen Fronten hielt in den Januar-Tagen in unverminderter Schärfe an. Hitler verlangte immer wieder das Halten von Nikopol und der Krim. Aber beides ging im Laufe der nächsten Wochen verloren. Nikopol fiel am 8. Februar, die Kämpfe auf der Krim fanden in der ersten Maihälfte ihr Ende.

Die Türkei sperrte daraufhin ihre Chromerzlieferungen, was Hitler immer befürchtet hatte. An anderen Abschnitten der Ostfront gelang es noch, russische Angriffe zu parieren. Aber der jeweilige örtliche Erfolg wurde durch neue russische Kräfte wieder überrollt. Es war kaum zu glauben, wieviel neue Verbände der Gegner immer wieder an die Front werfen konnte, während unsere Truppen nach und nach aufgerieben wurden. Ersatz war in Deutschland nicht vorhanden, es sei denn, man entzog dem Westen oder Süden frische Divisionen. Hitler nahm in

Kauf, daß die deutsche Front nach und nach zurückging. Am 10. April fiel Odessa, Ende April stand der Russe an der Linie Tarnopol-Kowel. Ein weiterer Vorstoß war nicht mehr möglich, da die Schlammperiode begonnen hatte. Die Heeresgruppe Nord wurde langsamer zurückgedrückt und stand nach schweren Kämpfen und Verlusten im März am Peipus-See. Ende Januar hatte Hitler Feldmarschall v. Küchler zunächst durch Generaloberst Model ersetzt. Ab Ende März setzte an der ganzen Front für einige Wochen Ruhe ein. Der Schlamm verhinderte eine geordnete Führung.

Entlassung Mansteins und Kleists

Am 30. März hatte Hitler die Feldmarschälle v. Manstein und v. Kleist zu sich auf den Berghof befohlen. Er teilte ihnen die Enthebung von ihren Posten mit. In beiden Fällen verfuhr Hitler sehr taktvoll. Manstein erhielt die Schwerter zum Eichenlaub des Ritterkreuzes. Aber es blieb ein unangenehmer Beigeschmack zurück. Manstein stand unter dem Eindruck, von Göring und Himmler aus seiner Stellung verdrängt worden zu sein. Zeitzler bat Hitler zu diesem Zeitpunkt ebenfalls um Enthebung von seinem Posten. Das lehnte Hitler mit allem Nachdruck ab. Daß er sich von Kleist und Manstein trennte, hatte seinen Grund vor allem darin, daß sie seine Führungsgrundsätze ganz ablehnten. Nachfolger Mansteins wurde der zum Feldmarschall beförderte Generaloberst Model, Schörner folgte Kleist. Von diesen beiden erwartete Hitler größere Schärfe und Rücksichtslosigkeit in der Führung. Er vertrat immer noch die Ansicht, daß das Jahr 1943 dem Russen viele Verluste beigebracht habe und Stalins Stärke im Zerfall begriffen sei. Ob das seine wahre Meinung war, habe ich nie feststellen können. Er schwankte zwischen gelegentlich nüchterner, ja ernster Sehweise zu unbegründeter Zuversicht. Letztere konnte er jedenfalls nicht aus Zeitzlers deutlichen Lageberichten gewinnen. Auch sprach Hitler wiederholt von der Möglichkeit eines Bruches zwischen Ost und West. Er überbewertete damit gewisse russische Indizien, in denen ich immer nur eine eiskalte Berechnung Stalins sah, sich damit seine Verbündeten fügsam zu machen.

Kämpfe in Italien

Auf dem italienischen Kriegsschauplatz hatten am 4. Januar auch wieder neue Kämpfe begonnen. Bei den Engländern und Amerikanern, die ihre Angriffe nebeneinander vortrugen, herrschte nicht immer Eintracht. Sie benötigten für jede neue Operation lange Vorbereitungszeiten. Südlich des Bergmassivs von Cassino kamen sie nur langsam vorwärts. Auch die erfolgreiche Landung der Amerikaner bei Nettuno brachte keinen sofortigen Umschwung. Sie brauchten acht volle Tage, bis sie zum ersten Angriff nach Norden antraten. Kesselring nutzte die Zeit, um eine erfolgreiche Abwehr aufzubauen. Hitler hatte aus Frankreich und vom Balkan neue Truppen heranführen lassen und gefordert, den Amerikanern in Italien eine eklatante Niederlage beizubringen. Am Tage vor ihrem erneuten Angriff am 15. Februar flogen die Amerikaner ihren schweren Angriff gegen das Kloster Monte Cassino und zerstörten es vollständig. Vorher war es gelungen, die unersetzlichen Kunstschätze der Abtei in Sicherheit zu bringen. Im Gebiet des Klosters befand sich kein deutscher Soldat. Trotzdem glaubten die Amerikaner, dieses Ziel zerstören zu müssen. Es war eine reine Barbarei. Die Mönche und andere Bewohner konnten sich in den ausgedehnten unterirdischen Anlagen in Sicherheit bringen und erlitten keine Verluste.

Luftangriffe gegen das Rüstungspotential

Der Luftterror gegen das Reichsgebiet hatte mit Beginn des neuen Jahres noch zugenommen. Am 11. Januar griffen amerikanische Bomber am Tage Rüstungswerke der Luftwaffe in Halberstadt, Oschersleben, Braunschweig und Magdeburg an. Sie verloren zwar 59 Flugzeuge, aber auch unsere Jäger verloren 40 Maschinen. Die Luftwaffe buchte diese Abwehr als einen Erfolg. Ein gewisser Abschreckungseffekt war nicht zu verkennen, denn über vier Wochen gab es keine feindlichen Einflüge bei Tag, allerdings am 20. Januar einen schweren englischen Nacht-Angriff auf Berlin, der viele Opfer unter der Bevölkerung forderte, aber der Rüstungs-Industrie keine nennenswerten Schäden zufügte. Nach Goebbels' telefonischem Bericht über den Angriff richtete Hitler am nächsten Vormittag erneute Vorwürfe gegen die Luftwaffe. Am 20. Februar begannen die Amerikaner die Luft-Offensive am Tage, begleitet von britischen und amerikanischen Fernjägern. Ihre Ziele waren die Jäger-Fabriken im Raum um Leipzig und die Kugellagerwerke in Schweinfurt, Stuttgart und Augsburg. Einige Werke wurden zu 75% zerstört. Die Produktion der Jagdflugzeuge sank auf ca. 800 Stück im Monat. Die Angriffe wiederholten sich und brachten die Luftrüstung in eine sehr schwierige Lage. Milch machte sich Gedanken darüber, die Fertigung der Jagdflugzeuge in Speers Hände zu legen und sprach auch mit ihm über diesen Plan bei einem Besuch in Hohenlychen. Speer sah die Notwendigkeit ein und wußte auch, daß jetzt der letzte Moment gekommen war, eine besonders aktive Tendenz in die Luftwaffen- und speziell in die Jagdfliegerrüstung zu bringen. Nachdem die Amerikaner fünf Tage lang ununterbrochen die Jägerfabriken bombardiert hatten, war die Entscheidung gefallen, den »Jägerstab« Speers Vertreter Saur zu übertragen.

An einem dieser Tage im Februar 1944 erhielt Hitler im Rahmen des üblichen täglichen Presseüberblicks eine Meldung aus Stockholm, die kurz und sachlich berichtete, daß der Mörder für Hitler bereits bestimmt sei, ein Generalstabsoffizier des Heeres, der Hitler ganz einfach mit der Pistole umlegen würde. Hitler ließ mich kommen und gab mir den Bericht mit der Weisung, alles zu tun, um ein solches Attentat zu verhindern. Ich besprach diese Angelegenheit mit dem Kommandanten des Führerhauptquartiers und dem SS-Standartenführer Rattenhuber, dem Verantwortlichen für den persönlichen Schutz Hitlers. Wir kamen zu der Auffassung, daß ab sofort eine Kontrolle der mitgebrachten Aktenmappen, wenn nicht sogar eine gründliche Untersuchung aller Besucher auf verborgene Waffen angebracht wäre. Ich fragte Hitler, wie weitgehend die Kontrollen sein sollten. Er lehnte ein so scharfes Kontrollsystem vorläufig ab. Es müßten aber alle Besucher ständig beobachtet und vor allem schwere Aktentaschen überwacht werden. Diese Maßnahmen wurden in Ostpreußen nicht mehr verwirklicht, denn wenige Tage nach diesem Gespräch mit Hitler bestiegen wir den Zug und verlegten das Hauptquartier nach dem Obersalzberg und Berchtesgaden. Hitler nahm den Plan, an seinem Bunker die Betondecken und Wände zu verstärken, zum Anlaß, vorläufig vom Obersalzberg aus zu führen. Dort fragte ich dann gleich bei Hitler an, welche Maßnahmen zur Kontrolle der Besucher hier vorgenommen werden sollten. Er zeigte sich diesem Thema abgeneigt, sagte aber, er würde mit Rattenhuber direkt darüber sprechen. Ob er dieses Gespräch geführt hat oder nicht, habe ich nicht bemerkt. Jedenfalls änderte sich auf dem Obersalzberg nichts an den bisherigen großzügig gehandhabten Sicherheitsmaßnahmen.

Hanna Reitsch

Das erste bemerkenswerte Ereignis auf dem Obersalzberg war am 28. Februar der Besuch des Flugkapitäns Hanna Reitsch. Hitler hatte von Frau Troost in München eine besonders schöne Urkunde zur Verleihung des EK I für Hanna Reitsch anfertigen lassen und wollte sie ihr überreichen. Wir saßen zu dritt in der großen Halle des Berghofes beim Tee. Hanna Reitsch erfaßte schnell die Gelegenheit, auf ihr damals bevorzugtes Thema zu sprechen zu kommen. Sie schlug vor, den japanischen Kamikaze-Einsatz auch in Deutschland vorzubereiten und gegebenenfalls durchzuführen. Sie berichtete Hitler von den bereits getroffenen Vorbereitungen und erwartete sein Einverständnis. Hitler stand dem Gedanken des Selbstopfereinsatzes völlig ablehnend gegenüber. Er sprach sich ausführlich gegen diesen Einsatz aus, unter Hinweis auf die neuen Rüstungsvorhaben bei Marine und Luftwaffe und die baldigen Einsätze der neuen Düsen-Flugzeuge. Hanna Reitsch konnte sich von der schwierigen Verwirklichung dieser Absichten ein besseres Bild machen und wußte, daß es noch Monate dauern würde, bis die Luftwaffe die Me 262 einsetzen könnte. Dies sagte sie auch Hitler. Er war von der offenen und freien Art, in der Hanna Reitsch ihre Ansichten vertrat, überrascht. Er äußerte aber, sie sei nicht über den letzten Stand der Vorbereitungen unterrichtet und könne deshalb die Lage nicht richtig beurteilen. Ich war froh, daß Hitler über dieses Rüstungsprojekt jetzt einmal von anderer Seite unterrichtet wurde und ihm die Tatsachen nüchtern vorgetragen wurden. Doch er ließ sich nicht beeinflussen und blieb bei den von ihm an die Luftwaffe gestellten Forderungen, denen niemand ganz offen widersprochen hatte. Hanna Reitsch kam noch einmal auf die Vorbereitungen des Selbstopfereinsatzes zu sprechen und erreichte Hitlers Genehmigung zu deren Fortführung. Er betonte aber, daß er vorläufig mit diesen Plänen nicht belastet werden wollte. Hanna Reitsch verabschiedete sich von Hitler. Es blieb ein kleiner Schatten über dieser Begegnung. Mir war aber klar, daß Hitlers Zweifel an der Fertigstellung der Düsenflugzeuge geweckt waren. Ich hatte am Abend noch ein längeres Gespräch mit ihm über den Besuch von Hanna Reitsch. Er schätzte ihren persönlichen Einsatz und ihre Opferbereitschaft sehr hoch, doch sagte er, daß dies die Lage noch nicht fordere. Ich unterstrich Hanna Reitschs Bedenken hinsichtlich der Serien- und Einsatzreife der Me 262. Hitler gab zur Antwort, daß ihn die Luftwaffe anders unterrichtet habe und daß es unbedingt bei den gesetzten Terminen bleiben müsse. Es wurde mir an diesem Abend klar, daß Hitler ganz einfach von falschen Voraussetzungen ausging. Die Rüstungsvorhaben der Luftwaffe konnten nur realisiert werden, wenn die Produktionsstätten unversehrt blieben. Damit konnte aber nicht gerechnet werden, da Engländer und Amerikaner ihre Angriffe auf »Punktziele« mit großem Erfolg fortsetzten und die ständige Verlagerung der Fertigung erzwangen mit dem Ergebnis ständig steigenden Zeitverlustes.

Kampfführung im Osten

Anfang März ließ Hitler den Führerbefehl Nr. 11 für die »Kommandanten der festen Plätze und Kampfkommandanten« durch den Generalstab des Heeres herausgeben. In diesem Befehl hieß es, daß die »Festen Plätze die gleichen Aufgaben wie die früheren Festungen erfüllen«. Die Kommandanten sollten »besonders ausgesuchte harte Soldaten sein«. Es folgten noch sehr ins Einzelne gehende Zusatzbefehle und Richtlinien für »Feste Plätze«, Befehle, die hohe Anforderungen stellten, aber nach Lage der Dinge kaum je befolgt werden konnten. Aber Hitler beharrte auf der Idee des »Festen Platzes«. Die Offensiven der Russen und der Amerikaner überrollten die »Festen Plätze«.

Am 2. April ließ Hitler über den Generalstab des Heeres einen Operationsbefehl für die weitere Kampfführung der Heeresgruppen im Osten herausgeben. Hierin sagte er, die russische Offensive im Süden der Ostfront habe ihren Höhepunkt überschritten: »Der Russe hat seine Verbände abgenutzt und auseinandergezweigt. Es ist jetzt der Zeitpunkt gekommen, das russische Vorgehen endgültig zum Stehen zu bringen.« In den weiteren Ausführungen erwähnte Hitler das Freikämpfen der im Raum von Kamenez-Podolsk eingeschlossenen Panzer-Armee unter der Führung von General Hube aus der russischen Umklammerung. Dies gelang zwar unter schweren Verlusten an Menschen und Material. Es konnte aber keine Rede mehr davon sein, das russische Vorgehen »endgültig« zum Stehen zu bringen. Dieser Befehl zeigte, wie sich Hitler mehr und mehr von den Tatsachen entfernte.

Beerdigung meines Onkels Otto v. Below

Zum 16. März – wenige Tage zuvor waren mein Kamerad Brauchitsch und ich außer der Reihe zu Obersten befördert worden – erbat ich von Hitler Urlaub nach Göttingen zur Beisetzung meines Onkels, der im Alter von 87 Jahren verstorben war. Auf dem Göttinger Ehrenfriedhof des Weltkrieges fand er einen würdigen Platz. Im Anschluß an die Beisetzung hatte ich noch Zeit, mit dem Schwiegersohn meines Onkels, Major v. Borries, zu sprechen. Er war Quartiermeister eines Armeekorps der Heeresgruppe Nord und beklagte sich bitter über den miserablen Nachschub für sein Korps. Er habe verschiedentlich ohne Erfolg bei den zuständigen Stellen des OKH Beschwerde geführt. Ich war sehr überrascht über diese Vorwürfe, die ich mir nicht erklären konnte, und versuchte, nach Rückkehr auf dem Berghof dieser Angelegenheit nachzugehen, erfuhr aber später von meinem angeheirateten Vetter Borries, daß der Nachschub Ende Juli wieder zufriedenstellend funktioniert habe.

Besetzung Ungarns

Als ich zum Berghof zurückkehrte – meine Frau begleitete mich und blieb, abgesehen von kurzen Unterbrechungen, dort bis zu unserer Rückkehr zur Wolfschanze am 16. Juli – stand Hitlers Zusammentreffen mit Admiral v. Horthy unmittelbar bevor. Hitler war außerordentlich erbost über die letzten Maßnahmen der Ungarn, die auf einen Frontwechsel nach italienischem Vorbild hinzudeuten schienen. Am 18. März vormittags traf Horthy auf Schloß Klesheim ein. Hitler setzte Horthy sofort davon in Kenntnis, daß deutsche Truppen am nächsten Morgen Ungarn besetzen würden. Horthy meinte, wenn alles beschlossen sei, könnte er ja gleich wieder abreisen. Es gelang, mit einem fingierten Fliegeralarm, Horthys Abreise zu verhindern. Er beruhigte sich wieder, hatte am Nachmittag noch ein Gespräch mit Hitler und bestieg am Abend seinen Zug, um nach Budapest zurückzukehren. Im Laufe der Nacht besetzten deutsche Truppen Ungarn. Als Horthy am nächsten Vormittag in Budapest eintraf, stand ein deutscher Doppelposten vor seinem Wohnsitz. Damit war das ungarische Problem vorerst zugunsten Deutschlands erledigt.

Rüstungsanstrengungen

Hitlers hauptsächliches Interesse auf dem Berghof in den Monaten März bis Mai des Jahres galt seinen großen Rüstungsforderungen. Die Fronten in Rußland und Italien blieben erstaunlich ruhig. In Frankreich erwartete Hitler zwar täglich den Angriff, aber die gegnerischen Aktivitäten beschränkten sich auf verschiedene Luftangriffe. Rommel konnte mit großer Intensität den Ausbau des Atlantikwalles fortsetzen. Hitler sprach immer wieder über die Fertigstellung der neuen noch geheimen U-Boote und der Strahlflugzeuge. »Wenn ich die habe, kann ich die Invasion abwehren«, sagte er, wenn die Rüstungsfachleute bei ihm waren. Anfang April widmete er sich in seinen Gesprächen mit dem Leiter der »Organisation Todt«, Xaver Dorsch, dem Ausbau der bombensicheren Jägerfabriken. Er dachte dabei in erster Linie an die Fabriken bei Nordhausen am Harz. Dort waren zu dieser Zeit aber bereits mehrere Tausend KZ-Häftlinge damit beschäftigt, die V 2 zusammenzubauen. Dorsch mußte andere unterirdische Jägerfabriken suchen. In einem Gespräch mit Milch und Saur hatte sich Hitler damit einverstanden erklärt, daß die Fertigung der Jäger ab März Vorrang haben sollte. Das war das erste Ergebnis der Verlagerung der Verantwortlichkeit für die Jägerfertigung von Milch auf Saur. Bereits ab April stieg die monatliche Fertigungszahl der Jagdflugzeuge wieder laufend an. Hitler gab mit dieser Anordnung stillschweigend zu erkennen, daß er jetzt auch selbst Zweifel an der beschleunigten Produktion der Strahlflugzeuge hatte. Sehr schwere Luftangriffe am 6. und 8. März auf Berlin und am 30. März auf Nürnberg lieferten wieder Gründe für Hitler, die Luftabwehr zu tadeln und die Luftwaffe insgesamt zu beschimpfen. Er übersah ganz den mutigen, freilich vergeblichen Einsatz unserer nach der Zahl unterlegenen Jäger. In Berlin waren 79, in Nürnberg 95 feindliche Flugzeuge abgeschossen worden. Die Luftwaffe war mit diesem Ergebnis zufrieden. Doch Hitler forderte höhere Abschußzahlen, was kaum zu erfüllen war. Es fehlten uns die Nachtjäger. Trotzdem hatten die Abschußerfolge von Nürnberg die Folge, daß die englischen Nacht-Angriffe nachließen.

Ein neues FHQ?

Ein Plan, den wir in diesen Monaten immer wieder kritisierten, war der Bau eines großen neuen Führerhauptquartiers in Schlesien im Gebiet von Waldenburg unter Einbeziehung des Schlosses Fürstenstein aus dem Besitz des Fürsten Pleß. Hitler verteidigte seine Anweisungen und ließ den Bau durch KZ-Häftlinge unter der Regie von Speer weiterführen. Ich habe dieses Objekt im Laufe des Jahres zweimal besucht und stand stark unter dem Eindruck, daß ich die Fertigstellung der Bauten nicht mehr erleben würde. Ich versuchte Speer zu beeinflussen, er möge doch auf Hitler einwirken, daß dieser Bau eingestellt werde. Speer bezeichnete dies als unmöglich. Die aufwendigen Arbeiten liefen zu einer Zeit weiter, wo jede Tonne Beton und Stahl an anderen Stellen dringend gebraucht wurden.

Hitler feierte auf dem Berghof auch seinen 55. Geburtstag. Er war nicht in der Stimmung für Geburtstagsfeierlichkeiten, mußte aber doch vor der Mittagslage die Glückwünsche seiner Hausgenossen annehmen. Im Speisesaal waren eine Reihe der Geburtstagsgeschenke, z.B. von Hoffmann, Eva Braun und anderen aufgebaut worden. Hitler nahm sich Zeit und Ruhe, alles anzusehen und zeigte sich dabei auch aufgeschlossen. Als er aber General Zeitzler in das Haus treten sah, begab er sich sofort in die Halle zu den militärischen Gesprächen. Auch Göring und Dönitz hatten sich eingefunden, um die Glückwünsche ihrer Wehrmachtteile zu überbringen.

Hubes Tod

Ein weiterer Besucher war General Hube, dem es vor wenigen Tagen gelungen war, seine 1. Panzer-Armee aus der russischen Umklammerung zu befreien und nördlich von Czernowitz geschlossen auf die deutschen Linien zurückzuführen. Das ist eine glanzvolle Leistung gewesen. Hitler sprach Hube seine besondere Anerkennung aus und verlieh ihm die Brillanten zum Eichenlaub des Ritterkreuzes unter Beförderung zum Generaloberst. Er ließ sich sehr eingehend über den Zustand der Front vortragen und sprach ausführlich mit Hube. Hitler dachte in diesen Tagen sogar daran, Hube zum Oberbefehlshaber des Heeres zu ernennen. Schmundt hatte ihm sehr dazu geraten, aber Hitler verschob noch die Ernennung. Als sich Hube am späteren Abend von Hitler verabschiedete, mußte ich Hitler darauf aufmerksam machen, daß Hube noch bei Dunkelheit mit einer Maschine der Kurierstaffel des OKH nach Berlin starten wollte. Die Genehmigung hierzu konnte nur Hitler erteilen. Auf Hubes Bitte gab er sein Einverständnis und befahl mir, mich bei der Kurierstaffel um eine gute Besatzung und um besonders gründliche Startvorbereitungen zu kümmern. Dies tat ich und hatte den Eindruck, daß alles getan worden war, um einen sicheren Start zu gewährleisten. Ich war entsetzt, als ich, noch bei Dunkelheit, in den frühen Morgenstunden den Anruf erhielt, daß Hubes Flugzeug abgestürzt war. Der Generaloberst war tot, der mitgeflogene Botschafter Hewel verletzt. Ich mußte Hitler den schweren Verlust melden. Hitler verhielt sich ebenso wie zwei Jahre zuvor beim Absturz von Minister Todt still und ruhig und sagte kaum etwas. Einige Tage später fand in der Halle des Schlosses Klesheim der Staatsakt für Hube statt, an dem Hitler teilnahm. Die Beerdigung, zu der ich flog, erfolgte einen Tag später in Berlin auf dem Invaliden-Friedhof. Ich kannte Hube seit 1930 und hatte durch all die Jahre ständig mit ihm in Verbindung gestanden. Auch mir wurde der Verlust dieses hervorragenden Mannes sehr schwer.

Speers Rückkehr

In diesen Tagen kam Minister Speer zum Obersalzberg. Er wollte seine Arbeit wieder aufnehmen und hatte von den verschiedenen Intrigen gehört, ihn auszuschalten. Es schien ihm notwendig, sich gerade jetzt, wo Hitler sich mehr um Rüstungsfragen kümmerte als um die Operationen an der Front, in seiner Nähe zu sein. Seine Abwesenheit hatte in den letzten Wochen zu unerfreulichem Durcheinander der verschiedenen Rüstungsbereiche geführt. Einige Nachfolger brachten sich in Empfehlung. Es war eine feste, klare Führung notwendig. So schaltete sich Speer auf dem Obersalzberg wieder in das Geschehen ein. Nach Berlin flog er erst Mitte Mai. Aber er nahm alle Fäden erneut in seine Hand und nutzte die täglichen Gelegenheiten, um mit Hitler über die vielen Probleme zu sprechen, die sich angesammelt hatten. Es waren die letzten ruhigen Wochen in diesem Kriegsgeschehen. Es lag Speer viel daran, Hitlers Vertrauen nicht zu verlieren, auch wenn er sich innerlich von Hitler entfernte und manche seiner Anordnungen stillschweigend überging. Hitler war das nicht verborgen geblieben. Er wußte, daß Speer nicht mehr vom Sieg überzeugt war.

In diesen Monaten März, April, Mai 1944 zog mich Hitler in viele Gespräche und machte mich mit seinen besonderen Überlegungen zu Themen vertraut, die mir bis dahin ganz fremd waren. Einmal sprach er sehr deutlich davon, daß trotz mangelnder Siegeszuversicht Speer der einzige sei, der das gesamte Rüstungsgebiet in seinen Verflechtungen übersehe. Auch die Industrie erkenne ihn ohne Einschränkung an: »Wenn wir jetzt besonders wichtige Rüstungsgüter brauchen, dann ist Speer der einzige, der das schnell durchführen lassen kann.« Ich merkte, daß Hitler bereit war, über seine kritische Einstellung zum Krieg hinwegzusehen. Nachdem Speer alle Rüstungsfragen abermals in die Hand genommen hatte, gelang es ihm rasch, die alte vertrauensvolle Zusammenarbeit mit Hitler wieder

herzustellen. Das Verhältnis beider zueinander verlor jeden Schein des Miß-
trauens.

Hitler und Göring

Ich hörte auch verschiedentlich Hitlers Ansichten über den Reichsmarschall. Er
beurteilte Göring immer noch aus der früheren Zeit heraus und bezeichnete ihn
als »brutal und eiskalt« in Krisenzeiten: »Er ist ein eisenharter und rücksichtsloser
Mann. In den schwersten Krisenzeiten ist Göring immer der richtige Mann am
Platz gewesen.« Seine Eitelkeiten und sein Hang zum Luxus seien Äußerlichkeiten, die sofort von ihm abfielen, wenn Göring gefordert würde. Ich war überrascht,
daß Göring noch in einem solch hohen Ansehen bei Hitler stand. Wiederholt hatte
ich in diesen Monaten miterlebt, daß Hitler Göring kommen ließ und ihm scharfe
Vorwürfe machte. Als ich Hitler sagte, daß ich dies nicht mit seinem sonst positiven Urteil in Einklang bringen könnte, meinte er, daß er ab und zu scharf werden
müsse, denn der Reichsmarschall neige dazu, Anordnungen zu erteilen und Befehle zu geben, ohne sich dann um deren Durchführung und Kontrolle zu kümmern. Göring selbst empfand Hitlers Kritik oft sehr hart und sagte: »Hitler
behandelt mich wie einen dummen Jungen.« Ich gebe zu, daß ich es selbst manchmal so empfand, wenn Hitler ihn abkanzelte. Im Laufe der letzten beiden Jahre
hatte ich selbst Hitler gegenüber wiederholt Dinge gemeldet, die letztlich eine
Kritik an Göring bedeuteten. Ich war immer überrascht, wie er es schweigend hin-
nahm, und weiß nicht, ob er von Fall zu Fall mit Göring darüber sprach. Niemals
hat er aber Göring gegenüber erkennen lassen, daß ich ihm Kritisches vorgetragen
hatte, denn Göring hat sich mir gegenüber immer sehr freundlich gezeigt. Besonders kraß merkte ich dies bei einer Eisenbahnfahrt in seinem Sonderzug von der
Wolfschanze nach Berlin im Herbst 1943. Aus irgendeinem Grund fuhr ich mit
und erlebte an Görings Abendtafel eine sehr harmonische und zwanglose Unterhaltung, in der er auch das positive Verhältnis Hitlers zu mir erwähnte. Auf dieser
Reise sprach Göring auch von dem hohen Ansehen, das Hitler noch im Volke
hatte. Dieses Vertrauen basiere auf dem Glauben, daß die Vorsehung dem deutschen Volk in Adolf Hitler den Mann geschenkt habe, der die Wiedergutmachung
allen Unrechts seit 1918 möglich mache. Dieser Glaube ginge so weit, daß ein
neuer Abstieg unvorstellbar sei. Aus diesen Worten merkte ich, daß Göring in seiner Einstellung ganz positiv zu Hitler und seinem Tun stand, denn er pflegte aus
seinem Herzen keine Mördergrube zu machen.

In den vielen Wochen auf dem Berghof kehrte Hitler – abgesehen von den regelmäßigen Lagebesprechungen – beinahe zu dem Tageslauf zurück, der in der Vorkriegszeit üblich war. Wenn er meine Frau zu Tisch führte, unterhielt er sich lebhaft mit ihr. Die Gespräche drehten sich in erster Linie um die Kinder oder um die Landwirtschaft auf dem elterlichen Gut. Weniger angenehm war mir, wenn er bei solchen Unterhaltungen auf meine Tätigkeit zu sprechen kam und etwa sagte, daß er froh sei, mich zu haben. Ihr selbst dankte er mehrfach dafür, daß sie ein so nettes Verhältnis zu Fräulein Braun gefunden habe.

Den vielen abendlichen Gesprächen am Kamin entnahm ich, daß Hitler eigentlich ein Mann ohne Widersprüche war. Ich konnte – im Gegensatz zu vielen nachträglichen Feststellungen – nicht bemerken, daß er sich ständig selbst widersprechen würde und oft seine Meinung geändert hätte. Seine Urteile zum Beispiel über die Menschen, historische Persönlichkeiten und die Geschichte blieben immer die gleichen. Er sprach viel über seine Vorstellung von dem Staat, der Europa einmal regieren sollte. Sein Ziel war es, Juden und Bolschewisten zu bekämpfen und deren Einfluß auf das Weltgeschehen in jeder Beziehung zu zerstören. Er glaubte fest, dazu den Auftrag der Vorsehung zu haben. Erstaunlich war oftmals sein »sechster Sinn« für kommende Ereignisse, erschreckend freilich nun auch der Realitätsverlust.

Ärger um die Me 262

Aus den täglichen Lagevorträgen schälten sich die gegnerischen Vorbereitungen für die Invasion Frankreichs und die Fortsetzung der Operationen in Rußland und Italien heraus. Im Mittelpunkt von Hitlers Überlegungen stand nach wie vor die Me 262. Seine Forderung, einen Bomber daraus zu machen, scheiterte letzten Endes an technischen Schwierigkeiten, der Verlagerung des Schwerpunktes innerhalb dieses Flugzeuges. Der Ausbau der Jägerwaffen, um dadurch Gewicht frei zu bekommen für die Bomben, machte die Me 262 praktisch flugunfähig und jedenfalls ganz ungeeignet für ein Bombenflugzeug. Nach einer großen Rüstungsbesprechung auf dem Obersalzberg am 23. Mai unterrichtete Göring Hitler darüber. Doch Hitler erkannte diese Tatsache nicht an. Er blieb bei seiner Forderung, alles »überflüssige Zeug« soweit wie möglich aus dem Flugzeug auszubauen und dafür dann eine 250 kg Bombe einzubauen. Milch, Galland, Petersen – der Kommandeur der Luftwaffen-Erprobungsstellen – und andere waren nicht in der Lage, Hitler dies auszureden. So blieb dieses Problem unentschieden, und man wartete einfach ab, bis sich Hitler selbst von den Tatsachen überzeugen mußte. Darauf setzte ich alles auf eine Karte und griff das Thema an einem der nächsten Abende nochmals auf. Es gelang mir, ihn von den besonderen technischen Schwierigkeiten dieses Flugzeuges im Vergleich zu den vorhandenen Flugzeugmustern zu überzeugen. Er gestand mir zu, daß die geänderte Auslegung der Me 262 vom Jäger zum Bomber zwar technische Probleme aufwerfen würde, die man nun aber in Kauf nehmen müßte. Meine Bedenken galten nur dem veränderten Auftrag für die Me 262. Als Jagdflugzeug blieb dieser Typ erstklassig. Es war ein sehr langes Gespräch mit Hitler. Er bedauerte es, daß dann eine andere Konstruktion nicht schon viel eher in Auftrag gegeben worden sei. Ich beantwortete dies mit dem Hinweis auf die Zurückstellung der Luftrüstung gegenüber der Heeresrüstung seit 1940.

Die Gespräche über die Luftrüstung führten Ende Mai zu der Erkenntnis, daß die gesamte Verantwortlichkeit dafür dem Ministerium Speer übertragen werden sollte, was dann in den ersten Juni-Tagen geschah. Milch war damit seiner Aufgaben enthoben und zog sich in sein Jagdhaus im Norden von Berlin zurück. Er war über die Schwierigkeiten und Probleme im Bereich der Luftwaffenrüstung wie kein zweiter im Bilde und wußte, daß die deutschen Kräfte den zu erwartenden Angriffen nicht gewachsen sein würden. Ich hatte bei einem Besuch mit meiner Frau im Laufe des Frühjahres im Jagdhaus Milch ein langes Gespräch mit ihm über dieses Thema und kannte daher seine ehrliche und klare Ansicht zu der Entwicklung des Krieges. Er hatte sich nie gescheut, Göring und Hitler reinen Wein einzuschenken, stieß aber bei Hitler immer auf die Schwierigkeit, daß dieser stets nach neuen Auswegen suchte und Probleme nicht anerkennen wollte.

Angriffe auf die Hydrierwerke

Im Mai begannen die Amerikaner mit Tages-Luftangriffen gegen unsere Hydrierwerke. Am 12. Mai wurden die Leuna-Werke bei Merseburg und das Werk Pölitz, nördlich von Stettin, als erste angegriffen. Die Schäden waren erheblich, und es würde lange dauern, bis diese Werke wieder arbeiten könnten, lauteten die Meldungen. Hitler bestand auf sofortiger Wiederaufnahme der Produktion. Dies gelang mit einem Großeinsatz von OT-Arbeitern, und nach wenigen Wochen arbeiteten die Werke wieder, bis neue Luftangriffe neue Schäden verursachten. In den nächsten Monaten gelang es immer wieder, Bombenschäden in den Hydrierwerken in verhältnismäßig kurzer Zeit zu beheben, so daß der Treibstoffbedarf der Wehrmacht, wenn auch unter großen Einschränkungen und erheblichen Schwierigkeiten gedeckt werden konnte.

Seltsam kontrastierten zu dieser bedrückenden Lage einige Hochzeiten auf dem Obersalzberg. Den Anfang machten die Hochzeiten zweier früherer SS-Adjutanten Hitlers, Darges und Wünsche. Darges' Trauung, die Himmler vornahm, fand im Schloß Leopoldskron bei Salzburg statt. Wünsches Trauung habe ich nicht miterlebt, sondern nur das anschließende, sehr vergnügte Fest im Hause des Reichsleiters Bormann. Am 3. Juni heiratete der SS-Gruppenführer Fegelein eine Schwester von Eva Braun. Hitler gab das Festessen in seinem Haus und lud dazu Speers, Brandts, meine Frau und mich ein. Es war ein recht fröhliches Essen, bei dem wir die Geschehnisse des Krieges einmal für wenige Stunden vergaßen. Nach dem Essen verlagerte sich der weitere Ablauf des Festes auch in das Haus von Martin Bormann. Niemand hatte eine Vorstellung davon, wohin die hier beginnenden gemeinsamen Lebenswege führen würden.

Eine neue Aufgabe

Mich selbst traf am 22. Mai noch eine Maßnahme Speers. Er bat mich, sein Verbindungsmann zu Hitler im FHQ zu werden; zuvor hatte er Hitlers Einverständnis erhalten. Speer faßte seine Aufgabe jetzt so auf, Hitler laufend über die Ereignisse in seinem Aufgabengebiet zu unterrichten. Fast jede Woche schickte er eine für Hitler bestimmte Denkschrift an mich. Diese enthielten im besonderen die Angaben, ob und wann die Fabrikationsstätten wieder aufgebaut werden könnten oder nicht, außerdem die Zahlen der ausgelieferten Panzer, Flugzeuge und der wichtigsten Munitionsarten. Hitler las diese Berichte meistens sofort, wenn ich sie ihm gebracht hatte, und gab mir oft sogleich Anweisungen, das eine oder andere an Speer telefonisch durchzusagen. Die Zusammenarbeit zwischen Hitler und Speer war auf diese Weise sehr effektiv. Speer stand zu dieser Zeit auf dem Standpunkt, daß Amerikaner und Russen noch im Laufe dieses Jahres mit ihren Offensiven beginnen würden und wir diesem Druck nicht standhalten könnten.

Die Kämpfe auf dem italienischen Kriegsschauplatz hatten am 11. Mai mit einem amerikanischen Artillerie-Feuerorkan von 40 Minuten Dauer wieder begonnen. Kesselrings Verbände leisteten zähen Widerstand, und erst am 3. und 4. Juni erreichten die Amerikaner Rom. Kesselring hatte veranlaßt, daß um Rom nicht gekämpft werden sollte. Er führte seine Divisionen so um die Stadt herum, daß es in den Straßen Roms keine Kampfhandlungen gab. Auch die Tiber-Brücken ließ Kesselring unversehrt. Im Laufe der Monate Juni und Juli gingen die deutschen Verbände auf die Apennin-Stellung zurück. Im August bildeten die Amerikaner den ersten kleinen Brückenkopf über den Arno. Hitler überließ den italienischen Kriegsschauplatz von Anfang Juni ab ganz Feldmarschall Kesselring. Es war erstaunlich, wie dieser Raum zu einem Nebenkriegsschauplatz wurde und keinerlei besondere Probleme mehr aufwarf, außer der feindlichen Luftüberlegenheit. Britische und amerikanische Luftstreitkräfte griffen am Tage laufend Eisenbahnen und Straßen an, was dazu zwang, alle Bewegungen auf Schiene und Straße nachts durchzuführen. Trotzdem gelang es Kesselring, die Fronten zu halten.

Einsatz der V 1

In diesen Wochen erfolgte auch der erste große Einsatz der V 1-Bomben. Der erste Einsatz am 12. Juni war eine Panne. Das OKW hatte im letzten Augenblick den Beginn dieser Operation um zwei Tage vorgezogen. Diese Vorverlegung brachte den Terminplan für die endgültige Installierung der schweren und vorfabrizierten Katapult-Anlagen durcheinander. Zwei Tage später wurden die Angriffe aufgenommen und in der ersten Nacht 244 Bomben gestartet. Die zur Aufklärung eingesetzten Flugzeuge meldeten zahlreiche Brände in der britischen Hauptstadt. Der Einsatz der V1, ab September der V2, fügte den Briten schwere Schäden zu. Damit wurde diese auf Milch zurückgehende, unter großen Schwierigkeiten seit Mitte 1942 vorangetriebene Entwicklung ganz gerechtfertigt. Hitler sprach Milch seine Anerkennung für diese Waffe aus. Der Einsatz konnte später nicht mehr fortgesetzt werden, weil mit dem Vorgehen der amerikanisch-englischen Truppen das Gebiet verlorenging, in dem sich die Abschußrampen befanden.

Die Invasion

In der Nacht vom 5. zum 6. Juni begann die Invasion. Hitler hatte die Landung ab Anfang April erwartet. Im OKW rechnete man auch auf Grund der ungünstigen Wetterlage in diesem Jahr nicht mehr mit einer Landeoperation. Rommel, Oberbefehlshaber der Heeresgruppe B, war am 4. Juni für einige Tage auf Urlaub nach Ulm gefahren. Auch andere Oberbefehlshaber und manche Generalstabsoffiziere befanden sich nicht auf ihren Gefechtsständen. Man hatte den Eindruck, daß auch die Truppe keinen Angriff erwartete. Am 5. Juni waren dem Funkverkehr Hinweise entnommen worden, daß bei den Alliierten außergewöhnliche Dinge in Vorbereitung waren. Merkwürdigerweise wurde hiervon die 7. Armee des Generals Dollmann, die direkt an der Invasionsfront stand, nicht unterrichtet, ebensowenig das OKW in Berchtesgaden. Die anderen Dienststellen an der Invasionsfront reagierten abwartend. So näherte sich in der Nacht zum 6. Juni eine ungeheure Armada der Küste zwischen der Mündung der Orne und der Ostfront der Halbinsel Cotentin bei Ste. Mère Eglise, der Abschnitt, in dem Hitler immer die Invasion erwartet hatte. Der große Schlag am Morgen des 6. Juni war die Luftlandung von drei Divisionen im Abschnitt der 7. Armee. Hier gab es sehr schwere Kämpfe, aber der Feind setzte sich nicht zuletzt wegen der eindeutigen Luftüberlegenheit fest, die am Tage keinerlei Truppen-Verlegung zuließ. Die feindlichen Flieger konnten sich ungestört am Himmel halten, denn die deutsche Abwehr war im Vergleich zu der großen Übermacht minimal, wie sich schon bei den der Invasion vorangehenden Angriffen gezeigt hatte.

Hitler wurde am Morgen des 6. Juni von der Landung unterrichtet. Die ersten Einzelheiten gab Jodl bei der üblichen Mittagslage bekannt. Schon die ersten Meldungen ließen keinen Zweifel an der ungeheuren Massierung der landenden Truppen. Dagegen standen auf deutscher Seite geringere Abwehrkräfte bereit, und es war notwendig, weitere Verbände an die Landungsstellen heranzuführen, was nur bei Nacht möglich war. Hitler äußerte sich erleichtert, als er die erste Meldung erhalten hatte, und sagte, jetzt sei es möglich, den Feind zu schlagen. Er erwartete von unseren Truppen sehr viel. Seine Luftüberlegenheit nutzte der Gegner, um Fuß zu fassen. So gelang es ihm, an den beabsichtigten Küstenstreifen Landeköpfe zu bilden, die nicht wieder freigekämpft werden konnten. Am Abend des 6. Juni war schon zu erkennen, daß der Gegner gewonnen hatte. Ich habe an diesem wichtigen Tage Hitlers Einstellung nicht verstanden. Er war immer noch davon überzeugt, die Landetruppen wieder zurückwerfen zu können. Ich sah dagegen die absolute Überlegenheit in der Luft und die gewaltigen Material-Mengen, die pausenlos angelandet wurden. Gegen diese Massierungen fehlten die Kräfte aller unserer Wehrmachtteile. Das Heer stand allein. Hitler mußte in diesen Juni-Tagen 1944 erstmalig erkennen, was völlige Luftherrschaft bedeutete. Seine Bemühungen, jetzt noch den alliierten Kräften in der Luft etwas Gleichwertiges entgegenzustellen – seinen wiederholten Gesprächen mit Speer war dies zu entnehmen – waren nun ganz unrealistisch.

Ich nahm in diesen unruhigen Tagen an einem Abend die Gelegenheit wahr und sprach Hitler auf seine irrealen Luftwaffenpläne an. Ich sagte ihm, daß ich es für ausgeschlossen hielte, die Rüstung der Flugzeuge in wenigen Wochen zu beeinflussen. Wir müßten versuchen, uns mit den alten Typen so gut wie möglich zu schlagen. Aber wir seien dem Feind gegenüber hoffnungslos unterlegen. Hitler nahm meine Worte ruhig auf. Ich hatte den Eindruck, daß er mit mir übereinstimmte, kann dies aber nicht beweisen. Er stellte an Göring und Speer weiterhin seine hohen Forderungen für den Bau von Flugzeugen.

Margival

Am 16. Juni flogen wir mit Hitler nach Metz, um von dort aus mit der Wagenkolonne das FHQ Margival bei Soissons zu erreichen. Hitler wollte die Feldmarschälle der Westfront sprechen, um sich selbst ein Bild von der Lage zu machen.
Ich habe den Tag in Margival in schlechter Erinnerung. Am Vormittag fand eine
Besprechung im größeren Kreis statt. Rundstedt berichtete über die Entwicklung
an der Front in den letzten zehn Tagen und folgerte, daß der Feind mit den der-
zeitig zur Verfügung stehenden Kräften nicht wieder aus Frankreich herausgewor-
fen werden könnte. Hitler nahm dies sehr unruhig und unzufrieden zur Kenntnis.
Er antwortete mit den üblichen Floskeln der letzten Zeit, dem Einsatz der V1 und
dem in kürzester Zeit zu erwartenden Einsatz der Düsenflugzeuge. Die Feldmarschälle forderten, die V1 gegen die Versammlung der militärischen Kräfte in England und die Anlandestellen in Frankreich einzusetzen. Das konnte natürlich nicht
zugesagt werden, denn die Streuung dieser Flugbomben war sehr groß. Am Nachmittag hatte Hitler noch ein Gespräch mit Rommel unter vier Augen. Um was es
dabei ging, habe ich erst einige Wochen später erfahren. Rommel hat versucht,
Hitler davon zu überzeugen, daß er den Krieg verloren habe und jedes Mittel
benutzen müßte, den Krieg zu beenden. Das wollte Hitler aus dem Munde eines
Feldmarschalls zuletzt hören. So wurde es eine längere und im lauten Ton ge-
führte Unterredung. Hitler wandte seine ganze Geschicklichkeit auf, Rommel vom
Gegenteil zu überzeugen. Die nächste Zukunft zeigte Hitler, daß ihm das nicht
gelungen war. Hitler fuhr am Nachmittag des 17. Juni mit dem Wagen bis Metz
zurück und nahm dort das Flugzeug nach Salzburg. Der Besuch in Margival war
unergiebig und unerfreulich gewesen, aber kennzeichnend für die Lage seit der
geglückten Landung der Alliierten.

Alliierte Erfolge im Westen

In den folgenden Tagen nahmen die Amerikaner die Halbinsel Cotentin, und
es gelang ihnen, auch den Hafen Cherbourg zu erobern. Hitler war über diesen
Erfolg des Gegners sehr erbost und verlangte genaueste Unterrichtung, wie es dazu gekommen war. Aber das alles änderte nichts an der katastrophalen Entwicklung. Bis zum 20. Juli hatten die Amerikaner und Engländer eine durchgehende
Front von der Dives-Mündung nach Westen über St. Lô bis zur Westküste der
Halbinsel Cotentin bei Lessey erreicht. Hitler betrachtete die Front in Frankreich
mit großem Unbehagen und konnte sich nur sehr schwer damit abfinden, daß der
Gegner die Initiative ergriffen hatte. Seine Hoffnungen richteten sich jetzt auf

eine Entzweiung von Engländern und Amerikanern. Er war immer noch fest davon überzeugt, daß es Deutschland gelingen würde, den Krieg für sich zu entscheiden. Jedem der vielen Besucher von Wehrmacht, Industrie und Staat in diesen Tagen sagte er das, und es gab viele, die nach einem Gespräch mit Hitler zuversichtlich und optimistisch den Berghof wieder verließen. Auch in seiner Rede, die er am 22. Juni um 15 Uhr im Platterhof auf dem Obersalzberg vor einem Kreis höherer Offiziere hielt, sagte er das gleiche. Er ging auf den tiefen Ernst der Lage ein, äußerte aber auch vor diesem urteilsfähigen Kreis den Glauben und die Hoffnung, das Deutsche Reich wieder frei zu kämpfen. Der deutsche Offizier müsse das Vorbild sein und die Kraft besitzen, seinen Männern voranzugehen. Die Zuhörer waren von der festen Zuversicht und dem Glauben Hitlers beeindruckt.

Dietls Tod

Am Abend dieses Tages war Generaloberst Dietl bei Hitler. In Finnland zeichnete sich die Gefahr eines Sonderfriedens mit Rußland ab. Hitler wollte mit ihm darüber sprechen. Dietl kam es aber auf andere Probleme an. Er erkannte, daß Hitler über die Verhältnisse in Nord-Finnland und Nord-Norwegen sehr schlecht unterrichtet war und sich ein falsches Bild von der Lage machte. Wir waren überrascht über die Klarheit und den scharfen Ton Dietls. Er ließ sich durch nichts irritieren. Hitler sagte wenig und bewilligte seine Forderungen für den Nachschub an Menschen und Material. Als Dietl gegangen war, klagte er wieder einmal, daß er solche Vorträge nur sehr selten zu hören bekäme, da die meisten Generale nicht die Freiheit zu einer so offenen Art des Vortrages fänden, mit Temperament und innerer Begeisterung, aber mit Anstand, Takt und Liebe. Hitler gab zu verstehen, daß er sich so wie Dietl seine Generale wünschte. Dietl verließ spät am Abend den Berghof und wollte am nächsten Tag nach Norwegen zurückfliegen. Wir waren zutiefst erschüttert, als gemeldet wurde, daß Dietls Flugzeug am Semmering verunglückt war und alle Insassen den Tod gefunden hatten. Dieser Verlust traf Hitler so schwer wie der Tod Hubes vor einem Vierteljahr. In seiner Abschiedsrede beim Staatsakt einige Tage später auf Schloß Klesheim ließ er dies erkennen. Er kannte Dietl bereits seit Anfang der 20er Jahre. In seinen Worten nannte er ihn jenen Offizier, »der auf der einen Seite diese harten und härtesten Forderungen stellt, auf der anderen aber das Schicksal seiner Untergebenen als ihr wahrer Freund und Vater zu seinem eigenen gestaltet, ein Nationalsozialist also nicht der Phrase, sondern dem Willen, der Überlegung und doch auch dem Herzen nach«. Er beschrieb Dietl damit zutreffend.

Die schweren Kämpfe an der Invasionsfront führten zu unübersichtlichen, oft einander widersprechenden Meldungen der verschiedensten Dienststellen und Kommando-Behörden. Die SS-Verbände, in schwerste Kämpfe verwickelt, meldeten noch zuversichtlich. Anders klangen die nüchternen Lageberichte Rundstedts und General Frhr. Geyr v. Schweppenburgs, Oberbefehlshaber der Panzergruppe West. Auch, um diese nicht einfache Lage besser und sachkundig durchschauen zu können, zog Hitler seit den letzten Juni-Tagen den Feldmarschall v. Kluge zu allen militärischen Gesprächen auf dem Berghof zu, nicht ahnend, daß Kluge enge Verbindung mit dem Widerstand hatte, obwohl er sich diesem Kreis gegenüber nicht eindeutig festgelegt hatte. Die gemeinsamen Tage auf dem Berghof verliefen in gutem Einvernehmen, und Hitler hatte Vertrauen zu Kluge, als er ihm am 1. Juli die Nachfolge von Feldmarschall v. Rundstedt antrug. Zum gleichen Zeitpunkt enthob er auch General v. Geyr seines Postens.

»Fremde Heere West« vertrat den Standpunkt, daß die Engländer und Amerikaner in England noch über eine große Anzahl von Divisionen verfügten. Man sprach von über sechzig Divisionen. Hitler vermutete auf Grund dieser Angaben noch eine zweite Landung in der Gegend vom Pas de Calais und beließ zunächst die Divisionen der Armee General v. Salmuths in ihren Stellungen. Die Angaben von »Fremde Heere West« erwiesen sich erst später als völlig falsch. Die Alliierten hatten noch höchstens 15 Divisionen in England, die auf ihre Einschiffung zum Übersetzen an der alten Stelle in der Normandie warteten. Hitler war zu diesem Zeitpunkt davon überzeugt, daß es dem neuen OB West gelingen würde, eine geschlossene Abwehrfront aufzubauen.

Zerschlagung der H.Gr. Mitte

Anders war es zu dieser Zeit im Osten. Am 22. Juni – drei Jahre zuvor hatte der Rußland-Feldzug begonnen – begann die Rote Armee ihren Großangriff gegenüber der Heeresgruppe Mitte, ihre größte und erfolgreichste Operation dieses Krieges. Zunächst hatte es den Anschein, daß die Russen ihren Angriff in kleineren Operationen führen wollten. Als sie die ersten Lücken in die deutsche Front geschlagen hatten, begann ein erster großer Panzer-Angriff in dem Raum zwischen Gomel und Witebsk, dem in rascher Folge weitere Angriffe folgten. Mit Fliegerangriffen und schwerer Artillerie bereiteten sie jeden Vorstoß vor und traten jeweils mit massierten Panzerverbänden an. Der Oberbefehlshaber der Heeresgruppe Mitte, Feldmarschall Busch, versuchte Hitler zur Freigabe der »Festen Plätze« zu bewegen. Doch Hitler ließ sich auf nichts ein, sondern forderte das

Halten jeder Stellung. Er stand jetzt in der Mitte der drei feindlichen Angriffs-keile aus Frankreich, Italien und Rußland. Es galt der strikte Befehl, jeden Qua-dratmeter Boden bis zuletzt zu verteidigen. Überall war vor allem zu erkennen, daß die Kräfte der Gegner unseren eigenen Kräften überlegen, in einzelnen Ab-schnitten weit überlegen waren. Hitler wollte diese Tatsache noch nicht einsehen. Er hielt die Meldungen der Truppe vielfach für weit übertrieben. Bei der Heeres-gruppe Mitte ersetzte er Busch durch Model, einige Tage später bei der Heeres-gruppe Nord den dortigen Oberbefehlshaber Lindemann durch Frießner. Aber dieser Wechsel von Personen hatte keinen Einfluß auf die Entwicklung. Die Hee-resgruppe Mitte hatte schon 25 Divisionen verloren, etwa 350 000 Mann. Es war eine Frontlücke von ca. 300 km Breite entstanden, durch die die Russen in Rich-tung auf die deutsche Grenze vorrückten. Am 9. Juli flog Hitler in das Hauptquar-tier nach Ostpreußen. In seiner Begleitung befanden sich Keitel, Dönitz, Himmler, Jodl und Korten. Von der Ostfront kamen Model, Frießner und Generaloberst Ritter v. Greim, der Luftwaffen-Oberbefehlshaber Mitte. Der Chef des General-stabes der Heere, Generaloberst Zeitzler, fehlte. Hitler hatte in den Tagen seit dem Beginn des russischen Angriffs verschiedene, zum Teil heftige Auseinander-setzungen mit ihm gehabt. Zeitzler konnte Hitlers Vorstellungen von der Führung des Heeres nicht mehr folgen und war am Ende seiner Kräfte. Hitler hat ihn nicht mehr wiedergesehen. Das Gespräch in Ostpreußen betraf in erster Linie das schnelle Zuführen neuer Verbände. Model und Frießner sahen der Entwicklung der Lage mit einem gewissen Optimismus entgegen. Ihre Vorschläge und Forde-rungen waren innerhalb der nächsten Wochen durchaus zu erfüllen, allerdings unter der Voraussetzung, daß der Russe sich nicht zu weiteren raschen Vorstößen entschloß. Großadmiral Dönitz forderte, die wegen der neuen U-Boote für die Marine wichtigen Ostseehäfen zu halten. Hitler flog am Nachmittag dieses Tages nach Salzburg zurück. Ich hatte den Eindruck, daß er die Entwicklung an der Ostfront immer noch positiv beurteilte.

In diesen letzten Wochen auf dem Obersalzberg hatte ich noch ein mich sehr bewegendes Erlebnis. Anläßlich einer der üblichen Vormittags-Lagebesprechun-gen war ich gezwungen, die Halle einmal aus irgendeinem Grunde zu verlassen. Als ich zurückkehrte und im kleinen Zimmer neben der Halle durch einen Vor-hang zur Halle hin nicht zu sehen war, hörte ich, wie Hitler über mich sprach. Er lobte, daß ich der einzige sei, der ihm gegenüber stets offen und ohne Scheu seine Meinung sage. Das unabsichtlich Gehörte bestärkte mich darin, gerade jetzt, wo die feindliche Front an drei Stellen gegen das Reich vorrückte, bei dieser Haltung zu bleiben. Ich kehrte nicht zur Lagebesprechung zurück, weil mir die Worte Hit-lers peinlich waren.

Am 12. Juli feierte Botschafter Hewel seine Hochzeit in Salzburg. Das Fest fand im Kavaliershaus neben dem Schloß Klesheim statt. Meine Frau und ich waren eingeladen. Die Trauung nahm wieder Himmler vor. Anschließend gab es ein gutes Hochzeitsessen. Ribbentrop hielt eine längere, vorbereitete Rede und lobte darin die Ehefrauen der Diplomaten, die alle, verglichen mit anderen Damen der Gesellschaft, besondere Aufgaben und Verpflichtungen hätten. Diese und ähnliche Worte reizten uns Jüngere, dazu unsere Bemerkungen und Glossen zu machen. Wir waren ungezwungen und fröhlich und genossen die Freiheit vom Dienst auf dem Obersalzberg, bis uns gegen 22 Uhr ein Anruf dorthin zurückrief. Wir fuhren verärgert hinauf, zogen uns um und begaben uns in die Halle, wo Hitler vor dem Kamin mit seinen Gästen saß. Meine Frau mußte neben ihm Platz nehmen und von Hewels Hochzeit erzählen. Sie schilderte alles mit viel Humor und amüsierte sich auch über Ribbentrops Rede, nach der sie und alle anderen Frauen nur unzulängliche Erscheinungen wären. Sie hatte zwar die Lacher auf ihrer Seite, aber Hitler gab seinem Adjutanten doch die Weisung, ihm den Text der Rede zu beschaffen.

Die letzten Tage auf dem Obersalzberg verliefen ernst und ruhig. Hitler hatte schon angedeutet, daß er wegen der Lage in Rußland nach Ostpreußen zurück müßte. Er hatte die Abreise immer wieder verschoben, da die Umbauten an seinem Wohnbunker in der Wolfschanze noch nicht ganz abgeschlossen waren. In diesen Tagen hatte ich zum ersten Mal den Eindruck, daß Hitler sich über den Ausgang des Krieges im klaren war. Ich entnahm das aus Nebensätzen oder impulsiven Bemerkungen, in denen aber immer wieder Sätze fielen über die Fortführung des Kampfes, über neue Waffen und deren Wirkungen, und daß der Erfolg doch auf unserer Seite liegen würde. Er gab nicht nach. Vor allem verstärkte sich seine Überzeugung: Ich kapituliere nie.

Hitler sprach mit mir viel über seine Pläne und Absichten zur Rüstung der Luftwaffe. Er hatte sich entschieden, sich ganz auf den Bau von Jagdflugzeugen zu konzentrieren. Alles andere sollte verboten werden. Die Fertigung von Jagdflugzeugen nähme jetzt die dringendste Stufe ein. Er hoffte täglich, daß die ersten Strahlflugzeuge der Truppe zur Verfügung gestellt würden. Diese Hoffnung konnte ich nicht stützen. Vor einem halben Jahr war damit nicht zu rechnen. Meine große Sorge, die ich nicht verhehlte, war der Treibstoff. Einige Verbände bei der Heeresgruppe Mitte hatten schon große Schwierigkeiten mit der Treibstoff-Versorgung gemeldet. Hitler sagte, es liefe jetzt auf einen Kampf zwischen dem Schutz der wichtigsten Werke und dem Erhalten der Flugfähigkeit der Jäger hinaus. Er sähe diese Schwierigkeit. Wir dürften aber nie die Chance, die Oberhand zu behalten, aufgeben. Dieser Forderung standen kaum zu überwindende

Schwierigkeiten entgegen, über die ich Hitler nicht im unklaren ließ. Er blieb zuversichtlich oder gab vor, es zu sein.

Abschied vom Obersalzberg

Am 15. Juli gab Hitler den Befehl, am nächsten Morgen nach Ostpreußen in die Wolfschanze umzusiedeln. Der Kreis auf dem Berghof hatte sich schon verkleinert. Es waren kaum noch Gäste anwesend. Hitler war immer stiller geworden. Am letzten Abend, als er sich zurückzog, ging er in der großen Halle noch einmal an allen Bildern vorbei, sah sie sich genau an – und nahm Abschied von ihnen. Dann sagte er Frau Brandt und meiner Frau »Gute Nacht«, küßte ihnen die Hand, ging einige Stufen zum Nachbarzimmer hinauf, kehrte wieder zurück, verabschiedete sich noch einmal herzlich von ihnen und verließ die Halle. Es war ein Abschied für immer.

Am nächsten Morgen flogen wir nach Ostpreußen und erreichten im Laufe des Vormittags die Wolfschanze. Um 13 Uhr begann der Lagevortrag bei Hitler, als ob wir nie fort gewesen wären. Er wohnte im bereits ausgebauten »Gästebunker«. Der Lagevortrag fand in einem großen Lagezimmer der anschließenden Baracke statt. Ich bewunderte Hitlers Entschlossenheit. Seine Willens- und Nervenkraft imponierten mir. Er ging etwas gebeugter als früher und hielt sich schlechter. Sein Verstand war klar. Er versuchte hier im FHQ einen neuen Beginn und fühlte sich in soldatischer Umgebung in seinem Element. Aus allen Himmelsrichtungen kamen nur schlechte Nachrichten. Ich hatte den Eindruck, daß unsere Heeresverbände am Ende waren. An der feindlichen Überlegenheit konnte kein Zweifel mehr sein.

Am 17. Juli wurde Rommel bei einer Fahrt zur Front im Kraftwagen von Jabos angegriffen. Der Fahrer war sofort tot, während Rommel schwere Kopfverletzungen erlitt. Als sein Zustand sich etwas gebessert hatte, transportierte man ihn in die Heimat. Er ist nicht wieder an die Front zurückgekehrt.

Zwei Tage später traf Feldmarschall Kesselring im FHQ ein. Am 20. Juli feierte er sein 40jähriges Militärjubiläum und erhielt von Hitler die höchste Auszeichnung, die Brillanten zum Ritterkreuz mit Eichenlaub und Schwertern. Der Besuch Kesselrings war erfreulich. Trotz heftiger Angriffe der Engländer, Amerikaner, Polen, Franzosen war es nicht gelungen, Kesselrings Front zum Einsturz zu bringen. Hitler sprach in sehr anerkennender Weise zu ihm und lobte die Härte, mit der er in Italien gegen feindliche Übermacht einen klug kalkulierten Abwehrkampf führte.

Der nächste Tag war der 20. Juli 1944. Am frühen Nachmittag erwartete Hitler den Duce. Deshalb war der Beginn der Lagebesprechung um eine halbe Stunde auf 12.30 Uhr vorverlegt worden. Wir Teilnehmer der Lagebesprechung versammelten uns an diesem angenehmen, warmen Sommertag vor der Baracke. Dort standen Bodenschatz, Puttkamer und Graf Stauffenberg im Kreis einiger anderer Offiziere. Stauffenberg, seit dem 1. Juli Chef des Stabes beim Befehlshaber des Ersatzheeres, Generaloberst Fromm, war bereits wenige Tage zuvor einmal auf den Obersalzberg zum Vortrag bestellt worden. Hitler ging es um die neue Aufstellung von Panzer- und Infanterie-Divisionen. Heute sollte er über die Möglichkeit der befohlenen Neuaufstellungen berichten. Hitler begrüßte alle vor der Baracke stehenden Offiziere mit Handschlag und begab sich dann, gefolgt von ihnen, sogleich in den Lageraum, wo schon Keitel, Jodl, Korten, Buhle (Chef Heeresstab/OKW), Schmundt, Heusinger, Warlimont, Fegelein, Voß, Oberst i.G. Brandt (Erster Generalstabsoffizier der Op. Abteilung/GenStdH), Kapitän z.S. Assmann (Erster Admiralstabsoffizier/WFSt), Scherff, Gesandter Sonnleithner, Borgmann, Günsche, John v. Freyend, Oberstleutnant d.G. Waizenegger (Jodls Erster Generalstabsoffizier), Major i.G. Büchs (Luftwaffengeneralstabsoffizier Jodls) und zwei Stenographen (Dr. Berger und Buchholz) warteten.

Die Lagebesprechung begann wie immer mit dem Vortrag Heusingers über die Lage an der Ostfront. Dabei stand ich etwas abseits und sprach mit den drei anderen Adjutanten über das Besuchsprogramm des Duce. Plötzlich interessierte mich ein Punkt, über den Heusinger vortrug, und ich ging auf die gegenüberliegende Seite des Vortragstisches, um von dort aus die Lagekarte besser einsehen zu können. Hier stand ich einige Minuten, als die Bombe explodierte. Es war 12.40 Uhr. Ich verlor für kurze Augenblicke das Bewußtsein. Als ich wieder zu mir kam, sah ich um mich ein Trümmerfeld von Holz und Glasscherben. Mein erster Gedanke war, so schnell wie möglich den Raum zu verlassen. Ich erhob mich, kletterte durch eines der Fenster und lief draußen um die Baracke herum zum Haupteingang. Mein Kopf brummte, mein Gehör hatte erheblich nachgelassen, an Hals und Kopf blutete ich. Am Eingang der Baracke bot sich mir ein furchtbares Bild. Dort lagen bereits einige Schwerverletzte, andere Verwundete taumelten umher und stürzten nieder. Hitler wurde von Feldmarschall Keitel geleitet. Er ging sicher und aufrecht. Sein Rock und seine Hose waren zerrissen, aber sonst schien es mir, daß er keine wesentlichen Verletzungen davon getragen hatte. Er begab sich sofort in seinen Bunker und wurde von den Ärzten betreut. Es stellte sich heraus, daß elf Teilnehmer der Besprechung schwere Verletzungen davongetragen hatten und sofort in das vier Kilometer entfernt liegende Lazarett gebracht werden mußten.

Alle anderen waren leicht, einige stärker verletzt, bei fast allen waren die Trommelfelle geplatzt. Ich lief sofort in die benachbarte Nachrichten-Baracke, ließ den Nachrichten-Offizier, Oberstleutnant Sander, kommen und gab ihm Befehle, alle Nachrichten-Verbindungen außer für Hitler, Keitel und Jodl zu sperren, damit keine falschen Meldungen herausgingen. Danach ging ich in den Führerbunker. Ich fand Hitler in seinem Arbeitsraum sitzend vor. Als ich eintrat, zeigte er den lebhaften, fast frohen Gesichtsausdruck eines Menschen, der etwas Schweres erwartet hat, das er aber glücklich überstand. Er fragte mich nach meinen Verletzungen und sagte, daß wir alle ein ungeheures Glück gehabt hätten. Das Gespräch kam gleich auf die Ursache und die Urheber des Attentats. Hitler lehnte es strikt ab, daß der Anschlag etwa von den Arbeitern der OT verübt worden wäre, die vor wenigen Tagen noch in der Baracke gearbeitet hatten.

Unterdessen vermißte man Graf Stauffenberg und suchte nach ihm. Bald stellte sich heraus, daß er unbemerkt von uns nach Beginn der Lagebesprechung das Lagezimmer verlassen hatte, im Nebenzimmer versuchte, ein Telephongespräch zu führen, das Zustandekommen der Verbindung aber nicht abgewartet und sich unter Zurücklassung seiner Aktenmappe zu einem bereitstehenden Wagen begeben hatte, in dem Oberleutnant v. Haeften schon saß, sein Ordonanzoffizier. Der Kommandant des FHQ hatte inzwischen Alarm ausgelöst, so daß alle Wachen Anweisung hatten, niemanden passieren zu lassen. An der äußeren Wache konnte Stauffenbergs Wagen erst durchfahren, nachdem der Adjutant des Kommandanten des FHQ dazu telephonisch die Genehmigung erteilt hatte. Er kannte Stauffenberg, hatte morgens mit ihm gefrühstückt und vermutete, daß Stauffenberg aus dienstlichen Gründen eilig nach Berlin zurückkehren mußte. Zwischen der Detonation und der Eile des Grafen sah er keinen Zusammenhang. So erhielt Stauffenberg freie Fahrt zum Flugplatz und startete mit der ihm für den Rückflug zur Verfügung stehenden He 111 des Generalquartiermeisters des Heeres. Als diese Einzelheiten nach und nach bekannt wurden, bestand an der Täterschaft Stauffenbergs bald kein Zweifel mehr. Für die polizeilichen und kriminalistischen Untersuchungen erhielt Himmler, zum Befehlshaber des Ersatzheeres ernannt, alle Vollmachten. Er flog sofort nach kurzem Aufenthalt in der Wolfschanze, wo unterdes auch Göring eingetroffen war, nach Berlin, um den Ereignissen näher zu sein. Telephonisch war zunächst kein klares Bild zu erhalten. Der Flug von Rastenburg bis Rangsdorf dauerte zwei Stunden, die Fahrt bis zum Reichskriegsministerium etwa eine weitere Stunde. Es war also damit zu rechnen, daß Stauffenberg erst nach 16 Uhr in der Bendlerstraße sein konnte. Auch mit Himmlers Eintreffen in Berlin war nicht früher zu rechnen. Somit ergaben sich für uns einige Stunden Zeit, um uns wieder instand zu setzen. Ich ließ mich zu einem Truppenarzt fahren, wurde dort untersucht und verbunden. Görings Begleitarzt nahm sich meiner an, als ich wieder im FHQ war, stellte fest, daß ich eine Gehirnerschütterung hatte und verordnete mir Bettruhe. Göring beauftragte einen Beamten des

SS-Kommandos, vor meinem Zimmer Wache zu halten und dafür zu sorgen, daß ich nicht aufstand. Das war natürlich ein Ding der Unmöglichkeit, denn ich war der am leichtesten Verletzte der Adjutanten, gehfähig und einigermaßen dienstfähig. Prof. Brandt erteilte mir im Laufe des Abends die Erlaubnis, wieder meinen Aufgaben nachzugehen. Das war notwendig, denn ich stellte fest, daß Hitler sehr aktiv war. Nach dem Abendessen und nach der Abendlage sprach er mit mir. Er wußte bereits, daß Schmundt und Borgmann sehr schwer verletzt waren und Puttkamer wegen einer Knieverletzung liegen mußte. Ich brauchte also Hilfe und fragte Hitler, ob ich Oberstleutnant v. Amsberg zu meiner Unterstützung kommen lassen könnte. Er war vor Jahren Keitels Adjutant gewesen und kannte die Verhältnisse im FHQ. Hitler stimmte sofort zu. Am meisten beschäftigte ihn aber die Frage, wer nun Chef des Generalstabes des Heeres werden sollte. Generaloberst Zeitzler war krankgeschrieben. Hitler wollte ihn auch nicht wieder sehen. Er dachte an Guderian als Nachfolger. Hiergegen versuchte ich mich zu wenden. Ich hielt Guderian nicht für geeignet, in dieser Lage der Fronten diese Stelle zu übernehmen und diskutierte lange mit Hitler über andere in Frage kommende Persönlichkeiten. Ich dachte vor allem an die Generale Buhle und Krebs. Doch Hitler entschied sich für General Guderian.

Am Abend wurden noch viele Einzelheiten aus Berlin bekannt. Dort hatte Minister Goebbels die Initiative ergriffen. Er ließ den Kommandeur des Berliner Wachbataillons, Major Remer, zu sich kommen und stellte eine Telephon-Verbindung mit Hitler her. In diesem Gespräch befahl Hitler, die Ordnung mit Waffengewalt wieder herzustellen. Inzwischen hatte der in seiner Haltung nicht eindeutige Generaloberst Fromm, der schon durch Himmler ersetzte ehemalige Befehlshaber des Ersatzheeres, in der Bendlerstraße nach zeitweiligem Schwanken die Initiative ergriffen. Er ließ die Rädelsführer festnehmen und sofort erschießen. Dies waren der Oberst Graf Stauffenberg und sein Ordonnanz-Offizier, Oberleutnant v. Haeften, sowie General der Infanterie Olbricht (Amtschef des Allgemeinen Heeres-Amtes) und sein Chef des Stabes, Oberst i.G. Ritter Mertz v. Quirnheim. Generaloberst Beck wurde veranlaßt, sich selbst das Leben zu nehmen. Hitler war über diese Maßnahmen ausgesprochen ärgerlich und befahl daraufhin, daß die Festgenommenen vor den Volksgerichtshof zu stellen seien.

Gegen Abend, nach Mussolinis Abreise, drang Dr. Goebbels auf Hitler ein, eine kurze Rundfunkansprache zu halten. Er sagte, im Volk sei noch immer eine große Unsicherheit, die nur durch eine direkte Rede Hitlers beseitigt werden könnte. Hitler ließ sich überzeugen und sprach nachts im Rundfunk. In dieser Rede nannte er den Attentäter und sagte, daß nur »eine ganz kleine Clique ehrgeiziger, gewissenloser und zugleich verbrecherischer, dummer Offiziere« ihn beseitigen wollte. Er sprach weiter: »Ich fasse es als eine Bestätigung des Auftrages der Vorsehung auf, mein Lebensziel weiter zu verfolgen, so wie ich es bisher getan habe.«

Mit Betroffenheit nahm Hitler die Nachricht entgegen, daß der Stenograf Berger noch am 20. Juli seinen Verletzungen erlegen war. Am 22. Juli starben der postum zum Generalmajor beförderte Oberst i.G. Brandt, von dem zu gleicher Zeit bekannt wurde, daß er der Widerstandsgruppe angehört hatte, und General Korten, Chef des Generalstabes der Luftwaffe. Eine sehr eigenartige Rolle spielte der Chef des Wehrmacht-Nachrichten-Verbindungswesens/Chef Heeres-Nachrichten-Verbindungswesens, General Fellgiebel. Er hielt sich den ganzen Nachmittag im FHQ auf, gratulierte Hitler zu dem überstandenen Attentat und gehörte doch selbst zu der Widerstandsgruppe. Er wurde am 21. Juli festgenommen und später hingerichtet.

General Schmundt war nach Auskunft der behandelnden Ärzte so schwer verletzt, daß er – im günstigsten Falle – erst in einigen Wochen würde wieder Dienst tun können. Hitler vermißte ihn in dieser gespannten Zeit besonders schmerzlich. Sein Vertreter, General Burgdorf, übernahm zunächst die Leitung des Heeres-Personalamts und erst im Oktober nach Schmundts Tod, auch dessen Funktion als Wehrmacht-Adjutant. Hitler selbst war in den ersten Tagen nach dem Attentat doch erheblich angeschlagener, als wir zuerst annahmen. Sein Gehör war schlecht. Seine Verletzungen bereiteten ihm Schmerzen an Armen und Beinen, und seine nervösen Schäden am linken Arm setzten nach wenigen Tagen wieder ein. Nur sein starker Wille und sein gesteigertes Sendungsbewußtsein hielten ihn aufrecht. Es gab in diesen Tagen wiederholt Lagebesprechungen, in denen Hitler scharf und grob wurde und Forderungen an das Heer und die Luftwaffe stellte, die einfach nicht zu erfüllen waren. Hitler ließ mich öfter rufen, um mit mir über die Entwicklung der Luftwaffe zu sprechen. Ich bin heute noch darüber erstaunt, daß diese Gespräche ganz normal ohne Schärfen gegen Abwesende verliefen. Ich mußte ihm sagen, daß unsere Luftwaffe nur noch im Osten gewisse Erfolgsaussichten habe. Im Westen seien wir angesichts des zahlenmäßig eindeutig überlegenen Gegners ohne Chancen. Hitler gab mir recht, beharrte aber auf seiner Einstellung: »Ich kapituliere nie.« Er gab nirgends nach. Das Kriegsgeschehen bestimmte fortan der ständig an Stärke und Kampfkraft zunehmende Gegner, der immer mehr befähigt wurde, den strategischen Durchbruch auch im Osten zu erzielen. Hitler vertrat dagegen den Standpunkt, der Feind habe noch so viel Angst und Respekt vor uns, daß er diesen Durchbruch nicht wagen würde. Vorerst behielt er damit recht.

Wenige Tage nach dem Attentat kam Dr. Goebbels in das Hauptquartier und hatte lange Gespräche mit Hitler. Goebbels vordringlichster Wunsch war es, daß Hitler endlich den totalen Kriegseinsatz befehlen sollte. Er war jetzt dazu bereit, ernannte Goebbels zum »Reichsbevollmächtigten für den totalen Kriegseinsatz« und unterzeichnete am 25. Juli einen Erlaß, in dem die wichtigsten Aufgaben für den Reichsbevollmächtigten genannt wurden. Viel Einwirkung auf das Staats-

Juli 1944. Hitler kurz nach dem Attentat mit Bormann und General Jodl.

r zerstörte Lageraum nach der Bombenexplosion.

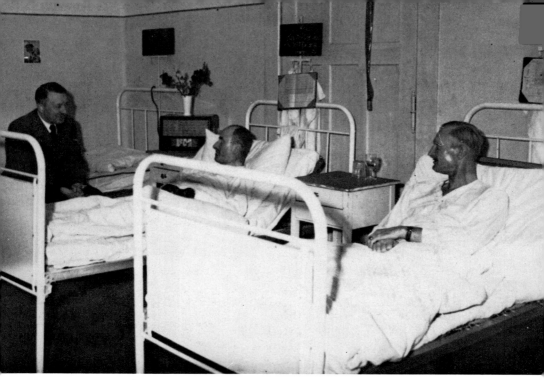

Hitler besucht die Verletzten des Attentats im Lazarett. Oben: Admiral v. Puttkamer
Kapitän Aßmann. Unten: General Schmundt.

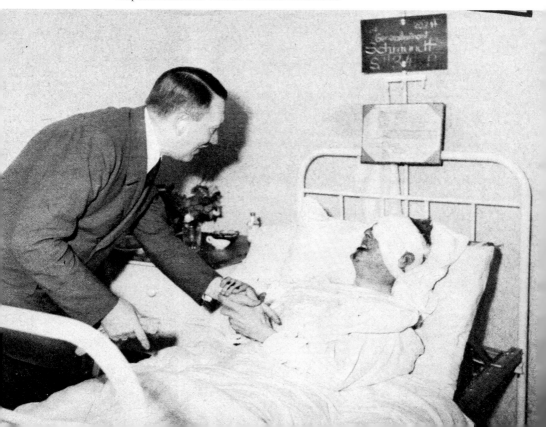

leben hatte dieser Erlaß nicht mehr, denn wir lebten bereits seit längerer Zeit im »totalen Krieg«. Faktisch bedeutete dies, daß Speers Position geschwächt wurde.

Etwa zur gleichen Zeit traf Feldmarschall Frhr. v. Richthofen im FHQ ein, um sich nach einer Kopf-Operation wieder gesund zu melden. Hitler empfing ihn nach der Abendlage. Richthofen trug Hitler die Bitte vor, dem Krieg ein Ende zu setzen. Ich bekam einen Schrecken, als ich dies hörte, denn Hitler war zu einem Gespräch über dieses Thema weniger denn je bereit. Doch er zeigte sich in diesem kleinen Kreis – wir waren zu dritt – offen und gelöst, sah aber keine Möglichkeit zu einem für Deutschland erträglichen Frieden. Die freimütige Diskussion ging lange hin und her; Hitler respektierte Richthofen, der die richtigen Worte fand und sich weder überheblich noch unterwürfig verhielt.

Verfolgungen

Aus Berlin trafen in diesen Tagen täglich Berichte vom Stabe Himmlers über die Ergebnisse der Untersuchungen ein. Jeder Bericht enthielt neue Namen von Männern, die im Widerstand mitgearbeitet hatten. Die Liste dieser Namen zeigte immer mehr, daß der Widerstand im wesentlichen seinen Rückhalt in konservativen Kreisen fand. Der Adel war so stark vertreten, daß sich die Stimmen gegen ihn mit pauschalen Vorwürfen mehrten. Hierbei tat sich besonders der Reichsorganisationsleiter der Partei, Dr. Ley, hervor, bis Hitler ihm den Mund verbot. Damit trat zu diesem Thema wieder Ruhe ein. Aber die Berichte, die Fegelein Hitler vorlegte, nahmen kein Ende. Erst nach einigen Wochen, als die großen Untersuchungen mehr oder weniger abgeschlossen, die führenden Köpfe des Widerstandes ergriffen waren und die Verhandlungen vor dem Volksgerichtshof begannen, verzichtete Hitler auf die Vorlage weiterer Berichte. Die Entwicklung an den Fronten zwang Hitler, sich auch wieder ganz diesen Aufgaben zuzuwenden.

Fegeleins Benehmen nach dem 20. Juli habe ich noch als besonders abstoßend in Erinnerung. Er begnügte sich keinesfalls damit, die Berichte über die Vernehmungsergebnisse vorzulegen, sondern war auch bereit, freigebig die Photographien von den Hinrichtungen herumzuzeigen. Ich habe darauf verzichtet, mir diese Bilder anzusehen. Auch Hitler betrachtete sie sich so wenig, wie er widerwillig die Aufnahmen zerstörter Städte zur Kenntnis nahm, geschweige denn, daß er imstande gewesen wäre, eine brennende Stadt oder ein in Schutt und Asche liegendes Wohnviertel unmittelbar nach einem Bombenangriff zu besuchen. Er verschloß buchstäblich die Augen vor den Konsequenzen seiner Befehle und war ja auch nicht zu Lazarettbesuchen – außer in einigen Ausnahmefällen – zu bewegen.

Hitlers Hauptsorge war die Luftlage, auf die er immer wieder zurückkam, auch in Gesprächen mit Besuchern. Er glaubte immer noch fest an die Fertigstellung der Düsenflugzeuge und an deren Einsatz in Nordfrankreich. Hitler kannte meine Ansichten dazu, wollte sie aber nicht zur Kenntnis nehmen. Er sah in der Me 262 seine letzte große Chance, das Kriegsglück für Deutschland zu wenden.

Die Russen waren weiter vorgedrungen. Sie hatten bis Anfang August Brest-Litowsk und Kowno genommen. In den Kämpfen der nächsten Wochen wurde die Heeresgruppe Nord in Kurland eingeschlossen. Kurz bevor die Russen Warschau erreichten, brach dort ein Aufstand aus, der von dem bewaffneten polnischen Untergrund ausging. Himmler befahl, den Aufstand mit allen Mitteln niederzukämpfen und zu zerschlagen. Dies gelang unter hohen Verlusten für die Polen. Weiter südlich wurde die Front fast bis an die ungarische Grenze zurückgedrängt. Der Kampf in Nordfrankreich brachte Anfang August weitere Erfolge für den Gegner. Der amerikanische Durchbruch bei Avranches öffnete dem Gegner die ganze Bretagne. Hitler befahl sofort einen Gegenangriff vom Osten zum Westen am Fuß der Halbinsel Cotentin bis zur gegenüberliegenden Küste, ein Befehl, der der dortigen Lage keineswegs entsprach. Der Angriff blieb stecken infolge der feindlichen Luftherrschaft, der wir nichts entgegenzustellen hatten.

Mein gesundheitlicher Zusammenbruch

In diesen ersten Augusttagen mit ihren krisenhaften Entwicklungen brach ich an den Folgen meiner Gehirnerschütterung zusammen. Meine Kopfschmerzen hatten immer mehr zugenommen, mein Befinden war miserabel. Ich mußte ins Bett. Es gelang mir noch, Feldmarschall Keitel zu bewegen, seinen Luftwaffen-Adjutanten, Major v. Szymonski, an Hitler »auszuleihen«. Keitel schimpfte zwar, tat es aber. Hitler war mit dieser Lösung einverstanden und ließ mir Ruhe. Ich blieb im FHQ in meinem Zimmer liegen. Ich brauchte ja nur eine gleichmäßige und ruhige Umgebung, in der ich die Folgen der Kopfverletzung ausheilen konnte. Die Genesung zog sich dann doch länger hin; erst Ende August konnte ich aufstehen und in einen dringend benötigten längeren Erholungsurlaub abreisen.

Diese drei Wochen habe ich in keiner guten Erinnerung. Hitler selbst hielt sich manchmal nur mit Mühe aufrecht, und was ich von Amsberg und Szymonski hörte, förderte nicht gerade meine Wiederherstellung. Einige Male besuchte mich Hitler. Er klammerte sich jetzt an einen neuen Plan. Mit frisch aufgestellten Panzerdivisionen und neuen Jagdfliegerverbänden wollte er an der Westfront eine großangelegte Offensive führen. Ich fragte ihn gleich, warum er nicht alle Kräfte gegen die Russen konzentriere und erhielt zur Antwort, daß er die Russen zu einem späteren Zeitpunkt angreifen könnte, was aber unmöglich sei, wenn die Amerikaner mitten im Reich stünden. Er müsse zuerst an der Westgrenze wieder Luft bekommen. Ich verstand Hitlers Einstellung nicht. Und ich glaube, es gab damals in Deutschland niemanden, der Hitlers Plan verstehen konnte. Wir dachten zu dieser Zeit doch alle schon: »Erstmal die Amis ins Reich marschieren lassen und den Russen so weit wie möglich von der alten deutschen Reichsgrenze fernhalten.« Hitler billigte diese Einstellung nicht. Er gab zu erkennen, daß er die Macht der Juden bei den Amerikanern mehr fürchtete als die Macht der Bolschewisten.

Bei einem solchen Besuch Hitlers kamen wir auch auf Göring, seine Eignung und Wirksamkeit zu sprechen. Er ließ erkennen, daß er Göring nicht fallen lassen könnte und wollte. Seine Verdienste wären einmalig, und es könnte sein, daß er ihn noch einmal brauchte. Ihm war klar, daß Göring mit der Luftwaffe gescheitert war, nicht zuletzt wegen seiner Untätigkeit, und weil er zu sehr Rücksicht auf »alte Freunde« nahm. Aber, wenn es zum Letzten käme, meinte Hitler, wüßte er Göring an seiner Seite. Er hatte immer noch Vertrauen zu ihm. Ich ließ erkennen, daß ich anderer Ansicht war. Hitler wollte aber seine Ansicht über Göring nicht ändern. Er sagte, die Luftwaffe hätte einen neuen Generalstabschef erhalten, der schon mit Schwung an seine Arbeit herangehen würde. Es gäbe dort sehr viel zu tun. Ich verhielt mich schweigend, denn es war unmöglich, Hitler vom Gegenteil zu überzeugen. Faktisch gab es in diesen Wochen sogar zwei Generalstabschefs der Luftwaffe, Kreipe, der Görings Vertrauen besaß, und Koller, Stellvertreter Kortens.

Amsberg und Szymonski kamen beinahe täglich zu mir und unterrichteten mich über die Entwicklung der Lage. Fast jeden Tag erzählten sie mir von Hitlers Erregung über die Luftwaffe. An den Fronten kam der feindliche Vormarsch unaufhaltsam voran.

Genesung und Kur

Am Tage meiner Abreise Ende August meldete ich mich bei Hitler ab. Er stand in dem inzwischen wieder hergerichteten großen Lagebesprechungszimmer, in welchem vor vier Wochen die Bombe explodiert war. Hitler hielt sich etwas gebeugter als vor dem Attentat. Ich hatte den Eindruck, daß er noch nicht gesund war. Er begrüßte mich sehr freundlich und gab mir seine Genesungswünsche mit auf den Weg. Über Dienstliches sprachen wir nicht. Er überreichte mir nur das von ihm für die Überlebenden des Attentats gestiftete besondere Verwundetenabzeichen, bei dem – abweichend von der üblichen Form – Stahlhelm und Schwerter etwas nach oben gerückt waren, um Platz zu gewinnen für die Aufschrift »20. Juli 1944« und seinen Namenszug.

Mit dem Nachtzug fuhr ich nach Berlin und sofort weiter auf das Gut meiner Schwiegereltern bei Halberstadt. Hier merkte ich, daß es mir noch gar nicht gut ging. Erst ganz langsam kam ich bis Mitte September dazu, mich mit meiner Frau im Wagen in den Kurort Salzbrunn in Schlesien bringen zu lassen. Hier habe ich mich in vier Wochen verhältnismäßig schnell und gut erholt. Ich mußte die Kur nehmen, hatte aber viel Zeit zum Spazierengehen.

In den Tagen meines Aufenthaltes in Nienhagen erhielt meine Frau ein Handschreiben, in dem Hitler seine Genesungswünsche wiederholte. Ich war über dies Zeichen seiner Wertschätzung sehr überrascht, vor allem, daß er angesichts der Kriegslage Zeit für solche Briefe fand. Meine Frau dankte. Hitlers Brief und andere persönliche Schriftstücke verbrannte meine Frau bei Kriegsende, bevor die Amerikaner in Nienhagen einrückten. Ich sah diesen Brief als Vertrauensbeweis an und als Verpflichtung, meinen Dienst so bald als möglich wieder anzutreten.

Während ich im Hause meiner Schwiegereltern wenig vom Kriegsgeschehen mitbekam, habe ich in Salzbrunn die Ereignisse wieder lebhafter verfolgt. Aus Nienhagen sind mir nur einige schwere feindliche Einflüge bei herrlich blauem Herbsthimmel in Erinnerung geblieben. Wir verfolgten die Angriffe unserer Jäger, die versuchten, zu Abschüssen zu kommen. Das gute Wetter ermöglichte viele Erfolge. Der Absturz brennender viermotoriger Bomber vom strahlend blauen Himmel war ein schreckliches Bild, zusätzlich unheimlich, weil das wegen der großen Entfernung beinahe lautlos geschah. Meine Frau war seit über einem Jahr mit unseren Kindern und einem Teil unserer Möbel zu ihren Eltern übergesiedelt, um dort das Ende des Krieges zu erwarten. Die Angriffe auf Berlin waren immer schwerer geworden. Unser Haus ist zwar stehengeblieben, aber links und rechts von uns waren alle Häuser ausgebombt oder ausgebrannt.

In Salzbrunn merkte man nun gar nichts vom Krieg. Unser Hotel war hauptsächlich für Verwundete reserviert. Nicht zuletzt wegen unserer aus der Vorkriegszeit herrührenden freundschaftlichen Beziehung zu Karl Hanke, jetzt Gauleiter in Breslau, wurden wir recht gut untergebracht und versorgt. Er besuchte uns einige Male in Salzbrunn, und wir benutzten das Zusammensein mit ihm, uns die Umgebung anzusehen. Dies war für mich wegen des Ausbaues des Führerhauptquartiers in Schlesien besonders interessant. Viel mehr als die Fundamente waren noch nicht zu sehen. Auch im Schloß Fürstenstein war kein wesentlicher Fortschritt der Arbeiten zu erkennen. Ich hatte diesen Bau schon immer als ganz überflüssig angesehen. Der unmittelbare Augenschein gab mir recht, und ich erreichte endlich, daß die Arbeiten eingestellt wurden.

Am wichtigsten waren mir in Salzbrunn zwei Besuche meines Vertreters Szymonski. Er kam jedesmal mit einem Sack voller Sorgen, hatte aber auch noch genug Humor, um sie zu ertragen. So endeten diese Besuche immer recht vergnügt, trotz der schlechten Nachrichten, deren er sich entledigte. In Ostpreußen rücke der Russe immer näher. Das Hauptquartier müßte bald geräumt werden. Der Feind kämpfte um Goldap und drang an anderen Stellen weiter nach Westen vor. Ich sagte Szymonski, daß er die Verlegung der entbehrlichen Teile des FHQ nach Zossen bei Berlin veranlassen müsse. Erschütterndes berichtete er über die Luftlage. Es gab kaum noch kampffähige Verbände. Faktisch war die Luftwaffe ausgeschaltet. Hydrierwerke und die Gummiwerke waren wieder schwer zerstört, entsprechend die Kugellagerproduktion. Dies wirkte sich nicht nur auf die Neufertigung, sondern erst recht auf Nachschub und Ersatz aus. Die amerikanische Luftwaffe konzentrierte sich mehr und mehr auf die Zerstörung der Schlüsselindustrie. Im ganzen war die Lage im Osten wie im Westen katastrophal.

Szymonski erzählte mir auch vom schlechten Zustand, in dem Hitler sich befand. Am 26. September hatte ihm Himmler über die Widerstandstätigkeit schon in den Jahren 1938 und 1939 berichtet, unter Nennung der Namen Canaris, Goerdeler, Oster, Dohnanyi und Beck. Aus diesem Bericht ging hervor, daß die Angriffstermine für den Westfeldzug ständig verraten worden waren. Die weiteren Ermittlungen ergaben ein ins einzelne gehende Bild der gescheiterten Versuche, Hitler zu entmachten oder zu töten. Hitler reagierte auf diese Mitteilungen mit einem gesundheitlichen Zusammenbruch und lag Ende September mit schweren Magen- und Darmkoliken. Morell diagnostizierte eine »Rückstauung der Galle durch einen seelisch bedingten Krampfzustand des Gallenblasenausführungsganges«. Mehrere Tage blieb Hitler teilnahmslos im Bett, bis er Anfang Oktober die Arbeit wieder, allerdings erst sehr langsam, aufnahm. Auch Schmundts Tod am 1. Oktober wird zu diesem Schockzustand zusätzlich beigetragen haben. Ich wußte, daß Hitler in den letzten Monaten mit niemandem aus seiner Umgebung so vertrauensvolle Gespräche geführt hatte wie mit Schmundt.

Szymonski erzählte mir auch, daß in den letzten Septembertagen Ritter v. Greim bei Hitler gewesen war. Hitler beabsichtigte, Greim zum Oberbefehlshaber der Luftwaffe zu ernennen, aber Göring ehrenhalber in seiner Position zu belassen. Ich nahm aber an, daß Greim auch angesichts der aussichtslosen Lage eine Arbeit neben Göring ablehnte. Den inzwischen entmachteten Generalstabschef der Luftwaffe, General Kreipe, bezeichnete Szymonski auch als eine »Unglücksperson«. Er konnte mir keine Gründe für seine Entfernung nennen. Aber wir waren uns einig, daß in diesem Fall Leute aus der Partei ein entscheidendes Wort mitgesprochen hatten. Der SS-Gruppenführer Fegelein, der seit dem Attentat glaubte, ein größeres Wort schwingen zu können, hatte Kreipe nachspionieren lassen.

Verärgert, betroffen und erbittert schilderte Szymonski mir den Tod von Feldmarschall Rommel, der unzweifelhaft auf eine Anordnung Hitlers zurückging. Er hatte sich selbst den Tod geben müssen, weil seine Zugehörigkeit zur Widerstandsbewegung bekannt geworden war. Wir stimmten darin überein, daß Rommel nur durch Beeinflussungen Dritter, kaum aus eigenem Entschluß sich gegen Hitler gestellt hatte. Wir wußten, daß sein Chef des Generalstabes, General Speidel, engsten Kontakt zur Widerstandsbewegung hatte und schlossen aus dieser Tatsache auf Rommels Mitwissen oder Beteiligung. Daß er eine treibende Kraft gewesen war, schien mir ausgeschlossen zu sein.

Die einzig einigermaßen positive Nachricht, die ich von Szymonski erhielt, war die Meldung über die ersten erfolgreichen Abschüsse der V2 gegen London seit Anfang September. Eine ganze Anzahl dieser Geschosse stürzte zwar auf freies Feld, aber viele verursachten schwere Schäden. Die Reaktionen der Engländer zeigten, wie unangenehm sie diesen Beschuß empfanden. Hitler erwartete viel vom weiteren Einsatz dieser Waffe.

Szymonski berichtete weiter von der abgewehrten Luftlandung der Engländer im Raum von Arnheim, ferner von den schweren Kämpfen um Aachen, vom Abfall der Ungarn, von der Landung der Engländer in Griechenland und der Einnahme Athens, von dem Verlust Antwerpens und schließlich vom Aufstand der Polen in Warschau. Dieser war am 2. Oktober zusammengebrochen. Weiter berichtete er mir von Hitlers Plänen für einen Angriff in den Ardennen gegen die Amerikaner mit dem Ziel, Antwerpen zu erreichen. Ich fragte Szymonski, was Hitler damit erreichen wollte. Selbst wenn Antwerpen erreicht würde, wäre damit kein entscheidender Durchbruch erzielt. Szymonski sagte nur, daß Hitler diese Offensive wünschte, um Zeit zu gewinnen für die Fertigstellung neuer Waffen. Ich fragte: »Welche?« Er konnte diese Frage nicht beantworten.

Mitte Oktober fuhr ich nach Nienhagen, um dort die letzten Folgen meiner Verletzungen auszuheilen. Am 22. Oktober rief Puttkamer an und fragte mich, ob ich zurückkommen könnte. Die Luftwaffe sei immer noch »Thema Nr. 1« und zwischen Hitler und Göring bestünde eine permanente Spannung. Ich antwortete, daß ich am nächsten Tag nach Berlin fahren und in der Nacht vom 23. zum 24. nach Ostpreußen kommen würde. Ich fühlte mich noch keineswegs voll einsatzfähig, aber es war mir klar, daß ich Hitler jetzt helfen mußte. So fand meine lange Erholungszeit ein sehr plötzliches Ende.

Rückkehr in die Wolfschanze

Am Morgen des 24. Oktober 1944 traf ich wieder in der Wolfschanze ein. Ich fand ein in mancher Hinsicht verändertes Hauptquartier vor. Der Führerbunker war ein Koloß aus Beton geworden, mit 7 m starken Wänden. Drei weitere Bunker hatten auch eine Ummantelung erhalten, und alle bisherigen Holzbaracken oder Anbauten waren in einer Stärke von 60 cm mit Beton umbaut worden.

Ich wurde herzlich von allen begrüßt, besonders natürlich von Puttkamer, Amsberg und Szymonski. Der Vormittag verging sehr schnell in orientierenden Gesprächen. Puttkamer berichtete mir von den Sorgen, die Hitler sich immer wieder über die Luftwaffe machte. Er erzählte mir von den Besuchen Greims und Hitlers Vorstellung, Greim zum Oberbefehlshaber der Luftwaffe zu machen. Puttkamer war über diese langwierige Behandlung dieses Falles unzufrieden und drängte auf eine Lösung.

In der Adjutantur waren auch personelle Veränderungen eingetreten. General Burgdorf, der schon lange unter Schmundt dessen ständiger Vertreter gewesen war, hatte beide Funktionen Schmundts übernommen und war jetzt Chef des Heeres-Personalamtes und Chef-Adjutant. Er brachte einen jungen Major Johannmeyer mit, einen Frontoffizier mit Ritterkreuz, der sich als Adjutant bei uns einarbeiten sollte. Amsberg und Szymonski traten wieder zu ihren Dienststellen zurück, bald nach Weihnachten traf auch Oberstleutnant i.G. Borgmann wieder ein.

Über die Entwicklung an den Fronten konnte mir Puttkamer nur Ungünstiges berichten. In Ostpreußen stand der Russe vor Goldap. Gumbinnen war gerade zurückerobert worden. Die Straßen waren übervoll von zurückflutenden Flüchtlingstrecks. Im Raum von Gumbinnen hatte der Russe gewütet. Frauen waren geschändet und ermordet worden, die Häuser geplündert und verbrannt. In den Straßen herrschte Chaos. Im südlicheren Teil der Ostfront erwartete das OKH täglich einen russischen Großangriff. Die deutschen Divisions-Verbände waren mühsam nur zum Teil wieder aufgefrischt worden. Vor allem hatten sie erhebliche Ausfälle an Panzern gehabt, die kaum ersetzt werden konnten. Die Balkanhalbinsel war aufgegeben worden. Die deutschen Verbände kämpften sich aus Griechenland durch Bulgarien und Rumänien und durch Jugoslawien geordnet zurück. Die Amerikaner und Engländer drangen im Westen mit Macht auf die deutsche Grenze zu. Hitler bereitete die Ardennenoffensive vor, die etwa am 1. Dezember beginnen sollte. Man hoffte, daß die Westalliierten bis dahin keine größere Offensive in diesem Raum führen würden. Besorgniserregend im höchsten Maße war die »Luftlage«. Engländer und Amerikaner flogen über deutschem Gebiet wie über ihr eigenes Heimatland. Die deutsche Abwehr war nicht mehr nennenswert. Die Angriffe der Alliierten galten in der letzten Zeit Einzelzielen. Sie griffen immer wieder die Ölraffinerien, die Flugzeugwerke, die Gummiwerke und viele einzelne

Zulieferbetriebe an. Hitlers Wut auf die Luftwaffe war zu verstehen. Die Schuld lag freilich nicht allein bei der Luftwaffe selbst. Es gab ein ganzes Bündel von Ursachen, angefangen bei der seit langem vernachlässigten Luftwaffenrüstung. Doch danach schien zur Zeit niemand zu fragen.

Puttkamer berichtete auch von dem Aufruf für den Volkssturm. Ende September hatte Minister Goebbels Hitler bestürmt, einen »Volkssturm« zu bilden, und Hitler hatte dieser Forderung in vollem Maße entsprochen. Zum Volkssturm konnten alle Deutschen zwischen 16 und 60 Jahren eingezogen werden. Den Parteidienststellen fiel die Verantwortung dafür zu. Waffen und Ausrüstungsgegenstände waren kaum vorhanden.

Absichten, Betrachtungen, Illusionen

Am Mittag meldete ich mich bei Hitler zurück. Er begrüßte mich herzlich. Zu einem Gespräch wollte er mich im Laufe des Abends rufen lassen. Der Arbeitstag begann wie immer mit der Lage. Vom Heer fanden sich dazu der Chef des Generalstabes des Heeres Guderian und der Chef Führungsstab OKH General Wenck ein. Jodl leitete zur Zeit die Vorbereitungen für die Ardennenoffensive. Die Luftwaffenführung befand sich in einem Übergangsstadium. Hitler hatte angeordnet, daß General Kreipe nicht mehr bei ihm erscheinen sollte. So kam jetzt der Chef des Luftwaffen-Führungsstabes, Generalmajor Christian, zum Vortrag. Die Marine war durch Admiral Voß vertreten, der nach seiner Verwundung vom 20. Juli den Dienst wieder aufgenommen hatte. In diesen Tagen war es an den Fronten im Westen wie im Osten verhältnismäßig ruhig. Hitler nutzte die Zeit, um die Ardennenoffensive vorbereiten zu lassen. So drehte sich alles um diese Operation.

Am Abend dieses Tages wie auch an den folgenden Abenden bis in den November hinein befahl Hitler mich zu Gesprächen. Meist fanden sie zwischen 23 und 24 Uhr statt und dauerten im allgemeinen eine bis anderthalb Stunden. Am ersten Abend war Hitler ruhig und einigermaßen frisch. Er kam sofort auf die Entwicklung der Luftwaffe zu sprechen und erzählte mir, daß er letztens verschiedene Gespräche mit Greim geführt habe. Tatsächlich wollte er ihn zum Oberbefehlshaber machen, ohne Göring seines Postens zu entheben. Greim habe ihm einen Vorschlag für die Führung gemacht, der aber noch nicht ganz seiner Vorstellung entspräche. Greim käme aber noch einmal zu ihm, und sie wollten dann eine befriedigende Lösung finden. Ich fragte Hitler, ob Göring von diesen Gedanken etwas wüßte. Er nahm es an. Ich sagte ihm, ich könnte mir nicht vorstellen, daß Göring seinen Posten freiwillig aufgeben würde und fügte hinzu, daß ich nicht mehr an eine grundlegende Wandlung innerhalb der Luftwaffe glauben könnte. Unsere Rüstung sei mehr oder weniger zerschlagen. Zur Zeit fänden laufend Luftangriffe gegen die Werksflugplätze statt. Die Engländer schienen genau zu wissen, wann eine Anzahl Flugzeuge fertig sei. Dann würde der Angriff geflogen. Ich war der Ansicht, daß daran nur etwas zu ändern sei, wenn die Royal Air Force an diesen gezielten Punkt-Angriffen gehindert würde. Gerade das sei zur Zeit nicht möglich. Wenn eines Tages die Me 262 ganz als Jäger zur Verfügung stünde, könnte ich mir erfolgreiche Gegenschläge vorstellen. Hitler wurde bei diesen Worten ärgerlich und verbreitete sich über das Geschick der Turbo-Jäger. Ich sagte ihm, daß wir von den Realitäten ausgehen müßten.

An einem der nächsten Abende kam Hitler auf den 20. Juli und die sich daran anschließenden Prozesse zu sprechen. Er sagte, daß alles das, was Himmler ihm vorlegte und berichtete, zu seiner Erkrankung geführt hätte. Kein Mensch könnte sich vorstellen, welche Schmerzen er tagelang hätte ertragen müssen. Es wäre alles verraten worden, wie die Vorbereitungen zum Frankreich-Feldzug, der Angriffstermin und die Ziele der ersten Operationen. Auch der Beginn des Rußlandfeldzugs wäre verraten worden. Es wäre nichts mehr in Deutschland geheim geblieben. Am unheimlichsten hätte Admiral Canaris gearbeitet. Aber auch Goerdeler wäre einer der am meisten engagierten Verschwörer gewesen. Bei ihm lägen die Dinge aber klar. Er gäbe alles zu, während Canaris immer noch leugnete. Die Masse der gefaßten Verschwörer, sagte Hitler, wäre mehr oder weniger durch Zufall hereingefallen. Die Zahl der engagierten Verschwörer, die sich voll und ganz für die Pläne eingesetzt hätten, wäre ganz gering gewesen. Als sehr aktiven Verschwörer bezeichnete er den General v. Tresckow. Er hätte seine Hand »überall drin« gehabt, wäre aber freiwillig in den Tod gegangen, hätte also die Lage nüchtern und klar erkannt, als das Attentat mißlungen war. Ich erzählte Hitler den Fall meines Vetters Borries bei der Versorgung eines Korps in Kurland. Er hätte mich gerade benachrichtigt, daß die Versorgung des Korps nach dem Attentat wieder reibungslos geklappt hätte. Hitler gab sich mir gegenüber besonders niedergeschlagen darüber, daß so viele Verschwörer den »gebildeten Kreisen« entstammten. Gerade diesen hätte er immer mehr oder weniger blindlings vertraut. Nicht, daß sie ihn, sondern daß sie Deutschland verraten hätten, wären sein Schmerz und seine Abscheu. »Ich wußte es schon seit längerer Zeit«, sagte er, »daß die ›besseren Kreise‹ unseres Volkes gegen mich standen. Aber die Kunst, in Krisenzeiten nicht wankelmütig zu werden, ist ein unversiegbarer Kraftquell«, fuhr er fort.

Bei einer anderen Gelegenheit kam Hitler auf die Entwicklung der Kämpfe an den Fronten zu sprechen. Da im Augenblick die Lage an den Fronten ruhig war, sprach er davon, daß auch dem Gegner einmal die Puste ausgehen müßte. Er wartete immer auf den Augenblick, wo zwischen Amerika und England ein Bruch eintrete und die feindliche Koalition auseinanderbrechen müßte. Er könnte es sich nicht vorstellen, daß die Engländer die Amerikaner in Europa akzeptierten. Ich antwortete ihm, daß ich anderer Meinung sei. Die Politik Churchills hätte gezeigt, daß er voll und ganz hinter den Amerikanern stünde. Auch hätten die Amerikaner ein solch gewaltiges Übergewicht, daß sie jetzt in Europa nach ihren eigenen Vorstellungen und Notwendigkeiten handeln würden. Die Engländer hätten wohl nicht mehr viel zu sagen. Darauf ging Hitler auf dieses Thema nicht mehr ein.

Am Nachmittag des 1. November war Generaloberst v. Greim bei Hitler zu einer längeren Aussprache unter vier Augen. Danach fragte ich Greim nach dem Ergebnis. Er sagte, es bliebe vorläufig alles beim alten und reiste ab. Ich war froh, daß diese Entscheidung gefallen war. Obwohl ich viel an Göring auszusetzen hatte, so war ein Wechsel im Oberkommando zu dieser Zeit ganz ohne Aussicht auf Erfolg. Hitler gab mir recht, sagte mir aber, daß ein neuer Generalstabschef ernannt werden müßte. Ich schlug ihm General Koller vor, der aus seiner Stellung als Chef des Führungsstabes der Luftwaffe alle Probleme kenne. Koller schiene mir in der derzeitigen Lage wegen seiner Ruhe und Ausgeglichenheit der geeignete Chef des Stabes zu sein. Diese Lösung traf sich mit Görings Absichten, und so wurde Koller der letzte Chef des Generalstabes der Luftwaffe.

Der Areopag

Zum 11. November fuhr ich nach Berlin, um an dem »Areopag« teilzunehmen, den Göring in der Luftkriegsakademie in Berlin-Gatow einberufen hatte. Für die Leitung dieser Tagung hatte er General Peltz ausgesucht, einen Kampfflieger. Unter den Teilnehmern sah ich alle namhaften Jagd- und Kampfflieger: Galland, Maltzahn, Gollob, Trautloft, Lützow, Steinhoff, Nordmann, Streib waren anwesend, ebenso wie die Kampfflieger Harlinghausen, Baumbach, Knemeyer, Storp, Diesing und andere, eine erlauchte Versammlung. Göring eröffnete die Sitzung. Er sagte, daß die Luftwaffe versagt hätte und wir kritisch zu allem Stellung nehmen müßten, um das Blatt zu wenden. Er gab zu verstehen, daß die Kritik vor der Spitze der Luftwaffe, vor ihm, Göring, Halt zu machen hätte und auch die Me 262 außerhalb der Diskussion bleiben müßte. Bei diesen Worten Görings hatte ich den Eindruck, daß der ganze »Areopag« überflüssig war, denn diese beiden Themen bildeten mehr oder weniger das Kernstück der derzeitigen Misere. Göring forderte die Anwesenden auf, ihm zu helfen, den Ruf der Luftwaffe wieder herzustellen, ging dann, und Peltz übernahm die Leitung. Ich konnte mich des Gefühls nicht erwehren, daß Peltz vor einer unlösbaren Aufgabe stand. Er wußte, was Areopag bedeutete, nämlich Gerichtshof mit unumschränkten Vollmachten. Das konnte unsere Versammlung keineswegs sein, nachdem Göring der Diskussion von vornherein Grenzen gesetzt hatte. Die Diskussion lief verschiedentlich in falsche und nebensächliche Richtungen. Jedenfalls wurden die grundlegenden Probleme der Luftwaffe nicht diskutiert. Das Ganze wurde eine unerfreuliche und langweilige Diskussion mit sehr merkwürdigen Beiträgen, etwa über die national-sozialistische Gesinnung der Luftwaffe, insbesondere der Flugzeugführer, und führte zu einem nichtssagenden Abschluß. Das Schlußprotokoll, das Göring auch mit Hitler besprach, zeigte keine neuen Gesichtspunkte. Die Männer gingen auseinander. Keiner war befriedigt von dieser Zusammenkunft, die eher ein Zeichen dafür war, wie die Luftwaffe an ihren letzten Kräften zehrte. »Zu wenig und zu spät« dachten wohl die Jagdflugzeugführer und stiegen in ihre Flugzeuge.

Die aussichtslose Lage

Ich fuhr recht deprimiert wieder zur Wolfschanze zurück. Meine Gedanken beschäftigten sich, wie so oft schon in den letzten Monaten, mit Hitler und seinem Tun. Ich fragte mich: »Wie will er mit diesen Kräften, über die wir, in ganz Europa verteilt, noch verfügen, den Krieg gewinnen?« Er hoffte auf Spaltung der Allianz der Gegner oder, schlicht gesagt, auf ein Wunder. Es war richtig, daß die Kampf-kraft der SS-Formationen wesentlich höher war als die der Heeres-Verbände. Aber ohne Waffen und Munition konnten auch sie nicht kämpfen. Ich wußte nicht, ob Hitler die katastrophale Lage im Heer und in der Luftwaffe nicht kannte oder ob er sich etwas vormachte. Die geplante Offensive durch die Ardennen schien mir eine verlorene kleine Nebenoffensive zu werden, die nur so lange erfolgreich sein konnte, wie das Winterwetter den Einsatz der feindlichen Flugzeuge verhinderte. Ich fand auf meine Fragen keine Antworten. In den nächsten Wochen gab es keine neuen Gesichtspunkte. Hitler betonte immer wieder aufs neue den national-sozialistischen Geist, durch den die Verbände zusammengeschweißt würden und Erfolge erzielt werden müßten. Aber hierfür war es zu spät. 1939 hatte auch er diese Gesinnung noch nicht als die »allein selig machende« erkannt und trotzdem den Krieg angefangen. Jetzt nahm er an, daß England die Wichtigkeit des Krieges gegen die Sowjet-Union einsehen müßte. Aber England hatte von Anfang an mit den Russen gegen uns gestanden. Amerika kannte nur einen Gegner in diesem Krieg: Deutschland. Wir waren am Ende dieses großen Kampfes, und es blieb für Hitler nur die Frage, wie er selbst sich verhalten sollte. Er beschäftigte sich ver-schiedentlich mit diesem Problem. In den letzten Tagen in der Wolfschanze, zwi-schen dem 16. und dem 20. November, hörte ich ihn darüber sprechen. Als Jodl vorschlug, das FHQ wegen der Ardennenoffensive nach Berlin zu verlegen, sagte er, daß er aus Ostpreußen nicht mehr fortginge. Der Krieg sei verloren. Diese Worte fielen mehrmals in diesen Tagen. Aber Bormann gelang es trotzdem, Hitler zum Nachgeben zu bewegen. Am 20. November nachmittags bestieg Hitler seinen Sonderzug und verließ die Wolfschanze für immer.

In den letzten Tagen gab es noch einige erwähnenswerte Ereignisse. Am 14. November begannen die Amerikaner im Westen ihre Bombenangriffe auf die kleinen Städte in ihrem zukünftigen Angriffsgebiet und zerschlugen in mehreren Angriffen die Orte Düren, Jülich und Heinsberg völlig. Trotzdem wirkten sich diese Bombardements für die folgenden Kämpfe der amerikanischen Heeresverbände nicht unterstützend aus. Im Raum von Metz wurden die Amerikaner in schwere Kämpfe verwickelt und kamen dort nur langsam voran. In Ostpreußen mußten die deutschen Truppen weiteren Boden aufgeben. Ein Teil zog sich in das Festungsgebiet der Stadt Königsberg zurück, der andere Teil wurde durch Ostpreußen in Richtung auf die Weichsel zurückgedrängt. Eine dieser Armeen stand unter dem Befehl General Hoßbachs, der am 21. November seinen 50. Geburtstag beging. Hitler veranlaßte, daß er einen Scheck über RM 50 000,– als Dotation erhielt, ein letztes Zeichen seines Vertrauens zu seinem ehemaligen Adjutanten.

Am 21. November trafen wir in Berlin ein. Am nächsten Tag ließ sich Hitler in der Charité von Professor v. Eicken einen kleinen Polypen an den Stimmbändern entfernen und mußte sich bis zum 28. November beim Sprechen schonen.

Am 28. November fuhr der erste amerikanische Geleitzug in den eroberten Hafen Antwerpen ein. Der Gegner hatte fortan keine Nachschubprobleme mehr. Am 14. November führten die Engländer einen Angriff gegen unsere Verbände an der Maas bei Roermond und Venlo in Holland, der aber ohne nachhaltigen Erfolg blieb. Zur gleichen Zeit versuchten die Amerikaner vergeblich, weiter südlich in das deutsche Reichsgebiet einzudringen. Zwischen Düren und Jülich wurden sie sogar zurückgedrängt. Im Dezember stießen sie auf Straßburg vor. Hitler verfolgte die Entwicklung an der Westgrenze mit großem Mißtrauen und fürchtete, daß die Amerikaner ihm in seinem Angriffsraum zuvorkommen würden. Er machte sich sehr große Hoffnungen auf diese Offensive und sah die deutschen Angriffsspitzen schon in Antwerpen. Am 10. Dezember fuhren wir abends von Berlin ab und trafen am 11. früh in Zierenberg ein, in der Nähe von Bad Nauheim. Dort befand sich ein sehr schönes altes Schloß, das von Speer schon Anfang des Krieges ausgebaut worden war. Hitler hatte damals aber betont, daß er das Schloß nie beziehen würde, und Speer angewiesen, in dem nahen Wald Baracken und Bunker auszubauen. Wir begaben uns in dieses Lager, während in dem Schloß mit anliegenden Unterkünften der Oberbefehlshaber West mit seinem Stab einquartiert war.

An den beiden ersten Tagen unseres Aufenthaltes hatte Hitler in zwei Partien je etwa 20 Generale bestellt, die Kommandierenden Generale und die Divisionskommandeure der für die Ardennenoffensive bestimmten Verbände. Hitler versuchte sie davon zu überzeugen, daß die gegnerische Koalition auseinanderbrechen würde, und setzte seine ganze Hoffnung darauf. Er erinnerte sie an Friedrich den Großen, der in den schwersten Stunden seines Krieges auch ganz allein gestanden und durchgehalten hätte. So wie damals werde jetzt auch die feindliche Allianz zerbrechen, nun durch die bevorstehende Offensive. Er forderte Einsatz bis zum letzten. Wenn jeder Mann nur an den Erfolg, an den Sieg denken würde, dann würde dieser nicht ausbleiben. Mit solchen Worten versuchte Hitler die Befehlshaber und Kommandeure einzustimmen. Mit einem Angriff auf kleinstem Raum, unter Einsatz der letzten zur Verfügung stehenden kampffähigen Verbände, glaubte er ernsthaft, das Ziel der Zerschlagung des gegnerischen Bündnisses zu erreichen. Ich war über solche Gedanken und seine Ausführungen vor den Generalen zutiefst erschüttert, denn angesichts der feindlichen Übermacht war mit einem dauerhaften Erfolg gar nicht zu rechnen.

Die Offensive begann am 16. Dezember. Das Wetter war bedeckt, so daß bis zum 24. Dezember kein feindliches Flugzeug angreifen konnte. Die 6. SS-Panzer-Armee unter Oberstgruppenführer Dietrich und die 5. Panzer-Armee unter General v. Manteuffel bildeten die Schwerpunkte dieses Angriffs, dessen Führung in den Händen von Feldmarschall Model lag. Die 5. Panzer-Armee kam mit ihrem Durchbruch gut voran. Lediglich Bastogne blieb in Feindes Hand. Die weiter nördlich kämpfende 6. SS-Panzer-Armee hatte mehr Widerstand zu brechen und blieb weiter zurück. Als am 24. Dezember das Wetter aufklarte, setzte der Gegner seine Luftwaffe ein, so daß am Tage keinerlei Bewegung auf den Straßen mehr möglich war. Bei einigen Einheiten mangelte es an Betriebsstoff. Es war in den Tagen nach Weihnachten klar zu erkennen, daß der erwartete Erfolg nicht erreicht werden konnte. Meine Befürchtungen bestätigten sich in vollem Umfang. Die Offensive mit etwas 28 bis 30 Divisionen, davon 12 Panzer-Divisionen, im Raum Monschau-Echternach mußte zum Jahresende als gescheitert angesehen werden. Die Verbände waren sehr stark angeschlagen und standen für neue Operationen nicht mehr zur Verfügung.

Auch Hitler verschloß sich dieser Einsicht nicht. An einem späten Abend in diesen Tagen blieb ich bei Hitler im Bunker, während feindliche Flugzeuge gemeldet waren. Hitler machte auf mich einen völlig verzweifelten Eindruck. Ich habe ihn vorher und nachher nie wieder in einem solchen Zustand erlebt. Er sprach davon, sich jetzt das Leben zu nehmen, denn die letzte Aussicht, einen Erfolg zu erringen, sei zunichte gemacht worden. Er machte der Luftwaffe und den »Verrätern« im Heer Vorwürfe. Er sagte etwa: »Ich weiß, der Krieg ist verloren. Die Übermacht ist zu groß. Ich bin verraten worden. Nach dem 20. Juli ist alles herausgekommen, was ich nicht für möglich gehalten habe. Es waren gerade die Kreise gegen mich, die am meisten vom Nationalsozialismus profitiert haben. Ich habe sie alle verwöhnt und ausgezeichnet. Das ist der Dank. Am liebsten schieße ich mir jetzt eine Kugel durch den Kopf. Es fehlen die harten Männer. Model und Dietrich sind solche. Und Rudel. Das wäre mal ein Nachfolger für mich. Intelligent. Wie steht er zu Kunst und Kultur? Er soll herkommen.« Dann fing er sich wieder und sagte: »Wir kapitulieren nicht, niemals. Wir können untergehen. Aber wir werden eine Welt mitnehmen.« Hitlers Worte habe ich nie vergessen. Über diese Unterredung habe ich bis heute mit niemandem gesprochen. Sie machte mir damals endgültig klar, daß Hitler niemals einlenken und alles mit in seinen Untergang ziehen würde. Der Weg war jetzt festgelegt. Er sollte uns bis zur bedingungslosen Kapitulation führen, auf der die Sieger beharrten.

Am 29. Dezember stiftete Hitler das Ritterkreuz mit goldenem Eichenlaub und Schwertern mit Brillanten. Er legte in der Urkunde fest, daß diese Auszeichnung nur zwölfmal verliehen werden dürfte. Am gleichen Tag, auch noch am 30. Dezember war General Thomale mehrmals bei Hitler. Hitler sprach mit ihm nicht nur über die Panzerfertigung und die Ausstattung des Heeres mit Panzern, sondern auch über politische Probleme und Fragen, die ihn bedrückten. Nach Thomale kam Guderian. Er hatte besondere Sorgen. Er fürchtete den Beginn der russischen Offensive in den ersten Januar-Tagen und wollte Divisionen aus dem Ardennenraum zur Ostfront abziehen. Doch Hitler zögerte immer noch. Er genehmigte zwar den Einsatz von vier Divisionen in Ungarn zum Schutz der Ölgebiete, aber mehr ließ er sich nicht fortnehmen. So endete das Jahr 1944 in ausweigloser Stimmung. Die letzten Hoffnungen auf einen Erfolg an der Westgrenze waren geschwunden, neue schwere Operationen zeichneten sich im Osten ab. Von gelegentlichen örtlichen Erfolgen abgesehen, war von der deutschen Luftkriegführung im Vergleich zu der alliierten Überlegenheit nichts mehr zu bemerken. Was Hitler über die Entwicklung der Lage dachte, wußte niemand ganz genau. Offiziell sprach er nur von der Fortsetzung des Kampfes und seiner Hoffnung auf das Auseinanderfallen der feindlichen Allianz. In diesen Gedanken konnte ihm niemand mehr folgen. Wir im FHQ wußten jedenfalls, daß Hitler von sich aus keinen Schritt zu einer Lösung machen konnte und wollte. Das neue Jahr würde zwar das Ende des Krieges bringen, aber es war fraglich, ob wir dieses Ende noch erleben würden.

Der Anfang vom Ende

In seinen Neujahrsaufrufen für das letzte Kriegsjahr an die Bevölkerung und die Wehrmacht sprach Hitler sehr offen über die Lage. Er erwähnte die internationalen Pläne für die Auflösung des Deutschen Reiches. Es sei aber dem deutschen Volke bis zum heutigen Tage gelungen, den »Abwürgungsversuchen unserer Feinde erfolgreichen Widerstand« entgegenzusetzen. Er sprach von dem gescheiterten Attentat gegen ihn und bezeichnete es als einen Wendepunkt des deutschen Schicksals. Ich war davon überzeugt, daß selbst in dieser ganz aussichtslosen Situation breite Kreise des Volkes Hitler noch immer Vertrauen schenkten und es einfach nicht glauben wollten, daß das deutsche Reich unter Hitlers Führung zerschlagen werden könnte. Solche Zuversicht konnte ich längst nicht mehr teilen. Seit Herbst 1944 sah ich nur noch in Hitlers Tod den einzigen Ausweg. Daß er an Selbstmord dachte, war aus verschiedenen Andeutungen zu entnehmen.

Am Vormittag des 1. Januar versammelten sich im FHQ die Oberbefehlshaber der Wehrmachtteile und die Chefs der Generalstäbe, um Hitler ihre Wünsche für ein »erfolgreiches« neues Jahr auszusprechen, Wünsche, die wohl keiner der Gratulanten mehr ernst nahm. Nach den üblichen Gesprächen über die tägliche Lage empfing Hitler im Kreise der Generale Oberst Rudel. Er sprach einige Worte der Anerkennung und des Lobes über seinen selbstlosen Einsatz, überreichte ihm die kürzlich gestiftete höchste Tapferkeitsauszeichnung und würdigte sein »unablässig bewiesenes höchstes Heldentum ..., seine einmaligen fliegerischen und kämpferischen Erfolge«. Was Hitler und Rudel nach dem gemeinsamen Mittagessen unter vier Augen besprachen, habe ich nicht erfahren.

Einen katastrophalen Ausgang nahm der Großeinsatz der deutschen Luftwaffe am 1. Januar. Göring plante den erfolgreichen Einsatz von fast 1000 Flugzeugen an der Westgrenze des Reiches gegen die verschiedensten Ziele im Erdkampf. Vorbereitungen und Durchführung des Unternehmens »Bodenplatte« wurden strikt geheimgehalten. Trotzdem stießen die Verbände auf starke Abwehr. Auf dem Rückflug gerieten sie in schweres, gut gezieltes Feuer der eigenen Flakartillerie, die aus Geheimhaltungsgründen nicht von dem Einsatz unterrichtet worden war. Die Verbände hatten hohe Verluste, die nicht mehr ersetzt werden konnten. Dies war der letzte Großeinsatz der Luftwaffe.

Am 12. Januar beging Göring seinen 52. Geburtstag. Er fand sich im FHQ ein, und Hitler sprach ihm in herzlicher Form seine Glückwünsche aus. An diesem Tage begann im Mittelabschnitt der Ostfront eine groß angelegte russische Offensive. Mit starkem Artillerieeinsatz und mit hohen Zahlen an Panzern durchbrach die Rote Armee die deutsche Front und nahm ihren Weg in Richtung Oberschlesien und an die Oder. Am ersten Tag eroberten sie Baranow, am dritten Tag Kielce. Hitler versuchte vergeblich durch Zuführen eines Korps aus Ostpreußen den Einbruch abzudecken. Er erkannte, daß dies wohl der Anfang vom Ende war, fuhr am Abend des 15. Januar nach Berlin und verließ die Stadt nicht wieder, abgesehen von einer Frontfahrt.

Die große russische Offensive, die in der ganzen Breite zwischen Baranow bis nördlich von Warschau einsetzte, traf überall auf abgekämpfte und angeschlagene deutsche Verbände. Die Heeresgruppen- und Armee-Oberbefehlshaber ebenso der Chef des Generalstabes rieten dazu, dem Stoß auszuweichen, um beweglich reagieren zu können. Doch Hitler wollte davon nichts wissen. Er bestand mit aller Härte auf dem Stehenbleiben an den Fronten und befahl, wie schon so oft, keinen Boden aufzugeben. Dies brachte unsere Divisionen in verzweifelte Lagen und vereitelte jede Möglichkeit einer geordneten Verteidigung. Einige Befehlshaber handelten auf eigene Verantwortung und führten ihre Verbände nach den örtlichen Gegebenheiten. Diese Selbständigkeiten bemerkte Hitler sehr schnell und griff dann sofort in die Führung ein. So ersetzte er bereits am 15. Januar den Oberbefehlshaber der Heeresgruppe Mitte, Generaloberst Harpe, durch Generaloberst Schörner. Am 26. Januar tauschte er Generaloberst Reinhardt gegen Generaloberst Rendulic und am 30. Januar General Hoßbach gegen General Müller aus. Hoßbach war ein Opfer der Partei-Instanzen geworden. Der Gauleiter von Ostpreußen, Koch, schickte wütende Berichte über Hoßbachs Führung nach Berlin, und Hitler opferte diesen energischen Armee-Oberbefehlshaber dem Gauleiter. Diese ersten Wochen des Jahres 1945 brachten die Führung des Heeres in eine angespannte und schwer zu übersehende Krisenlage. Hitler hielt aber an seinem alten Führungsgrundsatz fest, der im Winter 1941/42 seine Berechtigung gehabt haben mag, keinen Quadratmeter Land freiwillig aufzugeben. Die Übermacht der Russen an der ganzen Ostfront war aber so groß, daß kein General diesen Befehl mehr befolgen konnte. Die gesamte Bevölkerung Ostpreußens befand sich auf der Flucht. Die Straßen waren verstopft und ließen kaum Platz für die Verbände des Heeres. Einem sehr großen Teil der Flüchtlinge gelang es nicht mehr, über die Weichsel in das Reichsgebiet zu kommen. Sie wurden durch die russischen Angriffe an die Ostseeküste gedrängt, wo Hoffnung bestand, mit Hilfe der Kriegsmarine zu entkommen. Zahlreiche Trecks wurden dabei überrollt. Die Menschen mußten Unsagbares erleiden. Die Verluste, von denen die ostpreußische Bevölkerung betroffen wurde, waren ungeheuerlich.

Im südlichen Abschnitt der Front drängte der Russe in den letzten Januartagen

erst Rudel im FHQ anläßlich der Verleihung
s goldenen Eichenlaubs mit Schwertern zum
sernen Kreuz.

pie des Privaten Testaments Hitlers mit der Unterschrift der Zeugen.

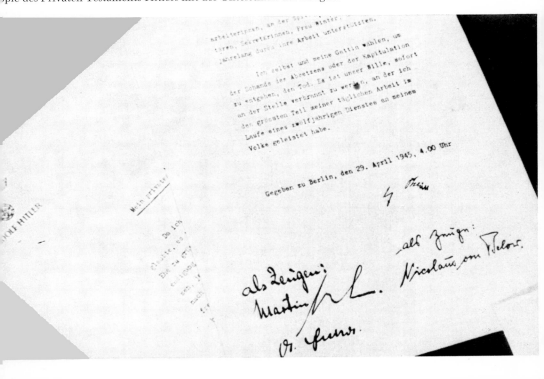

Zweiter Teil des politischen Testaments !

Ich stosse vor meinem Tode den frueheren Reichsmarschall Hermann Goering aus der Partei aus und entziehe ihm alle Rechte, die sich aus dem Erlass vom 29. Juni 1941 sowie aus meiner Reichstagserklaerung vom 1. September 1939 ergeben koennten. Ich ernenne an Stelle dessen den Grossadmiral D o e n i t z zum Reichspraesidenten und Obersten Befehlshaber der Wehrmacht.

Ich stosse vor meinem Tode den frueheren Reichsfuehrer SS und Reichsminister des Innern, Heinrich H i m m l e r aus der Partei sowie aus allen Staatsaemtern aus. Ich ernenne an seiner Stelle den Gauleiter Karl Hanke zum Reichsfuehrer SS und Chef der deutschen Polizei und den Gauleiter Paul G i e s l e r zum Reichsminister des Innern.

Goering und Himmler haben durch geheime Verhandlungen mit dem Feinde, die sie ohne mein Wissen und gegen meinen Willen abhielten, sowie durch den Versuch entgegen dem Gesetz die Macht im Staate an sich zu reissen, dem Lande und dem gesamten Volk unabsehbaren Schaden zugefuegt, gaenzlich abgesehen von der Treulosigkeit gegenueber meiner Person. Um dem deutschen Volk eine aus ehrenhaften Maennern zusammengesetzte Regierung zu geben, die die Verpflichtung erfuellt, den Krieg mit allen Mitteln weiter fortzusetzen, ernenne ich als Fuehrer der Nation folgende Mitglieder des neuen Kabinetts:

Reichspraesident:	Doenitz
Reichskanzler:	Goebbels
Parteiminister:	Bormann
Aussenminister:	Seyss-Inquart
Innenminister:	Gauleiter Giesler
Kriegsminister:	Doenitz
Oberbefehlshaber des Heeres:	Schoerner
Oberbefehlshaber der Kriegsmarine:	Doenitz
Oberbefehlshaber der Luftwaffe:	Greim
Reichsfuehrer SS und der Deutschen Polizei:	Gauleiter Hanke
Landwirtschaft:	Backe
Justiz:	Thierack
Kultur:	Dr. Scheel
Propaganda:	Dr. Naumann
Finanzen:	Schwerin Krosigk
Arbeit:	Dr. Hupfauer
Ruestung:	Saur
Leiter der Deutschen Arbeitsfront und Mitglied des Reichskabinetts:	Reichsminister Dr. Ley

Obwohl sich eine Anzahl dieser Maenner wie Martin Bormann, Dr. Goebbels usw. einschliesslich ihrer Frauen aus freiem Willen zu mir gefunden haben und unter keinen Umstaenden die Hauptstadt des Reiches verlassen wollten, sondern bereit waren, mit mir unterzugehen, muss ich sie doch bitten, meiner Aufforderung zu gehorchen und in diesem Falle das Interesse der Nation ueber ihr eigenes Gefuehl zu stellen. Sie werden mir durch ihre Arbeit und ihre Treue als Gefaehrten nach dem Tode ebenso nahe stehen, wie ich hoffe, dass mein Geist unter ihnen weilen und sie stets begleiten wird. Moegen sie hart sein, aber niemals ungerecht. moegen sie vor allem nie die Furcht zum Ratgeber ihres Handelns erheben und die Ehre der Nation ueber alles stellen, was es auf Erden gibt. Moegen sie sich endlich bewusst sein, dass unsere Aufgabe des Aufbaues eines nationalsozialistischen Staates die Arbeit kommender Jahrhunderte darstellt, die jeden einzelnen verpflichtet, immer dem gemeinsamen Interesse zu dienen und seine eigenen Vorteile demgegenueber zurueckzustellen. Vor allem Deutschen, allen Nationalsozialisten, Maennern und Frauen und allen Soldaten der Wehrmacht verlange ich, dass sie der neuen Regierung und ihrem Praesidenten treu und gehorsam sein werden bis in den Tod. Vor allem verpflichte ich die Fuehrung der Nation und die Gefolgschaft zur peinlichen Einhaltung der Rassengesetze und zum unbarmherzigen Widerstand gegen die Weltvergifter aller Voelker, das internationale Judentum.

Gegeben zu Berlin, den 29. April 1945, 4 Uhr

Unterschrift:
ADOLF HITLER

Als Zeugen: (Unterschriften)

Dr. Joseph Goebbels,   Martin Bormann,   Wilhelm Burgdorf,   Hans Krebs

Zweiter Teil des politischen Testaments Hitlers mit der Einsetzung der neuen Führungsspitze.

südwestlich von Breslau bis an die Oder vor. Die Folge dieses Vorstoßes war der Verlust des oberschlesischen Industrie-Gebietes. Die Stadt Breslau wurde in den nächsten Tagen eingeschlossen und verteidigte sich unter schwersten Opfern bis zur Kapitulation am 6. Mai.

Gegen den gewaltigen Vorstoß der Russen im Mittelabschnitt setzte Hitler am 24. Januar unter Führung von Heinrich Himmler eine neue Heeresgruppe »Weichsel« ein. Dieser Entschluß wurde von allen militärisch Sachkundigen mit großem Mißtrauen und Skepsis aufgenommen. Die Himmler unterstellten Formationen bestanden vielfach aus zurückflutenden, versprengten und ganz abgekämpften Verbänden, die gerade noch zu einem Kampf um Zeitgewinn befähigt waren. Der russische Durchbruch zur Oder glückte. Die Rote Armee stand schließlich südlich Küstrin, bei Frankfurt an der Oder und weiter südlich entlang der Neiße bis etwa Görlitz und blieb hier vorläufig auch stehen. Der russische Oberbefehlshaber, Marschall Schukow, bemühte sich, die zurückgebliebenen Teile seiner Armee nachzuziehen.

Ähnlich wie die Eroberung des Ostteiles unseres Reiches durch die Russen gelang es im Westen auch den Engländern und Amerikanern, ihren Vormarsch voranzutreiben. Zur Zeit der Jahreswende hofften die westlichen Truppen, noch vor den Russen Berlin zu erreichen. Wenn ihnen dies nicht gelang, so war es der festen Disziplin zu danken, die die deutschen Verbände noch zusammenhielt. Verbissene Auflehnung gegen das unausweichliche Schicksal überwog die Hoffnungslosigkeit.

Im Januar reiste ich noch einmal in das Gebiet am Harz und bis Ohrdruf in Thüringen. Auf diesem Truppenübungsplatz war ein neues FHQ im Bau. Die Arbeiten gingen langsam voran. Ich sah keinen Anlaß, sie zu beschleunigen. Die großen unterirdischen Anlagen nicht weit von Nordhausen, in denen KZ-Häftlinge die V2 in großer Stückzahl fertigten, interessierten mich weit mehr. Die Häftlinge genossen sicher eine vorzugsweise Behandlung und waren in recht gutem Allgemeinzustand, so weit ich das feststellen konnte. Es war dennoch ein bedrückendes Bild, diese Zwangsarbeiter, die sich mit diesem Einsatz ihr Leben zu erkaufen hofften, in den ausgedehnten Werkhallen zu sehen. Ihr Fleiß war letztlich absurd, denn von wo sollten diese Flugkörper noch abgeschossen werden, um Zielgebiete in England zu erreichen? Bei keiner anderen Gelegenheit in diesen Wochen ist mir die Vergeblichkeit aller kriegsverlängernden Anstrengungen deutlicher geworden als bei diesem Besuch.

Am 30. Januar wandte sich Hitler zum letzten Mal über den Rundfunk an das deutsche Volk. Was konnte er anderes fordern als den Einsatz bis zum letzten! »Wir werden auch diese Not überstehen«, sagte er und fuhr fort: »Es wird auch in diesem Kampf nicht Innerasien siegen, sondern Europa.« Noch immer klammerten sich viele seiner Zuhörer an den Strohhalm der »Wunderwaffen«, die das Schicksal in letzter Minute wenden würden.

Wenige Tage später trafen die ersten Meldungen von der Krim, aus Jalta ein, vom Treffen der drei Staatschefs Roosevelt, Stalin und Churchill. Sie waren am 4. Februar zusammengekommen und sprachen über die Aufteilung des Reiches. Hitler ließ sich zwar über diese Konferenz unterrichten, blieb aber von den Meldungen seltsam unbeeindruckt, als ginge ihn das alles schon nichts mehr an.

Am 13. und 14. Februar fanden die beiden entsetzlichen Luftangriffe der Engländer und Amerikaner auf Dresden statt. Niemand rechnete zu dieser Zeit noch mit Angriffen gegen die wenigen unzerstörten, mit Flüchtlingen überfüllten Städte. Dies war Terror gegen die wehrlose Zivilbevölkerung ohne jeden militärischen Sinn, ein Schlag gegen das ganze deutsche Volk. Die Zerstörung übertraf alles, was sonst deutsche Städte im Krieg erlitten hatten. Über 12 000 Gebäude mit 80 000 Wohnungen wurden zerstört. Das gesamte schöne alte Stadtbild war für immer verloren. Es wurden 135 000 bis 300 000 Tote gemeldet. Die genaue Anzahl konnte wegen der vielen Flüchtlinge nur geschätzt werden. Die Westalliierten gaben mit ihren letzten schweren Luftangriffen auf deutsche Städte ihre Einstellung zum deutschen Volk zu erkennen. Hitler war in diesen Monaten wiederholt entschlossen, die Genfer Konvention zu kündigen. Jedoch hielt Jodl ihn immer wieder von diesem Schritt ab. Es war erstaunlich zu beobachten, in welchem Maße bei diesen starken Luftangriffen der Rettungs- und Hilfsdienst noch funktionierte.

Hitlers letzte Rede vor den Gauleitern

Zum 24. Februar hatte Hitler die Reichs- und Gauleiter in die Reichskanzlei berufen. Alle kamen voll innerer Spannung. Der Gauleiter von Dresden, Mutschmann, wurde umringt und mußte über das Schicksal der Stadt Dresden berichten. Die Gauleiter aus dem Rheinländischen standen Rede und Antwort über die Kämpfe im Westen. Der Gauleiter Erich Koch aus Ostpreußen erschien nicht. Sein Gau war schon fast ganz von den Russen eingeschlossen. Ebenso fehlte der Gauleiter Hanke aus dem belagerten Breslau. Es herrschte eine Stimmung der Anklage gegen Hitler. Hitler betrat den Raum und machte auf die Besucher einen Mitleid erregenden Eindruck. Er ging gebeugt und war alt geworden. Seine Rede begann er wieder mit Erzählungen aus der Weimarer Zeit, aus den ersten Jahren nach der Machtergreifung, bis er endlich dort ankam, wo ihn seine Zuhörer erwarteten: in der Gegenwart. Er sprach von der Entscheidungsstunde dieses Krieges. Im Jahre 1945 werde bereits über das kommende Jahrhundert entschieden. Seine Worte über neue Waffen der Marine und Luftwaffe hatten in diesem Kreis keine Wirkung mehr. Bei dem anschließenden Essen versuchte Hitler, zurückgedrängt in die Reichskanzlei und dem Tode verfallen, die Gauleiter davon zu überzeugen, daß er allein die kommende Entwicklung richtig beurteilen könnte. Aber die einstige Suggestivkraft, die diesen Kreis immer wieder mitgerissen hatte, war dahin. Bei dieser Zusammenkunft fielen auch Hitlers Worte: »Wir haben die linken Klassenkämpfer liquidiert, aber leider haben wir dabei vergessen, auch den Schlag gegen rechts zu führen. Das ist unsere große Unterlassungssünde.«

Hoffnungen auf die Me 262

Im Laufe des Februar hatte Hitler ein Gespräch mit dem Jagdflieger Hajo Hermann. Er vertrat die Ansicht, daß es jetzt höchste Zeit sei, die »Rammjagd« zu betreiben, und trug Hitler die Möglichkeiten vor, diesen Plan durchzuführen. Doch Hitler zeigte für diese Selbstmord-Taktik immer noch kein Interesse und verwies auf die neuen Jagdflugzeuge, die in Kürze neue Kampfmethoden möglich machen würden. Er erwähnte auch Görings Plan, jetzt die erste Düsenjägerstaffel der Luftwaffe in Süddeutschland aufzustellen, und erwartete von diesen Fliegern große Erfolge. Die Aufstellung dieser Staffel unter erheblichen Schwierigkeiten war das schmale Ergebnis langer interner Auseinandersetzungen in der Luftwaffe, die einen Höhepunkt im sogenannten »Areopag« gehabt hatten. Unter Führung des abgelösten Generals der Jagdflieger, Generalleutnant Galland, flogen dort einige der bekanntesten, hoch dekorierten Jagdflieger wie Lützow, Steinhoff, Hohagen, Krupinski, Barkhorn, Bär, Herget, Bob und Eichel-Streiber. Die Entwicklung des Krieges ließ den Einsatz nur in einem beschränkten Rahmen von Riem bei München aus zu, so daß die großen Erfolge, wie Hitler sie erwartete, nicht mehr erzielt werden konnten. Lützow kehrte von einem dieser Einsätze nicht mehr zurück, und Steinhoff wurde sehr schwer verwundet.

Der Ring schließt sich

Die täglichen Lagebesprechungen – jetzt meist erst um 15 Uhr beginnend – fanden seit dem 16. Januar in Hitlers großem Arbeitszimmer in der neuen Reichskanzlei statt, da der große Raum in der alten Reichskanzlei – Ort der Lagebesprechungen anfangs des Krieges – durch Bomben schwer beschädigt war. Der Generalstab des Heeres befand sich in Zossen, südlich von Berlin. Generaloberst Guderian kam regelmäßig von dort und trug die Lage an der ständig näher rückenden Ostfront vor. Der Teilnehmerkreis der Lagebesprechung hatte sich erweitert. Ständige Anwesende waren Bormann und Himmler, häufig auch der Reichsaußenminister v. Ribbentrop und der Chef der Polizei, Kaltenbrunner. Diese großen Lagebesprechungen dauerten täglich meist zwei bis drei Stunden. Hitler ließ sich Zeit bei den Besprechungen und suchte immer wieder nach irgendeinem Ausweg aus der prekären Lage, den die ständige Verschiebung imaginärer, jedenfalls kaum noch kampffähiger Truppen in immer neuer Zusammenstellung bewirken sollte. Die Vorstellungen Hitlers hatten keinen Bezug zur Wirklichkeit mehr. Am schmerzlichsten waren die täglichen Vorträge über die feindlichen Luftangriffe. Die Amerikaner und Engländer flogen über dem westlichen Reichsgebiet im wesentlichen ungestört und suchten nach wie vor Wohngebiete als Ziele, flogen allerdings auch punktuelle und sehr wirkungsvolle Angriffe gegen bestimmte Zulieferbetriebe der Rüstungsindustrie und die Hydrierwerke. Anscheinend verfügten sie über genaueste Informationen, welche Fabriken besonders wichtig und nicht mehr zu ersetzen waren. Mit diesen Angriffen lähmten sie zunehmend die Produktion jeglichen Kriegsmaterials. In dieser Zeit, vor allem in Laufe des März, sanken aber auch Würzburg und Nordhausen in Schutt und Asche, Halberstadt am 8. April.

Nach der täglichen Lagebesprechung nahm Hitler oft in einem kleinen Schreibzimmer der alten Reichskanzlei in Gesellschaft seiner Sekretärinnen eine Tasse Tee. Zu den Gesprächen in diesem Kreise wurde ich gelegentlich zugezogen. Hitler erörterte dabei Themen, die nichts mit der allgemeinen Lage zu tun hatten, wohl auch, um sich abzulenken. Bei einer dieser Pausen diktierte er plötzlich einen Brief an meine Frau, in Erinnerung an unsere häufigen Begegnungen. Meine Frau hat diesen Brief sogar noch erhalten.

Reichsminister Speer ging in diesem Vierteljahr sehr seine eigenen Wege. Er wußte, daß die Niederlage nur noch eine Frage weniger Wochen sein konnte. Speer stand im engen Einvernehmen mit Guderian und reiste mit seinem Verbindungsoffizier vom Heer, Oberstleutnant v. Poser, im ganzen Reichsgebiet herum, um überall, wo er konnte, zusammen mit den Gauleitern und den Befehlshabern des Heeres auf eine Milderung der von Hitler angeordneten Zerstörungen lebenswichtiger Einrichtungen hinzuwirken. Er hat dadurch viele wichtige Anlagen, vor allem in dem Bereich des Verkehrs und der Versorgung, unter großen Schwierigkeiten und Gefahren für sich vor der Vernichtung bewahrt. Er mußte stets damit rechnen, mit seinen auf die Nachkriegszeit ausgerichteten Maßnahmen an einen vom Endsieg überzeugten hundertprozentigen Nationalsozialisten zu geraten. Unter dem 15. März ließ er mir seine letzte Vorlage »Wirtschaftslage März-April 1945 und Folgerungen« zugehen zur Weitergabe an Hitler. Auf zehn Schreibmaschinenseiten (ohne Anlage) faßte er offen und klar seine Beurteilung der Lage und die nach seiner Ansicht unbedingt zu ziehenden Folgerungen zusammen. Obwohl Speers Berichte eigentlich nur noch schlechte Nachrichten enthielten, nahm Hitler sie stets mit in seinen Bunker und las sie dort, wenn er allein war. Speer sprach in diesem Bericht offen aus, daß wir alles tun müßten, »um dem Volk, wenn vielleicht auch in primitivsten Formen, bis zuletzt eine Lebensbasis zu erhalten«. Und weiter hieß es: »Wir haben kein Recht dazu, in diesem Stadium des

Krieges von uns aus Zerstörungen vorzunehmen, die das Leben des Volkes treffen könnten. ... Wir haben die Verpflichtung, dem Volk alle Möglichkeiten zu lassen, die ihm in fernerer Zukunft wieder einen neuen Aufbau sichern könnten.« Hitler ließ sich von Speer mehr sagen als von allen anderen. Sie waren durch lange Zusammenarbeit in besseren Zeiten so eng miteinander verbunden, daß Speer wohl der einzige Mensch war, der Hitler gegenüber so klar und deutlich sprechen konnte, ohne für sein Leben fürchten zu müssen.

Am 15. Februar fuhr Hitler zum letzten Mal an die Front. Er besuchte einige Verbände des Heeres an der Oder in der Gegend von Frankfurt, unter anderem den Stab der 9. Armee des Generals Busse. Hitler machte einen verhältnismäßig frischen Eindruck. Er nahm sich zusammen und ließ von seinen nervösen Störungen am Arm nichts merken. Aber die urteilsfähigen Soldaten, mit denen er sprach, konnten nichts mehr von dem glauben, was er ihnen sagte. Daß sie die Oder halten müßten, war ihnen auch klar. Ebenso sicher wußten sie, daß das angesichts der eindeutigen russischen Überlegenheit kaum möglich war, wenn die russische Offensive erst einmal begonnen hatte. Hitler hielt diesen Besuch an der Front für besonders wichtig und glaubte, damit das Selbstbewußtsein der Soldaten gestärkt zu haben.

Am 19. März gab Hitler einen Befehl an alle Truppenführer heraus, seine offizielle »Antwort« auf Speers letzte Denkschrift. In diesem sogenannten »Nero-Befehl« ordnete Hitler an, daß »alle militärischen Verkehrs-, Nachrichten-, Industrie- und Versorgungsanlagen sowie Sachwerte innerhalb des Reichsgebietes, die sich der Feind für die Fortsetzung seines Kampfes irgendwie sofort oder in absehbarer Zeit nutzbar machen kann«, zu zerstören seien. Dieser Befehl konnte sich glücklicherweise kaum noch auswirken. Das Ausmaß der Zerstörungen war allerdings schon entsetzlich genug, auch ohne die Anweisung, Deutschland in »verbrannte Erde« zu verwandeln.

Ende März begannen sich die Ereignisse zu überstürzen. Die Amerikaner hatten es eilig, den Russen zuvorzukommen. Am 23. März überschritten sie den Rhein bei Oppenheim, am 24. März bei Wesel. Es folgte in den nächsten Tagen die Umfassung des Ruhrgebietes. Generalfeldmarschall Model wurde an der Spitze seiner Heeresgruppe eingeschlossen. Der geschlossene Widerstand der Heeresgruppe B endete am 17. April. Model nahm sich das Leben. Die Amerikaner hatten mit überlegenen Kräften ihren Vormarsch nach Osten aufgenommen, stießen überall nur auf geringfügigen Widerstand und erreichten am 11./12. April die Elbe bei Magdeburg. Auch die britischen Verbände, die nördlich der amerikanischen Front im Vormarsch durch Westfalen waren, fanden keinen Widerstand mehr vor und erreichten Bremen und Hamburg ohne wesentliche Schwierigkeiten. Wir gewannen aus Meldungen den Eindruck, daß die Bevölkerung im Reich, besonders in Nordwestdeutschland, die Besetzung mit Erleichterung aufnahm. Sie war ganz einfach am Ende ihrer Kräfte. Wir verstanden dies, Hitler aber nicht. Er übte scharfe Kritik an diesem Verhalten, hatte aber keinerlei Einfluß mehr auf die Kampfführung in Westdeutschland.

Hitlers letztes Ziel war es, die russische Macht an der Oder aufzuhalten. Himmler war als Oberbefehlshaber der Heeresgruppe Weichsel am 20. März bereits abgesetzt und durch den Generaloberst Heinrici ersetzt worden. Seitdem Himmler als militärischer Führer fungierte, hatte Hitler ihn zunehmend kritisiert. Wenn er an seiner Führung etwas auszusetzen hatte – und es gab darüber wenig Positives zu sagen –, nahm er kein Blatt mehr vor den Mund. Schließlich löste er den militärischen Dilettanten ab. Ob Hitler zu dieser Zeit schon etwas von Himmlers Kontakten nach Schweden wußte, um einen Friedensschluß oder wenigstens Waffenstillstand herbeizuführen – dies kontrastierte immerhin seltsam zur Devise der SS »meine Ehre heißt Treue« –, kann ich nicht sagen, schließe es aber nicht aus. Jedenfalls verschlechterte sich das Verhältnis Hitler-Himmler seit Ende März zusehends.

Am 29. März trennte Hitler sich nach heftigen Auseinandersetzungen von Generaloberst Guderian. Äußerlich vollzog sich dieser Abschied in verbindlicher Form, als »Urlaub« für zunächst sechs Wochen deklariert. Der Bruch war aber endgültig. In den vergangenen Wochen hatte es wieder und wieder erregte Zusammenstöße gegeben, bei denen Hitler sich den von der Vernunft diktierten Vorschlägen Guderians mehr und mehr verschloß. Trotzdem lag Hitler weiterhin am guten Einvernehmen mit Guderian, der allerdings die Trennung ganz anders auffaßte. Er betrachtete sich als davongejagt. Sein Nachfolger wurde General Krebs, zu dem Hitler großes Vertrauen hatte und den er als qualifizierten Generalstabsoffizier wie als Persönlichkeit seit langem schätzte. Zum ersten Mal war er bei der eigentümlichen Szene im Frühjahr 1941 auf dem Moskauer Bahnhof in Hitlers Blickfeld getreten, als Stalin Krebs bei der Verabschiedung des japanischen Außenministers demonstrativ anredete. In seiner Verwendung als letzter Chef des Generalstabes des Heeres hatte Krebs am Ende weniger Aufgaben als der Chef des Generalstabes des Berliner Wehrkreises III. Er nahm sich bei Kriegsende aus Verzweiflung das Leben, als sein erster Kontakt mit der Roten Armee ihm die ganze Aussichtslosigkeit auch der künftigen Lage nachhaltig verdeutlicht hatte.

Am gleichen Tage trennte Hitler sich auch von seinem langjährigen Reichspressechef, Dr. Dietrich. Das lange bestehende gute Verhältnis zwischen beiden hatte sich in den letzten Monaten gelockert. Goebbels hatte Dietrich, der ihm formal unterstellt war, stets mißtraut. Er nahm dies hin, weil Hitler es wünschte. Jetzt, in den letzten Wochen des Krieges, setzte sich Goebbels mit seiner Ansicht durch, und es gelang ihm – wohl mit Unterstützung Bormanns –, Hitler gegen Dr. Dietrich zu beeinflussen. Bormann und Dietrich hatten sich nie viel zu sagen.

Am 5. April fuhr ich zum letzten Mal nach Nienhagen bei Halberstadt, wo meine Frau mit unseren drei Kindern lebte. Ich selbst war mir darüber im klaren, daß es ein Abschied für immer sein könnte. Ich wußte, daß Hitler in Berlin bleiben wollte, daß der Krieg bald beendet sein würde und daß es wohl aussichtslos war zu hoffen, daß ich aus Berlin noch lebend herauskäme. Trotz ernster Gesichter in Nienhagen glaubte ich, dort in einer anderen Welt zu sein. Gepflegt und ruhig lebten die Menschen friedlich zusammen. Auf den Feldern begann die Frühjahrsbestellung. Meine Frau, die die Geburt unseres vierten Kindes erwartete, war sehr gefaßt und ließ sich von ihren Sorgen, die sie tapfer trug, nichts anmerken. Es war mir eine große Beruhigung zu wissen, daß sie zu Hause gut aufgehoben war. Am nächsten Tag kehrte ich nach Berlin zurück. Diese Fahrt wurde mir schwer. Die Sonne schien, das Land lag so friedlich da, und ich fuhr in die Hölle hinein. Es war gut, daß wir in Berlin so angespannt waren, daß wir selbst nicht viel über uns nachdenken konnten. Ich habe in den nächsten Wochen noch einige Male mit meiner Frau telephoniert, bis die Leitungen durch den Einmarsch der Amerikaner blockiert wurden.

Die letzten Tage im Führerbunker

Anfang April ließ Hitler die Beförderung Schörners zum Generalfeldmarschall besonders herausstellen. Schörner sei, betonte er in einer Pressenotiz, »wie kaum ein anderer der deutschen Generale zum Symbol für die unerschütterliche Standfestigkeit der deutschen Abwehrkraft im Osten geworden«. Er meinte damit die Wirksamkeit Schörners als Heeresgruppen-Oberbefehlshaber in Kurland, Schlesien und jetzt im Protektorat. Am 13. April ging Wien verloren. Wenige Tage vorher, am 8./9. April, wurden die Hinrichtungen von Admiral Canaris und General Oster bekannt. Im Zusammenhang damit verbreitete sich die Nachricht, daß die Tagebücher des Admirals gefunden worden wären, die Anlaß genug zu seiner Verurteilung gäben. Ich habe dies nicht nachprüfen können und hielt und halte es für wenig wahrscheinlich, daß ein so vorsichtiger Mann wie Canaris, von Anfang an gegen Hitler eingestellt, Tagebücher geschrieben hat.

In den letzten Märztagen überraschte Hitler und uns die Ankunft von Eva Braun in der Reichskanzlei. Sie kam aus eigenem Entschluß. Hitler wollte sie sofort wieder nach München zurückschicken und beauftragte Hoffmann, sie zur Rückreise zu bewegen. Doch alle Bemühungen waren vergeblich. Eva Braun gab allen klar zu verstehen, daß sie jetzt an Hitlers Seite bleiben würde und davon nicht abzubringen wäre. Sie wohnte fortan im Bunker in einem Raum gleich neben Hitlers privaten Zimmern und stellte sich ganz auf die Atmosphäre des Bunkerlebens ein. Sie war stets gepflegt, sorgfältig und tadellos gekleidet, verhielt sich gleichbleibend entgegenkommend und liebenswürdig und zeigte keinerlei Schwäche bis zur letzten Stunde.

Ich wohnte damals noch in einem Zimmer im Erdgeschoß der Reichskanzlei im Wirtschaftsflügel und zog erst in den letzten Apriltagen in den vorher von Kannenberg bewohnten Bunkerraum, der mit unendlich vielen Bekleidungs- und Gebrauchsgütern vollgestopft war.

Es hatte sich eingebürgert, daß täglich nach der Lagebesprechung Hitlers Privatsekretärin Johanna Wolf und Admiral v. Puttkamer zum Kaffee in mein Zimmer kamen. Wir hielten an dieser zwanglosen, harmonischen und gemütlichen Plauderstunde fest, die uns von der ausweglosen Situation um uns etwas ablenkte. Wir sprachen über vergangene Zeiten.

In den ersten Apriltagen stellte Hitler mir in einem der üblichen Gespräche zur Lage ganz plötzlich die Frage nach meinen künftigen Absichten und Plänen. Ich antwortete, daß ich als sein Adjutant keine Wahl hätte. Ich bliebe selbstverständlich an seiner Seite im Bunker. Er begrüßte dies mit der knappen Bemerkung, angesichts der ganz ungewissen nächsten Zukunft müsse er einige Menschen, denen er vertraue, um sich haben.

Am 12. April kam Feldmarschall Kesselring zum letzten Mal zu Hitler, wohl, um sich aus erster Hand zu informieren. Hitler ließ keinen Zweifel daran, daß er noch nicht aufgegeben hatte. Kesselring ließ sich nichts vormachen und entschloß sich wahrscheinlich nach diesem Besuch, nach eigenem Gutdünken zu handeln. Nach außen zeigte er auch diesmal den ihm eigenen Optimismus. So verstand er es stets, seinen Männern Mut zu machen und alle zum Mitziehen, auch in der düstersten Lage, zu bewegen. Er war einige Tage zuvor auf dem Gut meiner Schwiegereltern gewesen und überbrachte mir Grüße meiner Frau.

Am Abend des 12. April traf die Goebbels sehr faszinierende Nachricht von Roosevelts Tod in Berlin ein. Er verbreitete im Reichskanzlei-Bunker seine Ansicht oder vielmehr die Hoffnung, daß dieser Tod die Wende in Deutschlands Schicksal bedeute. Er sah ein »Wirken der geschichtlichen Allmacht« und sprach davon, daß die »Gerechtigkeit« wieder sichtbar werde. Hitler betrachtete den Tod Roosevelts nüchterner, ohne großen Optimismus, aber er schloß doch nicht aus, daß dieser Tod politische Folgen für uns haben könnte. Hitler erwähnte, daß Roosevelt sich gegenüber England stets rücksichtslos verhalten habe und es stets sein Ziel gewesen sei, den Kolonialismus, durch den England groß geworden war, zu zerschlagen. Doch Goebbels klammerte sich an den Strohhalm und beeinflußte auch die Presse, die Nachricht von Roosevelts Tod mit den für Deutschland positiven Kommentaren zu versehen. Er hoffte auf die nun aufbrechenden Gegensätze zwischen West und Ost und suchte, diese nach Kräften zu schüren.

Dieser 12. April brachte mir selbst noch ein unvergeßliches Erlebnis. Speer hatte für den Mittag dieses Tages das Abschiedskonzert der Berliner Philharmoniker ermöglicht und mich eingeladen, daran teilzunehmen. Ich tat nichts lieber, als dieser Einladung zu folgen. Der Saal der Philharmonie war noch einigermaßen heil. Das Konzert versetzte uns in eine andere Welt. Zusammen mit Speer und dem Großadmiral Dönitz hörten wir das Finale aus der Götterdämmerung von Richard Wagner, das Violinkonzert von Beethoven und Bruckners 8. Symphonie. Wir gingen gemeinsam schweigend, tief beeindruckt über den völlig zerstörten Potsdamer Platz bis zur Reichskanzlei zurück.

Hitler traf nunmehr Vorkehrungen, um für den Fall der Teilung des Reichsgebietes in eine nördliche und südliche Hälfte die Führung sicherzustellen. Am 15. April gab er den Befehl heraus, in dem die Führung im Nordraum Dönitz, im Südraum Feldmarschall Kesselring übertragen wurde. Diesem Befehl ließ Hitler am gleichen Tag einen Aufruf an die Soldaten an der Ostfront folgen. Hitler erwartete eigentlich stündlich den Angriff der Russen über die Oder hinweg. Er hatte in den letzten Tagen mehrmals mit dem Oberbefehlshaber der 9. Armee an der Oder, General Busse, gesprochen und ihm alle noch verfügbaren Waffen zugeteilt. Seine letzte Hoffnung war die erfolgreiche Abwehr dieses Angriffs. Es hieß in diesem Aufruf: »Berlin bleibt deutsch. Wien wird wieder deutsch, und Europa wird niemals russisch.« Unter Hinweis auf Roosevelts Tod schloß er: »Im Augenblick, in dem das Schicksal den größten Kriegsverbrecher aller Zeiten von der Erde genommen hat, wird sich die Wende dieses Krieges entscheiden.« Ich habe heute noch keine überzeugende Antwort auf die Frage, was in diesem Aufruf Zweckoptimismus war und was Hitler selbst glaubte, so verwirrt erschienen mir Phantasie und Wirklichkeit. Meine eigene Auffassung stand seit Monaten fest. Die Russen und die Amerikaner würden das Deutsche Reich besetzen. Es gab keinerlei Anzeichen dafür, daß sie Halt machen würden, bevor nicht der letzte Quadratmeter in ihren Händen war. Hitlers Hoffnung in den letzten Monaten auf einen Bruch der west-östlichen Allianz zu diesem Zeitpunkt hatte ich nie teilen können. Seine politischen Gedanken eilten den Ereignissen erheblich voraus. Die Meinungsverschiedenheiten zwischen West und Ost würden sich nach meiner Überzeugung erst nach Abschluß des Krieges auswirken. Die Hoffnungen auf eine Art Hubertusburger Frieden waren seit langem illusorisch.

Somit steuerte die Entwicklung unausweichlich auf die bedingungslose Kapitulation hin. Wie das Kriegsende für mich persönlich aussehen würde, war ganz ungewiß.

Die russische Offensive über die Oder begann am 16. April mit eineinhalbstündigem Trommelfeuer einen der größten Artillerie-Aufmärsche der Kriegsgeschichte. Dann trat die Rote Armee zum Angriff an, den die Verteidiger in harten und schweren Kämpfen zunächst aufhalten konnten. Nach abermals eineinhalbstündigem zusammengefaßten Artillerie-Feuer am Nachmittag glückte der russische Durchbruch in die deutsche Stellung nördlich von Küstrin auf dem Westufer der Oder. Am 17. und 18. April setzten die Russen ihre Bemühungen fort, auf dem Westufer der Oder Fuß zu fassen, was zunächst im Raum südlich von Frankfurt gelang. In den nächsten Tagen stürzte die ganze Oderfront ein. Die Rote Armee führte an den Einbruchstellen sofort Panzerverbände nach und baute die gewonnenen Stellungen aus. Von hier aus setzten sie ihre Angriffe in den nächsten Tagen fort, einmal nördlich von Berlin im Raum von Oranienburg, südlich der Reichshauptstadt im Raum von Zossen. Es gehörte kein militärischer Scharfsinn dazu festzustellen, daß sie es auf die Einschließung Berlins abgesehen hatten. Gegenwehr war nur noch örtlich möglich. Im Süden wurde die Armee Busse, später die Armee Wenck immer weiter nach dem Westen über die Elbe zurückgedrängt, und im Norden von Berlin standen die letzten deutschen Verbände unter Generaloberst Heinrici und SS-Obergruppenführer Steiner. Auch diese konnten gegen die Übermacht keine geordnete Verteidigung mehr aufbauen, wurden aufgerieben und zurückgedrängt.

Hitler verfolgte in den Tagen bis zum 23. April die Entwicklung dieser Kämpfe mit großer Anteilnahme, griff wiederholt in die Führung ein, sah dann aber ein, daß von seiner Seite aus nichts mehr zu machen war. Die klarsten und nüchternsten Lagevorträge in diesen entscheidenden Tagen hielt der Oberstleutnant i.G. de Maizière. Er faßte in der Regel nachts die letzten Ereignisse des Tages ohne jede Beschönigung knapp und deutlich zusammen. Die meisten Zuhörer waren beeindruckt, und auch Hitler fand an seiner präzisen Ausdrucksweise Gefallen. Gute Nachrichten konnte er nach Lage der Dinge von der Ostfront nicht mehr erwarten. Um so mehr schätzte er de Maizières sicheres und unpathetisches Auftreten.

Zur Lagebesprechung am 20. April, Hitlers 56. Geburtstag, fanden sich alle noch in Berlin befindlichen prominenten Persönlichkeiten ein. Ich sah Göring, Dönitz, Keitel, Ribbentrop, Speer, Jodl, Himmler, Kaltenbrunner, Krebs, Burgdorf und andere. Vor dem Lagevortrag nahm Hitler ihre Geburtstagswünsche entgegen, ließ sich aber dann sofort die neuesten Ereignisse vortragen. Danach führte Hitler Einzelgespräche. Göring erklärte Hitler, daß er in Süddeutschland noch Wichtiges zu erledigen hätte. Wahrscheinlich gelänge es nur heute noch, im Wagen durchzukommen. Er verabschiedete sich von Hitler. Ich hatte den Eindruck, daß Hitler innerlich keine Notiz mehr von Göring nahm. Es war ein unschöner Augenblick. Auch der Großadmiral verabschiedete sich von Hitler. Er erhielt von Hitler die kurze Weisung, in Norddeutschland die Führung zu übernehmen und sich für einen ehrenvollen Kampf einzusetzen. Aus Hitlers Worten war auf das große Vertrauen zu schließen, das er Dönitz entgegenbrachte. Von den anderen Anwesenden, wie Himmler, Kaltenbrunner und Ribbentrop, verabschiedete sich

Hitler ohne viel Aufhebens. Ich hatte an diesem Tage den Eindruck, daß Hitler noch nicht entschlossen war, ob er Berlin verlassen oder bleiben sollte. Es herrschte viel Unruhe in den Bunkern der Reichskanzlei, ein Zeichen, daß an einen allgemeinen Aufbruch gedacht wurde. Von unserer Adjutantur reiste Puttkamer mit zwei Unteroffizieren zum Obersalzberg, um die dort befindlichen Unterlagen zu vernichten. Ich bat ihn, meine dort aufbewahrten Tagebücher auch den Flammen zu übergeben, was er versprach und gehalten hat. Gleiches geschah mit Schmundts Aufzeichnungen. Auch Fräulein Wolf und andere Mitglieder der persönlichen Adjutantur rüsteten zur Reise.

Am späten Abend versammelten wir uns in Hitlers kleinem Wohnraum zu einem Umtrunk. Es kamen Eva Braun, Frau Christian geb. Daranowski, Frau Junge geb. Humbs, auch Hitlers Diätköchin Fräulein Marzialy sowie Schaub, Lorenz und ich. Vom Krieg sprachen wir in dieser kleinen Runde nicht. Am besten verstand es wie immer Gerda Christian, Hitler auf andere Gedanken zu bringen.

Am 22. April drangen Keitel und Jodl in Hitler, er müsse die Stadt verlassen. Hitler war noch immer unschlüssig, als es während des Lagevortrages Heer zu einem Eklat kam. Die Meldungen der Oberbefehlshaber der um Berlin kämpfenden Armeen widersprachen einander. Man hatte den Eindruck, daß jeder für sich kämpfte, aber keinerlei geordneter Widerstand mehr möglich war. General Krebs konnte die Widersprüche nicht auflösen. Es wurde nicht klar, ob diese Entwicklung eine Folge des russischen Übergewichts oder des Zusammenbruchs der eigenen Führung war – als hätte dies noch getrennt werden können. Hitler erregte sich sehr. Er befahl allen Anwesenden bis auf Keitel, Jodl, Krebs und Burgdorf, das Besprechungszimmer zu verlassen, und ließ dann eine wütende Kanonade gegen die Führer des Heeres und ihre »langjährige Verräterei« vom Stapel. Ich saß vor der Tür im Nebenraum und bekam fast jedes Wort mit. Es war eine furchtbare halbe Stunde. Nach diesem Ausbruch war er sich aber über das Ende im klaren. Er befahl Keitel und Jodl, sich zu Dönitz zu begeben und den Kampf an dessen Seite fortzusetzen. Er, Hitler, werde in Berlin bleiben und sich das Leben nehmen.

Keitel und Jodl meldeten sich ab und fuhren nach Norddeutschland. Schaub erhielt den Auftrag, den Inhalt von Hitlers persönlichem Panzerschrank im Bunker zu vernichten, dann nach Berchtesgaden zu fliegen und die auf dem Obersalzberg befindlichen privaten Papiere zu verbrennen.

Der Kreis um Hitler verkleinerte sich beinahe stündlich. Man merkte, daß jeder mit seinen eigenen Gedanken beschäftigt war. Es herrschte eine eigenartige Atmosphäre an diesem Tage. Frisch und gelöst wirkte nur Goebbels' Staatssekretär Dr. Naumann, der allerdings immer nur kurz aus dem Propagandaministerium in den Führerbunker kam. Es war erstaunlich, wie gelassen Naumann auch in den folgenden Tagen blieb.

Am nächsten Tag, dem 23. April, ließ Dr. Goebbels in Presse und Rundfunk verbreiten, daß Hitler in Berlin bleiben würde und den Befehl über »alle zur Verteidigung Berlins angetretenen Kräfte« übernommen hätte. Alles andere überließ er mit diesem Tag Dönitz und Kesselring. Er behielt als einzigen militärischen Berater bei sich in der Reichskanzlei den Chef des Generalstabes des Heeres, General Krebs, der seinen Generalstabsoffizier, Major Bernd Frhr. v. Freytag-Loringhoven und den jungen Rittmeister Boldt mitgebracht hatte, die vor allem die telephonischen Verbindungen hielten, so lange dies noch möglich war. Sonst waren nur noch Bormann, Goebbels, Hewel, Voß, Flugkapitän Baur, Burgdorf mit seinem Adjutanten Oberstleutnant Weiss, Heinz Lorenz für die Presse-Verbindungen, Johannmeyer und ich von der militärischen Adjutantur und Günsche von der persönlichen Adjutantur im Bunker der Reichskanzlei.

Ablösung Görings

Nachmittags lief Görings Fernschreiben ein. Die erste Ausfertigung war an Hitler persönlich adressiert, die zweite an mich. Ich las sofort den Text: »Mein Führer! Sind Sie einverstanden, daß ich nach Ihrem Entschluß, im Gefechtsstand in der Festung Berlin zu verbleiben, gemäß Ihres Erlasses vom 29. 6. 1941 als Ihr Stellvertreter sofort die Gesamtführung des Reiches übernehme mit voller Handlungsfreiheit nach innen und außen? Falls bis 22 Uhr keine Antwort erfolgt, nehme ich an, daß Sie Ihrer Handlungsfreiheit beraubt sind. Ich werde dann die Voraussetzungen Ihres Erlasses als gegeben annehmen und zum Wohle von Volk und Vaterland handeln. Was ich in diesen schwersten Stunden meines Lebens für Sie empfinde, wissen Sie und kann ich durch Worte nicht ausdrücken. Gott schütze Sie und lasse Sie trotz allem baldmöglichst hierherkommen. Ihr getreuer Hermann Göring.« Ich erschrak bei der Lektüre und befürchtete Schlimmes, da an Hitlers kompromißloser Einstellung und seinem vollständigen Bruch gerade mit seinen alten Gefolgsleuten kein Zweifel mehr sein konnte. Ich ging mit dem Fernschreiben in der Hand sofort in den Führerbunker und stieß in dem gemeinsamen Vorraum auf Hitler und Bormann, die schon darüber sprachen. Hitler erkannte sofort, daß ich im Bilde war, und fragte mich nur: »Was sagen Sie dazu? Ich habe Göring seiner Posten enthoben. Sind Sie nun zufrieden?« Ich antwortete: »Mein Führer, zu spät.« Es schloß sich eine längere Unterhaltung an, in der Hitler versuchte, Görings Intentionen auf die Spur zu kommen. Ich nahm den Text wörtlich und vertrat die Ansicht, daß Göring tatsächlich glaube, noch mit den westlichen Führern verhandeln zu können. Dies bezeichnete Hitler als utopisch.

Am Nachmittag traf Speer im Führerbunker ein, um sich von Hitler zu verabschieden. Hitler sprach mit ihm auch über Görings Verhalten und hielt an seinem

Entschluß fest, Göring all seiner Posten zu entheben und ihn auf dem Obersalzberg in »Ehrenhaft« nehmen zu lassen. Dies war eine äußerst unangenehme und völlig überflüssige Aktion. Hitler erlag mit diesen Anordnungen ohne Zweifel Einflüsterungen Bormanns. Dieser schickte auch die nötigen Fernschreiben zum Obersalzberg. Ich sprach am Abend nochmals mit Hitler unter vier Augen über Göring und erkannte, daß er in etwa doch Verständnis für Görings Haltung aufbrachte. Er vertrat aber die Meinung, daß Göring als »zweiter Mann im Staate« nach seinen Weisungen arbeiten müsse. Danach gäbe es keine Verhandlungsmöglichkeit mit den Gegnern. Hitler befahl mir, Generaloberst Ritter v. Greim nach Berlin zu bestellen. Hitler wollte ihn zu Görings Nachfolger ernennen.

Am 24. April schloß sich der feindliche Ring um die Reichskanzlei immer enger. Russische Einheiten tauchten zwischen dem Anhalter und Potsdamer Bahnhof auf, gingen aber sehr langsam und vorsichtig vor und riskierten nichts. Dadurch blieb die Verbindung mit dem neuen Kommandanten von Berlin, General Weidling, erhalten. Er befehligte das LVI. Panzer-Korps, das sich von der Oder her nach Berlin durchgeschlagen hatte. Er fand sich auch jeden Tag zur Lagebesprechung im Bunker der Reichskanzlei ein. Seinen Gefechtsstand hatte er im Westen der Stadt.

Am 25. April trafen sich russische und amerikanische Truppen bei Torgau an der Elbe. Der Entlastungsangriff der »Armee Wenck«, Hitlers letzte Hoffnung, blieb vor Potsdam stecken. Ab 26. April unternahm Wenck Schritte, seine Truppen von den überlegenen russischen Kräften zu lösen und über die Elbe nach Westen zurückzuziehen. Das Zentrum Berlins lag unter zunehmendem russischen Artillerie-Feuer. Erste Einschläge erreichten die Reichskanzlei.

Die amerikanische Luftwaffe flog am 25. April einen einigermaßen theatralischen, militärisch ganz unsinnigen Angriff auf den Obersalzberg. Hitler hatte zwar seit langem damit gerechnet, aber nun, in den letzten Kriegstagen, als wenig wahrscheinlich angesehen. Er wußte, daß es gute Luftschutzeinrichtungen für die Bewohner gab, und machte sich keine besonderen Gedanken, wie ihn diese Aktion überhaupt kaum beeindruckte.

Einsetzung Greims

Greim traf am Spätnachmittag des 26. April wie befohlen in der Reichskanzlei ein, begleitet von Hanna Reitsch. Wegen einer Verwundung, die er sich auf dem Flug zugezogen hatte, mußte er sofort von Dr. Stumpfegger behandelt werden. Hitler suchte Greim im Sanitätsraum auf und führte ein sehr offenes und freimütiges Gespräch mit ihm, daß sich vornehmlich um Görings Verhalten drehte. Dann kam er auf die Aufgaben der Luftwaffe in den nächsten Tagen zu sprechen. Hitler erwartete ihr Eingreifen in der Schlacht um Berlin. Dabei war er nicht im Unklaren darüber, daß es faktisch keine kampffähigen Verbände gab. Mit diesem Befehl war der Höhepunkt seiner Selbsttäuschung erreicht. Hitler beförderte Greim zum Feldmarschall und ernannte ihn zum Oberbefehlshaber der Luftwaffe.

Greim, durchaus der Schonung bedürftig, sagte mir, daß er hier im Bunker das Ende erleben wollte. Auch Hanna Reitsch trat mit dieser Bitte an mich heran. Doch am 27. April entschied Hitler, daß Greim so bald wie möglich die Stadt verlassen müßte. Am 28. April gelang es mir mit viel Mühe, das Flugzeug von Greim wieder startklar zu bekommen. Greim und seine Begleiterin flogen tatsächlich aus diesem Tohuwabohu zunächst nach Rechlin, eine bemerkenswerte fliegerische Leistung.

27./29. April

Im Laufe des 27. April sprach Hitler mich abermals auf meine künftigen »Pläne« an. Ich antwortete ihm, daß ich zur Zeit gar keine »Pläne« machen könnte, sondern abwarten, wie sich die Lage entwickelte, und mich dann entscheiden würde. Meine Frau mit unseren Kindern wußte ich in Sicherheit. Hitler gab mir eine Ampulle Zyankali, damit ich im Falle einer schwierigen Situation Schluß machen könne. Ich steckte die Ampulle ein. Hitler sprach dann weiter und überraschte mich mit folgenden Worten: »Ich habe mich dazu entschlossen, dem Kommandanten von Berlin den Befehl zum Ausbruch zu geben. Ich selbst bleibe hier und sterbe an der Stelle, wo ich lange Jahres meines Lebens gearbeitet habe. Aber mein Stab soll den Ausbruch mitmachen. Es kommt mir vor allem darauf an, daß Bormann und Goebbels heil herauskommen.« Nachdem er ursprünglich darauf bestanden hatte, bis zuletzt von Personen seines Vertrauens umgeben zu sein, hatte er nun seine Ansicht ganz geändert. Ich fragte Hitler, ob er denn glaube, daß dieser Ausbruch angesichts der Zustände in Berlin überhaupt eine Chance habe. Er antwortete: »Ich glaube, daß die Situation jetzt eine andere geworden ist. Die Westalliierten werden nicht mehr auf der bedingungslosen Kapitulation von Casablanca bestehen. Aus den ausländischen Pressemeldungen der letzten Wochen geht zu deutlich hervor, daß die Konferenz von Jalta für Amerika und England eine Enttäuschung gewesen ist. Stalin muß Forderungen gestellt haben, denen die Weststaaten nur aus der Sorge, Stalin würde eigene Wege gehen, mit Widerwillen nachgegeben haben. Ich habe den Eindruck, daß die drei Großen in Jalta nicht als Freunde geschieden sind. Und dazu kommt jetzt noch, daß Roosevelt tot ist. Außerdem hat Churchill die Russen nie geliebt. Er wird ein Interesse daran haben, daß die Russen nicht zu weit nach Deutschland hereinkommen.« Hitler schloß damit, daß ich den Ausbruch mitmachen und mich zu Dönitz und Keitel durchschlagen sollte.

Ich ging sogleich zu Krebs und Burgdorf und berichtete ihnen über mein Gespräch mit Hitler. Krebs unterrichtete Weidling von dieser gewandelten Ansicht Hitlers und sagte ihm, er solle bei der abendlichen Lagebesprechung Vorschläge für den angeordneten Ausbruch unterbreiten. Voll Spannung gingen wir zu dieser Lage. Es gab nur schlechte Meldungen. Die Armee Wenck war nach anfänglichen Erfolgen von den Russen abgedrängt worden. Hitler verfiel – wie wiederholt in den letzten Tagen – bei diesem Vortrag erneut in Apathie. Weidlings Vorschlag für einen Ausbruch stützte sich darauf, daß der Vorstoß Wencks doch noch gelänge. Da dies jetzt als unwahrscheinlich erschien, verurteilte Hitler nun den Gedanken eines Ausbruchs und bezeichnete ihn als völlig aussichtslos.

Am gleichen Abend sprach Hitler lange mit Goebbels über dessen Absichten und das Schicksal seiner Familie. Goebbels selbst plante bereits seit längerer Zeit, zusammen mit seiner Frau und seinen fünf Kindern in Berlin zu sterben. Hitler versuchte vergeblich, ihn von diesem Entschluß abzubringen, aber willigte schließlich doch ein, daß Goebbels mit seiner Familie in den Bunker übersiedelte.

Am gleichen Tage, dem 28. April, brachte der alliierte Rundfunk die Nachricht, daß Heinrich Himmler den Alliierten die Kapitulation angeboten habe. Diesem Bericht zufolge hatte Himmler sich am 24. April mit dem schwedischen Grafen Bernadotte in Lübeck getroffen und diese Idee erörtert. Etwa gleichzeitig mit dieser Nachricht oder kurz vorher rief mich Fegelein an. Er erkundigte sich nach der Lage und sagte mir auf meine Frage hin, daß er »in der Stadt« sei. Ich nahm keinen Anstoß an dieser Äußerung und wurde erst nach der Meldung über Himmlers Kapitulationsgespräche hellhörig, die Hitler voller Verachtung aufnahm. Mir blieb nicht verborgen, daß sie ihn gleichwohl stark beschäftigte. Er hatte wohl zuletzt von Himmler einen solchen Schritt erwartet. Im Laufe des Tages nahm Hitlers Verbitterung über Himmlers Schritt noch zu. Er befahl Fegelein zu sich, der aber in der Reichskanzlei nicht aufzufinden war. Aber ein SS-Kommando ermittelte in kurzer Zeit seinen Aufenthaltsort und fand ihn in Zivil in einer Wohnung am Kurfürstendamm. Sie brachten ihn in die Reichskanzlei. Dort trat ein Standgericht zusammen, das Fegelein nach kurzer Verhandlung wegen Fahnenflucht zum Tode verurteilte. Das Urteil wurde sogleich vollstreckt.

Im Laufe des Tages häuften sich Meldungen, daß die restlichen deutschen Truppen von Berlin abgedrängt worden waren, sich zum Teil in Auflösung befanden oder über die Elbe nach Westen zurückgeworfen wurden. Es zeigte sich, daß Berlin nicht mehr entsetzt werden konnte. Hitler nahm diese Tatsache zur Kenntnis.

Nach dem Abendessen ließ Hitler durch Dr. Goebbels einen Standesbeamten holen, der ihn mit Eva Braun traute. Wir gratulierten, und Eva Hitler nahm die Glückwünsche in vollem Bewußtsein ihrer Rolle und des nahen Todes entgegen. Hitler bat uns anschließend zu einem kurzen Umtrunk in seinen Wohnraum.

Daran nahmen alle Bewohner des Bunkers teil, und wir bemühten uns, ungezwungen und fröhlich an alte Zeiten zu denken, eine einigermaßen geisterhafte Situation. Hitlers Trauung zu dieser Stunde, am Ende seines Lebens, war ein Dank an Eva Braun dafür, daß sie von sich aus zu ihm gekommen war, um an seiner Seite, mit ihm, die letzten Stunden des Dritten Reiches zu verbringen und sein Schicksal zu teilen.

Den weiteren Ablauf des Abends und der Nacht benutzte Hitler, um zwei Testamente zu diktieren, ein politisches und ein privates. Er unterschrieb sie am 29. April früh um 4 Uhr. Ich war sehr überrascht, als er mich plötzlich aufforderte, sein privates Testament neben Bormann und Goebbels als Zeuge gegenzuzeichnen. Das politische Testament war ein bedrückendes Zeugnis der Selbsttäuschung angesichts sogar des Lebensendes. Besonders peinlich berührten mich die wiederholten antisemitischen Ausfälle. Sehr eigenartig empfand ich auch die testamentarische Regelung der Nachfolge und die Einsetzung einer neuen Reichsregierung auf diese Weise, die dem Nachfolger wenig Handlungsfreiheit ließ. Diese letztwillige politische Verfügung war im Untergang des Reiches ein ganz bedeutungsloser Vorgang, wie die nächsten Stunden und Tage erwiesen.

Das private Testament begann mit einer gefühlsbetonten Danksagung an seine Frau, die entschlossen war, mit ihm in den Tod zu gehen. Es folgten eine Verfügung über die für Linz bestimmte Gemäldesammlung und eine allgemeine Regelung über Vermächtnisse für Familienangehörige und Mitarbeiter. Zum Testamentsvollstrecker bestimmte er Bormann.

Hitler hatte mit allem abgeschlossen; er ließ sich zwar noch im Laufe des Tages weiter über den Stand der Kämpfe um Berlin unterrichten, nahm aber nicht mehr viel Anteil an den Vorgängen. Die bis dahin noch durchaus normale Stimmung im Bunker – abgesehen davon, daß die Zuversicht auf einen Ausweg längst geschwunden war –, sank auf den Nullpunkt. Trauer, Niedergeschlagenheit, auch Verzweiflung verbreiteten sich nun, die Masken fielen ganz. Jeder machte sich Gedanken, welchen Weg er nach Hitlers Tod einschlagen sollte und konnte. Hitlers Stimmung wechselte in diesen letzten Tagen mehrmals, so daß es in jeder Beziehung schwer war, ihm in seiner Einstellung noch zu folgen. Die Zeit, daß wir gewissermaßen nur in offizieller Haltung vor Hitler standen, war lange vorbei. Die Gespräche fanden in sehr zwangloser Form statt, und jeder sagte offen seine Ansichten. Hitler selbst wurde immer noch, zuletzt vielleicht sogar wieder, als großer Mann anerkannt, groß in einem durchaus moralfreien Sinne, als ein Revolutionär, vor dem wir immer noch Respekt hatten und zu dem wir einen gewissen Abstand hielten. Geistig wirkte er noch keineswegs verfallen, sondern ganz da und völlig unverändert.

Ich habe in den Jahren meines Dienstes wiederholt darüber nachgedacht, ob Hitler, katholisch getauft und in den Bräuchen seiner Kirche aufgewachsen, in einer religiösen Bindung stand. Zeichen von Kirchenfrömmigkeit beobachtete ich niemals, allerdings auch nicht die haßerfüllte antikirchliche Einstellung etwa Bormanns, dessen Primitivität und Ungeschliffenheit mich nicht nur in diesem Punkte abstießen. Ich zweifle nicht, daß Hitler auf seine Weise an die Allmacht Gottes glaubte, der er sich aber nicht demütig fügte. In seinen politischen Handlungen und seiner Einstellung zum Beispiel zu den Juden oder den »slawischen Untermenschen« fühlte er sich an kein Sittengesetz gebunden, war aber überzeugt, stets zum Wohle des deutschen Volkes zu handeln, ja im Einverständnis mit der »Vorsehung« handeln zu müssen. Diese Einstellung zerbrach zuletzt, als er sich von allen Gefolgsleuten, denen er vertraute und deren Schwächen er ihnen nachgesehen hatte, verraten und verlassen fühlte. Nun zeigte in den letzten Wochen auch »das Volk« Zeichen von Schwäche, das bis dahin in allen Prüfungen standhaft gewesen war. Er wollte nicht zugestehen, daß die Anforderungen des Krieges einfach zu viel gewesen waren, sondern verfiel in einen primitiven Darwinismus, daß in diesem Kampf eben der Stärkere siege. Das deutsche Volk habe sich als schwächer erwiesen und würde somit aufhören, unter den Völkern dieser Erde eine Rolle zu spielen. Daher war es in seinem Verständnis nur konsequent, daß er auf der strikten Anwendung des »Nero-Befehls« beharrte, der zum Ziele hatte, Deutschland in »verbrannte Erde« zu verwandeln. Das schwächere Volk bedürfe auch keiner Lebensgrundlagen mehr, meinte er: »Was morsch und alt ist und fallen muß, soll man nicht stützen, sondern stoßen.« Die Zukunft aber gehöre dem stärkeren Volk im Osten, wurde er zuletzt nicht müde zu betonen.

Den genauen Zeitpunkt seiner sich radikal wandelnden Einstellung zum deutschen Volk vermag ich nicht anzugeben, aber ich habe beide Tonarten, das Lob und die Verdammung, noch deutlich im Ohr. Jede war zu ihrer Zeit Ausdruck seiner Überzeugung. Noch, als er den Krieg militärisch wohl schon als verloren ansah, nach der Ardennen-Offensive, sprach er davon, das Volk habe »bis zum Schluß« durchgehalten und sei ihm gefolgt.

Auffallend war auch seine beinahe kultische Verehrung Friedrichs des Großen. Immer wieder sprach er von dessen Pflichtbewußtsein, dem »toujour en vedette«, seiner äußeren und inneren Bescheidenheit, seinem Mut, seiner Tapferkeit, seiner Toleranz, seinem Mitempfinden für seine Soldaten und seiner Treue zu seinen Ratgebern – Eigenschaften, die er bei sich selbst wiederzuerkennen glaubte. Toleranz übte er zwar seiner Umgebung gegenüber, erwies sich da auch als verständnisvoll, teilnehmend, mitleidend. Im großen waren ihm diese Eigenschaften indes fremd, mindestens verdrängte er sie.

Ein wesentlicher Antrieb für seine Handlungen gegen Ende des Krieges war es, daß die Gegner es ja nach ihren wiederholten eigenen Bekundungen nicht allein auf seine Vernichtung abgesehen hätten, sondern das Deutsche Reich zerschlagen und das deutsche Volk insgesamt bestrafen wollten.

Am 29. April mittags fragte ich Hitler, ob er mir erlauben würde, daß ich versuchte, mich nach Westen durchzuschlagen. Er ging sofort darauf ein und meinte nur, daß das doch wohl kaum noch möglich sei. Ich sagte ihm, daß nach meinem Eindruck heute der Weg nach Westen noch frei sei. Über die Gefährlichkeit meines Vorhabens machte ich mir keine Illusionen. Er gab mir die Erlaubnis zu gehen und sagte, ich solle mich zum Großadmiral begeben. Am Nachmittag traf ich meine Vorbereitungen und entschied mich für »leichtes Gepäck«, Brotbeutel und Maschinenpistole. Am Abend nahm ich noch an der Lagebesprechung teil und meldete mich danach bei Hitler ab. Er gab mir zum Abschied die Hand und sagte nur: »Alles Gute«. Über das, was dann im Bunker geschah, weiß ich nur vom Hörensagen.

Zusammen mit dem langjährigen Burschen in unserer Adjutantur, Mathiesing, ging ich durch die unterirdischen Gänge der Reichskanzlei zum östlichsten Ausgang bei den Garagen und verließ um Mitternacht am 29. April das Gebäude der Reichskanzlei, als letzter der militärischen Adjutanten und der engeren militärischen Umgebung Hitlers.

Beim Hinaustreten aus der Reichskanzlei sah ich vor mir ein einziges Inferno. In dichtem Gewirr lagen Kabel, Trümmer, Fahrleitungsdrähte der Straßenbahn herum, ringsum Ruinen, Bombentrichter, Artillerie-Einschlaglöcher. In der Gegend vom Potsdamer Platz brannte es. Über der ganzen Stadt, soweit ich sehen konnte, lag eine Art Glocke von Qualm, Feuer und Dunst der vielen von allen Seiten aufleuchtenden Brände. Ich fragte mich, wo es schlimmer war, unten im Bunker oder hier oben im Feuer der Russen? Wir nahmen unseren Weg nach Norden entlang der Hermann-Göring-Straße bis zum Brandenburger Tor und bogen dort nach links in den Tiergarten ab, entlang der Ost-West-Achse, und marschierten an der Siegessäule vorbei bis zum Bahndamm der Eisenbahn, machten dort wieder links um und erreichten nach wenigen Schritten den großen Luftschutzbunker. Auf diesem Marsch durch die brennende und zum großen Teil zerstörte Stadt empfand ich eine ungeheure Erleichterung. Mir wurde bei jedem Schritt klarer, daß ich jetzt keine Aufgabe mehr hatte. Mir war ganz gleichgültig, was mit mir geschehen könnte. Ich war aller Verantwortung und der drückenden Last der letzten Jahre ledig.

So trat ich in den Luftschutzbunker, sprach den dortigen Kommandeur und erkundigte mich, was er von der Lage wußte. Mich interessierte am meisten, ob der Weg hinaus zum Westen der Stadt und an die Havel heute nacht noch feindfrei wäre. Er riet mir, entlang der Kantstraße bis zum Reichskanzlerplatz zu gehen und von dort durch die Reichsstraße zum Reichssportfeld, wo ich wieder eine Dienststelle treffen würde. Wir machten uns auf den Weg, kamen aber langsamer voran als angenommen. Es war dunkel, und die Straße war mit Trümmern übersät. Wir benutzten die Südseite der Straße und gingen ganz dicht an der Ruinenfront entlang. Hier und da fragte man uns nach der Parole, die wir kannten. Die Straßenseite, an der wir uns in Deckung, springend und kletternd, entlangbewegten, war nur mit einer lockeren Postenkette besetzt. Auf der anderen Seite der Straße sollte der Russe stehen, der sich aber nicht bemerkbar machte. Wir kamen gut bis zum Reichskanzlerplatz und weiter zum Reichssportfeld. Dort fanden wir nach einigem Suchen auch den Stab der Truppe, die beiderseits der Heerstraße an der Havel in Pichelsdorf eingesetzt war. Man riet uns, gleich weiterzugehen, denn man wüßte nicht, was der Tag bringen würde. Am Morgen erreichten wir die Havel. Hier lag ein Bataillon HJ. Die Jungen machten auf mich einen sehr guten Eindruck. Mit Begeisterung und Ernst erfüllten sie ihren Auftrag. Was würden die nächsten Stunden und Tage für sie bringen? Es war ein schrecklicher Gedanke, daß diese prächtige Jugend in den letzten Kämpfen sinnlos sich opferte.

Der Kommandeur gab mir einen jungen HJ-Führer mit, der mir zeigte, wo ich ein Boot für die Überfahrt über die Havel finden würde. Er sagte mir auch, weiter stromaufwärts sei das Westufer der Havel noch feindfrei, soviel er wisse. Wir blieben den ganzen Tag hier liegen. Von Zeit zu Zeit schoß es, aber ohne jede Wirkung.

Nach Einbruch der Dunkelheit bestiegen wir unser Boot, ein schwierig zu bedienendes Einsitzer-Rennboot. Aber wir kamen gut ab und fuhren in der Mitte der Havel nach Süden, bis wir am Westufer die Wohnhäuser der Kriegsakademie erkannten. Hier bogen wir rechts um und fuhren direkt an das Ufer. Gespannt warteten wir ab, was sich tat. Aber es blieb völlig ruhig. Kein Mensch war zu sehen oder zu hören. Ich warf meine Maschinenpistole in die Havel. Vorsichtig begannen wir unseren Weg. Als erstes entdeckten wir gleich bei unserer Landestelle ein vor kurzem erst geräumtes Lager. Dann gingen wir genau nach Westen und erreichten, ohne einen Menschen zu sehen, das Gelände des Truppenübungsplatzes Döberitz. Hier wähnten wir uns sicher. Und so war es auch. Wir trafen hier und da versprengte Soldaten, einmal sogar noch eine geschlossene Kompanie, die sich verschossen hatte. An der Westgrenze des Truppenübungsplatzes schien es mir zweckmäßig, etwas auszuruhen. Wir verkrochen uns in das Dickicht und versuchten zu schlafen. Aber viel wurde nicht daraus. So zogen wir im Laufe des Vormittags, es war der 1. Mai, weiter nach Westen. Wir waren sehr vorsichtig, denn auf den Straßen fuhren die Russen in großer Zahl herum. Es dauerte auch nicht lange, bis wir erkannt waren und schnell in Richtung eines Waldstückes verschwinden mußten. Dorthin verfolgte man uns nicht, und wir beschlossen, den Tag hier zu verbringen. In der Nacht marschierten wir auf Feldwegen, teilweise auch querfeldein in nordwestlicher Richtung, immer nach dem Kompaß. Mit Hellwerden beschlossen wir, wieder ein dichtes Waldstück aufzusuchen, und blieben dort den ganzen Tag über liegen. Diesmal war ich so müde, daß ich sogar einige Zeit schlief. Vor dem Weitermarsch am Abend entschlossen wir uns zu versuchen, in einem der Landhäuser Zivilkleidung zu erhalten. Mir schien es, daß die Kampfhandlungen in diesem Gebiet beendet waren. Auf den großen Straßen, die wir beobachten konnten, bewegte sich eine große Menge Menschen, ohne daß Kontrollen stattfanden.

Nach Einbruch der Dunkelheit marschierten wir weiter und erreichten einen abgelegenen Bauernhof. Ein geringer Lichtschein ließ erkennen, daß er bewohnt war. Erst nach wiederholtem Klopfen und Rufen öffnete man uns. Wir trafen zwei Paare an, deren wechselseitige Bindungen unklar schienen. Sie nahmen uns aber ganz freundlich auf und gaben uns reichlich zu essen. Unter einigen Schwierigkeiten gelang es sogar, unsere Uniformen gegen »Räuberzivil« zu vertauschen. Dann verließen wir das Wohnhaus und legten uns in der Scheune ins Stroh. Hier habe ich zum ersten Mal wieder gut geschlafen.

Am nächsten Vormittag, dem 3. Mai, setzten wir unseren Marsch bei schönem Wetter an einem Bahndamm entlang in nordwestlicher Richtung fort. Doch das war ein Fehler. Nach einiger Zeit hielt uns eine russische Wache an und brachte uns in das nächste Dorf, von wo aus wir nach einiger Zeit auf einem Lkw, zusammen mit anderen gleich uns aufgegriffenen Soldaten, abtransportiert wurden. Wir fuhren eine Weile, bis wir an die große Straße Berlin-Nauen-Friesack kamen, die überquert werden sollte. Hier klopfte ich heftig an das Führerhaus und rief: »Stoi«. Der Wagen hielt tatsächlich. Mathiesing und ich sprangen ab und tauchten in der Masse der Fußgänger unter, die sich auf dieser Straße in allen Richtungen bewegte. Wir erkannten, daß wir uns in der Menge sehr viel unauffälliger bewegen konnten, und marschierten weiter in Richtung Nordosten, bis wir am Eingang von Friesack nicht weiterkamen. Hier war der ganze Verkehr gesperrt. Wir entschlossen uns, in einem der umliegenden Häuser in einem winzigen Zimmer, recht unbequem in einem Bett, die Nacht zu verbringen. Am nächsten Tag, dem 4. Mai wurde im Laufe des Nachmittags die Straßensperre aufgehoben und die inzwischen aufgestaute Menschenmenge setzte ihren Weg in nordwestliche Richtung fort. Wir gelangten am späten Abend in die kleine kaum noch bewohnte Stadt Sandau an der Elbe. Es schien, daß der Ort erst vor ganz kurzer Zeit von den Russen geräumt worden war. Wir quartierten uns in der verlassenen Villa eines Arztes ein. Es gab im Hause zu essen und zu trinken, ein wesentlicher Grund, dort zunächst zu bleiben.

Nach wie vor war es unser Ziel, das westliche Elbufer zu erreichen. Auf dem Weg dorthin gerieten wir abermals für kurze Zeit in russische Gefangenschaft. Das Waldlager, in das man uns brachte, war kaum bewacht. An der Feldküche bekamen wir eine kräftige Mahlzeit. Ein dort eingesetzter deutscher Kriegsgefangener zeigte uns einen aus dem Wald herausführenden, von den russischen Wachen unkontrollierten Weg, und wir entkamen zum zweiten Mal. Nun entschlossen wir uns, nichts mehr zu riskieren, sondern in Ruhe eine günstige Gelegenheit abzuwarten. Mathiesing und ich beschlossen, uns in Havelberg, dem nächsten Ort in nördlicher Richtung, polizeilich zu melden und eine Unterkunft zu suchen. Wir kamen in einem teilweise zerstörten Gasthof unter und erboten uns – gegen Kost und Logis – dem dort lebenden älteren Ehepaar bei der Instandsetzung zu helfen. Zuerst mußte das Dach wieder gedeckt werden. Die Ziegel lagen im Hof. Das Geschäft kam auf dieser Basis zustande, und wir blieben dort etwa vier Wochen. Beim Meldeamt erhielten wir Papiere und Lebensmittelmarken. Ich ließ mich als »Claus Nagel« eintragen und lebte die nächsten Monate unter diesem Namen.

Mit der Dachreparatur kamen wir gut voran. Das Wetter blieb schön. Wir hatten für den Augenblick kaum Sorgen, hielten aber Augen und Ohren offen, um jederzeit unseren Weg nach Westen fortsetzen zu können. Havelberg liegt im Zentrum eines bekannten Spargelanbaugebietes. Es war gerade die Zeit der Ernte. Da der Spargel nicht, wie sonst üblich, nach Berlin geliefert werden konnte, haben wir die ganze Zeit in Havelberg fast nur von Spargel gelebt.

Anfang Juni entschied Mathiesing sich, auf anderem Weg sein Ziel zu erreichen, und trennte sich von mir. Ich entschloß mich, das Quartier in Havelberg aufzugeben, und fuhr mit der Eisenbahn in Richtung Burg bei Magdeburg. Dort wohnte in einem kleinen Dorf an der Elbe die Mutter des Feldwebels Lepper aus unserer Adjutantur. Ich kannte sie von einem Besuch im letzten Winter, wurde herzlich aufgenommen und gut versorgt. Nun war ich meinem Ziel ganz nahe. Die russische Besatzung stellte jeden Morgen ein Gefangenenkommando zur Heuernte in den Elbwiesen zusammen. Die Wachposten standen auf dem Elbdamm, der in unterschiedlicher Entfernung vom Elbufer verlief. Die Gefangenen übernahmen diese Arbeit nicht ungern, da sie auch auf eine Gelegenheit zur Flucht lauerten.

Nach kurzer Beobachtung hatte ich eine Möglichkeit ausgekundschaftet, wie der Elbübergang gefahrlos glücken könnte, und deutete meiner freundlichen Gastgeberin am nächsten Morgen an, daß ich möglicherweise nicht zurückkommen würde. Am Vormittag beteiligte ich mich eifrig bei der Heuernte und benutzte die Mittagspause, um mich in einem großen Gebüsch direkt an der Elbe zu verstecken. Der Nachmittag wurde spannend. Hat der Russe etwas gemerkt oder nicht? Nein, die Nachmittagsarbeit endete, ohne daß mein Verschwinden aufgefallen war. Mit beginnender Dämmerung bereitete ich in Ruhe meinen Übergang vor und fand ein Brett, auf dem ich meine wenigen Sachen befestigte. Der Abend blieb warm, und auch die Nacht brachte nur sehr wenig Abkühlung. Etwa um Mitternacht glitt ich vorsichtig ins Wasser und schwamm auf die andere Seite der Elbe. Die Strömung trieb mich etwas ab. Es dauerte vielleicht 20 Minuten, bis ich wieder Boden unter den Füßen hatte. Ich war unendlich froh, daß meine Flucht so glücklich geendet hatte, und glaubte mich jetzt in der britischen Besatzungszone zunächst einmal in Sicherheit. Nach einer kurzen Ruhepause in einem Gebüsch machte ich mich auf den Weg. Es war Mittwoch, der 20. Juni 1945.

Teils zu Fuß, teils auf öffentlichen Verkehrsmitteln erreichte ich Magdeburg, von da aus Wanzleben, einen alten Besitz der Familie meiner Frau, der noch in Händen eines Onkels meines Schwiegervaters war. Ich suchte dessen Sohn, Klaus Kühne, auf, der mit seinen sieben Kindern aus Hinterpommern hierher geflüchtet war. Sie nahmen mich rührend auf, versorgten mich und brachten mich am nächsten Tag weiter auf ein Gut in der Nähe von Nienhagen, das ein Vetter meiner Schwiegereltern bewirtschaftete. Auch hier wurde ich herzlich aufgenommen. Nachdem wir meine etwas komplizierte Lage besprochen hatten, fuhr er nach Nienhagen und holte meinen Schwiegervater. Es wurde ein glückliches Wiedersehen. Wir überlegten, wo ich zunächst unterkommen könnte. Dann setzte ich meine Reise fort. Dazu war mein Schwager, der erst 24 Stunden vor mir aus Schleswig-Holstein zu Hause eingetroffen war, mit Pferd und Wagen gekommen. Gemeinsam hatten wir eine herrliche Fahrt durch das sommerliche Land bis zum Nachbargut von Nienhagen.

Nienhagen, Wernigerode, Bonn

Dort blieb ich. Erst nachts ging ich zu Fuß nach Nienhagen, traf dort meine Frau und sah unsere Kinder in tiefem Schlaf. Jetzt war ich wieder zu Hause, glaubte ich. Doch das war ein Irrtum.

Wir beschlossen, nach Wernigerode zu ziehen. Dort war meine Frau bereits in einer Klinik angemeldet, wo unser Kind zur Welt kommen sollte. Unser Schwager Behr, der aus dem Rheinland kurz nach Nienhagen kam, wollte mich überreden, sofort dorthin mitzukommen, da er sich sicher war, daß die Provinz Sachsen in wenigen Tagen unter russische Herrschaft kommen sollte. Wir lehnten das wegen der bevorstehenden Geburt ab. In Wernigerode fanden wir ein kleines Zimmer für uns im Hause einer alten Frau und ließen uns dort zunächst nieder. Am 28. Juli wurde unsere Tochter Christa geboren. Die große Freude darüber lenkte uns für kurze Zeit von den drängenden Alltagssorgen ab. Ich befürchtete vor allem die Enteignung allen Grundbesitzes in der russischen Zone.

Während meine Frau noch in der Klinik lag, brachte eine Säuglingsschwester den »Völkischen Beobachter« vom 1. September 1939 mit, die Ausgabe mit dem großen Bild von Hitler und mir bei Kriegsbeginn. Ich mußte befürchten, festgenommen zu werden, und floh mit Hilfe der Familie meiner Frau in den Westen, zunächst nach Schöningen. Dort half mir der Viehhändler meines Schwiegervaters weiter nach Bonn zu meinem Schwager Behr, der mich zunächst – immer noch unter meinem in Havelberg angenommenen Namen – bei Bekannten, der Familie

v. Groote, unterbrachte, die mich trotz der schwierigen wirtschaftlichen Verhältnisse dieser Zeit überaus gastfreundlich aufnahmen.

Im Sommer 1945 verloren meine Schwiegereltern ihren schönen Besitz Nienhagen. Dies brachte viel Unruhe und Sorgen. Meine Frau besuchte mich in Bonn,
und wir überlegten gemeinsam, was wir tun sollten, ohne daß wir gleich einen
Ausweg fanden. Aber wir gaben die Hoffnung nicht auf.

Im Herbst schrieb ich mich an der Universität Bonn zum Studium der Wirt-
schaftswissenschaften ein, fand in Bad Godesberg ein heizbares Zimmer und konzentrierte mich ganz auf diesen neuen Lebensabschnitt. Diese Zeit wurde nur
überschattet durch die Folgen der Nienhagener Enteignung. Im Herbst mußte
meine Familie Nienhagen räumen und siedelte in den Westen über. Mit Hilfe
vieler Freunde und über die verschiedensten Stationen gelang es meiner Frau, um
die Weihnachtszeit in Detmold ein neues Quartier zu finden.

Gefangenschaft Iserlohn, Bad Nenndorf

Am 7. Januar 1946 wurde ich in Godesberg auf Grund einer Denunziation von
den Briten festgenommen. Ich rechnete mit einer längeren Gefangenschaft, obwohl der sehr höfliche und korrekte Offizier, der mich abholte, nur von einer Vernehmung sprach. Nach einer Nacht im Gefängnis Bonn brachten sie mich in einem Straßen-Panzer-Spähwagen in das Vernehmungslager nach Iserlohn. Dort
nahm mich ein wild schreiender britischer Unteroffizier in Empfang, der eine
peinlich genaue Leibesvisitation vornahm. Danach wies er mich in eine Baracke in
ein ungeheiztes Zimmer mit acht oder zehn Betten und ebenso vielen Insassen ein.
Von meinem Tascheninhalt beließ man mir das Taschentuch. Nach zwei Tagen in
der kalten Baracke begannen die Vernehmungen. Der Vernehmungsoffizier war
ein ruhiger, sehr sachlicher und sympathischer Mann. Nach Feststellung meiner
Personalien interessierten sich die Engländer nur für die letzten Wochen in der
Reichskanzlei. Da ich keinerlei Geheimnisse zu verbergen hatte, beantwortete ich
die Fragen ganz offen und freimütig. Allmählich wurde klar, daß die Engländer
glaubten, Hitler habe geheime Befehle und Anweisungen über die Fortsetzung
des Kampfes nach seinem Tode gegeben. Dies konnte ich guten Gewissens verneinen, denn derartige Befehle gab es nicht. Ich hatte den Eindruck, daß man mir
Glauben schenkte. Nach drei, vier Vernehmungen ließ man mich in Ruhe, und es
wurde ziemlich langweilig, da wir auch kaum Lektüre hatten. Für einige Zeit war
der Journalist Hans-Georg v. Studnitz mit mir zusammen eingesperrt. Er unterhielt uns mit Geschichten und Anekdoten. Für einige Zeit befanden sich auch
acht junge Juden aus Osteuropa in unserem Barackenraum. Die Gespräche mit
ihnen waren eine willkommene Abwechslung.

Am 8. Februar wurde ich in das Vernehmungslager Bad Nenndorf verlegt. Über dieses Lager liefen schon in Iserlohn wilde, kaum glaubliche Gerüchte um. Die Wirklichkeit übertraf noch alle Erwartungen. Wieder das schon aus Iserlohn gewohnte Gebrüll bei der Ankunft, erneute Leibesvisitation, schließlich Wegnahme der Kleidung. Man gab mir irgendwelche Klamotten dafür und steckte mich in ein allerdings tagsüber geheiztes Einzelzimmer, in dem sich ein Bett, ein Tisch und ein Stuhl befanden. Man durfte sich nur im Laufschritt bewegen, stets untermalt vom lauten Geschrei der Posten. Das Essen war unzureichend und schlecht. Bad Nenndorf, wo ich fast drei Monate zubrachte, stellte den absoluten Tiefpunkt meiner Gefangenschaft dar. Nachts hörte ich oft Mitgefangene schreien. Die Vermutung lag nahe, daß man sie mißhandelte. Nach einigen Tagen »Eingewöhnung« wurde ich zur ersten Vernehmung geholt.

Im Trab mußte ich die Flure entlang laufen. Die Vernehmer ließen mich stundenlang stehen und griffen das schon in Iserlohn eingehend erörterte Thema – Hitlers vermeintliche geheime Anordnungen – erneut auf, nur mit dem Unterschied, daß sie mir nun nicht glaubten. Als ich bei der Wahrheit blieb und im guten Glauben und besten Wissens die Existenz solcher Befehle bestritt, verschärfte sich die Tonart, und die Behandlung wurde noch miserabler. Man setzte mich auf noch schmalere Kost, entfernte das spärliche Mobilar aus meiner Zelle und warf mir nachts eine Decke hinein, in die ich mich zum Schlafen auf dem Boden einrollte. Allerdings dauerte die »Nachtruhe« nur vier Stunden. Morgens um 4 Uhr holte der Posten die Decke heraus. Dies dauerte etwa eine Woche, in der ich auch nicht vernommen wurde. Dann führte man mich wieder vor, und ich wiederholte meine Aussage. Einer der Vernehmer, die auf verschiedene Weise aus mir herauszulocken versuchten, was sie hören wollten, war übrigens der britische Historiker Hugh Trevor-Roper.

Mein hartnäckiges »Leugnen« hatte zur Folge, daß die Beugehaft fortgesetzt wurde. Dies wurde mir schließlich zu dumm, und ich entschloß mich, einfach, um meine Lage zu verbessern, den Engländern einen Bären aufzubinden. Als ich meine Bereitschaft erklärte, nun »wahrheitsgemäß« auszusagen, führte man mich sogar dem Kommandeur des Vernehmungszentrums vor, der mit zwei anderen Offizieren in lächerlich offizieller Form in voller Uniform mit Koppel und Mütze Platz genommen hatte, um die Wichtigkeit seiner Aufgabe – und meiner erwarteten Aussage – zu beweisen. Ich erzählte ihnen, ohne jedoch allzu dick aufzutragen, eine Mischung von Dichtung und Wahrheit. Die letzten Tage im Bunker beschrieb ich dabei so, wie ich sie erlebt hatte. Als ersten Erfolg konnte ich verbuchen, daß meine Zelle wieder eingerichtet wurde. Man brachte Papier und Schreibzeug, und ich legte meine Aussage in zehn Punkten schriftlich nieder. Von da an ließ man mich in Ruhe; ich blieb aber zunächst noch in Einzelhaft. Es hat mir später nicht geringes Vergnügen bereitet, in Trevor-Ropers Buch »The Last

Days of Hitler« (1947) den Quatsch über Hitlers Auftrag an mich zu lesen, Keitel eine geheime Botschaft zu überbringen.

Die Einzelhaft in Nenndorf war sehr deprimierend, und ich suchte nach Ablenkung. Ich hatte keine Langeweile mehr, als ich einen Bleistiftstummel fand und damit auf Klopapier ein Märchen für meine Kinder niederschrieb, die Geschichte eines kleinen Jungen auf einer Weltreise.

Nach einiger Zeit wurde ich in einen Flur im Erdgeschoß des Hauses verlegt. Hier waren die Zellen nicht verschlossen, und wir hatten tagsüber Bewegungsfreiheit. Unter den etwa 40 in einem Dutzend Zellen untergebrachten Mithäftlingen fand ich interessante Gesprächspartner und traf manche Bekannte. Ich erinnere mich an zwei Vorstandmitglieder der Hermann-Göring-Werke, einige Diplomaten und mehrere Offiziere aus dem OKW. Ich traf den Journalisten Heinz Lorenz aus der Reichskanzlei und Freytag-Loringhoven aus dem Stab des Generals Krebs. Auf diesem Flur lebte ich bis zum 11. Juli.

Die Engländer, für die wir Luft waren, behandelten uns als Kulis und teilten uns vormittags und nachmittags dazu ein, ihre Zimmer aufzuräumen, zu reinigen und Geschirr zu spülen. Dafür erhielten wir allerdings zusätzliche Essensrationen, so daß ich rasch wieder zu Kräften kam.

In Einzelhaft war ich natürlich ganz von Informationen über das Leben und die Ereignisse »draußen« abgeschlossen gewesen; nun, nach über einem Vierteljahr, konnte ich wieder Zeitungen lesen. Was man da las, war zwar höchst unerfreulich. Aber nach einem verlorenen Krieg und einer Staatskatastrophe diesen Ausmaßes mußten wir uns damit abfinden, ganz von unten – und neu – anzufangen. Mich beschäftigte besonders, daß meinetwegen noch im Januar in Bonn vor einem britischen Militärgericht unter erheblichem Aufwand und großer Publizität ein Strafverfahren gegen die Menschen stattgefunden hatte, die mir bei meinem »Untertauchen« behilflich gewesen waren, darunter mein Schwiegervater, mein Schwager Behr und Fräulein Maria v. Groote, die drei Monate Haft erhielten, weil sie mich nicht verraten hatten.

Zedelghem, Munster, Adelheide, Nürnberg

Am 11. Juli 1946 transportierte man mich in das britische Gefangenenlager Zedelghem bei Brügge. Die Fahrt auf einem Lastkraftwagen ist mir unvergeßlich. Ein General des Heeres, Freytag-Loringhoven und ich waren aneinander gekettet und konnten uns kaum bewegen. Zedelghem war in mehrere »cages« eingeteilt, für Generale, Generalstabsoffiziere und Stabsoffiziere. Der Zufall wollte es, daß einer der Lagerdolmetscher ein alter Schulkamerad aus Hannover war. Durch ihn hatte ich manche Annehmlichkeit. Die Lebensverhältnisse in Zedelghem waren unwürdig. Eine Pritsche in einer Baracke mit über 100 Insassen bildete lange Zeit den einzigen privaten Lebensraum. Ich brauchte Zeit, um mich an diese Lebensumstände zu gewöhnen. Immerhin traf ich viele Bekannte; es bürgerte sich ein regelmäßiger Tageslauf ein. Der schöne Sommer tat ein übriges, so daß der Aufenthalt einigermaßen erträglich wurde. Allerdings zehrte die Ungewißheit sehr an den Nerven. Es fand sich ein netter Kreis zu Gesprächen, Spaziergängen und zum abendlichen Bridge zusammen.

Wir lebten von Gerüchten. Ein vieldiskutiertes Thema war die bevorstehende Auflösung und Verlegung des Lagers nach Deutschland. Hieran knüpften sich viele Spekulationen. Am 8. September wurden wir tatsächlich in das Kriegsgefangenenlager Munster verlegt, in überraschend luxuriösem Transport in D-Zug-Wagen der damaligen 2. Klasse. Die Unterbringung in Munster entsprach jetzt unserem Dienstgrad. Ich teilte ein halbes Jahr das Zimmer mit dem mir gut bekannten Oberst Radusch, zuletzt einer der erfolgreichsten Nachtjagdkommodores. Im Frühjahr 1947 standen die niederen Dienstgrade und die »harmloseren Fälle« zur Entlassung an, während sich die sogenannten »Nazi-Offiziere« auf eine längere, ganz ungewisse Haftdauer einstellen mußten. Die Entscheidung für eine längere Haft fiel nach der Überprüfung der Lebensläufe, der persönlichen Einstellung zum Dritten Reich und zu der derzeitigen politischen Lage in Deutschland, dem sogenannten »screening«. Mich sah man natürlich als besonders gefährlich an und verlegte mich mit anderen Kameraden am 30. Mai 1947 in das Lager Adelheide bei Delmenhorst, einem ehemaligen Fliegerhorst.

Als ich dort eintraf, wurde ich gleich mit der unterirdischen Heizungsanlage vertraut gemacht, durch die wir das Lager jederzeit unbemerkt verlassen konnten. Über die Dauer der Unterbringung in diesem Lager gab es sehr verschiedene Ansichten. Einige sprachen davon, daß wir hier noch mindestens zehn Jahre festgehalten würden, andere hielten eine baldige Entlassung für möglich. Die Briten hüllten sich in Schweigen. Jedenfalls kreisten unsere Gespräche nur um das eine Thema, wann wir wohl wieder unsere Freiheit erlangten. Die Stimmung war entsprechend erregt und gespannt. Man hatte mich mit drei Generalstabsoffizieren des Heeres in einer Stube untergebracht, und wir setzten alle Hebel in Bewegung, um die Außenwelt auf unsere Situation aufmerksam zu machen. Es gelang, aus Adelheide ein Schreiben an den britischen Hohen Kommissar herauszuschmuggeln, das den britischen Deutschland-Minister Lord Pakenham erreichte. Dieser besuchte zu Jahresende das Lager und ließ sich auch von den deutschen Insassen über die Zustände und unsere ungeklärte Lage unterrichten. Es traten auch einige Erleichterungen ein. So durften uns unsere Frauen ganze Tage besuchen, und die Anzeichen verdichteten sich, daß unsere Entlassung bevorstand. In Adelheide war ich häufig zusammen mit Freytag-Loringhoven und Oberstleutnant i.G. Frhr. v. Humboldt-Dachroeden, denen ich in den letzten Wochen des Krieges häufig im

FHQ begegnet war. Auch mit den Generalen »Beppo« Schmid und Vorwald führte ich viele Gespräche.

Die gute Kameradschaft, die wir hielten, stützte uns gegenseitig. An Heiligabend oder Sylvester 1947 löste die Mitteilung des deutschen Lagerkommandanten, daß das Lager im Laufe des nächsten halben Jahres aufgelöst werden würde, einen Sturm der Begeisterung aus. Tatsächlich begann im Januar das umständliche Entlassungsverfahren, in dem die Briten sich Gewißheit über unsere Reife zur Demokratie verschaffen wollten. Alle hatten ihre Lektion gelernt. Meine Überprüfung war auf den 2. März angesetzt, und ich begann, mir schon Hoffnungen auf meine Entlassung zu machen. Stattdessen wurde ich nach Nürnberg verlegt. Im Zeugenflügel des Nürnberger Gefängnisses traf ich eine große Zahl alter Bekannter, und es gab viel zu erzählen. Den Grund für meinen Aufenthalt erfuhr ich bei einer Vernehmung. Feldmarschall Sperrle stand im Fall XII, dem sogenannten »OKW-Prozeß« unter Anklage wegen seiner Rolle, die er im Februar 1938 auf dem Obersalzberg beim Besuch des österreichischen Bundeskanzlers Schuschnigg gespielt hatte. Ich konnte den Vernehmern klar machen, daß Sperrle und Reichenau lediglich als Statisten zugezogen worden waren. Ich hörte später einmal, daß meine Aussage zu Sperrles Freispruch Ende Oktober 1948 beigetragen hat.

Sonst war der Aufenthalt in Nürnberg recht langweilig. Ich wurde zwar noch verschiedentlich verhört, hatte aber nicht den Eindruck, daß diese Vernehmungen irgendeine Bedeutung hatten oder in Zusammenhang mit den laufenden Verfahren standen. Wahrscheinlich wollten die Vernehmer nur meine Bekanntschaft machen.

Höhepunkt meines Nürnberger Aufenthalts war ein langer Spaziergang mit Feldmarschall Milch, der im April 1947 zu lebenslänglicher Haft verurteilt worden war. Das Gericht hatte ihn als verantwortlich für »Sklavenarbeit« angesehen, Vorwürfe, die eigentlich auf den bereits hingerichteten Sauckel hätten gemünzt sein müssen. Milch hielt sich großartig. Leider trog ihn sein Optimismus. Er rechnete mit baldiger Entlassung, kam aber erst 1954 frei.

Das stumpfsinnige Warten in Nürnberg – ich brachte dort zehn Wochen zu – war so ermüdend, daß ich mich zum Küchendienst einteilen ließ. Es gehörte dabei zu meinen Aufgaben, das Essen auszugeben. Auf diese Weise kam ich mit vielen Angeklagten zusammen, die noch auf ihr Urteil warteten. Ich sprach mit Angeklagten der Fälle VII (»Südost-Generale«), VIII (»Rasse- und Siedlungshauptamt der SS«), IX (»Einsatzgruppen«), X (»Krupp-Prozeß«), XI (»Wilhelmsstraße«) und XII (»OKW-Prozeß«). Manche Zusammenhänge aus meiner Adjutantenzeit enthüllten sich mir, viele Ereignisse und Personen sah ich nun in einem anderen, meist ungünstigeren Licht. Insgesamt erschien mir aber diese Art, ein schreckliches Kapitel der deutschen Geschichte durch Ankläger und Richter abzuschließen, die das Europa nach dem Ersten Weltkrieg kaum kannten, als bedenklich. Ich vermochte damals wenig Ansatzpunkte für einen Neubeginn zu sehen, wenn Schuld und Verantwortung zu einseitig verteilt wurden. Offenbar lag aber ein System darin, Ehrenmänner mit Halunken auf den Anklagebänken zu mischen.

Die unerfreuliche und beklemmende Atmosphäre in Nürnberg bewog mich zu verschiedenen schriftlichen Gesuchen, so bald als möglich wieder nach Adelheide gebracht zu werden, wenn denn an meine Entlassung noch nicht zu denken war. Anfang Mai fuhr ich nach Adelheide zurück, eskortiert von einem freundlichen farbigen Unteroffizier. Das Lager war schon fast geräumt. Aber auch für die letzten etwa zwanzig »Unverbesserlichen« kam die Stunde der Freiheit. Am 14. Mai 1948 endete meine Gefangenschaft. Ich fuhr mit dem Zug nach Herford, wo mich meine Frau mit unserem knapp neunjährigen Sohn erwartete. Nun war ich endlich zu Hause.

Abkürzungsverzeichnis

Ia	Erster Generalstabsoffizier	Korv.-Kptn.	Korvettenkapitän
Ic	Dritter Generalstabsoffizier (Feindlage)	Kptlt.	Kapitänleutnant
O1	Erster Ordonnanzoffizier	LPA	Luftwaffen-Personalamt
AHA	Allgemeines Heeres-Amt	LV	Luftverteidigung
AK	Armee-Korps	LVZ West	Luftverteidigungszone West
AOK	Armee-Oberkommando	Lw	Luftwaffe
Artl.	Artillerie	LwFüSt	Luftwaffenführungsstab
BdE	Befehlshaber des Ersatzheeres	Nachr.-Tr.	Nachrichtentruppe (Fern-
Btl.	Bataillon		meldewesen)
DAF	Deutsche Arbeitsfront	NSDAP	Nationalsozialistische Deutsche
d.G.	des Generalstabes (für außer-		Arbeiterpartei
	halb des GenStdH verwendete	NSFO	Nationalsozialistischer
	Generalstabsoffiziere)		Führungsoffizier
FHQ	Führerhauptquartier	NSKK	Nationalsozialistisches
Flak	Flugabwehrkanone (Synonym		Kraftfahrer-Korps
	für bodengebundene LV)	OB	Oberbefehlshaber
Gen.	General	OBdH	Oberbefehlshaber des Heeres
GenLt.	Generalleutnant	OBdLw	– der Lufttwaffe
GenM.	Generalmajor	OBdM	– der Marine
GenOb.	Generaloberst	Oberstlt.	Oberstleutnant
GenSt	Generalstab	OKH	Oberkommando des Heeres
GenStdH	Generalstab des Heeres	OKM	– der Marine
Gestapo	Geheime Staatspolizei	OKW	– der Wehrmacht
GFM	Generalfeldmarschall	OT	Organisation Todt
GL	Gauleiter	Pak	Panzerabwehrkanone
H.Gr.	Heeresgruppe	Pz.-Tr.	Panzertruppe
HL	Heeresleitung	RAD	Reichsarbeitsdienst
HPA	Heeres-Personalamt	Rgt.	Regiment
HJ	Hitlerjugend	RKG	Reichskriegsgericht
ID	Infanterie-Division	RLM	Reichsluftfahrtministerium
i.G.	im Generalstab	RSHA	Reichssicherheitshauptamt
Inf.	Infanterie	SA	Sturmabteilung
Jabo	Jagdbomber	SKL	Seekriegsleitung
Jafü	Jagd(flieger)-Führer	SS	Schutzstaffel
JG	Jagdgeschwader	Stuka	Sturzkampfflugzeug
– K.	Korps	VO	Verbindungsoffizier
Kav.	Kavallerie	WFSt	Wehrmachtführungsstab
KdF	Kraft durch Freude, Nov. 1933	z.b.V.	zur besonderen Verwendung
	gegr. »Feierabendwerk« der	z.S.	zur See
	DAF	z.V.	zur Verwendung (bei wieder
KG	Kommandierender General		eingezogenen, aber schon ver-
			verabschiedeten Offizieren)

Zeittafel

1939

26.-27. Januar	Reise Ribbentrops nach Warschau
14./15. März	»Verhandlungen« mit dem tschechischen Staatspräsidenten Hacha in Berlin
15. März	Besetzung der »Rest-Tschechei«. Errichtung des »Reichsprotektorats Böhmen und Mähren«
23. März	Einmarsch deutscher Truppen ins Memelgebiet nach Abkommen mit Litauen
15.-19. Mai	Westwall-Reise Hitlers
22. Mai	Unterzeichnung des deutsch-italienischen Freundschafts- und Bündnispaktes in der neuen Reichskanzlei (»Stahlpakt«)
23. Mai	Besprechung in der Reichskanzlei (Oberbefehlshaber der Wehrmachtteile und ihre Generalstabschefs, »Kleiner Schmundt«)
1.-4. Juni	Staatsbesuch des jugoslawischen Prinzregentenpaares, Prinz Paul und Prinzessin Olga
3. Juli	Hitlers Besuch auf dem Luftwaffen-Erprobungsflugplatz Rechlin am Müritzsee (Mecklenburg)
19. August	Unterzeichnung eines deutsch-russischen Wirtschaftsabkommens
23. August	Unterzeichnung eines Nichtangriffspaktes zwischen Deutschland und der Sowjetunion (mit geheimem Zusatzprotokoll: Aufteilung der »Interessensphären« in Polen)
1. September	Ausbruch des Zweiten Weltkrieges
3. September	Englische und französische Kriegserklärung
28. September	Ribbentrop unterzeichnet in Moskau einen deutsch-sowjetischen Grenz- und Freundschaftsvertrag
5. Oktober	Siegesparade in Anwesenheit Hitlers in Warschau

1940

2.-4. März	Besuch des amerikanischen Unterstaatssekretärs Sumner Welles in Berlin
18. März	Hitler trifft sich mit Mussolini auf dem Brenner
9. April	Besetzung Dänemarks; Landung in Norwegen
10. Mai	Beginn des Westfeldzuges
11. Mai	Britisches Kabinett gibt dem Bomberkommando den Bombenkrieg gegen das deutsche Hinterland frei
18. Juni	Hitler trifft Mussolini in München
22. Juni	Waffenstillstand zwischen Deutschland und Frankreich in Compiègne
10. Juli	Unterredung Hitlers mit dem ungarischen Ministerpräsidenten Graf Teleki und Außenminister Graf Csaky
13. August	(bis Mai 1941) »Luftschlacht um England«
27. September	Unterzeichnung des Dreimächtepakts zwischen Deutschland, Italien und Japan
4. Oktober	Hitler trifft Mussolini auf dem Brenner
22. Oktober	Treffen Hitlers mit Laval in Montoire
23. Oktober	Treffen Hitlers mit Franco an der französisch-spanischen Grenze
24. Oktober	Hitler trifft Pétain und Laval in Montoire

28. Oktober	Treffen Hitlers mit Mussolini in Florenz
12./13. November	Besuch Molotows in Berlin
23. November	Besuch des rumänischen Marschalls Antonescu in Berlin, Beitritt Rumäniens zum »Dreimächtepakt«

1941

19./20. Januar	Treffen Hitlers mit Mussolini in Salzburg
ab Februar	Deutsches Engagement auf dem nordafrikanischen Kriegsschauplatz
27. März	Militärputsch in Belgrad. Hitlers Entschluß, neben Griechenland auch Jugoslawien anzugreifen
6. April	Beginn des Angriffs gegen Jugoslawien und Griechenland
10./11. Mai	Heß' Flug nach England
20. Mai bis 2. Juni	Eroberung Kretas
27. Mai	Versenkung des Schlachtschiffes »Bismarck« (»Schlacht im Atlantik«, September 1939 - Dezember 1941)
2. Juni	Treffen Hitlers mit Mussolini am Brenner
12. Juni	Treffen Hitlers mit Antonescu in München
22. Juni	Beginn des Rußland-Feldzuges
25.-28. August	Besuch Mussolinis in der Wolfschanze und an der Ostfront
7. Dezember	Angriff der Japaner auf Pearl Harbour
11. Dezember	Kriegserklärung Deutschlands und Italiens an die Vereinigten Staaten

1942

März	Beginn einer britischen Großoffensive gegen Fabrikstädte und U-Boot-Basen in Deutschland; 31. Mai erster Großangriff auf Köln
29./30. April	Treffen Hitlers mit Mussolini im Schloß Klesheim
8.-15. Mai	Wiedereroberung der im Dezember verlorenen Halbinsel Kertsch (Angriff »Trappenjagd«, AOK 11/Manstein)
27. Mai	Attentat auf Heydrich in Prag († 4. Juni)
3. Juni bis 2. Juli	Eroberung der Festung Sewastopol (Manstein zum GFM befördert)
21. Juni	Rommel erobert Tobruk (22. Juni zum GFM befördert)
19. August	Landung der Engländer bei Dieppe
23. Oktober	Beginn der britischen Gegenoffensive in Nordafrika
10. November	Gespräche Hitlers mit Ciano und Laval in München
23. November	Beginn der Einschließung der 6. Armee in Stalingrad (10. Januar 1943 sowjetische Angriffe zur »Liquidierung« des Kessels. 31. Januar/2. Februar Kapitulation)

1943

14.-26. Januar	Konferenz in Casablanca zwischen Roosevelt und Churchill Formulierung der Forderung auf »bedingungslose Kapitulation« der Achsenmächte

3. April	Treffen Hitlers mit König Boris von Bulgarien
5. Juli	Beginn »Zitadelle« (deutsche Offensive aus dem Raum von Orel und Bjelgorod, um den Kursker Abschnitt zu bereinigen; 15. Juli Abbruch des Angriffs)
10. Juli	Landung der Alliierten auf Sizilien
19. Juli	Treffen zwischen Hitler und Mussolini in Feltre bei Belluno (Ober-Italien)
25. Juli	Mussolini wird vom italienischen König abgesetzt; neuer italienischer Ministerpräsident Marschall Badoglio
17.-24. August	Konferenz in Quebec zwischen Roosevelt und Churchill
12. September	Befreiung Mussolinis auf dem Gran Sasso im Apennin
28. November	Konferenz in Teheran (Roosevelt, Stalin, Churchill)

1944

18. März	Treffen Hitlers mit Horthy; 19. März Besetzung Ungarns durch deutsche Verbände
6. Juni	Beginn der Invasion in Frankreich (»Operation Overlord«)
20. Juli	Stauffenbergs Attentat auf Hitler in der Wolfschanze
20. Juli	Treffen Hitlers mit Mussolini (Wolfschanze)
1. August	(bis 2. Oktober) Aufstand der polnischen Untergrundarmee in Warschau
16. Dezember	Beginn der Ardennenoffensive (Heeresgruppe B - GFM Model)

1945

12. Januar	Sowjetischer Angriff aus dem Brückenkopf Baranow. Im Verlauf der Offensive wird Ostpreußen abgeschnitten. Die Rote Armee erreicht das Reichsgebiet
18. Januar	(13. Februar) Fall von Budapest
4-11. Februar	Konferenz in Jalta zwischen Stalin, Roosevelt und Churchill
13. April	Wien fällt
16. April	Sowjetische Offensive nördlich Küstrin und südlich Frankfurt/Oder
25. April	Einschließung Berlins (2. Mai Kapitulation)
27. April	Hitlers Entschluß zum Selbstmord
29. April	Abschied von Hitler

1946

14. November	Prozeß gegen GFM Milch (Urteil am 16. April 1947 lebenslängliche Haft)

1947/48

Februar bis 28. Oktober 1948	»OKW-Prozeß« (Freispruch GFM Sperrle)
14. Mai	Entlassung aus der Kriegsgefangenschaft

Personenregister

Adam, Wilhelm *1877-1949*; Gen. der Inf., 38 OB Gr.Kdo 2 (Kassel) 117, 118, 163

Aga Khan, Sultan Mohammed Schah *1887-1957*; Präs. des Völkerbundes 45

Albrecht, Alwin * *1903*; Korv.Kptn., 38/39 Marine-Adj. 111, 117, 166, 171

v. Alt, Rudolf *1812-1905*; Maler 168

v. Alvensleben, Udo *1897-1962*; Major d. Res. 289, 290

Amann, Max *1891-1957*; Präs. Reichspressekammer 235

v. Amsberg, Erik *1908-1980*; Oberstlt., 40 Adj. Chef OKW, Juli/Okt. 44 Wehrmacht-Adjutantur 383, 386, 387, 391

Antonescu, Jon *1882-1946*; rumän. Marschall und Staatschef 245, 252, 253, 276, 316, 335

v. Arent, Benno * *1898*; »Reichsbühnenbildner«, Architekt 33

Arndt; Diener Hitlers 31

v. Arnim, Hans-Jürgen *1889-1962*; GenOb. 333, 337

Assmann, Heinz *1904-1954*; Kapitän z. S., OKW/WFSt 381

Attolico, Bernardo *1880-1942*; italien. Diplomat 128, 187

August Wilhelm, Prinz von Preußen *1887-1949* 55

Baarova, Lida * *1917*; tschech. Schauspielerin 178

Backe, Herbert *1896-1947*; 33 StSekr., 41 Reichsernährungs-Min. 359

Badoglio, Pietro *1871-1956*; italien. Marschall, 43/45 Min.-Präs. 342

Bär, Heinz *1913-1957*; Oberstlt. 403

Bahls, Ludwig † *1939*; SS-Obersturmführer 91

Barkhorn, Gerhard * *1919*; Major, Kdr. II./JG 6, 43/45 Kommodore JG 6 402

Baumbach, Werner *1916-1954*; Oberstlt., Insp. Kampfflieger 394

Baur, Hans * *1897*; Flugkapitän, SS-Gruppenführer 30, 33, 160, 186, 412

Beck, Joseph *1894-1944*; Oberst, 32/39 poln. Außen-Min. 146

Beck, Ludwig *1880-1944*; Gen. der Artl./GenOb.; 33/38 Chef GenStdH 35, 36, 40, 50, 65, 68, 71, 73, 78, 80, 85, 101, 102, 103, 104, 111, 112, 113, 114, 115, 116, 117, 175, 177, 181, 237, 383, 389

van Beethoven, Ludwig *1770-1827*; Komponist 409

Behr, Winrich * *1918*; Major; O 1/6. Armee 325, 326, 330, 422, 425

v. Below, Christa-Maria * *1945* 422

v. Below, Dirk * *1939* 171

v. Below, Gunda-Maria * *1942* 327

v. Below, Hilke-Maria * *1940* 245

v. Below, Otto *1857-1944*; Gen. der Inf. a.D. 12, 231, 365

Below, Pawel Alexejewitsch *1897-1962*; KG Garde-Kav. Korps, OB (russ.) 61. Armee 319

Benesch, Eduard *1884-1948*; tschech. Staats-Präs. 101, 126

Berger, Heinrich † *1944*; Stenograph 381, 384

Graf Bernadotte, Folke *1895-1948*; Präs. Schwed. Rotes Kreuz 415

Fürst v. Bismarck, Otto *1815-1898* 18, 20, 138, 149, 184, 201

Bittrich, Wilhelm *1894-1979*; SS-Obergruppenführer und Gen. der Waffen-SS 13

Blaskowitz, Johannes *1883-1948*; Gen der Inf./GenOb; 35/38 KG II. AK 116, 205, 211

v. Blomberg, Axel *1908-1941*; Hptm./Major 19, 27, 51, 62, 64, 65, 103, 104

v. Blomberg, Dorothee verh. Keitel * *1908* 27, 51, 62

v. Blomberg, Elsbeth auch: Erna, Eva * *1912* 60, 61, 62

v. Blomberg, Werner *1878-1946*; GFM; 33/38 Reichswehr-/Kriegs-Min. 19, 27, 28, 35, 36, 37, 40, 48, 49, 51, 53, 57, 58, 60, 61, 62, 63, 64, 65, 66, 67, 68, 69, 70, 72, 74, 75, 78, 79, 86, 87, 103, 105, 106,

1944; 36/43 italien. Außen-Min. 179, 188, 239, 263, 321, 322, 359

Cincar-Markowitsch, Alexander; 39/41 jugoslaw. Außen-Min. 263

Fürst Colonna, Don Piero 1891-1939; Gouv. von Rom 99

Cooper, Alfred Duff, Viscount Norwich 1890-1954 130, 156

Coulondre, Robert 1885-1959; französ. Botschafter in Berlin 139, 187

Cranach, Lukas 1472-1553; Maler 59

Crüwell, Ludwig 1892-1958; Gen der Pz.-Tr. 311

Graf Csaky v. Körösszegh und Adorgan, Stefan; 38/42 ungar. Außen-Min. 239

Dahlerus, Birger 1891-1957; schwed. Industrieller 189, 190, 191, 192, 194

Daladier, Edouard 1884-1970; 38/40 französ. Min.-Präs. 128, 129, 146, 187

Daranowski, Gerda verh. Christian; Sekretärin Hitlers 30, 411

Daranyi v. Pusztaszentgyörgy und Tentelen, Koloman; ungar. Min.-Präs. 36/38 56

Darges, Fritz * 1913; SS-Hauptsturmführer, 36/39 Adj. Bormanns, Okt. 40/Febr. 42 persönl. Adj. Hitlers 372

Darlan, Jean-François 1881-1942; Admiral 254

Deyhle, Willy; Hptm./Major i. G.; Adj. Jodls/WFSt 204, 230

Dieckhoff, Hans Heinrich 1884-1952; Botschafter in Washington 37/38, in Madrid 43/44 137

Diesing, Kurt 1885-1943; Leiter Zentrale Wetterdienstgruppe/Chef Wetterdienst beim OBdLw 214, 233

Diesing, Ulrich 1911-1945; Oberst i. G.; 44 Chef Techn. Luftrüstung 394

Dietl, Eduard 1890-1944; GenOb. 226, 227, 376

Dietrich, Otto 1897-1952; SS-Obergruppenführer, Reichspressechef, StSekr. im Reichspropaganda-Min. 29, 31, 81, 97, 125, 152, 155, 160, 193, 282, 283, 406

Dietrich, Sepp 1892-1966; SS-Oberstgruppenführer 29, 30, 160, 397, 398

Dinort, Oskar 1901-1965; GenM. 13

v. Dirksen, Viktoria geb. v. Laffert 1874-1946 55

Dönitz, Karl *1891; Großadmiral 212, 328, 336, 357, 367, 378, 409, 410, 411, 412, 414

v. Doering, Kurt-Bertram 1889-1960; Oberstlt., Kommodore JG 134 »Horst Wessel«; als GenLt. Chef Zentralamtsgruppe/RLM 13, 15, 21

v. Dohnanyi, Hans 1902-1945; Reichsgerichtsrat 389

Dollmann, Friedrich 1882-1944; GenOb. 373

Dorpmüller, Julius 1869-1945; Reichsverkehrs-Min., Gen.-Dir. der Eisenbahnen 302

Dorsch, Xaver * 1900; Leiter der OT-Zentrale, Amtschef im Reichsmin. für Rüstung 366

Dschingis Khan, Temudschin 1154/67-1227; mongol. Stammesfürst 262

Frhr. v. Eberstein, Friedrich Karl 1894-1979; Obergruppenführer und General der Waffen-SS 136

Ebert, Friedrich 1871-1925; Reichspräsident 27, 58

Eckart, Dietrich 1868-1923; Schriftsteller 22

Eden, Sir Anthony, Earl of Avon 1897-1977; Außen-Min. 35/38, 40/45, 51/55; Premier-Min. 55/57 130, 156, 241, 258

Eduard VIII., 1936 König von England; Herzog von Windsor 1894-1972 45

v. Eichel-Streiber, Diethelm * 1914; Major 403

v. Eicken, Karl; Hals-, Nasen- u. Ohren-Facharzt 398

Eigruber, August * 1907; GL Oberdonau 39/45 168

Elser, Georg 1903-1945; Schreiner, Attentäter 9. Nov. 39 214

Engel, Gerhard 1906-1976; Major; 38/43 Heeres-Adj. 90, 102, 106, 130, 141, 144, 166, 204, 253, 254, 316, 331, 348

Erzberger, Matthias 1875-1921; 19/20 Reichsfinanz-Min. 234

Esser, Hermann * 1900; »alter Kämpfer«, 1936 Präs. Reichsfremdenverkehrsverband 81

v. Falkenhorst, Nikolaus 1885-1968; GenOb. 221, 225, 226

Faupel, Wilhelm 1873-1945; Botschafter bei der Regierung Franco Febr./Sept. 37 46

443

Es ist das erste Mal, daß von einer so lange währenden engen Verbindung zu Adolf Hitler berichtet wird.

Als knapp dreißigjähriger Hauptmann, dessen Lebensinhalt bis dahin das Fliegen gewesen war, wurde Below in den Dienst der Reichskanzlei gestellt. Fast acht Jahre sollte er als Adjutant der Luftwaffe der Adjutantur der Wehrmacht beim Führer und Reichskanzler Adolf Hitler angehören. Ein in diesen Jahren gewachsenes wechselseitiges Vertrauensverhältnis, das Below lange gegen die Nachtseite Hitlers blind machte, verschafft tiefe Einblicke, die viele gänzlich neue Aspekte ergeben.

Die verhängnisvolle Entwicklung der Luftwaffe seit Kriegsbeginn ließ ihn nicht in die Versuchung geraten, „Politik" zu machen. Er konnte nur versuchen, in schwierigen Situationen auszugleichen und gelegentlich zu warnen.

Zum ersten Mal wird hier auch über das enge Verhältnis Hitlers zu Göring berichtet und über den späteren Vertrauensverfall, der bis zur Absetzung Görings aus allen Ämtern reichte.

Während des Krieges war Below immer bei Hitler in den verschiedenen Führerhauptquartieren oder auf dem Berghof. In der Wolfschanze sollte er Augenzeuge des 20. Juli 1944 sein. Below war als einer der vertrautesten und verschwiegenen Gesprächspartner Hitlers bis zu den letzten Stunden im Führerbunker der Reichskanzlei dabei, bevor er auf Veranlassung von Hitler die Flucht aus dem bereits von den Russen besetzten Berlin versuchte. Die eindrucksvollen Berichte dieser Flucht und der anschließenden britischen Gefangenschaft beenden diesen authentischen, mitreißenden Augenzeugenbericht. Bilder und Dokumente aus dem Privatarchiv Belows geben zusätzlich Einblicke in die wechselvollen Geschicke seiner Adjutantenzeit.